經學研究論叢

◆第十五輯◆

林慶彰主編

馮曉庭
張穩蘋 編輯

臺灣 學生書局 印行

編者序

二〇〇七年一月起，中央研究院中國文哲研究所經學文獻組開始執行「民國以來經學研究計畫」。有鑑於民國經學家大多被忽略，生平資料短缺、著作無法查詢，為提供研究者較充實的研究資料，我們邀請臺北大學古典文獻學研究所和東吳大學中國文學系的研究生開始編輯民國經學家著作目錄。一年後，他們編輯的著作目錄已完成三十多種，擬整理編輯出書，出書前為使讀者先睹為快，已將陳柱、張西堂、李鏡池、李源澄、張壽林的著作目錄輯成「民國經學家著作目錄專輯」，刊於《中國文哲研究通訊》第十七卷第四期（2007 年 12 月）中，另外馬其昶、吳承仕、錢玄同、于省吾、陳夢家著作目錄則刊於《經學研究論叢》第十五輯中，做為此一專輯的「續輯」。

此外，因為執行「民國以來經學研究計畫」的關係，本期刊載與民國經學有關的論文有數篇：⑴陳柱《公羊家哲學》略論（張厚齊）；⑵我蒐集李源澄著作之經過（林慶彰）；⑶蜀學後勁——李源澄先生（蒙默）；⑷貫通四部　圓融三教——蒙默先生談蒙文通先生的學術（吳銘能專訪、黃博整理）；⑸廖宗澤《六譯先生年譜》手稿評介（金生楊）。以上可看出本刊對民國經學研究支持的態度。

數年前，請中正大學金培懿教授翻譯安井小太郎的〈鄭王異同辨〉刊於《經學研究論叢》第十輯（2002 年 3 月），此文之第二集也請金培懿教授翻譯，刊於本《論叢》第十五輯中。

再度感謝馮乾、郭全芝、陳明鎬、魏王妙櫻、趙沛霖、趙制陽等學者的賜稿。

二〇〇八年三月 **林慶彰** 誌於

中央研究院中國文哲研究所

經學研究論叢 第十五輯

目　次

經學研究論叢
第十五輯　　頁1～20
臺灣學生書局　2008年3月

馬其昶著作目錄

張晏瑞*

小　傳

馬其昶（1855－1930），安徽桐城人，字通伯，號抱潤，晚號抱潤翁，學者稱抱潤先生，室名抱潤軒。

馬其昶為清末著名桐城派古文家，其親友皆為一時俊彥。他不僅是桐城初祖姚鼐後裔姚永樸的妹夫，更與吳汝綸、張玉釗、鄭東父、柯劭慜等相交遊。不僅工於文辭，更精於治經，尤其擅長《易》、《詩》、《書》，往往多有創解，鄉先輩名家亦難掩其光芒。

其於科第，始以諸生入資助河工，獎敘中書科中書，之後因鄉試久不獲舉，乃以其業入私館教席於合肥李仲軒處。講學期間李仲軒之子李國松最得其文章精髓。後授學於廬江瀦川書院及桐城中學校師範學堂。並於宣統二年（1910）任學部主事、京師大學堂教習。民國成立後主持安徽高等學校，兼主法政學校政務。民國五年（1916），任清史館總纂。

馬其昶為晚清民初著名學者，然至今尚無人對其著作進行全面性整理，本目錄即全面性收錄其著作，並兼收相關的生平、傳記及後人研究資料。由於晚清民初時期，社會動盪頻仍，文獻資料散佚嚴重，對於資料的蒐集產生不利的影響。本目錄僅依編者所見儘量收錄，若有未全之處，懇請海內外賢達隨時賜正。

---

*　張晏瑞，臺北市立教育大學中國語文學系碩士生。

編輯說明

1. 本目錄收錄資料分：「專書」、「論文」、「編輯」、「後人研究」四類編排。專書類收錄馬其昶所撰專書，並錄其版本，以詳刊印經過；論文類收其發表於期刊上的論文篇目；編輯類則收其編輯相關著作；後人研究類收錄後人往來書信、學術研究。
2. 專書類分經學、子學、文學、佛學、傳記譜牒學、其他；論文分經學、史學、子學、文學、傳記譜牒學、序跋、其他；後人研究分生平、往來書信、序跋、學術研究四類。
3. 經學依總論、易、詩、三禮（周禮、儀禮、禮記）、三傳（左傳、公羊、穀梁）、四書（大學、中庸、論語、孟子）、孝經之順序；子學依儒、墨、道、法、雜家之先後；其他各類依論文時間先後排列。
4. 專著之著錄項依書名、出版地、出版者、總頁數（或冊數）、出版年月之順序排列；論文則依篇名、期刊名、卷期、頁數、出版年月之順序排列。頁數著為「某某頁」表總頁數，著為「頁某某、頁某某－某某」表頁數起迄。期刊若每單元重新編碼者，頁數前加著單元名稱。

一、專書

㈠ 經學

1. 周易費氏學　8卷　敘錄1卷

   清光緒年間馬氏家刻集　刻本

   清光緒三十年（1904）合肥李氏❶刊集虛草堂叢書甲集本　第1－3冊

   叢書集成續編　第32冊　頁1－176　臺北　新文豐出版公司　1989年　臺一版（據集虛草堂叢書本排印）

2. 周易費氏❷學　8卷　首末各1卷

---

❶ 李國松。

❷ 費氏即費直，西漢東萊人，字長翁。擅長於易，其易學以古文易本，用上彖、下彖、上象、下象、上繫、下繫、文言、說卦、序卦、雜卦十翼解經，並羼入卦中，由是經傳羼合，為周

民國七年（1918）豫章饒氏抱潤軒刊本　4 冊

民國九年（1920）豫章饒氏抱潤軒刊本　4 冊

臺北　新文豐出版公司　1 冊　1979 年 8 月（據民國九年（1920）抱潤軒藏版景印）

3. 重定周易費氏學　8 卷　首 1 卷　敘錄 1 卷

續修四庫全書　第 40 冊　頁 353－523　上海　上海古籍出版社　1995 年（據民國七年（1918）抱潤軒刊本景印）

4. 毛詩學　30 卷

民國五年（1916）鉛印本　3 冊

民國七年（1918）上海　聚珍仿宋影印書局　鉛印本　10 冊

國學名著珍本彙刊　近三百年經學名著彙刊之一　444 頁　臺北　鼎文書局　1972 年 4 月　初版

臺北　新文豐出版公司　1 冊　1979 年 10 月　景印本

5. 詩毛氏學　30 卷

民國五年（1916）　北京　京師第一監獄鉛印本

民國七年（1918）　上海　上海聚珍仿宋影印書局鉛印本　10 冊

民國十三年（1924）鉛印本　10 冊

臺北　廣文書局　2 冊　1982 年 8 月　初版　景印本

臺北　大行書局　1 冊　1970 年 6 月

臺北　大通書局　1 冊　1970 年 6 月（據民國五年（1916）鉛印本景印）

續修四庫全書　第 74 冊　頁 337－653　上海　上海古籍出版社　1995 年（據民國七年（1918）鉛印本景印）

6. 尚書誼詁　不分卷

稿本　3 冊　現藏中央研究院傅斯年圖書館

7. 尚書誼詁　8 卷

易濫觴。後人馬融為其作傳，鄭玄作易注，荀爽作易傳，王肅、王弼並為之注，由此費氏易大盛。

續修四庫全書　第 53 冊　頁 27－343　上海　上海古籍出版社　1995 年（據稿本景印）

8. 抱潤軒讀尚書記　不分卷

稿本　1 冊　現藏中央研究院傅斯年圖書館

9. 禮記節本　6 卷　馬其昶集注　周學熙輯

周氏師古堂所編書　經傳簡本　第 5、6 冊　民國二十一年（1932）秋浦周氏敬慈善堂刊本

10. 馬通伯先生禮記節本　6 卷

民國五年（1916）習敬齋鉛印本　3 冊

11. 大學誼詁　1 卷

周氏師古堂所編書　三經誼詁　民國十二年（1923）秋浦周氏敬慈善堂刊本

12. 大學篇義

民國十一年（1922）刊本　1 冊

13. 中庸篇義　1 卷

清光緒年間馬氏家刻集　刻本　第 7 冊

清光緒三十年（1904）合肥李氏刊集虛草堂叢書甲集本　第 8 冊

叢書集成續編　第 34 冊　頁 489－498　臺北　新文豐出版公司　1989 年　臺一版（據集虛草堂叢書本排印）

14. 中庸誼詁　1 卷

周氏師古堂所編書　三經誼詁　民國十二年（1923）秋浦周氏敬慈善堂刊本

15. 孝經誼詁　1 卷

周氏師古堂所編書　三經誼詁　民國十二年（1923）秋浦周氏敬慈善堂刊本

16. 三經誼詁

周氏師古堂所編書　民國十二年（1923）秋浦周氏敬慈善堂刊本　1 冊

㈡ 子學

1. 老子故　2 卷

民國九年（1920）秋浦周氏敬慈善堂刊本　1 冊

無求備齋老子集成續編　第 101 冊　臺北　藝文印書館　1970 年　（據民國

九年（1920）秋浦周氏抱潤軒刊本景印）

安徽古籍叢書　老子註三種❸　頁1－61　合肥　黃山書社　1994年　初版

2. 外舅抱潤府君老子故稿

稿本　49頁　現藏中央圖書館臺灣分館

3. 莊子故　8卷

清光緒年間馬氏家刻集　刻本　第8－11冊

清光緒二十七年（1901）蕭山陳氏刻本　4冊

清光緒三十一年（1905）集虛草堂刊本

清光緒三十二年（1906）合肥李氏刊集虛草堂叢書甲集本　第9－12冊

民國四十二年（1953）景印本

無求備齋老莊列三子集成補編　第35冊　臺北　成文出版社　1982年（據清光緒三十一年（1905）集虛草堂刊本景印）

叢書集成續編　第39冊　頁1－120　臺北　新文豐出版公司　1989年　臺一版（據集虛草堂叢書本排印）

4. 定本莊子故

合肥　黃山書社　1989年　初版

㈢ 文學

1. 屈賦微　2卷

清光緒年間馬氏家刻集　刻本　第12冊

清光緒三十二年（1906）合肥李氏刊集虛草堂叢書甲集本　第13冊

臺北　神州書局　1959年

楚辭彙編　第七冊　頁 405－564　臺北　新文豐出版公司　1986 年（據集虛草堂叢書本景印）

叢書集成續編　第24冊　頁589－630　臺北　新文豐出版公司　1989年　臺一版（據集虛草堂叢書本排印）

續修四庫全書　第 1302 冊　頁 659－698　上海　上海古籍出版社　1997 年

---

❸ 含：老子故／馬其昶；老子集解／奚侗；老子章義／姚鼐著，汪福潤點校輯譯。

（據集虛草堂叢書本景印）

2. 韓昌黎文集校注

上海　上海古籍出版社　760 頁　1987 年　初版（中國古典文學叢書）

上海　上海古籍出版社　760 頁　1998 年　初版二刷（中國古典文學叢書）

香港　中華書局　448 頁　1972 年　初版

香港　中華書局　448 頁　1991 年　重印本

3. 韓昌黎文集校注　8 卷

臺北縣　頂淵文化出版公司　2005 年　初版（四部刊要）

4. 韓昌黎文集校注　8 卷　文外集 1 卷

臺北　華正書局　1982 年 2 月

臺北縣　漢京文化事業公司　1983 年　初版（四部刊要）

5. 韓昌黎文集校注　8 卷　文外集 2 卷

臺北　華正書局　1975 年　臺一版

臺北　世界書局　2002 年　二版（中國名家詩文大系）

6. 韓昌黎文集校注　8 卷　文外集 2 卷　遺文 1 卷　集外文 1 卷

臺北　世界書局　448 面　1960 年　一版

臺北　世界書局　448 面　1982 年　四版

7. 韓昌黎文集校注　8 卷　文外集 2 卷　遺文 1 卷　集外文 1 卷　集傳 1 卷

臺北　世界書局　448 面　1972 年　三版

臺北　世界書局　448 面　1988 年　五版

8. 韓昌黎文集　8 卷　文外集 2 卷　遺文 1 卷　集外文 1 卷　集傳 1 卷

上海　古典文學出版社　1957 年　排印本

上海　上海古籍出版社　1986 年　重印本

9. 韓昌黎文集後校注❹卷　首 1 卷　目錄 1 卷　文集 8 卷　文外集 2 卷

臺北　世界書局　1960 年

10. 抱潤軒文　1 卷

---

❹ 本書據馬其昶的遺稿編輯而成。

稿本　現藏安徽省圖書館

11. 抱潤軒文集　10卷

清宣統元年（1909）安徽官紙印刷局石印本　1冊（宜稼堂叢書）

清宣統元年（1909）安徽官紙印刷局石印本　2冊

清宣統元年（1909）安徽官紙印刷局石印本　4冊

續修四庫全書　第1575冊　頁677－734　上海　上海古籍出版社　1995年（據清宣統元年（1909）安徽官紙印刷局石印本景印）

12. 抱潤軒文集　22卷

清光緒年間刊本

民國十二年（1923）京師刻本　4冊（黃紙本）

民國十二年（1923）京師刻本　4冊（白紙本）

民國十二年（1923）京師刻本　6冊

13. 抱潤軒遺集　1卷

民國二十五年（1936）吳常燾鉛印本　1冊

14. 抱潤軒集外文稿　1卷

排印本

15. 馬其昶文稿

鈔本

16. 馬通伯文鈔　2卷

當代八家文鈔　第19－20冊　民國五年（1916）鉛印本

當代八家文鈔　上海　上海商務印書館　1926年

當代八家文鈔　第19－20冊　中國圖書公司　1927年　3版

17. 抱潤軒續集

未刊

18. 存養詩鈔

未刊

㈣ 佛學

1. 金剛般若波羅密經次詁　（後秦）釋鳩摩羅什譯　馬其昶次詁

民國十一年（1922）北京文楷齋刊本　1冊

2. 金剛經次詁　（姚秦）鳩摩羅什譯　馬其昶次詁

民國年間固始張氏幔經閣刊本　1冊

3. 大覺精舍緣起

天津佛學會規約　民國鉛印本　現藏中國國家圖書館

(五) 傳記譜牒學

1. 桐城耆舊傳　12卷

清光緒十二年（1886）烏絲欄鈔本　3冊

清宣統三年（1911）合肥李氏刊集虛草堂叢書本　6冊

近代中國史料叢刊　第41輯　第409冊　757頁　臺北縣　文海出版公司　1969年（據清宣統三年刊本景印）

臺北　廣文書局　2冊　1978年　初版（據清宣統三年刊本景印）

續修四庫全書　第547冊　頁491－680　上海　上海古籍出版社　1997年（據集虛草堂叢書本景印）

安徽古籍叢書　合肥　黃山書社　1990年

安徽古籍叢書　合肥　黃山書社　2005年

2. 左忠毅公年譜　1卷

清光緒三十年（1904）合肥李氏刊集虛草堂叢書甲集本　第8冊

3. 左忠毅公年譜　2卷

民國十四年（1925）北京刊本　1冊

4. 左忠毅公年譜定本

北京圖書館藏珍本年譜叢刊　第56冊　頁665－752　北京　北京圖書館出版社　1998年（據民國十四年（1925）刊本景印）

5. 左忠毅公年譜定本　2卷

清光緒年間馬氏家刻集　刻本　第7冊

清光緒三十年（1904）合肥李氏刊集虛草堂叢書甲集本　第8冊

民國十四年（1925）京師蓬萊慕元輔刊本　1冊

叢書集成續編　第261冊　頁545－572　臺北　新文豐出版公司　1989年

臺一版（據集虛草堂叢書本排印）

明代名人年譜　頁1－88　北京　北京圖書館出版社　2006年　初版（據民國十四年刊本景印）

6. 清故出使義國大臣許公（玨）墓誌銘

民國十一年（1922）無錫許氏鉛印本　1冊

㈥ 其他

1. 馬主政其昶奏稿

清宣統年間鉛印本　1冊　現藏中國國家圖書館

北京　京華印書局鉛印本　1冊　現藏中國國家圖書館

2. 抱潤軒尺牘

未刊

3. 佩言錄

未刊

二、論文

㈠ 經學

4. 祀天配孔議

民彝雜誌　1卷7期　論著　頁6－9　1927年8月21日

孔教會雜誌　1卷5號　1913年6月

5. 詩毛氏學（1－2）

⑴民彝雜誌　1卷11期　經誼　頁10－11　1928年3月1日

⑵民彝雜誌　1卷12期　經誼　頁7－9　1928年5月1日

6. 大學誼詁（1－2）

⑴民彝雜誌　1卷1期　經誼　頁4－6　1927年2月21日

⑵民彝雜誌　1卷3期　經誼　頁5－13　1927年4月21日

7. 中庸誼詁（1－3）

⑴民彝雜誌　1卷1期　經誼　頁6－7　1927年2月21日

⑵民彝雜誌　1卷4期　經誼　頁1－10　1927年5月21日

⑶民彝雜誌　1卷5期　經誼　頁1－7　1927年6月21日

8. 孝經誼詁（1－3）

⑴民彝雜誌　1卷1期　經誼　頁1－4　1927年2月21日

⑵民彝雜誌　1卷2期　經誼　頁1－4　1927年3月21日

⑶民彝雜誌　1卷3期　經誼　頁1－5　1927年4月21日

9. 為人後辯

民彝雜誌　1卷3期　論著　頁4－6　1927年4月21日

10. 為人後者其妻為本生父母服辨

民彝雜誌　1卷3期　論著　頁6－7　1927年4月21日

11. 庶子為其母黨服辨

民彝雜誌　1卷3期　論著　頁7－8　1927年4月21日

12. 為長子服辨

民彝雜誌　1卷3期　論著　頁8－10　1927年4月21日

13. 風俗論

民彝雜誌　1卷1期　論著　頁6－8　1927年2月21日

14. 讀儒行

民彝雜誌　1卷3期　論著　頁2－3　1927年4月21日

15. 葬期論

民彝雜誌　1卷4期　論著　頁1－3　1927年5月21日

16. 釋八蜡

民彝雜誌　1卷4期　論著　頁3－4　1927年5月21日

17. 讀梓材

民彝雜誌　1卷5期　論著　頁7－8　1927年6月21日

㈡ 史學

1. 讀列女傳

民彝雜誌　1卷3期　論著　頁3－4　1927年4月21日

2. 讀封禪書

民彝雜誌　1卷5期　論著　頁2－3　1927年6月21日

3. 讀伯夷列傳

民彝雜誌　1卷5期　論著　頁3－4　1927年6月21日

4. 再讀藝文志

民彝雜誌　1卷5期　論著　頁8－9　1927年6月21日

5. 讀魯仲連鄒陽傳

民彝雜誌　1卷5期　論著　頁4　1927年6月21日

㈢ 子學

1. 讀《荀子》

民彝雜誌　1卷4期　論著　頁4　1927年5月21日

2. 讀《管子》（1－2）

⑴民彝雜誌　1卷5期　論著　頁5　1927年6月21日

⑵民彝雜誌　1卷5期　論著　頁5－6　1927年6月21日

3. 讀《呂氏春秋》

東方雜誌　13卷12期　文苑　頁17　1916年12月

民彝雜誌　1卷5期　論著　頁6－7　1927年6月21日

㈣ 文學

1. 讀《九歌》

民彝雜誌　1卷5期　論著　頁1－2　1927年6月21日

近代文評註讀本　上冊　頁47b　香港　中華書局　1938年

㈤ 傳記譜牒學

1. 張參政（湇）傳

民彝雜誌　1卷1期　傳述　頁1－2　1927年2月21日

2. 方密之（以智）先生傳

民彝雜誌　1卷1期　傳述　頁2－4　1927年2月21日

3. 洪孝女傳

民彝雜誌　1卷1期　傳述　頁6－7　1927年2月21日

4. 張忠節公（秉文）傳

民彝雜誌　1卷2期　傳述　頁1－2　1927年3月21日

5. 張湖上（截）先生傳

民彝雜誌　1卷2期　傳述　頁2　1927年3月21日

6. 方望溪（苞）先生傳

民彝雜誌　1卷2期　傳述　頁2－6　1927年3月21日

7. 張文端公（英）傳

民彝雜誌　1卷3期　傳述　頁4－6　1927年4月21日

8. 張恂所公（士維）傳

民彝雜誌　1卷3期　傳述　頁6－7　1927年4月21日

9. 張文和公（廷玉）傳

民彝雜誌　1卷3期　傳述　頁7－1　1927年4月21日

10. 劉海峰、王晴園、朱歌堂、張勛園、倪司城五先生傳

民彝雜誌　1卷3期　傳述　頁1－4　1927年4月21日

11. 張逸園（若瀛）傳

民彝雜誌　1卷4期　傳述　頁1－2　1927年5月21日

12. 戴南山（名世）先生傳

民彝雜誌　1卷4期　傳述　頁2－5　1927年5月21日

13. 許、胡、左、劉、張五先生傳

民彝雜誌　1卷4期　傳述　頁5－7　1927年5月21日

14. 姚惜抱（鼐）先生傳

民彝雜誌　1卷5期　傳述　頁1－3　1927年6月21日

15. 清山西布政使張公（紹華）墓誌銘

民彝雜誌　1卷5期　傳述　頁3－4　1927年6月21日

16. 清提督銜貴州威寧鎮總兵方君（致祥）墓志銘

民彝雜誌　1卷5期　傳述　頁4－5　1927年6月21日

17. 張工部（芑）傳

民彝雜誌　1卷6期　傳述　頁1－2　1927年7月21日

18. 戴蓉洲（鈞衡）先生傳

民彝雜誌　1卷6期　傳述　頁2－4　1927年7月21日

19. 姚按察（瑩）傳

民彝雜誌　1卷6期　傳述　頁4—8　1927年7月21日

20. 記程節婦事

民彝雜誌　1卷6期　傳述　頁8　1927年7月21日

21. 諸張（張廷瓚、張廷璐、張廷瑑、張若震）傳

民彝雜誌　1卷7期　傳述　頁1—3　1927年8月21日

22. 左忠毅公（光斗）傳

民彝雜誌　1卷7期　傳述　頁3—7　1927年8月21日

23. 吳摯父（汝綸）蕭敬孚（穆）二先生傳

民彝雜誌　1卷7期　傳述　頁7—9　1927年8月21日

24. 姚叔節（永概）墓志銘

民彝雜誌　1卷7期　傳述　頁9—10　1927年8月21日

25. 張湩關（聰賢）潘遵義（光泰）傳

民彝雜誌　1卷8期　傳述　頁1—3　1927年9月21日

26. 馬魯（宗璉）陳先生（瑞辰）傳

民彝雜誌　1卷8期　傳述　頁3—6　1927年9月21日

27. 馬徵君（三俊）傳

民彝雜誌　1卷8期　傳述　頁6—9　1927年9月21日

28. 張夫人（方孟式）傳

民彝雜誌　1卷9期　傳述　頁1　1927年10月21日

29. 張夫人（姚文端）傳

民彝雜誌　1卷9期　傳述　頁1—2　1927年10月21日

30. 先母（張清徽）行略

民彝雜誌　1卷9期　傳述　頁2—3　1927年10月21日

31. 王太淑人家傳

民彝雜誌　1卷9期　傳述　頁3—4　1927年10月21日

32. 毛太夫人傳

民彝雜誌　1卷9期　傳述　頁4—5　1927年10月21日

33. 方明善（學漸）先生傳

民彝雜誌　1卷10期　傳述　頁1－2　1928年3月1日

34. 錢田間（澄之）先生傳

民彝雜誌　1卷10期　傳述　頁2－4　1928年3月1日

35. 方恪敏公（觀承）傳

民彝雜誌　1卷10期　傳述　頁4－8　1928年3月1日

36. 姚端恪公（文然）傳

民彝雜誌　1卷11期❺　傳述　頁1－3　1928年3月1日

37. 姚休那（康）、白靖識（瑜）、方羽南（鯤）、鄧顛崖（廣森）、陳朗生（昉）傳

民彝雜誌　1卷11期　傳述　頁3－6　1928年3月1日

38. 李君伯芝（士偉）墓志銘

民彝雜誌　1卷11期　藝藪　頁1－2　1928年3月1日

39. 方氏三詩人（方文、方貞觀、方世舉）傳

民彝雜誌　1卷12期　傳述　頁1－2　1928年5月1日

40. 姚編修（範）葉庶子（酉）傳

民彝雜誌　1卷12期　傳述　頁2－4　1928年5月1日

41. 馬其昶自傳

胡行之編　中國作家自敘傳文鈔　上海　光華書局　頁276　1934年8月

42. 蘇廷光傳

近代文評註讀本　中冊　頁55a　香港　中華書局　1938年

43. 陳寶璐傳

藝蘭堂文存❻　書末　民國二十九年（1940）鉛印本

44. 李厚礽墓表

---

❺ 與10期同時出版。

❻ 陳寶璐（1957－1912），字叔毅，《藝蘭堂文存》現藏於首都大學圖書館，存文賦共五十三篇，編者未見。

民國人物碑傳集　卷九　頁 597－598　北京　團結出版社　1996 年 2 月

45. 雲南黎縣朱公（家寶）墓誌銘

民國人物碑傳集　頁 160　成都　四川人民出版社　1997 年 3 月

46. 泗洲楊公（士琦）神道碑

民國人物碑傳集　頁 244－245　成都　四川人民出版社　1997 年 3 月

㈥ 序跋

1. 詩毛氏學序

民彝雜誌　1 卷 11 期　經誼　頁 8－9　1928 年 3 月 1 日

2. 素光閣讀經記序

近代文評註讀本　上冊　頁 49b　香港　中華書局　1938 年

3. 清史儒林傳序

民彝雜誌　1 卷 6 期　論著　頁 2－3　1927 年 7 月 21 日

4. 清史文苑傳序

民彝雜誌　1 卷 6 期　論著　頁 3－4　1927 年 7 月 21 日

5. 桐城耆舊傳序

民彝雜誌　1 卷 10 期　藝藪　頁 1－2　1928 年 3 月 1 日

6. 疑盦詩序

疑盦詩❼　頁 2－3　臺北　世界書局　1992 年 12 月

7. 贈劉摭園序

近代文評註讀本　中冊　頁 37a　香港　中華書局　1938 年

8. 書張廉卿先生手扎後

民彝雜誌　1 卷 6 期　藝藪　頁 1－2　1927 年 7 月 21 日

近代文評註讀本　上冊　頁 46a　香港　中華書局　1938 年

9. 貴池先哲遺書序

---

❼ 許承堯撰《疑盦文集》三卷、《詩集》十卷，今存其集有二種，一為《疑盦詩》六卷，民國十五年鉛印本，有馬其昶、高壽恆、汪青的序，現藏首都圖書館。一為《疑盦詩》十一卷，安徽通志館抄本，現藏安徽省圖書館。

貴池唐人集　17 卷　劉世珩輯　臺北　藝文印書館　1971 年　9 冊　（據唐石簃彙刻貴池先哲遺書景印）

㈦ **其他**

1. 藉甚

   甲寅　1 卷 16 期　頁 9－10　1925 年 10 月 31 日

2. 抱潤軒未刊稿（祀天祀孔議、讀管子、讀呂氏春秋）

   實學　6 卷　頁 9－16　1926 年 11 月

3. 上大總統書

   民彝雜誌　1 卷 7 期　論著　頁 9－11　1927 年 8 月 21 日

4. 代常裕論新政疏

   民彝雜誌　1 卷 8 期　論著　頁 7－10　1927 年 9 月 21 日

5. 論時政疏

   民彝雜誌　1 卷 12 期　論著　頁 1－11　1928 年 5 月 1 日

三、編輯

1. 續春秋測義　〔清〕強汝詢撰　馬其昶校

   鈔本　2 冊　現藏中國國家圖書館

2. 青陽先生文集　6 卷　忠節附錄 1 卷　〔元〕余闕撰　馬其昶校

   清光緒三十二年（1906）鈔本　1 冊

3. 姚叔節先生文存　〔清〕姚永概撰　馬其昶評

   鈔本　1 冊　現藏中國國家圖書館

4. 敦艮吉齋文存　4 卷　詩存　2 卷　〔清〕徐子苓撰　馬其昶重編

   光緒三十二年（1906）集虛草堂刊本　現藏中國國家圖書館

5. 白石詞集　〔宋〕姜夔撰　馬其昶校

   清雍正五年（1727）刊本

6. 白石詩集　〔宋〕姜夔撰　馬其昶校

   清雍正五年（1727）刊本

7. 奏略　4 卷　附錄 1 卷　〔明〕馬孟禎撰　馬其昶輯附錄

光緒六年（1880）馬氏重刊本　2 冊

附錄：後人研究論著篇目

㈠ 生平

1. 馬其昶年譜　陳祖壬
   稿本❽　1 冊　現藏北京圖書館
2. 馬其昶列傳
   楊蔭深編　中國文學家列傳　頁 324　上海　中華書局　1939 年 3 月
3. 馬先生其昶小傳　徐世昌
   清儒學案小傳　第三冊　頁 496－497　臺北　明文書局　1985 年
4. 馬其昶小傳　劉聲木
   桐城文學淵源考　頁 291－292　合肥　黃山書社　1989 年 1 月　初版
5. 馬其昶小傳　王鎮遠
   桐城派　上海　上海古籍出版社　頁 139－143　1990 年 1 月
6. 馬其昶小傳　錢基博
   現代中國文學史　上海　上海書店出版社　頁 138－139　2004 年 8 月
7. 馬通伯記略　繆荃孫
   孔教會雜誌　1 卷 5 號　1913 年
8. 桐城馬君（其昶）墓誌銘　陳三立
   散原精舍文集　卷 16　頁 349－351　臺北　臺灣中華書局　1961 年
9. 民國人物小傳：馬其昶　何廣棪
   傳記文學　28 卷 3 期（總第 166 號）　頁 114－115　1976 年 3 月
10. 中國當代學人小傳：馬其昶（1855－1930）　何廣棪
    碩堂文存三編　頁 153－155　臺北　里仁書局　1995 年 6 月
11. 桐城馬通伯先生墓誌銘　王樹楠
    民國人物碑傳集　卷九　頁 597－598　北京　團結出版社　1996 年 2 月

---

❽ 編者未見。

12. 馬其昶學案　田海林、馬金華
民國學案　第3卷　頁1　長沙　湖南教育出版社　2005年

㈡ **往來書信**

1. 世變不可極寄馬通伯先生　許承堯
疑盦詩　乙卷　頁39－40　臺北　世界書局　1992年12月
2. 賀外舅馬通伯先生六十生日及為大郎伯固授室三十韻　石卿
民彝雜誌　1卷1期　藝藪　頁16　1927年2月21日
3. 與馬通伯親家　張誠
民彝雜誌　1卷2期　藝藪　頁9　1927年3月21日

㈢ **序跋**

1. 詩毛氏學序　姚永概
民彝雜誌　1卷11期　經誼　頁7　1928年3月1日
2. 抱潤軒文集序　陳三立
散原精舍文集　卷10　頁218－219　臺北　臺灣中華書局　1961年

㈣ **學術**

1. 論馬其昶「國史作《序》」之觀點——兼論《毛詩序》的作者　徐玲英
成都教育學院學報　2005年卷2期　頁33－35轉頁39　2005年2月
2. 馬其昶《毛詩學》按語　徐玲英
湖南工程學院學報（社會科學版）　2005年卷1期　頁28－30轉頁34　2005年3月
3. 馬其昶《毛詩學》研究　徐玲英
合肥　安徽師範大學碩士學位論文　2005年4月
4. 論馬其昶《屈賦微》「博采眾說」的注評特色　黃建榮
東華理工學院學報（社會科學版）　2005年卷3期　頁217－221　2005年9月
5. 論馬其昶《屈賦微》闡明微言的注評特色　黃建榮
雲夢學刊　2006年卷2期　頁46－50　2006年3月
6. 桐城派后期文章的現代演變以現代演變解剖馬其昶《抱潤軒文集》　孫維城
中國現代文學研究叢刊　2006年卷6期　頁210－222　2006年11月

7. 馬其昶墓志、壽序文淺評　孫維城

安慶師范學院學報（社會科學版）　2005年卷5期　頁68－71轉頁97　2005年9月

經學研究論叢
第十五輯　頁21～28
臺灣學生書局　2008年3月

吳承仕著作目錄

陳恆嵩*

小傳

吳承仕（1884－1939）字檢齋、絸齋，化名汪少白。安徽省歙縣人。清代舉人。中華民國成立，出任司法部僉事。從此開始對歷代典章制度、三禮名物進行系統研究，並拜章太炎為師。一九二四年起，先後出任北京大學教授、北京師範大學國文系主任教授、北京女子師範大學國文系教授、東北大學教授、中國大學國學系主任。一九三〇年秋，通過范文瀾，看到了馬克斯的著作，從此思想隨之轉變，逐步走上馬克思主義的道路。一九三四年至一九三六年間，創辦《文史》、《盍旦》、《時代文化》三個刊物。除擔任組稿、編輯外，先後用汪少白等十多個筆名撰寫文章。七七事變後，轉移到天津，從事抗日救亡工作，一九三九年逝世，年五十六歲。著作甚豐，主要有《監獄散蔽篇》、《王學雜論》、《經籍舊音序錄》（1921 年）、《經籍舊音辯證》（1923 年）、《尚書講疏》、《尚書集釋》、《經學通論》（1925 年）、《國故概要》（1928 年）、《論衡校釋》、《云書條例》（1928 年）、《中國語言文字學概論》（1928 年）、《檢齋讀書記》（1984 年）、《布帛名物》（1930 年）、《經典釋文序錄疏證》（1933 年）、《弁服名物》、《喪服要略》、《說文隨筆》、《說文要略箋釋》、《說文講疏》（1939 年）等各種文章約數百篇。

---

* 陳恆嵩，東吳大學中國文學系副教授。

一、專著

1. 吳承仕文錄

   北京　北京師範大學出版社　1984 年 1 月

2. 經典釋文序錄疏證

   民國二十二年北平中國學院排印本

3. 經典釋文序錄疏證　吳承仕撰、秦青點校

   北京　中華書局　1984 年 3 月

   臺北　崧高書社　1985 年 4 月

4. 經籍舊音一卷

   民國十年刊本

5. 經籍舊音序錄一卷

   民國十年刊本

6. 經籍舊音辨證七卷

   民國十二年排印本

7. 經籍舊音序錄、經籍舊音辨證　吳承仕撰、龔馳之點校

   北京　中華書局　1986 年 4 月

8. 淮南舊注校理

   1924 年刊本

   北京　北京師範大學出版社　1985 年 2 月

9. 論衡校釋

   北京　北京師範大學出版社　1986 年 1 月

10. 檢齋讀書提要

    北京　北京師範大學出版社　1986 年 6 月

11. 布帛名物六卷

    民國十九年歙縣吳氏排印本　1930 年

12. 國故概要

    原出處待查

13. 古籍校讀法

原出處待查

14. 監獄解蔽篇

宣統元年印本

二、論文

㈠ 經學

1. 經說二首

服部先生古稀祝賀紀念論文集　1937 年

2. 讀易臆斷

光華大學半月刊　第 4 卷第 3 期　1935 年 10 月

3. 與章太炎先生論易書（附復書）

國學論衡　第 5 期下　1935 年 6 月

4. 唐寫本《尚書・舜典》釋文箋

華國月刊　第 2 卷第 3、4 期　頁 1－9　1925 年 1、2 月

北平北海圖書館月刊　第 1 卷 6 號　頁 403－415　1928 年 11 月

國學研究社　石印本　1932 年

5. 尚書傳王孔異同考

⑴華國月刊　第 2 卷第 7 期　頁 1－14　1925 年 5 月

⑵華國月刊　第 2 卷第 10 期　頁 1－11　1925 年 11 月

⑶華國　第 3 卷 1 期　頁 1－13　1926 年 4 月

6. 尚書傳王孔異同考

⑴國學叢編　第 1 卷第 1 期　頁 1－10　1931 年 5 月

⑵國學叢編　第 1 卷第 4 期　頁 27－29　1931 年 11 月

⑶國學叢編　第 2 卷第 2 期　頁 1－4　1933 年 8 月

7. 尚書古今文說

中大季刊　第 1 卷第 1 期　頁 1－4　1926 年 3 月

8. 鄭氏禘祫義

國學論衡　第 4 期上冊　頁 22－44　1934 年 11 月

9. 喪服變除表

國學論衡　第 6 期　頁 20－52　1935 年 12 月

10. 三禮名物略例

國學論衡　第 2 期　頁數不明　1933 年 12 月

11. 《公羊》徐疏考

師大國學叢刊　第 1 卷第 1 期　頁 1－8　1931 年 11 月

12. 降服三品說

師大國學叢刊　第 1 卷第 2 期　頁 1－6　1931 年 5 月

13. 王制疏證自序（附：吳峴齋上餘杭先生書、餘杭先生答書）

制言半月刊　第 8 期　頁 1－8　1936 年 1 月

14. 程易疇儀禮經注疑直輯本序錄

國學叢編　第 1 卷 2 期　頁 1－4　1931 年 7 月

15. 論語皇疏校本序

制言半月刊　第 3 期　頁 1－8　1935 年 10 月

16. 經名數略釋

中國大學季刊　第 1 卷第 1 期　頁 1－6　1926 年 3 月

17. 論古今文上章先生書

華國月刊　第 2 卷第 12 期　頁 1－7　1926 年 3 月

中大季刊　1 卷 2 期　頁 1－4　26 年 6 月

18. 《經典釋文》撰述時代考

北平北海圖書館月刊　第 2 卷第 2 號　頁 97－98　1929 年 2 月

19. 新出土偽熹平石經尚書殘碑疏證

國學叢編　第 1 卷第 5 期　頁 1－14　1932 年 3 月

20. 蜀石經考異敘錄

努力學報　第 1 期　1929 年 9 月（署名吳檢齋）

國學論衡　第 5 期上　頁數不明　1935 年 6 月

21. 五倫說之歷史觀

文史　第 1 卷第 1 號　頁 25－37　1934 年 4 月

㈡ 語言文字

1. 從《說文》研究中所認識的交換形態之史的進展
   經濟學報　第 1 卷第 1 期　頁數不明　1935 年 7 月
2. 從《說文》研究中所認識的貨幣形態及其他——《中國語言文字與社會意識形態》之一
   盍旦　第 1 卷第 2 期　頁 97－102　1935 年 11 月
3. 士君子——中國封建社會意識形態論之一（本文作者署名：夏雍）
   盍旦　第 1 卷第 1 期　頁 49－54　1935 年 10 月
4. 中國古代社會研究者對於喪服應該認識的幾個根本觀念
   文史　第 1 卷第 1 號　頁 51－66　1934 年 4 月
5. 語言文字之演進過程與社會意識形態
   文史　第 1 卷第 2 號　頁 21－31　1934 年 6 月
6. 竹帛上的周代的封建制與井田制
   文史　第 1 卷第 3 號　頁 85－91　1934 年 8 月
7. 清史稿禮制喪服章書後
   國學論衡　第 3 期　頁數不明　1934 年 6 月
8. 王學雜論
   ⑴華國月刊　第 1 期　頁 1－2　19 年 3 月
   ⑵華國月刊　第 2 期　頁 3－4　19 年 4 月
   ⑶華國月刊　第 3 期　頁 5－6　19 年 5 月
9. 關於宋元明學術思想——《宋元明思想概要》序（本文作者署名：夏雍）
   盍旦　第 1 卷第 3 期　頁 152－154　1935 年 12 月
10. 說文講疏
    ⑴制言半月刊　第 18 期　頁 1－2　1936 年 6 月
    ⑵制言半月刊　第 20 期　頁 1－12　1936 年 7 月
    ⑶制言半月刊　第 21 期　頁 1－12　1936 年 7 月
11. 釋車（三禮名物之一）

國學論衡　第 7 期　頁 13－29　1936 年 4 月

12. 釋腞

華國　第 2 卷 4 期　頁 1－2　1925 年 2 月

13. 釋祧

華國　第 3 卷 3 期　頁 1－2　1926 年 6 月；

制言半月刊　第 3 期　頁 1－2　1935 年 10 月

14. 釋龍首

國學叢編　第 1 卷第 3 期　頁數不明　1931 年 9 月

15. 釋這

中大季刊　第 1 卷第 3 期　頁 1－2　1926 年 12 月

16. 說「什麼」

中大季刊　第 1 卷第 4 期　頁 1－2　1927 年 11 月

17. 男女陰釋名

華國　第 2 卷 2 期　頁 1－4　1924 年 12 月

18. 白狼慕漢詩歌本語略釋

中大季刊　第 1 卷第 2 期　頁 1－6　1926 年 6 月

19. 諾皋說

北京大學研究所國學門周刊　第 1 卷第 8 期　頁 16－17　1925 年 12 月

20. 檢齋讀書記

⑴國學叢編　第 1 卷 1 期　頁 1－7　1931 年 5 月

⑵國學叢編　第 1 卷 4 期　頁 18－20　1931 年 11 月

⑶國學叢編　第 2 卷 2 期　頁 36－39　1933 年 8 月

21. 亡莫無慮同詞說

國學叢編　第 1 卷第 1 期　頁 20－21　1931 年 5 月

22. 續〈儒效〉（本文作者署名：虞廷）

文史　第 1 卷第 3 期　頁 111－114　1934 年 8 月

23. 續〈續儒效〉（本文作者署名：少白）

文史　第 1 卷第 3 期　頁 115－116　1934 年 8 月

24. 介紹天下第一奇書——徐協貞先生新著《殷契通釋》（本文作者署名：虞廷）
文史　第1卷第2期　頁81－92　1934年6月

㈢ **其他**

1. 我所認識的大眾運動的路線（本文作者署名：黃學甫）
文史　第1卷第4期　頁58－68　1934年10月
2. 本系的檢討與展望——對國一年級學年開始的講話
中大周刊　第56期　頁　－　　1934年10月8日
3. 國歌改造運動（本文作者署名：虞廷）
文史　第1卷第1期　頁158－160　1934年5月
4. 東游記之一斑（本文作者署名：虞廷）
文史　第1卷第1期　頁103－108　1934年5月
5. 在一輛很慢的人生力車上（本文作者署名：大白）
文史　第1卷第1期　頁141－145　1934年5月

附錄：吳承仕研究篇目

㈠ **學術思想**

1. 吳承仕氏之逝去　豐田
漢學會雜誌　8卷1號　1940年
2. 憶我的老師和同事吳承仕　張致祥
人物　1982年第6期　1982年
3. 吳承仕同志誕生百周年紀念文集　吳承仕同志誕生百周年紀念籌委會編
北京　北京師範大學出版社　1984年2月
4. 略述先師吳承仕先生的學術成就　黃壽祺
北京師範大學學報（社會科學版）1984年第2期　頁1－12　1984年2月
吳承仕同志誕生百周年紀念文集　編委會編　北京　北京師範大學出版社
1984年2月
5. 從舊經學到馬列主義歷史哲學的躍進——回憶吳承仕先生的學術成就　陸宗達
北京師範大學學報（社會科學版）1984年第2期　頁13－15　1984年2月

6. 關於先師吳承仕先生的材料——讀王西彥同志〈我所接觸到的吳承仕先生〉一文後的補充　黃壽祺
新文學史料　1982 年第 4 期　頁 243－245 轉頁 242　1982 年 4 月
7. 關於先師吳檢齋先生學術成就的報告　黃壽祺
福建師範大學學報　1984 年第 3 期　頁 65－67　1984 年 9 月
8. 從舉人到共產黨員的吳承仕　莊華峰
人物　1989 年第 2 期　頁 121－127　1989 年 3 月
9. 章太炎與吳承仕　莊華峰
安徽師範大學學報（哲社版）　1986 年第 3 期　頁 98－103　1986 年 7 月
10. 從舉人到共產黨員的吳承仕　莊華峰
人物　1989 年第 2 期（總第 54 期）　頁 121－127　1989 年 3 月
11. 用唯物史觀研究經學的第一人：吳承仕　王榮濱
徽州社會科學　1992 年第 1 期　頁 51－52　1992 年
12. 讀胡適、吳承仕、鮑幼文論「除非」　鮑弘道
語文建設　1991 年第 8 期　頁 9－10　1991 年 8 月
13. 吳承仕學案　魏永生
民國學案　第 3 卷　頁 148－165　長沙　湖南出版社　2006 年 5 月

㈡ **傳記資料**

1. 從學者到戰士　王西彥
煉獄中的聖火　北京　人民文學出版社　1982 年
2. 吳承仕傳略　胡雲富、侯剛
北京師範大學學報（社會科學版）　1984 年第 2 期　頁 16－30　1984 年 2 月
3. 吳承仕先生評傳　王森然
中國公論　第 11 卷 1、2、3 期（總第 61、62、63 號）
近代名家評傳　第二集　北京　三聯書店　頁 305－312　1998 年 11 月
4. 吳承仕
中國現代語言學家傳略　第 3 卷　頁 1373－1378　石家莊　河北教育出版社　2004 年 5 月

經 學 研 究 論 叢
第十五輯　　頁29～72
臺灣學生書局　2008年3月

錢玄同著作目錄

王世豪*

小　傳

錢玄同（1887－1939），原名夏，字德潛，號疑古，浙江吳興人（今浙江省湖州市）。早年留學日本早稻田大學。一九一三年至北京，擔任國立北京高等師範學校及附屬中學教師，教授國文、經學。並於北京大學兼課、專任，主要講授聲韻學、文字學、學術思想、經學史，有「說文研究」、「經學史略」、「周至唐及清代思想概要」、「先秦古書真偽略說」等課程。

一九一七年加入中華民國國語研究會，兼任教育部國語統一籌備會常駐幹事，推行國語運動。同年投稿《新青年》，倡導文學革命，揭開「五四」新文化運動的序幕。一九一八至一九一九年為《新青年》雜誌之輪流編輯之一。

在北京大學講授聲韻學時，著有《文字學音篇》，為當時大學最早之聲韻學教科書，學生有魏建功、羅常培等，後來皆為當代音韻學專家。在經學研究上，與顧頡剛、胡適等人開啟「古史辨」的運動，重新檢視、考辨古代經籍文獻與古代歷史之價值與觀點。在國語會的工作期間，積極宣傳漢語改用拼音文字，採用國際音標制定漢語拼音字母。與趙元任、黎錦熙等數人共同制定「國語羅馬字拼音法式」，制定《漢語拼音方案》。一九三五年起草《第一批簡字表》，改革漢字。

清末傳統學風式微，錢玄同參與推行文化革新運動，在語言、歷史、經典文獻

* 王世豪，東吳大學中國文學系碩士生。

等都有開風氣與研究奠基之功，為當代文字語言與國學大師。

壹、著作目錄

一、專著

1. 文字學音篇　錢玄同
   北京大學出版組刊本　1934 年
2. 文字學音篇、文字學形義篇　錢玄同　朱宗萊
   臺北　臺灣學生書局　1969 年
3. 錢玄同音學論著選輯　錢玄同遺著　曹述敬選編
   太原　山西人民出版社　1988 年
4. 說文段注小箋　錢玄同
   鈔本　2 冊　線裝　（藏於臺灣師大國文研究所圖書室）
5. 說文部首今讀　疑古玄同遺著
   出版地不詳　出版者不詳　1941 年　（藏於臺灣師大國文研究所圖書室）
6. 錢玄同日記　北京魯迅博物館編
   一至十冊　福州　福建教育出版社　1－10 冊　2002 年
7. 錢玄同文集
   北京　中國人民大學出版社　1－6 卷　2000 年 8 月
   ⑴第一卷　文學革命
   ⑵第二卷　隨感錄及其他
   ⑶第三卷　漢字改革與國語運動
   ⑷第四卷　文字音韻　古史經學
   ⑸第五卷　學術四種
   ①文字學音篇
   ②國音沿革六講
   國音沿革六講，為作者 1920 年在國語講習所的授課講義，未正式出版過。原書 150mm×260mm，宋體字橫排鉛印本。
   ③說文段注小箋

④說文部首今讀

⑹第六卷　書信

8. 錢德潛先生之年譜稿　劉思源整理

又名　錢玄同自撰年譜稿　魯迅研究月刊　第 5 期，見錢玄同文集第六卷　頁 310－321　1999 年

9. 錢玄同五四時期言論集　沈永寶

北京　東方出版社　1998 年 10 月

10. 輓聯集

手稿　錢玄同文集　第二卷　附注　頁 327　2000 年 8 月

11. 錢玄同先生傳與手札合刊

傳記部分由黎錦熙編寫，手札部分由魏建功編輯影印

臺北　傳記文學出版社　1972 年

12. 錢玄同先生遺墨　魏建功藏

傅斯年圖書館古籍線裝書

二、論文

㈠ 古史經學

1. 姚叔節之孔經談

新青年　第 6 卷第 2 號　1919 年 2 月 15 日

2. 答顧頡剛先生書

讀書雜誌　第 10 期　1923 年 6 月 10 日　古史辨　第一冊中編　臺北　明倫出版社　頁 67－82　1970 年

3. 研究國學應該首先知道的事

讀書雜誌　第 12 期　1923 年 8 月 5 日　古史辨　第一冊中編　臺北　明倫出版社　頁 102－105　1970 年

4. 論《說文》及壁中古文經書

北京大學國學門周刊　第 15、16 期合刊　1925 年 1 月 27 日　古史辨　第一冊下編　臺北　明倫出版社　頁 231－243　1970 年

5. 論《春秋》性質書

北京大學國學門周刊　第 1 期　1925 年 10 月　古史辨　第一冊下編　臺北明倫出版社　頁 275－276　1970 年　錢玄同文集　題為「《春秋》與孔子」

6. 廢話——原經　署名疑古玄同
語絲　第 1 卷第 54 期　1925 年 11 月 23 日

7. 讀《漢石經周易》殘字而論及今文《易》的篇數問題
北京大學圖書部月刊　第 1 卷第 2 期　1925 年 12 月 20 日　古史辨　第三冊上編　臺北　明倫出版社　頁 74－84　1970 年

8. 論觀象制器的故事出京氏《易》書
燕大月刊　第 6 卷第 3 期　1930 年 10 月 10 日　古史辨　第三冊上編　臺北明倫出版社　頁 70　1970 年

9. 《左氏春秋考證》書後
樸社出版　左氏春秋考證，後錄於北平師範大學　國學叢刊　第 1 卷第 2 期 1931 年 5 月　收入　古史辨　第五冊上編　臺北　明倫出版社　頁 1－23 1970 年

10. 重論經今古文學問題（方國瑜標點本《新學偽經考》序）
原錄於 1931 年北平文化學社出版、方國瑜標點的　新學偽經考，後經作者增改發表於北京大學　國學季刊　第 3 卷第 2 號　1932 年　古史辨　第五冊上編　臺北　明倫出版社　頁 22－101　1970 年

11. 論近人辨偽見解書
古史辨　第一冊上編　臺北　明倫出版社　頁 24－25　1970 年

12. 與胡適論崔述書
錢玄同文集云引自　古史辨　第一冊上編　但本書不見於目　且文集誤「崔述」為「崔適」

13. 論今古文經學及《辨偽叢書》
古史辨　第一冊上編　臺北　明倫出版社　頁 29－31　1970 年

14. 論編纂經部辨偽文字書
古史辨　第一冊上編　臺北　明倫出版社　頁 40－41　1970 年

15. 論《詩經》真相書

古史辨　第一冊上編　臺北　明倫出版社　頁 46－47　1970 年

16. 論《詩》說及群經辨偽書

古史辨　第一冊上編　臺北　明倫出版社　頁 50－52　1970 年

17. 論《莊子》真偽書

古史辨　第一冊下編　臺北　明倫出版社　頁 281－282　1970 年

㈡ 文字音韻學

1. 中國文字略說　署名渾然

教育今語雜識　第 1 期　1910 年 3 月 10 日

作者自言未寫完，但此後也無續寫。

2. 說文部首今語解　署名渾然

教育今語雜識　第 5、6 期合刊　1911 年 1 月 29 日

3. 四聲

新青年　第 4 卷第 2 號　1918 年 2 月 15 日

4. 中國字形變遷新論

北京大學月刊　第 1 卷第 1 期　1919 年

文章沒有完，但錢玄同並未續寫。

5. 與顧頡剛先生論《說文》書

國學周刊　15 卷 16 期　1926 年 1 月

6. 《廣韻》四十六母標音

國語旬刊　第 1 卷第 1 期　1929 年 10 月

7. 古音無「邪」紐證

師大國學叢刊　第 3 期　1932 年

8. 評趙蔭棠的《中原音韻研究》

國語周刊　第 52 期　1932 年 9 月 17 日

9. 古韻廿八部音讀之假定

北京　師大月刊　師大三十二周年紀念專號　1934 年 12 月 17 日

10. 古音考據沿革　錢玄同講　白滌洲記

國語週刊　第 238 期　1936 年 4 月 25 日

11. 古韻「魚」、「宵」兩部音讀之假定
    平明日報・語文　第2期　1947年2月4日
12. 與黎錦熙論「古無舌上、輕唇聲紐」問題書
    中國語文　9月號　1961年　原寫於1932年1月11日

㈢ 漢字改革與國語運動

1. 中小學改良國文教授並加課語言文字學議
   獨立周報　第15期　1913年
2. 答陶履恭論 Esperanto
   新青年　第4卷第2號　1918年2月15日
3. 句讀符號
   新青年　第4卷第2號　1918年2月15日
4. 論注音字母
   新青年　第4卷第3號　1918年3月15日
5. 注音字母
   新青年　第4卷第3號　1918年3月15日
6. 中國今後之文字問題
   新青年　第4卷第4號　1918年4月15日
7. 答孫國璋論 Esperanto
   新青年　第4卷第4號　1918年4月15日
8. 吳敬恒〈致錢玄同論注音字母書〉的案語
   新青年　第4卷第5號　1918年5月15日
9. 文字改革及宗教信仰
   新青年　第4卷第6號　1918年6月15日
10. 答朱經、任鴻雋
    新青年　第5卷第2號　1918年8月15日
11. 關於 Esperanto 討論的兩個附言
    新青年　第5卷第2號　1918年8月15日
12. 對於朱我農君兩信的意見

新青年　第5卷第4號　1915年10月15日

13. 渡河與引路

新青年　第5卷第5號　1918年11月15日

14. 漢文改革之討論

新青年　第5卷第5號　1918年11月15日

15. 答姚寄人論 Esperanto

新青年　第5卷第5號　1918年11月15日

16. 答胡天月論 Esperanto

新青年　第5卷第5號　1918年11月15日

17. 羅馬字與新青年

新青年　第5卷第6號　1918年12月15日

18. 橫行與標點

新青年　第6卷第1號　1919年1月15日

19. 答區聲白論 Esperanto

新青年　第6卷第1號　1919年1月15日

20. 關於國文、外國文和 Esperanto

新青年　第6卷第2號　1919年2月15日

21. Esperanto 與現代思潮

新青年　第6卷第2號　1919年2月15日

22. 英文「SHE」字譯法之商榷

新青年　第6卷第2號　1919年2月15日

23. 同音字之當改與白話文之經濟

新青年　第6卷第6號　1919年11月1日

24. 寫白話與用國音

新青年　第6卷第6號　1919年11月1日

25. 中文改用橫行的討論

新青年　第6卷第6號　1919年11月1日

26. 減省漢字筆劃的提議

新青年　第 6 卷第 3 號　1920 年 2 月 1 日

27. 劉復《四聲實驗提要》的附記

晨報副刊　1922 年 4 月 27 日

28. 注音字母與現代國音

國語月刊　第 1 卷第 1－4 號　1922 年

原文末了注「未完」，但此後未續寫。

29. 劉復《國語問題中的一個大爭點》的附記

國語月刊　第 1 卷第 6 期　1922 年

30. 一封最緊要的信

國語月刊　第 1 卷第 10 期　1922 年

31. 漢字革命

國語月刊　第 1 卷　漢字改革專號　1923 年

32. 減省現行漢字的筆劃案

國語月刊　第 1 卷　漢字改革專號　1923 年

33. 黎錦暉《廢除漢字採用新拼音文字案》的附志

國語月刊　第 1 卷　漢字改革專號　1923 年

34. 國語字母二種

國語月刊　第 1 卷　1923 年　漢字改革專號

作者文中所說的說明書，在以後各期中未見登出，見錢玄同文集第三卷附注頁 102

35. 胡適〈《國語月刊》「漢字改革號」卷頭言〉的附志

國語月刊　第 1 卷　漢字改革專號　1923 年

36. 國文的進化

國語月刊　第 1 卷第 9 期　1922 年

37. 「他」和「他們」兩個詞兒的分化之討論

國語月刊　第 1 卷第 10 期　1922 年

38. 請組織「國語羅馬字委員會」案

晨報副刊　1923 年 9 月 13 日

39. 黎錦暉《請教育部令全國學校使用新文字案》的附記
晨報副刊　1923 年 9 月 13 日
40. 對於許錫五君的《國語字母鋼筆書寫法》說的話
晨報副刊　1923 年 10 月 2 日
41. 漢字革命與國故
晨報五周年紀念增刊　1923 年 12 月 1 日
42. 歌謠音標私議
歌謠周年紀念增刊　1923 年 12 月 17 日
43. 回語堂的信
語絲　第 23 期　1925 年 4 月 20 日
44. 《國語周刊》的廣告
京報　1925 年 6 月
45. 《國語周刊》發刊辭
國語周刊　第 1 期　1925 年 6 月 14 日
46. 關於《注音字母漢字彙》
國語周刊　第 2 期　1925 年 6 月 21 日
47. 關於〈野有死麕〉的卒章
語絲　第 33 期　1925 年 6 月 29 日
48. 拼音是文章
附ㄒㄩㄓㄈㄥ的信　國語周刊　第 4 期　1925 年 7 月 25 日
49. 杜同力《國文科入學試驗談》的附言
國語周刊　第 5 期　1925 年 7 月 12 日
50. 吉林的反國語運動（一）
國語周刊　第 5 期　1925 年 7 月 12 日
51. 海爬狗兒（諺語）
國語周刊　第 5 期　1925 年 7 月 12 日
52. 杜同力〈海爬狗兒怎麼樣啦？〉的附言
國語周刊　第 6 期　1925 年 7 月 19 日

53. 吉林的反國語運動（二）
國語周刊 第6期 1925年7月19日
54. 初中國語教育及漢字問題
國語周刊 第7期 1925年7月26日
55. 關於諺語
國語周刊 第7期 1925年7月26日
56. 關於國音
國語周刊 第9期 1925年8月9日
57. 解諺
國語周刊 第9期 1925年8月9日
58. 王子約〈古文的用處〉的附言
國語周刊 第10期 1925年8月16日
59. 再談吉林的反國語運動
國語周刊 第10期 1925年8月16日
60. 又是反國語的
國語周刊 第10期 1925年8月16日
61. 方言辭典
本文寫於1925年8月20日，見 錢玄同文集 第三卷 頁219
62. 民眾與拼音文字
國語周刊 第11期 1925年8月25日
63. 反對章士釗的通信
猛進 第26期 1925年8月28日
64. 理想的國語
國語周刊 第13期 1925年9月6日
65. 黎錦熙《「是個垃圾成個堆」》的附言
國語周刊 第13期 1925年9月6日
66. 關於ㄛ跟ㄜ的讀音
國語周刊 第14期 1925年9月13日

67. 關於魏、杜二君的言論

國語周刊　第14期　1925年9月13日

68. 吉林的反國語運動（三）

國語周刊　第15期　1925年9月20日

69. 「郭、哥、波」等字之北京音

國語周刊　第16期　1925年9月27日

70. ㄊㄨㄇㄛㄦㄡ臨時拼音文字

國語周刊　第18期　1925年10月10日

71. 答汪震

國語週刊　第19期　1925年10月17日

72. 渭川〈孔子誕日與國語〉的附言

國語周刊　第20期　1925年10月24日

73. 白滌洲〈兩個「白」字的音〉的附言

國語周刊　第20期　1925年10月24日

74. 黎錦熙〈「第五庫」書目的一臠〉的附言

引自錢玄同文集第三卷　頁282

75. 答吾如老圃

國語周刊　第21期　1925年11月1日

76. 記數人會

國語周刊　第21期　1925年11月1日

77. 抗議「北平」音譯違式致教育部長蔣夢麟書

語絲　第52期　1925年11月9日

78. 鞋子話

國語周刊　第24期　1925年11月22日

79. 與糊塗案無關的話

國語周刊　第25期　1925年11月29日

80. 東省的反國語運動

國語周刊　第25期　1925年11月29日

81. 孫伏園〈國語統一以後〉的附言

國語周刊　第 27 期　1925 年 12 月 13 日

82. 蘇州注音字母草案

國語周刊　第 28 期　1925 年 12 月 20 日

83. 也是書後

國語周刊　第 28 期　1925 年 12 月 20 日

84. 國語羅馬字

語絲　第 59 期　1925 年 12 月 28 日

85. 給黎劭西的信——樵歌的跋

語絲　第 102 期　1926 年 10 月 23 日

86. 為什麼要提倡「國語羅馬字」？

新生　第 1 卷第 2 期　1926 年 12 月 24 日

87. 歷史的漢字改革論

新生　第 1 卷第 8 期　國語羅馬字特刊　1927 年 2 月 21 日

88. GWOYEU ROMATZYH 的字母和聲調拼法條例　署名疑古玄同

新生　第 1 卷第 8 期　1927 年 2 月 21 日

89. 十八年來注音符號變遷的說明

國語周刊　第 1、2 期　1931 年 9 月 5 日、12 日

90. 各省名稱的羅馬字寫法

國語周刊　第 8 期　1931 年 10 月 24 日

91. 國音聲符略說

國語周刊　第 37 期　1932 年 6 月 14 日

92. 述幾段古書的今譯

國語周刊　第 54 期　1932 年 10 月 1 日

93. 《國音常用字彙》的說明　署名教育部國語統一籌備委員會

國語常用字匯　商務印書館　1932 年　據黎錦熙　錢玄同先生傳　說，是錢玄同所作，見　錢玄同文集　第三卷附注　頁 451

94. 古書今譯

國語周刊　第 100 期　1933 年 8 月 26 日

以下第 95 至第 106 篇，俱為錢玄同在一九三四年國語統一籌備委員會第二十九次常委會上的提案，載於　黎錦熙　國語運動史綱

95. 記錄錢玄同先生關於語文問題談話

文化與教育　1933 年 7 月　國語運動史綱　黎錦熙　上海書店　1989 年

96. 「帀」韻之說明

國語周刊　第 150 期　1934 年 8 月 9 日

97. 增修《國音常用字彙》（G. C. Tz）案

98. 規定《說文》、《廣韻》、《集韻》的今讀以作《新編國音字典》的初步案

99. 搜采固有而較適用的「簡體字」案

100. 修定「閏音符號」案

101. 編制《基本國語》（J. G.）案

102. 規定極詳備的《詞類連書條例》案

103. 制定「方言羅馬字」（F. R.）的拼法案

104. 編纂《國語標準辭彙》（G. B. Ts.）案

105. 規定「紛歧」、「混淆」與「未定」的詞形案

106. 規定國語文中採用西文原字的拼法案

107. 幾句老話（為《孔德校刊》寫）——注音符號，G. R.和簡體字

國語周刊　第 174 期　1935 年 1 月 20 日

108. 致王部長函

國語周刊　第 191 期　1935 年 5 月 25 日

109. 致張司長函

國語周刊　第 191 期　1935 年 5 月 25 日

110. 論簡體字致黎錦熙、汪怡書

國語周刊　第 204 期　1935 年 8 月 24 日

111. 關於 GWOYEU ROMA TZYH 字母的選用及其他

新生　第 1 卷第 8 期　1927 年 2 月 21 日

國語周刊　第 231－235 期　1936 年 3 月

112. 錢中季與率群論國學書
獨立周報　第1卷第6號
見　錢玄同思想研究　劉貴福　北京　中國社會科學院研究生院　博士論文　頁21　注4　2000年5月

㈣ 文學

1. 贊文藝改良附論中國文學之分期
新青年　第2卷第6號　1917年2月1日
2. 反對用典及其他
新青年　第3卷第1號　1917年3月1日
3. 關於西文譯名問題
新青年　第3卷第3號　1917年5月1日
4. 論世界語與文學
新青年　第3卷第4號　1917年6月1日
5. 論應用文之極宜改良
新青年　第3卷第5號　1917年7月1日
6. 《新青年》改用左行橫式的提議
新青年　第3卷第6號　1917年8月1日
7. 論白話小說
新青年　第3卷第6號　1917年8月1日
8. 論小說及白話韻文
新青年　第4卷第1號　1918年1月15日
9. 新文學與今韻問題
新青年　第4卷第1號　1918年1月15日
10. 劉半農譯〈天明〉的附志
新青年　第4卷第2號　1918年2月15日
11. 新文學與新字典
新青年　第4卷第2號　1918年2月15日
12. 文學革命之反響　化名王敬軒

新青年　第4卷第3號　1918年3月15日

這封信與劉半農〈復王敬軒書〉是文學革命中著名的雙簧。

13. 文學革新雜談

北京高等師範學校周刊　第70期　1919年5月20日

14. 論漢字索引制及西洋文學

新青年　第4卷第4號　1918年4月15日

15. 論舊戲

新青年　第4卷第6號　1918年6月15日

16. 文學革新與青年救濟

新青年　第5卷第1號　1918年7月15日

17. 今之所謂「評劇家」

新青年　第5卷第2號　1918年8月15日

18. 「臉譜」——「打把子」

新青年　第5卷第4號　1918年10月15日

19. 論中國舊戲之應廢

新青年　第5卷第5號　1918年11月15日

20. 論韓柳文

新青年　第5卷第5號　1918年11月15日

21. 保護眼珠與換回人眼

新青年　第5卷第6號　1918年12月15日

22. 「黑幕」書

新青年　第6卷第1號　1919年1月15日

23. 新文體

新青年　第6卷第1號　1919年1月15日

24. 文學革命與文法

新青年　第6卷第2號　1919年2月15日

25. 答彝銘氏論新舊改革

新青年　第6卷第2號　1919年2月15日

26. 關於新文學的三件要事
新青年　第6卷第6號　1919年11月1日
27. 不完全的〈蘇武古詩第三首〉和〈孔雀東南飛〉
晨報副刊　1924年5月22日
28. 關於民眾文藝
國語周刊　第4期　1925年7月5日
29. 《雪美人》（山東濟源民歌）的附言
國語周刊　第6期　1925年7月19日
30. 關於《雪美人》
國語周刊　第8期　1925年8月2日
31. 方言文學
國語周刊　第10期　1925年8月16日
32. 關於山東民歌
國語周刊　第16期　1925年9月27日
33. 關於民間文藝
國語周刊　第23期　1925年11月15日
34. 平民文學談
國語周刊　第27期　1925年12月13日

㈤ 序跋

1. 手錄《黃侃音學九種》序
載於 1985 年武漢大學出版社影印本　黃侃聲韻學未刊稿，是錢玄同抄錄黃侃音學著作而寫的小序，原稿沒有題目，此序作于乙卯仲春，即 1915 年 4 月至 5 月間
2. 《嘗試集》序
新青年　第4卷第2號　1918年2月15日
3. 林語堂《漢字索引制說明》跋語
新青年　第4卷第2號　1918年2月15日
4. 《儒林外史》新敘

儒林外史　上海亞東書局　1920 年

5. 高元《國音學》序

教育雜誌　第 14 卷第 3 號　1922 年

6. 跋汪榮寶《歌戈魚虞模古讀考》

國學季刊　第 1 卷第 2 號　1923 年 4 月

7. 《世界語名著選》序

晨報副刊　1924 年 5 月 20 日

8. 《吳歌甲集》序

吳歌甲集　商務印書館　1926 年

9. 《章草考》序

師大國學叢刊　第 1 期　1930 年

10. 《辭通》序

國語周刊　第 137 期　1934 年 3 月 31 日

11. 林尹《中國聲韻學要旨》序

國語周刊　第 280 期　1937 年 2 月 20 日

12. 《劉申叔先生遺書》序

本篇作於 1937 年 3 月 31 日，與〈《劉申叔先生遺書》總目說明〉、〈左庵著述系年〉、〈左庵年表〉，皆載於 1939 年出版之　劉申叔先生遺書

13. 林尹《中國聲韻學通論》序

制言半月刊　第 39 期　1937 年 4 月

㈥ 人物、傳記

1. 悼馮省三君

晨報副刊　1924 年 6 月 23 日

2. 亡友單不庵　錢玄同講　何士驥記

大公報　1934 年 4 月 21 日

3. 亡友劉半農先生　署名錢玄同

國語周刊　第 147 期　1934 年 7 月 21 日

4. 哀青年同志白滌洲先生

國語周刊　第 161 期　1934 年 10 月 27 日

5. 題先師章公遺像

本篇據手稿錄出，收於　錢玄同文集　第二卷　頁 303－304

6. 我對於周豫才君之追憶與略評

先發表於北京　師大月刊　第 30 期　1936 年

後載於　文化與教育半月刊　第 106 期

7. 輓伯兄念劬（恂）

引自手稿　輓聯集　錄出　1927 年

8. 輓梁任公（啟超）

引自手稿　輓聯集　錄出　1929 年

9. 輓葉浩吾（瀚）

引自手稿　輓聯集　錄出　1934 年

10. 劉半農先生輓辭

國語周刊　第 159 期　1934 年 10 月 13 日

11. 白滌洲先生輓辭

國語周刊　第 161 期　1934 年 10 月 27 日

12. 輓馬隅卿（廉）

引自手稿　輓聯集　錄出　1935 年

13. 輓季剛

制言　第 7 期　1936 年 1 月

14. 太炎先生輓聯

制言　第 22 期　輓聯二署「馬裕藻、許壽裳、吳承仕、周作人、錢玄同」實為錢玄同所撰，見　錢玄同文集　第二卷附註　頁 334　1936 年 8 月 1 日

㈦ 書信

1. 致魯迅

⑴ 1915 年 4 月 9 日

引自　魯迅研究資料　第 12 輯　天津人民出版社　1983 年

⑵ 1918 年 12 月 11 日

引自　魯迅研究資料　第12輯　1983年

⑶ 1918年12月25日

引自　魯迅研究資料　第12輯　1983年

⑷ 1919年1月26日

引自　魯迅研究資料　第12輯　1983年

⑸ 1919年1月31日

引自　魯迅研究資料　第10輯　1983年

⑹ 1919年1月31日

引自　魯迅研究資料　第12輯　1983年

⑺ 1919年3月9日

引自　魯迅研究資料　第12輯　1983年

⑻ 1920年5月7日

引自　魯迅研究資料　第12輯　1983年

⑼ 1921年1月11日（致魯迅、周作人）

引自　魯迅研究資料　第12輯　1983年

以上見　錢玄同文集　第六卷　頁1－16

2. 致周作人

⑴ 1919年1月14日

引自　魯迅研究資料　第9輯　1983年

⑵ 1919年3月18日

引自　魯迅研究資料　第9輯　1983年

⑶ 1920年5月1日

引自　魯迅研究資料　第5輯　1983年

⑷ 1920年5月21日

引自　魯迅研究資料　第9輯 1983年

⑸ 1920年8月8日

引自　魯迅研究資料　第9輯　1983年

⑹ 1920年8月16日

引自　中國現代文藝資料叢刊　第5輯　上海文藝出版社　1980年

(7) 1920年9月19日

引自　中國現代文藝資料叢刊　第5輯　1980年

(8) 1920年9月25日

引自　中國現代文藝資料叢刊　第5輯　1980年

(9) 1920年9月25日

引自　中國現代文藝資料叢刊　第5輯　1980年

(10) 1920年11月28日

引自　中國現代文藝資料叢刊　第5輯　1980年

(11) 1920年12月16日

引自　中國現代文藝資料叢刊　第5輯　1980年

(12) 1920年12月17日

引自　魯迅研究資料　第9輯　1983年

(13) 1921年6月12日

引自　中國現代文藝資料叢刊　第5輯　1980年

(14) 1922年3月24日

引自　中國現代文藝資料叢刊　第5輯　1980年

(15) 1922年9月30日

引自　中國現代文藝資料叢刊　第5輯　1980年

(16) 1922年10月19日

引自　中國現代文藝資料叢刊　第5輯　1980年

(17) 1922年12月27日

引自　中國現代文藝資料叢刊　第5輯　1980年

(18) 1923年7月1日

引自　中國現代文藝資料叢刊　第5輯　1980年

(19) 1923年7月9日

引自　錢玄同的復古與反復古　周作人　出版年項不詳

(20) 1923年7月17日

引自　中國現代文藝資料叢刊　第5輯　1980年

(21) 1923年8月19日

引自　中國現代文藝資料叢刊　第5輯　1980年

(22) 1925年6月25日

引自　魯迅研究資料　第12輯　1983年

(23) 1925年12月31日

出版年項不詳

(24) 1926年4月8日

引自　魯迅研究資料　第12輯　1983年

(25) 1928年2月5日

引自　錢玄同的復古與反復古　周作人　出版年項不詳

(26) 1933年7月4日

引自　知堂回想錄　周作人　上海　東方出版社　1999年

(27) 1934年1月22日

引自　過去的工作・餅齋的尺牘　周作人　出版年項不詳

(28) 1934年1月31日

引自　過去的工作・餅齋的尺牘　周作人　出版年項不詳

(29) 1935年2月22日

引自　錢玄同的復古與反復古　周作人　出版年項不詳

(30) 1937年8月31日

引自　過去的工作・餅齋的尺牘　周作人　出版年項不詳

(31) 1938年2月1日

引自　過去的工作・餅齋的尺牘　周作人　出版年項不詳

(32) 1938年2月8日

引自　過去的工作・餅齋的尺牘　周作人　出版年項不詳

(33) 1938年7月27日

引自　過去的工作・餅齋的尺牘　周作人　出版年項不詳

(34) 1938年11月15日

引自　過去的工作・餅齋的尺牘　周作人　出版年項不詳

(35) 1938 年 12 月 2 日

引自　過去的工作・餅齋的尺牘　周作人　出版年項不詳

(36) 1938 年 12 月 12 日

引自　過去的工作・餅齋的尺牘　周作人　出版年項不詳

(37) 1939 年 1 月 3 日

引自　藥味集・玄同紀念　周作人　出版年項不詳

(38) 1939 年 1 月 14 日

引自　藥味集・玄同紀念　周作人　出版年項不詳

(39) 1939 年 8 月 6 日

引自　藥味集・玄同紀念　周作人　出版年項不詳

見　錢玄同文集　第六卷　頁 17－92

3. 致胡適

(1) 1919 年 2 月

引自　胡適往來書信選　北京　中華書局　1979 年

(2) 1920 年 10 月

引自　胡適往來書信選　石家莊　河北人民出版社　1998 年

(3) 1921 年 1 月 29 日

引自　胡適往來書信選

(4) 1921 年 7 月 28 日

引自　胡適家書手跡　北京　東方出版社　1997 年

(5) 1921 年 9 月 16 日

引自　胡適往來書信選

(6) 1921 年 10 月 15 日

引自　胡適家書手跡

(7) 1921 年 12 月 7 日

引自　胡適往來書信選

(8) 1922 年 8 月 27 日

引自　胡適的日記　北京　中華書局　1985 年

⑼ 1922 年 9 月 1 日

引自　胡適的日記

⑽ 1922 年 10 月 3 日

引自　胡適的日記

⑾ 1924 年 7 月 8 日

引自　胡適往來書信選

⑿ 1925 年 5 月 2 日

引自　胡適往來書信選

⒀ 1925 年 5 月 10 日

引自　胡適往來書信選

⒁ 1927 年 8 月 2 日

引自　胡適往來書信選

⒂ 1928 年 4 月 6 日

引自　胡適往來書信選

⒃ 1930 年 12 月 9 日

引自　胡適往來書信選

⒄ 1932 年 6 月 13 日

引自　胡適往來書信選

⒅ 1933 年 6 月 6 日

引自　胡適往來書信選

見錢玄同文集第六卷　頁 93－126

4. 致《新青年》同人

寫於 1918 年 11 月 26 日，引自臺灣　飛矢月刊，見　錢玄同文集　第六卷　頁 127－128

5. 致許壽裳

⑴1934 年 7 月 9 日

⑵1937 年 3 月 26 日

以上兩則原稿均藏於北京魯迅博物館，見 錢玄同文集 第六卷 頁 127－132

6. 致楊樹達

(1) 1928 年 12 月 17 日

(2) 1930 年 3 月 8 日

(3) 1930 年 3 月 12 日

(4) 1932 年 9 月 16 日

以上四則皆引自 積微居友朋書札 楊樹達 長沙 湖南教育出版社 1986 年 見錢玄同文集第六卷 頁 133－135

7. 致吳文祺

(1) 1934 年 3 月 17 日

(2) 1934 年 3 月 23 日

(3) 1934 年 3 月 24 日

(4) 1934 年 3 月 30 日

(5) 1935 年 1 月 19 日

(6) 1935 年 4 月 4 日

以上六則皆引自 現代作家書簡 上海 生活書局 1936 年 見 錢玄同文集 第六卷 頁 13

8. 致黎錦熙

(1) 1921 年 1 月 1 日

(2) 1922 年 8 月 31 日

(3) 1922 年 10 月 28 日

(4) 1925 年 9 月 23 日

(5) 1926 年 1 月 12 日

(6) 1926 年 3 月 11 日

(7) 1927 年 1 月 9 日

(8) 1927 年 2 月 23 日

(9) 1927 年 3 月 12 日

⑽ 1930 年 11 月 26 日

⑾ 1935 年 6 月 21 日

⑿ 1035 年 2 月 28 日

⒀無記年月

以上十三則見　錢玄同文集　第六卷　頁 141－154

9. 致江紹原

⑴ 1928 年 4 月 7 日

此信發表於　魯迅研究月刊　1998 年　第 1 期，見　錢玄同文集　第六卷　頁 154－155

10. 致魏建功

⑴ 1924 年 3 月 14 日

⑵ 1924 年 4 月 11 日

此則據手稿整理，見　錢玄同文集　第六卷　頁 158

⑶ 1925 年 5 月 11 日

⑷ 1925 年 8 月 13 日

⑸ 1925 年 9 月 5 日

⑹ 1925 年 11 月下旬

⑺ 1928 年 12 月 28 日

⑻ 1929 年 2 月 1 日

⑼ 1929 年 4 月 15 日

⑽ 1929 年 4 月 27 日

⑾ 1929 年 6 月 12 日

⑿ 1929 年 7 月 12 日

⒀ 1929 年

⒁ 1929 年 11 月 28 日

⒂ 1930 年 11 月 14 日

⒃ 1930 年 11 月 15 日

⒄ 1931 年 3 月 1 日

(18) 1931 年 4 月 10 日

(19) 1931 年 8 月 29 日

(20) 1932 年 1 月 28 日

(21) 1932 年 2 月 13 日

(22) 1932 年 8 月 30 日

(23) 1932 年 10 月 21 日

(24) 1933 年 5 月 9 日

(25) 1933 年 5 月 23 日

(26) 1933 年 5 月 26 日

(27) 1934 年 8 月 8 日

(28) 1935 年 4 月 19 日

(29) 1935 年 5 月 27 日

(30) 1935 年 9 月 12 日

(31) 1936 年 5 月 28 日

(32) 1936 年 6 月 4 日

(33) 1937 年 2 月 15 日

(34) 1937 年 2 月 27 日

以上三十四則，除第二則外，其餘根據先師吳興錢玄同先生手札　魏建功　臺北　傳記文學出版社　1972 年，見　錢玄同文集　第六卷　頁 156－184

11. 致鄭裕孚

(1) 1934 年 3 月 19 日

(2) 1934 年 3 月 30 日

(3) 1934 年 4 月 2 日

(4) 1934 年 4 月 18 日

(5) 1934 年 4 月 21 日

(6) 1934 年 4 月 23 日

(7) 1934 年 5 月 5 日

(8) 1934 年 5 月 18 日

⑼ 1934 年 5 月 21 日

⑽ 1934 年 5 月 26 日

⑾ 1934 年 6 月 4 日

⑿ 1934 年 6 月 12 日

⒀ 1934 年 6 月 13 日

⒁ 1934 年 6 月 25 日

⒂ 1934 年 7 月 3 日

⒃ 1934 年 11 月 7 日

⒄ 1934 年 12 月 21 日

⒅ 1935 年 3 月 9 日

⒆ 1935 年 3 月 22 日

⒇ 1935 年 4 月 14 日

(21) 1935 年 6 月 7 日

(22) 1935 年 6 月 15 日

(23) 1935 年 6 月 24 日

(24) 1935 年 7 月 1 日

(25) 1935 年 8 月 11 日

(26) 1935 年 8 月 28 日

(27) 1935 年 8 月 29 日

(28) 1935 年 9 月 10 日

(29) 1935 年 9 月 18 日

(30) 1936 年 1 月 10 日

(31) 1936 年 1 月 12 日

(32) 1936 年 2 月 16 日

(33) 1936 年 2 月 22 日

(34) 1936 年 2 月 23 日

(35) 1936 年 2 月 24 日

(36) 1936 年 2 月 28 日

(37) 1936 年 3 月 7 日

(38) 1936 年 3 月 15 日

(39) 1936 年 3 月 21 日

(40) 1936 年 4 月 9 日

(41) 1936 年 4 月 17 日

(42) 1936 年 4 月 30 日

(43) 1936 年 5 月 13 日

(44) 1936 年 5 月 17 日

(45) 1936 年 5 月 23 日

(46) 1936 年 5 月 25 日

(47) 1936 年 5 月 29 日

(48) 1936 年 5 月 30 日

(49) 1936 年 6 月 3 日

(50) 1936 年 6 月 7 日

(51) 1936 年 6 月 11 日

(52) 1936 年 6 月 17 日

(53) 1936 年 6 月 24 日

(54) 1936 年 7 月 1 日

(55) 1936 年 7 月 2 日

(56) 1936 年 7 月 8 日

(57) 1936 年 9 月 27 日

(58) 1936 年 10 月 20 日

(59) 1936 年 11 月 28 日

(60) 1937 年 1 月 26 日

(61) 1937 年 1 月 31 日

(62) 1937 年 2 月 2 日

(63) 1937 年 4 月 2 日

(64) 1938 年 1 月 11 日

(65) 1938 年 1 月 21 日

(66) 1938 年 1 月 23 日

(67) 1938 年 1 月 31 日

(68) 1938 年 2 月 7 日

(69) 1938 年 3 月 1 日

以上六十九則引自錢玄同後人所藏有裝裱成冊之錢疑古手札六冊　其中都是錢玄同就編輯〈劉申叔遺書〉之事寫給在此書教對鄭友漁先生的信，見　錢玄同文集　第六卷　頁 185－300

12. 致潘景鄭

(1) 1935 年 12 月 5 日

(2) 1936 年 7 月 17 日

(3) 1936 年 9 月 1 日

以上三則均引自　學術集林　第 14 卷　上海　遠東出版社　1998 年，見　錢玄同文集　第六卷　頁 301－308

13. 致黎錦明

(1) 1925 年 11 月 23 日

引自　論錢玄同佚文〈給黎錦明先生的信〉的學術價值　孟方　安徽技術師範學院學報　第 18 期　頁 59－63　2004 年

14. 致章太炎

(1) 1935 年 5 月 1 日

引自　黃侃、錢玄同致太炎先生信函　諸泓　佚文遺箋百家春秋　1999 年 10 月 1 日　頁 45－47

15. 致蔡元培

1936 年 7 月 5 日

引自　錢玄同文集　第六卷　頁 276－277

16. 致鄧實書

1909 年 12 月 6 日

引自　錢玄同日記

17. 致陳獨秀

1917 年 2 月 1 日

新青年　第 2 卷第 6 號

1917 年 2 月 25 日

新青年　第 3 卷第 1 號

1917 年 6 月 1 日

新青年　第 3 卷第 4 號

1917 年 7 月 1 日

新青年　第 3 卷第 5 號

1917 年 8 月 1 日

新青年　第 3 卷第 6 號

1918 年 3 月 4 日

新青年　第 4 卷第 4 號

18. 致郭步陶

新青年　第 6 卷第 6 號　1919 年 10 月 24 日

19. 致芝園

新青年　第 5 卷第 1 號　1918 年 7 月 1 日

(八) 隨感錄

1. （八）　署名玄同

新青年　第 4 卷第 5 號　1918 年 5 月 15 日

2. （十六）　署名玄同

（十六）、（十七）、（十八）皆載於　新青年　第 5 卷第 1 號　1918 年 7 月 15 日

3. （十七）

4. （十八）

5. （二八）　署名玄同

（二八）、（二九）、（三〇）、（三一）、（三二）皆載於　新青年　第 5 卷第 3 號　1918 年 9 月 15 日

6. （二九）
7. （三〇）
8. （三一）
9. （三二）
10. （四四）
11. （四五）
12. （五〇）　署名玄同

    （五〇）、（五一）、（五二）皆載於　新青年　第 6 卷第 2 號　1919 年 2 月 15 日
13. （五一）
14. （五二）
15. （五五）　署名玄同

    新青年　第 6 卷第 3 號　1919 年 3 月 15 日
16. 隨感錄五則　署名玄同

    語絲　第 2 期　1923 年 11 月 24 日

    ⑴不通的外行話

    ⑵「清室溥儀」

    ⑶「清君側」

    ⑷《尚書》和《易經》為祟

    ⑸「持中」的真相之說明

⑼ 政治社會其他

1. 施行教育不可迎合舊社會

   北京高等師範學校周刊　第 62、63 期　1919 年
2. 論中國當用世界公曆紀年

   新青年　第 6 卷第 6 號　1919 年 11 月 1 日
3. 請看姚明輝的《三從義》和《婦順說》

   新青年　第 6 卷第 6 號　1919 年 11 月 1 日
4. 李大釗《新的！舊的！》的附言

新青年　第4卷第5號　1918年5月15日

5. 陳百年〈恭賀新禧〉的附志

新青年　第6卷第1號　1919年1月15日

6. 什麼話？

⑴之一

新青年　第6卷第1號　1919年1月15日

⑵之二、之三

新青年　第6卷第2號　1919年2月15日

7. 寸鐵十二則　署名異白

載於　國民公報　寸鐵欄　1919年8月

⑴之一、之二

發表於8月13日

⑵之三至之六

發表於8月14日

⑶之七至之十二

發表於8月16日

8. 我對於耶穌教的意見

生命月刊　4月號　1922年

9. 「出人意表之外」的事　署名疑古

晨報副刊　1923年1月5日

10. 「五四」與「遊園」與「放假」　署名疑古

晨報副刊　1923年5月7日

11. 我也來談談「博雅的手民」　署名玄同

晨報副刊　1924年4月27日

12. 孔家店裏的老夥計　署名XY

晨報副刊　1924年4月29日

XY為玄字羅馬字拼音的縮寫。

13. 〈吳虞先生的來信〉的「讀後感」　署名XY

晨報副刊　1924 年 5 月 6 日

14. 答洓生君　署名 XY

晨報副刊　1924 年 5 月 20 日

15. 零碎事情　署名夏

晨報副刊　1924 年 6 月 7 日

16. 《胡適文存》究被禁止否？　署名夏

晨報副刊　1924 年 6 月 20 日

17. 恭賀愛新覺羅溥儀君遷升之喜並祝進步

語絲　第 1 期　1924 年 11 月 17 日

18. 告遺老　署名錢玄同

語絲　第 4 期　1924 年 12 月 8 日

19. 三十年來我對於滿清的態度的變遷

語絲　第 8 期　1925 年 1 月 5 日

20. 予亦名「疑古」

京報副刊　1925 年 3 月 13 日

21. 這三天所見　署名玄同

京報副刊　102 號　1925 年 3 月 28 日

22. 寫在半農給啟明的信的後面

語絲　第 20 期　1925 年 3 月 30 日

23. 青年與古書

北京孔德學校旬刊　第 2 期　1925 年 4 月 11 日

24. 中山先生是「國民之敵」

語絲　第 22 期　1924 年 4 月 23 日

25. 介紹戴季陶先生的《孫中山先生著作及講演記錄要目》

語絲　第 25 期　1925 年 4 月 27 日

26. 我所希望于孔德學校者

北京孔德學校旬刊　第 6 期　1925 年 6 月 11 日

27. 關於反抗帝國主義

語絲　第 31 期　1925 年 6 月 15 日

28. 敬答穆木天先生

語絲　第 34 期　1925 年 7 月 6 日

29. 廢話——廢話的廢話　署名疑古玄同

語絲　第 40 期　1925 年 8 月 17 日

30. 《甲寅》與《水滸》　署名玄同

國語周刊　第 12 期　1925 年 8 月 30 日

31. 賦得國慶　署名疑古玄同

京報副刊　國慶特號　1925 年 10 月 10 日

32. 我「很贊成」「甚至很愛」雙十節這個名詞　署名疑古

京報副刊　第 296 號　1925 年 10 月 13 日

33. 十一月五日是咱們第二個光榮的節日　署名疑古玄同

京報副刊　紀念驅逐溥儀出宮周年專號　1925 年 11 月 5 日

34. 賦得幾分之幾

京報副刊　第 349 號　1925 年 12 月 5 日

35. 在劭西先生的文章後面寫幾句不相干的話　署名疑古玄同

國語周刊　第 26 期　1925 年 12 月 16 日

36. 論幾何學及論理學書

猛進　第 52 期　1926 年 3 月 12 日

37. 廢話——關於「三一八」　署名夷罟

語絲　第 73 期　1926 年 4 月 5 日

38. 疑古玄同與劉半農抬杠——「兩個寶貝」

語絲　第 85 期　1926 年 6 月 7 日

39. 關於魏建功的〈胡適之壽酒米糧庫〉

國語周刊　第 68 期　1933 年 1 月 14 日

40. 章太炎〈清代學術之系統〉演講筆記的附記

北京　師大月刊　第 10 期　1934 年 3 月

41. 刊行《教育今語雜誌》之緣起

教育今語雜誌　第 1 期　1910 年

42. 共和紀年說　署名渾然

教育今語雜誌　第 1 期　1910 年

43. 酒誓

引自　飯後隨筆　周作人

44. 題《戴氏論語注》

引自　周作人文類編　周作人　長沙　湖南文藝出版社　1998 年

45. 和知堂五十自壽詩二首

人間世　第 3 期　1934 年 5 月 5 日

46. 贅說幾句

國語周刊　第 14 期　1925 年 9 月 13 日

47. 獲舟《得（ㄉㄞ）蟈蟈兒》的案語

國語周刊　第 19 期　1925 年 10 月 17 日

48. 我們的啟事

國語周刊　第 26 期　1925 年 12 月 6 日

49. 以西曆一六四八年歲在戊子為國語紀元議（與黎錦熙、羅常培書）

國語周刊　第 77 期　1933 年 3 月 18 日

50. 《劉申叔先生遺書》總目說明

載於《劉申叔先生遺書》　1939 年

51. 左庵著述系年

載於《劉申叔先生遺書》　1939 年

52. 左庵年表

載於《劉申叔先生遺書》　1939 年

53. 廣論語駢枝　章太炎遺著　錢玄同遺墨

上海　新東方　第 1 卷第 2 期　1940 年 3 月　頁 77－843

三、編審

1. 新青年

1918 年應雜誌主編邀請，與陳獨秀、胡適、劉復、沈尹默、李大釗等人輪流編輯，僅工作一年。

2. 國音字典

1920 年吳稚暉編寫，1919 年初稿正式出版，遭到東南教育界反對，錢玄同再次召集學者專家審查原稿。

3. 語絲

1924 年，與魯迅發起創辦，由魯迅任主編，錢玄同任副主編。

4. 國音常用字彙

1923 年，教育部國語統一籌備會第五次常年大會，組織「國音字典增修委員會」，1925 年推舉錢玄同、黎錦熙、王璞、趙元任、汪怡、白滌洲為起草委員，與 1929 年第二次常務委員會修訂改名 國音常用字彙，錢玄同作最後審核，1932 年 5 月 7 日由教育部正式公布。

5. 國語周刊

錢玄同於 1925 年創辦。

6. 第一批簡體字表

1935 年 6 月，錢玄同 第一批簡體字表 起草完成，同年 8 月 21 日由教育部刪定後公布。

7. 中國大辭典

動議於 1919 年，1923 年成立中國大辭典編纂處，1927 年以錢玄同、黎錦熙、吳稚暉名義向中華文化基金會董事會請款，著手編纂。

8. 《中原音韻研究》審查書

國學季刊 第 3 卷第 3 期 頁 423－425 1921 年 9 月

貳、研究目錄

一、專著

1. 近五十年中國思想史——五十年來中國舊思想之整理與批評 郭湛波

山東人民出版社 1935 年初版 1977 年重版

（對錢玄同疑古思想中的六經觀念有所論述）

2. 錢玄同先生傳與手札合刊 黎錦熙

臺北　傳記文學出版社　1972 年版

3. 錢玄同年譜　曹述敬
   齊魯書社　1986 年 8 月版
4. 錢玄同研究　吳奔星
   江蘇人民出版社　1986 年版
5. 錢玄同評傳　吳銳
   南昌　百花洲文藝出版社（國學大師叢書　第 18 冊）　1996 年 12 月
6. 錢玄同印象　沈永寶編
   上海　學林出版社　1997 年
7. 錢玄同與劉半農　趙利棟
   北京　人民日報出版社（五四風雲人物文萃）　1999 年 5 月
8. 錢玄同先生紀念集
   收錄於　劉家平、蘇曉君主編之　中華歷史人物別傳集第 86　北京　線裝書局　2003 年 6 月，與　黎錦熙　錢玄同先生傳合編

二、論文

㈠ 古史經學

1. 論孔子與周易之關係兼評歐陽修錢玄同之誤說　徐芹庭
   易經論文集　臺北　黎明文化事業股份有限公司　頁 417－428　1972 年 10 月再版
2. 顧頡剛與錢玄同　林慶彰
   中國文哲研究集刊　第 17 期　頁 405－430　2000 年 9 月
3. 錢玄同：最後的經學及其歷史轉變　徐立新
   學海　第 3 期　復旦大學出版社　頁 119－123　2001 年
4. 錢玄同早年經學思想述論　劉貴福
   中國社會科學院研究生院學報　第 6 期　北京　中國社會科學院　2002 年
5. 錢玄同、顧頡剛對待儒家經典的態度與方法　許雪濤
   華南師範大學學報　社會科學版　2005 年 8 月

㈡ 文字音韻學

1. 錢玄同的古聲紐說及其他　曹述敬
訓詁研究　第1期　1981年
2. 錢玄同的古韻說——關於古韻二十八部音讀之假定　曹述敬
錢玄同音學論著選輯　山西人民出版社　1985年
3. 錢玄同中古音說述要　曹述敬
錢玄同音學論著選輯　山西人民出版社　1985年

㈢ 學術文化思想

1. 錢玄同先生的學術思想　殷塵
圖書月刊　第1卷第3期　1946年
2. 錢玄同的復古與反復古　周作人
文史資料選輯　第94輯　1984年
3. 為新文化衝鋒陷陣——五四時期的錢玄同　刁培德
五四運動與北京高師　1984年3月　北京大學出版社　頁206
4. 周作人與錢玄同、劉半農——復古、歐化及其他　錢理群
遼寧教育學院學報　第4期　1988年
5. 振興中國文化的曲折尋求——論辛亥前後至「五四」時期的錢玄同　楊天石
五四運動與中國文化建設——五四運動七十週年學術討論會論文選
6. 論錢玄同的中西文化觀　李可亭　吉素芬
黃淮學刊　社會科學版　第11卷第3期　頁94－98　1995年9月
7. 錢玄同中西文化觀研究　李可亭
史學月刊　第5期　頁96－100　1996年
8. 傳統原罪心態下的西學烏托邦之夢——論五四時期錢玄同的文化激進主義思想　李可亭
南都學刊　哲學社會科學版　第19卷第1期　頁22－25　1999年
9. 論錢玄同思想——以錢玄同未刊日記為主所作的研究　楊天石
五四運動八十週年學術研討會論文集　臺北　國立政治大學文學院　頁615－638　1999年6月
10. 錢玄同與五四思想革命　劉貴福

北京科技大學學報　社會科學版　第16卷第2期　頁32－36　2000年5月

11. 錢玄同思想研究　劉貴福
北京　中國社會科學院研究生院　博士論文　2000年5月

12. 錢玄同與「五四」後新文化陣營的幾次爭論　李可亭
河南師範大學學報　哲學社會科學版　第29卷第5期　頁53－56　2002年

13. 和而不同：中國近代思想史上的胡適與錢玄同　李可亭
河南師範大學學報　哲學社會科學版　第44卷第1期　頁49－53　2004年1月

14. 清末民初儒學體系的內在轉化——以俞樾、章太炎、錢玄同學脈為中心　周昌龍
行政院國家科學委員會專題研究計畫　國立暨南國際大學中國文學研究所　2003－2004

15. 「整理國故」與五四新文化運動　盧毅
北京師範大學學報　社會科學版　第2期(總第188期)　頁95－101　2005年

㈣ 漢字改革與國語運動

1. 錢玄同先生參加「國語運動」的二十年小史　黎錦熙
精誠半月刊　第10期　頁7－12　1938年7月

2. 錢玄同與國語運動　吳相湘
臺北　傳記文學雜誌　第46卷第5期　1985年

3. 重評錢玄同「廢除漢字」的主張　趙勝忠
貴州文史叢刊　頁56－58

4. 論錢玄同的語言文字改革與近代中國社會的進步　李可亭
河南大學學報　社會科學版　第38卷第6期　頁82－86　1998年

5. 北大學人之三：錢玄同與簡體字　郭建榮
文史精華　第7期（總122期）　頁51－55　2000年

6. 「用石條壓駝背」的醫法——無政府主義的激進主義語言觀　孟慶澍
中國現代文學研究叢刊　第2期　頁120－146　2005年

7. 「漢字革命」與錢玄同的文化選擇　蘇桂寧
Jianghan Tribune　第1期　頁114－116　2006年

8. 錢玄同與國語運動　劉沛生

山東省農業管理幹部學院學報　第22卷第2期　頁106－107　2006年

㈤ 文學

1. 新文學運動初期的劉半農和錢玄同——《中國現代文學史話》之一節　薛綏雲
山東師範大學學報　第2期　1985年
2. 論錢玄同的「白話文體說」　沈永寶
復旦學報　社會科學版　第3期　頁27－34　2000年
3. 新文學運動中的錢玄同與胡適　徐改平
浙江學刊　第3期　頁86－90　2001年

㈥ 生平傳略

1. 錢玄同先生評傳　王森然
中國公論　第5卷第4、5期（據劉貴福博士論文　錢玄同思想研究　2000年5月　附注補）
2. 紀念錢玄同先生　柳存仁
古史辨　第七冊上編
3. 回憶敬愛的老師——錢玄同先生　魏建功
國文月刊　第41期　紀念抗戰期間逝世的國文教授專欄　1946年
4. 錢玄同、高閬仙兩先生事略
和平日報　1947年5月29日
5. 錢玄同　莫洛
隕落的星辰　上海　人間書屋　頁171　1949年
6. 錢玄同傳略　林尹
大陸雜誌　第25卷第12期　1962年
7. 錢玄同　陳敬之
暢流　第30卷第3期　中國新文學的誕生　頁163　1964年
8. 錢玄同先生的生平及其著作　方師鐸
圖書館學報　第7期　1965年
9. 錢玄同（1887－1939）
臺北　傳記文學雜誌　第23卷第2期　1973年

民國人物小傳　第 1 冊　頁 266

10. 魯迅與錢玄同的交往和鬥爭——學習魯迅劄記　蔣心煥
山東師院學報　第 1 期　1976 年

11. 錢玄同　類獻閣
中華民國史資料叢稿　北京　中華書局　1976 年
人物傳記　第 11 輯　頁 139
民國人物傳　第 4 卷　頁 307

12. 錢玄同　李立明
中國現代六百作家小傳　香港　波文書局　頁 527　1977 年

13. 錢玄同　〔美〕包華德主編　沈自敏譯
中華民國史資料叢稿譯稿　北京　中華書局　民國名人傳記辭典　第 4 分冊　頁 35　1978 年

14. 畢生盡瘁于教育文化事業的錢玄同　王杰謀
藝文志　第 159 期　1978 年

15. 回憶我們的父親——錢玄同　錢秉雄　錢三強　錢德充
新文學史料　第 3 期　1979 年

16. 魯迅與錢玄同　姜德明
新文學史料　第 3 輯　1979 年

17. 憶五四運動前後的錢玄同　秉雄等
五四運動回憶錄（續）　北京　中國社會科學出版社　頁 150　1979 年

18. 錢玄同的名與人　臧恩鈺
社會科學輯刊　第 2 期　1981 年

19. 錢玄同論　任訪秋
藝譚　第 4 期　中國近代文學作家論　頁 316　1981 年

20. 錢玄同（附錢玄同語言學論著目錄）　施光亨
中國現代語言學家　石家庄　河北人民出版社　第 1 分冊　頁 153　1981 年

21. 錢玄同先生年譜（上、中、下）　曹述敬
北京師範大學報　第 5、6 期　1983 年 1 期　1982 年

22. 「疑古玄同」的來歷　任訪秋　書邊草　姜德明編
浙江人民出版社　頁 72　1982 年
23. 錢玄同傳略　顧學頡
中國現代社會科學家傳略　太原市　山西人民出版社　第 5 輯　頁 368　1982－1985 年
24. 錢玄同　作者不詳
錢玄同　中國現代作家與作品　上海　中國現代文學社　頁 52
25. 錢玄同（1887－1939）　方光後
環華百科全書　臺北　環華百科書局　第 12 冊　頁 176　1982 年
26. 懷念錢玄同老師　徐文珊
書和人　第 4 期　1983 年
27. 我的老師錢玄同先生　箭弓
書和人　第 482、483 期　1983 年
28. 關於錢玄同對魯迅的「表示」　葉淑穗
新文學史料　第 1 期　1984 年
29. 錢玄同　魏橋等
浙江人物簡志（下）　杭州　浙江人民出版社　頁 161　1984 年
30. 魯迅和錢玄同　彭定安　馬蹄疾
魯迅和他的同時代人（上卷）　瀋陽　春風文藝出版社　頁 124　1985 年
魯迅與浙江作家　頁 17
31. 錢玄同
中國近代學人象傳（初輯）　臺北　文海出版社　頁 319　1985 年
32. 學行結合的一代師表錢玄同　曹述敬
安順師專學報　社會科學版　第 3 期　頁 39－41　1995 年
33. 錢玄同反帝愛國的「《說文》研究」課——30 年代錢先生反帝愛國軼事　張清常
新文學史料　第 5 期　頁 27－28　1995 年
34. 錢玄同　阿英

中國新文學大系史料索引　上海文藝出版社　頁 227　1997 年

35. 書齋生活及其危險：從錢玄同的一封佚信想到的　謝春人
魯迅研究月刊　第 1 期　1998 年

36. 對〈書齋生活及其危險〉的一點辨證：與謝春人先生商榷　姚力
魯迅研究月刊　第 7 期　1998 年

37. 北大感舊錄（十四）：錢玄同　周作人
知堂回想錄　上海　東方出版社　頁 511　1999 年

38. 從「錢玄同教音韻」說起　吳映紅
江西教育科研　第 11 期　頁 46　2000 年

39. 錢玄同與胡適　董德福
史林　第 2 期　頁 71－108　2001 年

40. 錢玄同與章太炎的交往　沈世培
民國春秋　第 6 期　頁 37－41　2001 年

41. 略論錢玄同與周作人　王昊
河海大學學報　哲學社會科學版　第 4 卷第 3 期　頁 63－65　2002 年 9 月

42. 《新青年》中的錢玄同　何玲華
江西社會科學學報　第 3 期　頁 101－103　2003 年

43. 錢玄同研究的幾個問題　李可亭
商丘師範學院學報　第 19 卷第 6 期　頁 54－57　2003 年 12 月

44. 論錢玄同佚文〈給黎錦明先生的信〉的學術價值　孟方
安徽技術師範學院學報　第 18 期　頁 59－63　2004 年

45. 黎錦熙《錢玄同先生傳》獻疑三則　劉貴福
魯迅研究月刊　第 1 期　頁 43－46　2004 年

46. 論魯迅與錢玄同晚年的分歧　劉貴福
北京　中國社會科學院研究生院學報　第 6 期　頁 103－143　2004 年

47. 錢玄同和他的家族　邱巍
人物春秋　頁 35－39

48. 錢玄同的蓋棺論定　召南

中國期刊網資料　網址：http://cnki50.csis.com.tw/kns50/Navigator.aspx?ID=CJFD　頁 73

49. 玄同生涯簡錄

中國期刊網資料　網址：http://cnki50.csis.com.tw/kns50/Navigator.aspx?ID=CJFD　頁 28

50. 漢字豎改橫創始人錢玄同

東方晨報　中國期刊網資料　頁 133

51. 國學網——國學大師——錢玄同

網址：http://www.guoxue.com/master/qianxuantong/qianxuantong.htm

經學研究論叢
第十五輯　頁73～122
臺灣學生書局　2008年3月

于省吾著作目錄

趙惠瑜*

一、小　傳

于省吾（1896－1984），字思泊，晚號夙興叟，齋名雙劍誃、澤螺居，遼寧省海城縣人，生於清光緒二十二年十一月十九日，於一九八四年七月，因病逝於長春，年八十八歲。他專門從事古器物、古文字學的研究，在研究古典文字的同時，他對先秦文獻典籍也進行了研究，他以地下出土的古文字資料為主，典籍為輔，兩者交驗互證，糾正古典文獻的訛誤，並以古典文獻補充地下出土文物不足之處，利用古文字的研究成果來考訂和訓釋先秦典籍，得出真正符合客觀實際的結論，並有相當成就。于氏一生致力於古文字學、古籍整理、古代歷史及古代文物等方面的研究，治學嚴謹，成績卓著，畢生六十餘年學術生涯，筆耕不輟，著書十四種（未正式出版者不計）、論文近百篇，在學術上貢獻良多。他曾被聘為輔仁大學教授、燕京大學名譽教授、北京大學兼任教授、故宮博物院專門委員等。自一九五五年至一九八四年七月病逝間，一直在前身為東北人民大學的吉林大學工作，任歷史系教授。曾任吉林大學歷史系古文字研究室主任兼校學術委員會委員、中國古文字研究會理事、中國考古學會名譽理事、中國語文學會顧問兼學術委員、中國訓詁學會顧問、國務院古籍整理出版規劃小組顧問等職。

* 趙惠瑜，東吳大學中國文學系碩士生。

二、編輯說明

1. 本目錄收錄民國經學家于省吾（1896－1984）之著作目錄，于氏研究甲骨文、金文，兼及先秦古籍整理校訂，對經學影響頗鉅。此外，對商周歷史社會亦有所研究，可謂貢獻良多。可惜迄今為止，鮮有相關研究論文，本目錄為對于氏相關文獻做較有系統的整理。
2. 本目錄分于省吾著作、後人研究論著二類編排。于省吾著作類又分專書、單篇論文二類，專書依古文字研究、先秦文獻整理、古文、未出版著作之順序；單篇論文依自傳、古文字研究、先秦文獻整理、商周歷史研究、序言、札記（含書信）、評論之先後排列；後人研究論著類又分傳記資料、《詩經》研究、紀念文集三類；其他各類則依經、史、子、集之先後排列。
3. 專著之著錄項目依書名、出版地、出版者、頁數（冊數）、出版年月之順序排列；論文則依篇名、撰者、期刊名、卷期、頁數、出版年月日之順序排列。
4. 編者所知與于氏相關的資料四種，作為文末附錄，僅供參考。

三、于省吾著作

㈠ 專書

1.古文字研究

1. 甲骨文字詁林
   北京　中華書局　4 冊　1996 年
2. 甲骨文字釋林　三卷
   北京　中華書局　471 頁　1979 年
   臺北　大通書局　471 頁　1981 年
3. 雙劍誃吉金拓片
   史語所黏拓本　1 冊　1931－1940 年
4. 雙劍誃吉金文選　二卷
   北平　大業印刷局　3 冊　1933 年　序
   臺北　藝文印書館　2 冊　1971 年

北京　中華書局　1998 年

5. 雙劍誃吉金文選　二卷　附錄一卷

香港　香港明石文化國際出版　1－97 頁　2004 年

6. 雙劍誃吉金圖錄　二卷

香港　香港明石文化國際出版　1－76 頁　2004 年

7. 雙劍誃吉金圖錄　二卷　附考釋二卷

北平　來薰閣刊本　2 冊　1934 年

8. 雙劍誃古兵器拓片

史語所黏拓本　1 冊　1931－1940 年

9. 雙劍誃古器物圖錄

北京　函雅堂代售　2 冊　1940 年

10. 雙劍誃古器物圖錄　二卷

民國二十九年（1940）影印本　2 冊　1940 年

11. 商周金文錄遺

北京　科學出版社　119 頁　1957 年

臺北　明倫出版社　1 冊　據原器拓片影印本　1971 年

北京　中華書局　306 頁　1993 年

12. 雙劍誃古文雜釋

海城　于氏石印本　13 頁　1940 年

香港　香港明石文化國際出版　452－459 頁　2004 年

13. 殷栔駢枝

臺北　藝文印書館　126 頁　1971

14. 雙劍誃殷栔駢枝

海城　于氏石印本　60 頁　1940 年

臺北　藝文出版社　126 頁　1940 年　序

臺北　藝文印書館　126 頁　1959 年

15. 殷栔駢枝續編

出版地不詳　出版者不詳　94 頁　1941 年　序

16. 雙劍誃殷契駢枝續編
　　海城　于氏石印本　42 頁　1940 年
　　出版地不詳　出版者不詳　94 頁　1941 年　序
17. 殷契駢枝三編
　　臺北　藝文出版社　114 頁　1943　序
18. 雙劍誃殷契駢枝三編　附古文雜釋
　　海城　于氏石印本　37 頁　1943 年
　　臺北　藝文出版社　114 頁　1943 年　序
19. 殷契駢枝全編
　　臺北　藝文印書館　114 頁　1975 年

2.先秦文獻整理

⑴經

1. 雙劍誃詩經新證
　　臺北　藝文印書館　1 冊　出版年不詳
2. 雙劍誃詩經新證　四卷
　　臺北　藝文印書館　據民國二十四年（1935）石印本影印　1 冊（頁數龐雜）1951 年
　　北平　琉璃廠代售　2 冊　1936 年
3. 詩經新證　四卷
　　臺北　鼎文書局　60 頁　1973 年
4. 詩經楚辭新證
　　臺北　木鐸出版社　315 頁　1982 年
5. 澤螺居詩經新證
　　北京　中華書局　315 頁　1982 年
6. 雙劍誃尚書新證　四卷
　　北平　大業印刷局　2 冊　1934 年
　　臺北　藝文印書館　305 頁　1951 年
　　臺北　藝文印書館　306 頁　出版年不詳

7. 尚書新證

臺北　藝文印書館　306 頁　出版年不詳

臺北　藝文印書館　134 頁　1951 年

臺北　崧高書社　306 頁　1985 年

8. 雙劍誃易經新證　四卷

臺北　藝文印書館　據民國二十五年（1936）撰者自刊本影印　202頁　1951年

北平　大業印刷局　聚珍仿宋本　2冊　1937年

臺北縣板橋市　藝文印書館　202頁　1969年

臺北縣板橋市　藝文印書館　202頁　1975年

臺北　鼎文書局　504－554頁　1975年

無求備齋周易集成　第140冊　臺北　成文出版社　1976年

9. 呂氏春秋新證　二卷

臺北　藝文印書館　62頁　1938年

臺北　藝文印書館　據民國二十七年（1938）聚珍排印本影印　62頁　1951年

10. 雙劍誃呂氏春氏新證　二卷

臺北　藝文印書館　據民國二十七年（1938）撰者石印本影印　62頁　1951年

11. 論語新證

北平　輔仁大學　24 頁　1941 年

無求備齋論語集成　第 26 函　1 冊　1966 年

12. 雙劍誃論語新證

臺北　藝文印書館　據石印本影印　24 頁　1951 年

13. 論語新證　一卷

臺北　藝文印書館　1 冊　1966 年

14. 雙劍誃群經新證

上海　上海書店　2－199 頁　1999 年

⑵子

1. 雙劍誃諸子新證　二十八卷

臺北　藝文印書館　1 冊　1940 年

北平　大業印刷局　聚珍仿宋印本　4 冊（1 函）　1940 年

2. 雙劍誃諸子新證

北京　中華書局　422 頁　1962 年

上海　上海書店　202－441 頁　1999 年

3. 諸子新證

臺北　樂天出版社　422 頁　1970 年

4. 雙劍誃荀子新證　四卷

臺北　藝文印書館　據民國二十六年（1937）撰者自刊本影印　100 頁　1951 年

北平　大業印刷局　1 冊　1937 年

5. 荀子新證

臺北　藝文印書館　100 頁　出版年不詳

臺北　成文出版社　148 頁　1977 年

6. 老子新證　一卷

臺北　藝文印書館　40 頁　出版年不詳

臺北　藝文印書館　1 冊　1970 年

7. 雙劍誃老子新證

臺北　藝文印書館　40 頁　1959 年

8. 雙劍誃莊子新證　二卷

臺北　藝文印書館　據民國二十八年（1939）撰者自刊本影印　50 頁　1951 年

9. 莊子新證　二卷

臺北　藝文印書館　50 頁　1972 年

10. 墨子新證

臺北　藝文印書館　206 頁　出版年不詳

北京　北京圖書館出版社　1－206 頁　2002 年

11. 墨子新證　四卷

出版地不詳　藝文印書館　206 頁　1938 年　序

臺北　藝文印書館　據民國二十七年（1938）於氏聚珍排印本影印　206 頁　1951 年

臺北　成文出版社　206 頁　1977 年

12. 雙劍誃墨子新證　四卷

北平　大業印刷局　1 冊　1938 年

13. 韓非子新證

臺北　藝文印書館　92 頁　出版年不詳

14. 韓非子新證　四卷

臺北　成文出版社　92 頁　1980 年

15. 雙劍誃韓非子新證　四卷

臺北　藝文印書館　據民國二十七年（1938）撰者自刊本影印　92頁　1951年

16. 淮南子新證

臺北　藝文印書館　160 頁　出版年不詳

17. 雙劍誃淮南子校證　四卷

臺北　藝文印書館　據撰者民國二十八年（1939）自刊本影印　160頁　1951年

18. 列子新證

臺北　藝文印書館　4 頁　1971 年

3.古文

1. 未兆廬文鈔　三卷

民國乙丑（十四）年（1925）排印本　1 冊

4.未出版著作（參見黃錫全、于德偶：〈于省吾先生及其學術貢獻述略〉，社會科學戰線，1995 年第 2 期（總第 74 期），頁 257－265）

雙劍誃殷契駢枝四編

契文例（曾毅公助理）

國語新證（初稿本）

逸周書新證（初稿本）

爾雅新證（初稿本）

甲骨文考釋類編（主編）

吉金文字釋林（未能完稿）

㈡ 單篇論文

1. 自傳

1. 于省吾自傳 于省吾
   晉陽學刊 1982年2期 1982年
   中國現代社會科學家傳略 第3輯 太原 山西人民出版社 頁1－10 1983年12月

2. 古文字研究

⑴考古

1. 四國多方考 于省吾
   考古學社社刊 第1期 頁38－43 1934年12月
2. 「泗濱浮磬」考 于省吾
   禹貢半月刊 第4卷第8期 頁1－3 1935年12月
3. 春秋名字解詁商誼 于省吾
   考古學社社刊 第5期 頁271－279 1936年12月
4. 重文例 于省吾
   燕京學報 第37期 1949年12月
5. 關於「天亡簋」銘文的幾點論證 于省吾
   考古 1960年第8期 1960年
6. 「楚公𧻚」辨偽 于省吾、姚孝遂
   文物 第3期 1960年
7. 司母戊鼎的鑄造和年代問題 于省吾
   文物精華 第3集 北京 文物出版社 1964年
8. 關於長沙馬王堆一號漢墓內棺棺飾的解說 于省吾
   考古 1973年第2期 1973年
9. 鬼判 于省吾
   社會科學輯刊 1979年第2期 1979年
10. 甲骨文「家譜刻辭」真偽辨 于省吾

古文字研究　第 4 輯　1980 年

11. 盜蹠和有關史料的幾點解釋　于省吾
學術月刊　1962 年第 3 期　1962 年

⑵釋文

1. 井侯簋銘文考釋　于省吾
考古　第 4 期　頁 22－26　1936 年 6 月
2. 毛伯班簋銘文考釋　于省吾
考古　第 5 期　1936 年 12 月
3. 陳僖壺銘文考釋　于省吾
文物　1961 年第 10 期　1961 年
4. 「鄂君啟節」考釋　于省吾
考古　1963 年第 8 期　1963 年
5. 利簋銘文考釋　于省吾
文物　1978 年第 8 期　1978 年
6. 壽縣蔡侯墓銅器銘文考釋　于省吾
古文字研究　第 1 輯　1979 年
7. 牆盤銘文十二解　于省吾
古文字研究　第 5 輯　1981 年

⑶釋字

1. 釋賁　于省吾
晨報（北平）　思辨　第 33 期　1936 年 4 月
2. 釋屯　于省吾
輔仁學志　第 8 卷第 2 期　1939 年 12 月
3. 釋人、尸、仁、巳、夷　于省吾
大公報文史周刊　1947 年 14 期　1947 年 1 月 29 日
4. 釋蔑曆　于省吾
東北人大人文科學學報　1956 年第 2 期　1959 年
5. 釋庶　于省吾、陳世輝

考古　1959年第10期　1959年

6. 釋⊖、8兼論古韻部東、冬的分合　于省吾

吉林大學社會科學學報　1962年第1期　1962年

7. 釋奴、婢　于省吾

考古　1962年第9期　1962年

8. 釋羌、苟、敬、美　于省吾

吉林大學社會科學學報　1963年第1期　1963年

9. 釋尼　于省吾

吉林大學社會科學學報　1963年第3期　1963年

10. 晉祁奚字黃羊解　于省吾

文史　第5輯　頁1－5　北京　中華書局　1978年12月

11. 釋㚔　于省吾

考古　1979年第4期　1979年

12. 釋盾　于省吾

古文字研究　第3輯　1980年

13. 釋中國　于省吾

中華學術論文集：中華書局成立七十周年紀念　北京　中華書局　1981年

14. 釋皇　于省吾

吉林大學社會科學學報　1981年第2期　1981年

15. 釋曰　于省吾

鄭州大學學報　1981年第4期　1981年

16. 釋鬲、隸　于省吾

史學集刊　1981年復刊號

17. 釋齒　于省吾

上海博物館集刊　第2集　上海　上海古籍出版社　1982年

18. 釋䶵　于省吾

史學集刊　1982年第4期　1982年

19. 釋龜、黿　于省吾

古文字研究　第 7 輯　1982 年

20. 釋百　于省吾

江漢考古　1983 年第 4 期　1983 年

21. 釋兩　于省吾

古文字研究　第 10 輯　1983 年

22. 釋從天從大從人的一些古文字　于省吾

古文字學論集初編　1983 年

23. 釋「㠯」和「亞㠯」　于省吾

社會科學戰線　1983 年第 1 期

24. 釋「能」和「嬴」以及從「嬴」的字　于省吾

古文字研究第 8 輯　1983 年

25. 釋古文字中的𧓍字和工冊、弜冊、豆冊　于省吾

古文字研究第 12 輯　1985 年

⑷論古文字研究

1. 古文字對於載籍故訓之糾正　于省吾

經世日報讀書周刊　第 43 期　1947 年 6 月 11 日

2. 從古文字方面來評判清代文字、聲韻、訓詁之學的得失　于省吾

歷史研究　1962 年第 6 期　1962 年

中國近三百年學術思想論集　第 5 編甲集　香港　崇文書店　頁 1－10　1974 年 1 月

3. 關於古文字研究的若干問題　于省吾

文物　1973 年第 2 期　1973 年

3. 先秦文獻整理

⑴經

1. 詩緜篇「來朝走馬」解　于省吾

禹貢半月刊　第 4 卷第 2 期　頁 13－14　1935 年 9 月

2. 周頌「彼徂矣岐有夷之行」解　于省吾

禹貢半月刊　第 5 卷第 1 期　頁 21－22　1936 年 3 月

3. 詩「駿惠我文王」解　于省吾
   吉林大學社會科學學報　1962 年 3 期　1962 年
4. 對於詩既醉篇舊說的批判和新的解釋　于省吾
   學術月刊　1962 年 12 期　1962 年 12 月
5. 澤螺居詩義解結　于省吾
   文史　第 2 輯　頁 111－128　北京　中華書局　1963 年 4 月
6. 詩經中「止」字的辨釋　于省吾
   中華文史論叢　第 3 輯　頁 121－132　1963 年 5 月
7. 詩「履帝武敏，歆」解——附論姜嫄棄子的由來　于省吾
   中華文史論叢　第 6 輯　頁 111－120　北京　中華書局　1965 年 8 月
   文學研究叢編　第 1 輯　頁 13－22　臺北　木鐸出版社　1981 年
   詩經研究論集　頁 373－381　臺北　臺灣學生書局　1983 年 11 月
8. 夏小正五事質疑　于省吾
   文史　第 4 輯　頁 145－150　北京　中華書局　1965 年 6 月
9. 澤螺居楚辭新證　于省吾
   社會科學戰線　1979 年第 3、4 期
10. 書無逸「文王卑服即康功田功」解　于省吾
    吉林大學人文科學學報　1959 年第 3 期　頁 111－114　1959 年 3 月
11. 「王若曰」釋義　于省吾
    中國語文（北京）　1966 年第 2 期　頁 203－208 轉 136　1966 年 4 月
12. 關於《尚書》的一封信　于省吾
    中國史研究　1980 年第 3 期　1980 年
13. 易說卦「巽為寡髮」解　于省吾
    考古學社社刊　第 3 期　頁 117－119　1935 年 12 月
    晨報（北平）　思辨　第 32 期　1936 年 4 月 27 日
14. 易益卦六四「利用為依遷國」解　于省吾
    晨報（北平）　思辨　第 26 期　1936 年 1 月 30 日
15. 豫卦古義　于省吾

晨報（北平）　思辨　第27期　1936年2月7日

16. 井九三「王明並受其福」解　于省吾

晨報（北平）　思辨　第30期　1936年3月6日

17. 坎六四「樽酒簋貳用缶納約自牖終無咎」解　于省吾

晨報（北平）　思辨　第32期　1936年3月27日

18. 說卦兌為附決解　于省吾

晨報（北平）　思辨　第35期　1936年4月27日

19. 伏羲氏與八卦的關係　于省吾

紀念顧頡剛學術論文集（上）　成都　巴蜀書社　頁1－3　1990年4月

⑵子

1. 老子新證　于省吾

燕京學報　第20期　1936年12月

2. 論語新證　于省吾

經世日報　讀書周刊　第45－47期　1947年6月25日　7月2日　7月9日

3. 論語新證　于省吾

社會科學戰線　1980年第4期　頁132－139　1980年10月

無求備齋論語集成　臺北　藝文印書館　1966年

4. 論語新證　于省吾

複印報刊資料（歷史學）　1980年第11期　頁89－96　1980年

5. 論語「子罕言利與命與仁」解　于省吾

歷史論叢　第1輯　頁30－34　山東　齊魯書社　1980年8月

⑶集

1. 穆天子傳新證　于省吾

考古學社社刊　第6期　1937年6月

2. 急就篇新證　于省吾

遼海引年集　北京　和記印書館　1947年

4.商周歷史研究

1. 武王伐紂行程考　于省吾

禹貢半月刊　第7卷第1－3期　1937年4月

2. 殷代的交通工具和驛傳制度　于省吾
東北人大人文科學學報　第55卷第2期　頁78－114　1955年10月

3. 殷代的奚奴　于省吾
東北人大人文科學學報　1956年第1期　1956年

4. 商代的穀類作物　于省吾
東北人大人文科學學報　第57卷第1期　頁81－107　1957年1月

5. 從甲骨文看商代社會性質　于省吾
東北人大人文科學學報　第57卷第2－3期　頁97－136　1957年10月

6. 略論圖騰與宗教起源和夏商圖騰　于省吾
歷史研究　1959年第11期　1959年

7. 歲、時起源初考　于省吾
歷史研究　1961年第4期　1961年

8. 「皇帝」稱號的由來和「秦始皇」的正式稱號　于省吾
吉林大學社會科學學報　1962年第2期　1962年

9. 略論西周金文中的「六自」和「八自」及其屯田制　于省吾
考古　1964年第3期　1964年

10. 從甲骨文看商代的農田墾殖　于省吾
考古　1972年第4期　1972年

11. 略論甲骨文「自上甲六示」的廟號以及我國成文歷史的開始　于省吾
社會科學戰線　1978年第1期　1978年

12. 關於商周時代對於「禾」、「積」或土地有限度的賞賜　于省吾
中國考古學會第一次年會論文集　北京　文物出版社　1979年

5.序言、札記（含書信）、評論

⑴序言

1. 續殷文存序　于省吾
北平圖書館館刊　第9卷第4期　1935年

2. 碧落碑跋　于省吾

考古學社社刊　第 5 期　頁 58　1936 年 12 月

3.　《商周金文錄遺》序言　于省吾

史學集刊　1956 年第 1 期　1956 年

4.　「周易尚氏學」序言　于省吾

社會科學戰線　1978 年 2 期　頁 27－30　1978 年 7 月

⑵札記

1.　澤螺居讀書記　于省吾

經世日報　讀書周刊　第 7 期　1946 年 9 月 25 日

2.　〈師克盨名考釋〉書後　于省吾

文物　1962 年第 11 期　1962 年

3.　澤螺居讀詩札記　于省吾

文史　第 1 輯　頁 115－128　北京　中華書局　1962 年 10 月

4.　澤螺居讀詩札記（五則）　于省吾

新建設　第 62 卷第 2 期　頁 44－46　1962 年 2 月

5.　澤螺居讀詩札記（兩則）　于省吾

新建設　第 62 卷第 3 期　頁 69　1962 年 3 月

6.　讀西周金文札記五則　于省吾

考古　1966 年第 2 期　1966 年

7.　于省吾先生書簡　于省吾

廣州　王貴忱自印本　1994 年

⑶評論

1.　讀趙光賢先生〈釋蔑曆〉　于省吾

歷史研究　1957 年第 4 期　1957 年

2.　駁唐蘭先生〈關於商代社會性質的討論〉　于省吾

歷史研究　1958 年第 8 期　1958 年

3.　對趙錫元同志「評于省吾教授研究歷史的觀點、方法」一文的幾點意見　于省吾

吉林大學人文科學學報　第 59 卷第 2 期　頁 79－86　1959 年 8 月

4. 關於〈論西周金文中的六自和八自和鄉遂制度的關係〉一文的意見　于省吾
考古　1965 年第 3 期　1965 年
5. 關於〈釋臣和鬲〉一文的幾點意見　于省吾
考古　1965 年第 6 期　1965 年
6. 〈關於利簋銘文的釋讀〉一文的幾點意見　于省吾
中山大學學報哲學社會科學版　1978 年第 5 期　1978 年
7. 論〈甘誓〉書　于省吾
中國史研究　1980 年第 2 期　頁 157　1980 年 6 月
複印報刊資料（歷史學）　1980 年第 8 期　頁 50　1980 年
8. 論俗書每合于古文　于省吾
中國語文研究（北京）　1983 年第 5 期　1983 年

四、後人研究論著

(一) 傳記資料

1. 于省吾傳記資料索引　復旦大學歷史系資料室
辛亥以來人物傳記資料索引　上海　上海辭書出版社　頁 28　1990 年 12 月
2. 于省吾　董樹人
中國現代語言學家第四分冊　石家莊　河北人民出版社　頁 226－233　1985 年 12 月
3. 于省吾（1896－1984）　張長壽
中國大百科全書（考古學）　北京　中國大百科全書出版社　頁 624　1992 年
4. 于省吾（1896－1984）　關國煊
傳記文學　第 50 卷第 1 期（總第 296 期）　頁 144－146　1987 年 1 月
5. 于省吾　張忱石等
學林漫錄第四集　北京　中華書局　頁 228　1980 年
6. 于省吾　徐友春主編
民國人物大辭典　石家莊　河北人民出版社　頁 17　1991 年 5 月
7. 于省吾　林澐

中國歷史學年鑑（1986） 北京 人民出版社 頁 276－277 1986 年 12 月

8. 「不用揚鞭自奮蹄」——訪著名古文字學專家于省吾教授 王大椿
文匯報 1982 年 11 月 11 日

9. 識字五十年——訪古文字學家于省吾 牛正式
新觀察 1983 年 4 期 1983 年
新華文摘 1983 年 4 期 1983 年

10. 著名古文字學家于省吾教授逝世
人民日報 1984 年 7 月 25 日

11. 悼念于省吾先生 博物館研究編輯部
博物館研究 1984 年 3 期 1984 年

12. 學續段王 誼深籍湜——悼念于思老 羅繼祖
史學集刊 1984 年 4 期 1984 年

13. 懷念于省吾先生 學習于省吾先生 姚孝遂等
史學集刊 1984 年 4 期 1984 年

14. 逝世人物：于省吾（1896－1984）
中國百科年鑑 北京 中國大百科全書出版社 頁 23 1985 年

15. 于省吾逝世
中國歷史學年鑑 北京 中國大百科全書出版社 頁 235 1985 年

16. 本年逝世考古學家：于省吾 張亞初
考古學年鑑 頁 309 1985 年

17. 懷念于省吾先生 陳公柔
社會科學戰線 1997 年第 4 期（總第 88 期） 頁 194－196 1997 年

18. 懷念于省吾先生 陳世輝
古文字研究 第 16 輯 第 16 期 頁 17－20 1989 年 9 月

19. 勇于探索和開拓的一生——懷念于省吾先生 姚孝遂
古文字研究 第 16 輯 第 16 期 頁 13－17 1989 年 9 月

20. 著名古文字學家、考古學家、古籍整理專家于省吾教授逝世 佚名
古文字研究 第 16 輯 第 16 期 1989 年 9 月

21. 于省吾先生在學術方面的貢獻　陳公柔等
考古學報　1985 年 1 期　1985 年
22. 于省吾教學和科研成果概述（附著作目錄）　林澐
中國當代社會科學家　第一輯　北京　書目文獻出版社　頁1－6　1982年5月
23. 于省吾先生及其學術貢獻述略　黃錫全　于德偶
社會科學戰線　1995 年第 2 期（總第 74 期）　頁 257－265　1995 年
24. 于省吾先生考釋甲骨文字的方法和成就　王錦慧
中國學術年刊　第 17 期　頁 39－68　1996 年 3 月
25. 甲骨文研究斷想——為紀念于省吾先生百年誕辰而作　（香港）饒宗頤口述　劉釗整理
史學集刊　1996 年第 3 期　頁 11－13　1996 年
26. 「紀念于省吾教授百年誕辰暨中國古文字學研討會」會議紀要　白於藍
史學集刊　1997 年第 1 期　頁 3－13　1997 年

㈡ **《詩經》研究**

1. 《澤螺居詩經新證》述評　季旭昇
語文、情性、義理——中國文學的多層面探討國際學術會議論文集　國立臺灣大學　頁 743－760　1996 年 7 月

㈢ **紀念文集**

1. 于省吾教授百年誕辰紀念文集　吉林大學古文字研究室編
長春市　吉林大學　頁　1996 年

附　錄

附錄一：于省吾自傳

我於一八九六年十二月二十三日（農曆十一月十九日）生於遼寧省海城縣西十五里的中央堡。七歲入私塾，我父（諱開第字甲三）任塾師。我先後在初等小學和高等小學畢業，十七歲考入海城縣中學，肄業三年，又考入奉天教育會國學專修科，肄業二年，後來國學專修科合併於瀋陽國立高等師範，於一九一九年畢業。畢

業後在安東縣署編輯縣志，只有三個月，就轉任奉天交通銀行職員。一九二〇年，任西北籌邊使署文牘委員，同年秋季任奉天省教育廳科員兼臨時省視學。一九二四年秋，楊宇霆任江蘇督辦，任我為秘書。一九二六年，我被當時奉天省長兼奉天財政廳長莫德惠任為奉天省城稅捐局局長。一九二八年，被張學良任為東北邊防司令長官公署諮議，這是一個名譽職務，只領薪，不上班。在同一年，張學良和楊宇霆籌建專講國學的奉天萃升書院，任我為院監。因我從前在西北籌邊使署工作時已和國學諸老相識，於是去北京邀請著名的國學大師前來書院講學，王樹柟先生主講經學，吳廷燮先生主講史學，吳闓生先生主講古文，高步瀛先生主講文選。「九・一八」事變時，萃生書院停辦，我在事變前夕感到形勢危急，遂移居北京。

我到北京後，家父在瀋陽將住宅一所和市房一所先後賣出，並兩次派人將款潛送北京。此外，家父還將家中舊藏的三十多箱書籍，先設法運至大連，然後轉運北京。這時我開始喜好古器物和古文字，於是就從事這方面的研究。當時研究古器物和古文字必須善於鑑定真偽，否則無法引用。為此，我搜羅了商代甲骨文，商周時代的古器物共二百多件，其中精品多屬戎器，如吳王夫差劍、少虡錯金劍，吳王光戈，楚王酓璋錯金戈，秦商鞅鐓，秦相邦冉戟等，遂以「雙劍誃」名齋。解放初期，我將所藏的古代文物均捐獻給故宮博物院和中國歷史博物館。我初期購買古器物，意在鑑別真偽、從事著述，後來趨於玩物喪志，深感懺悔，但這種愛好也不無益處，因為上述這些文物，在解放前如果留在商人手中，則大部分將被盜賣國外。

我從事古文字研究，開始閱讀了一些古文字著作。當時，羅振玉、王國維整理並刊布了大量原始資料，給學習和研究帶來很多方便。他們對文字的考釋及有關問題的研究也往往有新的發明。但同時也有一部分學者對古文字研究極不嚴肅，甚至有人公開宣稱考釋古文字「若射覆然」，這就無異於猜謎。我認為，古文字是客觀存在的，它是有形可識，有音可讀，有義可尋的，只要深入鑽研，對文字的點劃或偏旁以及它和音、義的關係作出實事求是的科學分析，並尋出每一字橫向的同一時期的相互關係，以及縱向的先後時期的發生、發展和變化的規律，則多數古文字是能夠被正確認識的，那種貌襲臆斷的舊作風必然堅決擯棄。《韓非子》謂「無參驗而必之者，愚也；弗能必而聚之者，誣也。」我以此為信條，潛心著述。寫成了《雙劍誃殷栔駢枝》及續編、三編，還出版了《雙劍誃吉金文選》、《雙劍誃吉金圖錄》、《雙劍誃古器物圖錄》等研究古文字和古器物的專著。

在研究先秦古文字的同時，我對先秦文獻也進行了研究，我利用古文字的研究成果來考訂和訓釋先秦典籍取得了一定的成果。清代乾嘉學派的傑出學者雖已認識到先秦典籍在長期流傳中，在原文和訓釋上有大量的訛誤，要恢復其原貌，除了盡可能作出校勘和論證外，非常重要的是精於文字、音韻、訓詁之學，但由於他們考訂古籍，對文字古形、古音、古義的瞭解基本上以《爾雅》、《說文》、《廣韻》為依據，這樣做，是有很大侷限性的。在先秦古文字資料大量出土的情況下，以先秦古文字的研究成果來考釋先秦文獻，無疑是更為直接而有效的。一九三四年我寫成並出版了《尚書新證》，其後陸續寫成並出版了《詩經新證》、《易經新證》、《論語新證》、《諸子新證》（解放後重加刪訂，由中華書局再版）等著作，曾被胡樸安在《中國訓詁學史》中推許為「新證派」之代表。

自一九二九年到一九四九年，我先後任輔仁大學講師、教授，燕京大學名譽教授，北京大學兼職教授，均講授「古文字學」。

解放後，全國高等學校院系調整，我一度中止教學任務，家居從事研究工作。一九五二年被聘為故宮博物院專門委員。一九五五年由匡亞明同志來京聘我到長春東北人民大學（後來改為吉林大學）任歷史系教授。到校後我一面繼續從事古文字和古文獻的研究，一面培養研究生及進修教師。這時我開始努力閱讀馬列主義原著，學習歷史唯物主義和辨證唯物主義，同時對田野考古的新發現和民族學知識下了一番工夫。通過學習，我開始認識到古文字學這一學科應該為研究古代歷史服務。因此我曾集中精力利用古文字資料去研究商周時代的社會制度、階級鬥爭、經濟生活等方面的問題，先後發表了有關商代軍事聯盟、商周的奴隸制、商代的農業、交通，夏商圖騰、古代歲時制等一系列研究論文。在這些研究中，我進一步體會到，古史研究單靠典籍是非常不夠的。王國維曾提出古史研究應該用地下資料和典籍互相參證的「二重證據法」，這較之過去的研究固然進了一步，但還沒有充分認識地下資料的重要性。在我看來，地下資料和先秦典籍兩者還應該有主輔之別，即以地下資料為主，典籍為輔，才能得出真正符合客觀實際的結論。這主要是因為地下出土的古文字資料和其他考古資料是原封未動的最可靠的資料，這和輾轉傳訛不盡可據的典籍記載是有主輔之別的。例如：我國成文歷史始於何時這一重要問題，典籍記載和各家之說都不夠確切。我通過對甲骨文所記商人祖先「上甲六示」廟號的研究，明確提出我國成文歷史開始於武丁時代所追記的商人先公中的示壬、示癸，也就是夏代末期，距今約三千七百年左右（詳《甲骨文字釋林·釋上甲六示的廟號以及我國成文歷史的開始》）。

在學習新知識的過程中，我進一步認識到不應孤立地研究古文字，需要從社會發展史的角度，從研究世界古代史和少數民族志所保存的原始民族的生產、生活、社會意識等方面來追溯古文字的起源，才能對某些古文字的造字本義有正確的理解，同時也有助於我們去正確釋讀某些古文字資料。對於𦍌（羌）字的造字本義，自來眾說紛紜，其中很多是沒有什麼根據的臆測，而我通過對少數民族社會所保存的原始風俗習慣的研究，在大量少數民族志材料參證的基礎上，提出𦍌字本象人戴羊角形，並以𠂢為聲符，應屬我所提出的〈具有部分表音的獨體象形字〉範疇，這就突破了傳統的「六書」說。商代後期的〈玄鳥婦壺〉銘文中的「玄鳥婦」三字，舊誤釋為「𪁉婦」，或誤認為是鳥篆。我從原始氏族社會中圖騰崇拜的角度去研究，並結合典籍中有關「玄鳥生商」的記載，發現壺上銘文的正確釋讀應為「玄鳥婦」，它標志著作壺的貴族婦人是以玄鳥為圖騰的商人後裔。這一研究結果不僅正確釋讀了壺上的銘文，更重要的是為研究商人圖騰找到了實物依據，從而使過去一向被認為是怪誕不經的「玄鳥生商」問題得到了合理解決。

《莊子·秋水》說：「計四海之在天地之間也，不似礨空之大澤乎？」舊誤釋「礨空」為「蟻穴」，我認為應讀為「螺孔」（詳《莊子新證》），遂以「澤螺居」為室名，以表明學問的無止境，「學到老，學不了」的真切心情。所以即使是在十年動亂時期，身居斗室，也沒有中斷過學習和研究。長期以來，每天淩晨三點多起床閱讀和寫作已成了我的習慣，年過八十以後，難免產生力不從心的暮景殘年之感，但在粉碎四人幫後，我又用「夙興叟」為號以自勉。

解放以來，我的科研重點，仍是古文字考釋和典籍考證兩個方面，共發表過有關論文五十多篇。在古文字考釋方面，繼《雙劍誃殷栔駢枝》初、續、三編之後，我又陸續考釋了許多甲骨文字，一九七九年由中華書局出版了《甲骨文字釋林》，共考釋前人所未識或已釋而不知其造字本義的甲骨文約三百字。在整理這方面研究成果時，我對自己早期研究中誤釋或尚有疑問者一律刪除，意在寧缺毋濫。我認為，有許多從事古文字研究者不注意「闕疑」的必要性，把缺乏證據的推測、疑似和確切的結論混在一起，以致是非莫辨，因此對自己要求從嚴。現在正從事金文研究，撰寫《吉金文字釋林》一書，預期明年年末可能完成。我編著的《商周金文錄遺》一書於一九五七年由科學出版社出版，該書共收錄金文拓本四百六十六種，是一部較為重要的金文參考資料。同年，我又受中國科學院考古研究所委託，為郭沫若同志的《殷契粹編》和《卜辭通纂》兩部書進行校訂，我費兩個月功夫，把這兩部書通校一遍，改正了其中的訛誤並提出了一些修正意見，其中有的意見已被郭沫若同志採納並用眉批形式錄於書中。校訂後的《殷契粹編》已由科學出版社出版，《卜辭通纂》據說明年可能出版。在典籍改正方面，解放後主要在《詩經》和《楚辭》上下了不少功夫，先後發表了〈澤螺居讀詩札記〉、〈澤螺居詩義解結〉、《澤螺居楚辭新證》等著作，最近我整理了《詩經》、《楚辭》兩者考訂的成果，重加刪削補充後合在一起，將由中華書局出版。我還計劃在近年內對《尚書》的考證成果再作一次整理和訂補。

在進行科學研究的同時，我又努力從事培養接班人的工作。從一九五五年到一九六六年我帶出了二屆研究生，先一屆屆為姚孝遂、陳世輝，後一屆為林澐、張亞初。他們畢業後或從事教學工作、或從事科研工作，在各自的工作崗位上都取得了較好的成績，有的已被提升為副教授。十年動亂時期，培養研究生的工作被迫中斷。一九七八年恢復研究生招考制度時，我又招收了何琳儀、湯餘惠、曹錦炎、黃錫全、吳振武五名研究生，經過三年培養，現在他們都已通過了畢業論文答辯，將獲得碩士學位。今年我又招收了一屆博士研究生。這些畢業的研究生同志之所以能取得比較好的成績，就他們來說，一是努力學習和掌握馬克思主義基本理論，二是鑽研有恆；就我來說，一是因材施教，二是既教書又教人。平時我對他們的學習和言行都嚴格要求。在培養過程中我也逐漸積累了一些經驗。我帶研究生的主要方法是自學和輔導相結合，在講授古文字課程時，我首先是要求他們弄清和掌握一些最基本的概念，如什麼叫古文字，為什麼要研究古文字和用什麼方法去研究？並安排他們每周進行二次討論，討論過程中出現的疑難問題則由我在上課時解答。經過這麼一個階段後，他們既有了一些基礎理論又有了閱讀原始材料的基本功，於是我對他們又作了更進一步的訓練，即每周輪流指出一名研究生作一次小型報告，報告的題目可以自擬，報告後讓其他研究生和旁聽人員分別提出各自的意見和建議，最後由我作一總結，評定其是非得失。這樣做，不僅提高了他們發現問題、解決問題的能力，而且也為他們以後撰寫畢業論文打下了一個良好基礎。實踐證明，這種自學和輔導相結合的方法比滿堂灌的「填鴨式」教學法收效要大得多，也快得多。在我教學的同時，經常勉勵研究生同志要有「青出於藍」的雄心壯志，既要有自信心又要謙虛謹慎，千萬不能有了一點進步就驕傲自滿起來，因為任何人的知識和成績都是有限的，而任何一門學問又都是無限的，以有限對無限，還有什麼值得驕傲自滿的呢？

我現在所兼任的職務主要有：吉林省政協常委、吉林大學歷史系古文字研究室主任兼校學術委員會委員、中國考古學會名譽理事、中國古文字研究會理事、中國語言學會顧問兼學術委員會委員、中國訓詁學會顧問、中華書局《甲骨文字考釋類編》主編、國務院古籍整理出版規劃小組顧問等等。

我深深感到要勝任這樣繁重的工作一定要有一個強健的身體。我之所以能夠長期堅持科研和教學工作，其中有一個重要原因，就是從四十歲起即注意體育鍛練和堅持每晚睡眠前做全身按摩，幾十年來從未間斷過，並且長期茹素。因此，在這方面我感到得益匪淺。學問是無止境的，而一個人的生命是有限的，只要一息尚存就要學習不止、奮鬥不止，我在有生之年，還要為四化建設添磚加瓦，為國家、為人民多作貢獻。

于省吾主要著作目錄

專著

雙劍誃吉金文選　（1933 年）

雙劍誃尚書新證　（1934 年）

雙劍誃吉金圖錄　（1934 年）

雙劍誃詩經新證　（1935 年）

雙劍誃易經新證　（1936 年）

雙劍誃殷栔駢枝　（1940 年）

雙劍誃古器物圖錄　（1940 年）

雙劍誃殷栔駢枝續編　（1941 年）

論語新證 （1941年輔仁大學講演集第2輯）

雙劍誃殷契駢枝三編 附古文雜釋 （1943年）

商周金文錄遺 （考古學專刊二種第六號，科學出版社出版，1957年）

雙劍誃諸子新證 （中華書局出版，1962年）

甲骨文字釋林 （中華書局出版，1979年）

解放前在各刊物發表的文章

井侯毀銘文考釋 （考古學社社刊第四期，1936年）

毛伯班毀名考釋 （考古學社社刊第五期，1936年）

釋人、尸、仁、𡰥、夷 （1947年1月29日大公報文史週刊）

急就篇新證 （1947年遼海引年錄）

重文例 （燕京學報第37期，1949年）

解放後在各刊物發表的文章

殷代的交通工具和馹傳制度 （東北人大人文科學學報，1955年第2期）

殷代的奚奴 （東北人大人文科學學報，1956年第1期）

釋蔑曆 （東北人大人文科學學報，1956年第2期）

《商周金文錄遺》序言 （史學集刊，1956年第1期）

商代的穀類作物 （東北人大人文科學學報，1957年第1期）

從甲骨文看商代社會性質 （東北人大人文科學學報，1957年第2、3期合刊）

讀趙光賢先生〈釋蔑曆〉 （歷史研究，1957年第4期）

駁唐蘭先生〈關於商代社會性質的討論〉 （歷史研究，1958年第8期）

《書・無逸》「文王卑服即康功田功」解 （吉林大學人文科學學報，1959年第3期）

釋庶 （與陳世輝合寫，考古，1959年第10期）

略論圖騰與宗教起源和夏商圖騰 （歷史研究，1959年第11期）

關於天亡簋銘文的幾點論證 （考古，1960年第8期）

陳僖壺銘文考釋 （文物，1961年第10期）

釋ϴ、8兼論古韻部東、冬的分合 （吉林大學社會科學學報，1962年第1期）

盜蹠和有關史料的幾點解釋 （學術月刊，1962年第3期）

「皇帝」稱號的由來和「秦始皇」的正式稱號　（吉林大學社會科學學報，1962 年第 2 期）

《詩》「駿惠我文王」解　（吉林大學社會科學學報，1962 年第 3 期）

《師克盨名考釋》書後　（文物，1962 年第 11 期）

從古文字方面來評判清代文字、聲韻、訓詁之學的得失　（歷史研究，1962 年第 2 期）

對於《詩・既醉》篇舊說的批判和新的解釋　（學術月刊，1962 年第 12 期）

澤螺居讀詩札記　（文史第 1 輯，1962 年）

澤螺居詩義解結　（文史第 2 輯，1963 年）

《詩經》中「止」字辨釋　（中華文史論叢第 3 輯，1963 年）

釋羌、苟、敬、美　（吉林大學社會科學學報，1963 年第 3 期）

鄂君啟節考釋　（考古，1963 年第 8 期）

釋尼　（吉林大學社會科學學報，1963 年第 3 期）

司母戊鼎的鑄造和年代問題　（文物精華，第 3 集，1964 年）

略論西周金文中「六自」「八自」及其屯田制　（考古，1964 年第 3 期）

關於〈釋臣和鬲〉一文的幾點意見　（考古，1965 年第 6 期）

夏小正五事質疑　（文史第 4 輯，1965 年）

關於〈論西周金文中六自八自和鄉遂制度的關係〉一文的意見　（考古，1965 年第 3 期）

讀西周金文札記五則　（考古，1966 年第 2 期）

「王若曰」釋義　（中國語文，1966 年第 2 期）

詩「履帝武敏歆」解——附論姜嫄棄子的由來

（中華文史論叢第 6 輯，1965 年）

從甲骨文看商代的農田墾殖　（考古，1972 年第 4 期）

關於古文字研究的若干問題　（文物，1973 年第 2 期）

關於長沙馬王堆一號漢墓內棺棺飾的解說　（考古，1973 年第 2 期）

利簋銘文考釋　（文物，1978 年第 8 期）

晉祁奚字黃羊解　（文史第 5 輯，1978 年）

略論甲骨文「自上甲六示」的廟號以及我國成文歷史的開始 （社會科學戰線，1978年第1期）

周易尚氏學序言 （社會科學戰線，1978年第2期）

〈關於利簋銘文的釋讀〉一文的幾點意見 （中山大學學報，1978年第5期）

澤螺居楚辭新證 （社會科學戰線，1979年第3、4期）

釋㚇 （考古，1979年第4期）

壽縣蔡侯墓銅器銘文考釋 （古文字研究第1輯，1979年）

釋盾 （古文字研究第3輯）

盤牆銘文十二解 （古文字研究第4輯）

——錄自于省吾〈于省吾自傳〉（《中國現代社會科學家傳略》第3輯，太原：山西人民出版社，1983年12月），頁1－10。

附錄二：于省吾（1896－1984）

于省吾，字思泊，晚號夙興叟，齋名雙劍誃、澤螺居，遼寧省海城縣人，清光緒二十二年十一月十九日（一八九六年十二月二十三日）生於海城縣西十五里之中央堡。父開第（甲三），任塾師。省吾八歲入私塾，後畢業於初等小學、高等小學畢業。民國二年，年十八，考入海城縣中學，肄業三年，後考入奉天教育會國學專修科，肄業二年。其後國學專修科合併於瀋陽國立高等師範學校。八年夏，高師畢業，旋至安東縣署編輯縣志，任職三月後，轉任奉天交通銀行職員。九年春，任西北籌邊署文牘委員；秋，任奉天省（督軍兼省長張作霖）教育廳（廳長謝蔭昌）科員兼臨時省視學。十四年八月二十九日，北京政府執政段祺瑞（芝泉）以奉系楊宇霆（鄰葛）督辦江蘇軍務（見劉紹唐《民國大事日誌》第一冊、郭廷以《中華民國史事日誌》第一冊）；九月，楊任為秘書（〈于省吾自傳〉云：「一九二四年秋，楊宇霆任江蘇督辦，任我為秘書。」「四」當為「五」字之誤）。十五年，奉天省長兼財政廳廳長莫德惠（柳忱）任為奉天省城稅捐局局長。十七年，張學良（漢卿）任為東北邊防司令長官公署諮議，諮議屬名譽職務，只領薪，不上班；同年張學良、楊宇霆籌設專講國學之奉天萃升書院，任為院監，主持院務，奉命後親至北京延王樹枏（晉卿）、吳廷燮（向之）、吳闓生（北江）、高步瀛（閬仙）分別來院主講經學、史學、古文、文選。十八年，兼北平輔仁大學講師，自是年起，至三十八年止，歷任輔仁大學講師、教授，燕京大學名譽教授，北京大學兼職教授，均講授古文字學。

二十年秋，於「九一八事變」前夕，因感形勢危急，入關移居北平，「九一八事變」時，萃升書院停辦；自言：「這時我開始喜好古器物和古文字，於是就從事這方面的研究。當時研究古器物和文字必須善於鑑定真偽，否則無法引用。為此，我搜羅了商代甲骨文，商周時代的古器物共二百多件，其中精品多屬戎器，如吳王夫差劍、少虡錯金劍，吳王光戈、楚王酓璋錯金戈、秦商鞅鐓、秦相邦冉戟等，遂以『雙劍誃』名齋。」每見珍器，百計羅致；時人竟有以考釋殘餘之古文字「若射覆然」者，無異於猜謎，省吾大不謂然，認為：「古文字是客觀存在的，它是有形可識，有音可讀，有義可尋的，只要深入鑽研，對文字的點劃或偏旁以及它和音、義的關係做出實事求是的科學分析，並尋出每一字橫向的同一時期的相互關係，以及縱向的先後時期的發生、發展和變化的規律，則多數古文字是能夠被正確地認識的，那種貌襲臆斷的舊作風必然堅決擯棄。」（〈于省吾自傳〉）初購買古器物，意在鑑別真偽、從事著述（「後來趨於玩物喪志，深感懺悔」）。二十二年，出版《雙劍誃吉金文選》六卷，附「附編」，顧頡剛（誠吾）《當代中國史學》評為「也是本通釋金文的名著」；同年商承祚（錫永）印行《殷契佚存及考釋》（「金陵大學」版，列為《中國文化研究所叢書》甲種之一），是書合八家所藏甲骨而成，內收于氏所藏甲骨墨本七版。二十三年，出版《雙劍侈尚書新證》四卷（北平「直隸書局」版）、《雙劍誃吉金圖錄》二冊；省吾治學上有寬闊胸懷，郭沫若在日本編著《兩周金文辭大系圖錄》（二十三年，日本「文求堂書局」版）時，曾將其珍藏資料多次隔海郵寄郭氏使用（郭氏嘗至函于氏云：「近於此間得讀大著《雙劍誃吉金文選》及《吉金圖錄》二種，甚為欽佩。《文選》評解具備當，所引吳北江先生說尤多妙諦，圖錄亦多精品，冉戟、鞅鐓，殆雙絕也。茲有請者，僕近從事兩周金文辭錄工作，聞尊藏有史員卣本，急欲一見，不識肯暫時假我一閱否？如能惠以照片亦佳，其必得當以報也。」）又陳夢家（筆名陳漫哉）編著《殷虛卜辭綜述》（四十五年，「科學出版社」版）時，曾將未發表之《殷栔駢枝》四編稿本借予參考，由陳擇引於書中。（此據于省吾《甲骨文字釋林》凡例二；董樹人「于省吾」作將《殷契駢枝》四、五編付予參考）。二十四年，出版《雙劍誃詩經新證》。二十五年，出版《雙劍誃易經新證》；是年虛齡四十一，「從四十歲（引案：實齡）起即注意體育鍛練和堅持每晚睡眠前做全身按摩，幾十年來從未間斷過，並且長期茹素」，自言得益匪淺。二十七年，陸續出版《雙劍誃諸子新證》（自印本，包括《管子新證》四卷（二十八年八月撰序）、《晏子春秋新證》兩卷（二十七年六月序）、《墨子新證》四卷（二十七年一月序）、《荀子新證》四卷（二十六年五月序）、《老子新證》一卷（二十六年六月序）、《莊子新證》兩卷（二十八年十二月序）、《韓非子新證》四卷（二十七年八月序）、《呂氏春秋新證》兩卷（二十七年六月序）、《淮南子新證》四卷（二十八年三月序）、《法言新證》一卷（二十七年一月序），共十種）。二十八年九月，任輔仁大學教授，繼唐蘭（立厂）、容更（希白）之後，講授古文字源流。二十九年六月，撰《雙劍誃殷契駢枝》序；同年出版《雙劍誃殷契駢枝》、《雙劍誃古器物圖錄》二冊。三十年四月，撰《雙劍誃殷契駢枝續編》序；同年出版《雙劍誃殷契駢枝續編》、《論語新證》（載《輔仁大學講演集》第二輯，重定新稿見六十九年《社會科學戰線》第四輯）。三十二年五月，撰《雙劍誃殷契駢枝三編》序；同年出版《雙劍誃殷契駢枝三編》（附古文雜釋）；《殷契駢枝》正、續（沈兼士題簽）、三編（容庚綴簽）共九十八篇，新識或糾正過去之誤釋百餘字，乃自羅振玉（雪堂）、王國維（觀堂）以來，解決甲骨文字釋讀數量多而準確性強之重要著作，所撰之古籍新證，被胡樸安（韞玉）在《中國訓詁學史》（二十九年，「商務印書館」版，列為《中國文化史叢書》之一）中推許為「新證派」之代表，略云：「于氏《尚書新證》，尤《詩經新證》，採取金文中之材料，以資考證之處多，其書本身之價值如何，吾人不必遽下斷語，而甲骨與金文，為重要考證之材料，而確今後訓詁學之趨勢，而李氏（引案：指《今文尚書正譌》作者李泰棻）于氏之書，可謂篳路藍縷，以啟山林也。」省吾研究此等古籍之特點為突破清人對文字古形、古音、古義之瞭解基本上以《說文》、《廣韻》、《爾雅》為依據之侷限性，而以大量出土之古文字、古器物之研究成果對古籍進行考訂（所著有關古文字考釋等書，均被日本翻印出版；又據臺灣「藝文印書館」四十八年三月印行之《圖書目錄》，該館刊有于著

《論語新證》、《呂氏春秋新證》、《淮南子新證》、《易經新證》、《詩經新證》、《老子新證》、《莊子新證》、《墨子新證》、《荀子新證》、《韓非子新證》、《法言新證》、《尚書新證》、《殷絜駢枝》、《殷絜駢枝續編》、《殷絜駢枝三編》，計共十五種）。三十三年三月，胡厚宣撰《甲骨學商史論叢》自序，稱：「唐蘭先生聰敏細密，于省吾氏通豁嚴謹，孫（詒讓）羅（振玉）之後，識字獨多，……某功固不在郭（沫若）董（作賓）下也。」三十六年，在《遼海引年錄》發表〈急就篇新證〉。

三十八年一月，北平淪共；「解放」初期，以歷年所藏之全部古代文物捐獻與北平「故宮博物院」、「中國歷史博物館」。四十一年，大陸進行高校院系調整，一度中止教學任務，家居從事研究工作；同年任北平「故宮博物院」專門委員。四十四年，至長春，應東北人民大學（前身為東北行政學院，四十七年八月易名為吉林大學）校長匡亞明之邀，任歷史系教授，以迄去世。到校後一面繼續從事古文字、古文獻之研究，一面培養碩士研究生、進修教師。「從一九五五年到一九六六年我帶出了二屆研究生，先一屆為姚孝遂、陳世輝，後一屆為林澐、張亞初」，其培養研究生之方法，「一是因材施教，二是既教書又教人。平時我對他們的學習和言行都嚴格要求」，「我帶研究生的主要方法是自學和輔導相結合，在講授古文字課程時，我首先是要求他們弄清和掌握一些最基本的概念」，「並安排他們每周進行二次討論，討論過程中出現的疑難問題則由我在上課時解答。經過這麼一個階段後，他們既有了一些基礎理論又有了閱讀原始材料的基本功，於是我對他們又作了更進一步的訓練，即每周輪流指出一名研究生作一次小型報告，報告的題目可以自擬，報告後讓其他研究生和旁聽人員分別提出各自的意見和建議，最後由我作一總結，評定其是非得失。這樣做，不僅提高了他們發現問題、解決問題的能力，而且也為他們以後撰寫畢業論文打下了一個良好基礎。」（〈于省吾自傳〉）；是時對田野考古之新發現與民族學知識下過一番工夫，「開始認識到古文字學這一學科應該為研究古代歷史服務」，是以集中精力利用古文字資料去研究商周時代的社會制度、階級鬥爭、經濟生活等方面的問題，著有〈殷代的交通工具和馹傳制度〉、〈殷代的奚奴〉、〈商代的穀類作物〉、〈從甲骨文看商代社會性質〉、〈略論圖騰與宗教起源和夏商圖騰〉等論文。四十五年一月，在《文史集刊》第一期發表

〈《商周金文錄遺》序言〉。四十六年出版《商周金文錄遺》（列為「中國科學院」考古研究所《考古學專刊》乙種第六號，「科學出版社」版），是書共收錄金文拓本四百六十六種，為羅振玉《三代吉金文存》出版後之一部較為重要之金文參考資料；同年「中國科學院」（院長郭沫若）考古研究所（六十六年改隸「中國社會科學院」）遵照著者意見，請于氏為郭沫若《殷契粹編》（二十六年日本「文求堂書局」版）、《卜辭通纂》（二十二年，日本「文求堂書局」版）兩書進行校訂，費時兩個月，將兩書通校一周，為改正其中之訛誤，並提出一些修正意見，其中部分意見獲郭沫若採納，能以眉批形式錄於書中（校訂後出「科學出版社」再版，列為「中國社會科學院」考古研究所《考古學專刊》之一）。四十七年九月，在《歷史研究》月刊第九期發表〈駁唐蘭先生「關於商代社會性質的討論」〉一文。四十九年五月，撰《列子新證》序；同年撰《雙劍誃諸子新證》再版序言，云：「《諸子新證》係在抗戰時期倉皇付印者，現在中華書局擬重印此書，以時力所限，僅略加刪訂。」

五十一年八月，《雙劍誃諸子新證》由「中華書局」再版，新增《列子新證》一卷；同年在《文史》第一輯發表〈澤螺居讀詩札記〉（〈于省吾自傳〉記云：「《莊子・秋水》說：『計四海之在天地之間也，不似礨空之大澤乎？』舊誤釋『礨空』為『蟻穴』，我認為應讀為『螺孔』（詳《莊子新證》），遂以『澤螺居』為室名，以表明學問的無止境，『學到老，學不了』的真切心情。」）。五十二年，在《文史》第二輯發表〈澤螺居詩義解結〉。五十三年，在《文物精華》第三集發表〈司母戊鼎的鑄造和年代問題〉一文，該鼎高一百三十釐米，重八百七十五公斤，為現存最大之青銅器，二十八年出土於河南安陽武官村，現藏「中國歷史博物館」。五十五年六月，「文化大革命」起，旋被指為「反動學術權威」，受到批鬥之苦，「十年動亂時期，培養研究生的工作被迫中斷」。「身居斗室，也沒有中斷過學習和研究。長期以來，每天凌晨三點多起床閱讀和寫作已成了我的習慣」。六十五年十月，「四人幫」被捕，於粉碎「四人幫」後以「夙興叟」為號以自勉。六十六年，應「中華書局」之邀，任《甲骨文字考釋類編》主編，全書約三百餘萬言。六十七年九月，撰《甲骨文釋林》序，略云：「專就甲骨文字來說，我所新識的字，和對已識之字在音讀、義訓方面糾正舊說之誤而提出的新解，總共還不到三百，……今將解放前我所為的甲骨文字考釋，大加刪訂，和解放以後所寫的甲骨文字考釋，彙集在一起，共一百九十篇，名之為《甲骨文字釋林》。」是時大陸恢復研究生招考制度，「我又招收了何琳儀、湯餘惠、曹錦炎、黃錫全、吳振武五名研究生」；同年吉林大學歷史系古文字研究室（主任于省吾）、北平「中華書局」聯合發起召開「全國古文字討論會」，由于省吾任召集人，出席會議者有十五省、市三十六個單位之代表，會上成立「中國古文字學會」，當選為理事（該會不設理事長、常務理事等職）。六十八年六月，出版《甲骨文字釋林》（「中華書局」版），共一百九十篇（包括附錄兩篇），分上、中、下三卷，由弟子林澐繕寫，姚效遂、陳世輝校對，是書總結省吾在甲骨文字考釋方面之主要成果，新釋或糾正過去誤釋之字數增至約三百個（全部甲骨文字目前發現者不過四千多字，經過八十多年研究，其中三分之二仍舊不識，目前所認識之字，約有四分之一乃省吾之研究成果；自三十八年以來，大陸其他古文字學者已發表之全部甲骨文研究成果，新釋或糾正過去誤解之字比較可靠者，總計不過十多個），受到國內外專家之普遍重視，自言：「我對自己早期研究中誤釋或尚有疑問者一律刪除，意在寧缺毋濫。我認為，有許多從事古文字研究者不注意『闕疑』的必要性，把缺乏證據的推測，疑似的確似的結論混在一起，以致是非莫辨，因此對自己要求從嚴。」於《甲骨文字釋林》刊行後，隨即埋頭撰述《吉金文字釋林》，解釋舊所不識之字約二百個，又在《社會科學戰線》第三、四期發表《澤螺居楚辭新證》；同年任「中國考古學會」籌備委員，於該會舉行成立大會時，被舉為大會執行主席，當選為名譽理事。六十九年在《古文字研究》第三輯發表〈釋盾〉一文；同年十一月，受中共「教育部」（部長蔣南翔）委託，主持全國高校講師以上水平之古文字進修班。晚年歷任吉林省「政協」常務委員、吉林大學歷史系古文字研究室主任兼校學術委員會委員、「中國語言學會」顧問兼學術委員會委員、「中國訓詁學會」顧問、《漢語大字典》（八卷本，徐中舒主編，「四川辭書出版社」、「湖北辭書出版社」聯合出）學術版顧問等職。

七十年六月，撰《澤螺居詩經新證》前言，略云：「本書是我從前對《詩經》、《楚辭》這兩種重要韻文典籍的考證，現在分別印入本集。其中〈詩經新證上卷〉，是一九三五年出版的《雙劍誃詩經新證》刪訂而成。中卷包括《文史》第

一、二輯發表的〈澤螺居詩經札記〉、〈澤螺居詩義解結〉有所刪改。下卷是已發表的有關《詩經》考證的單篇論文，亦略有修正。……《楚辭新證》是一九六三年舊稿，一九七九年曾在《社會科學戰線》三、四兩期發表，因為未得到我的校對，譌字較多，現在均加以糾正。」十二月，應聘為「國務院」（總理趙紫陽）古籍整理出版規劃小組顧問。七十一年十一月，出版《澤螺居詩經新證》（「中華書局」版）。七十二年九月，應邀前往香港，出席由香港中文大學中國語言及文學系、吳多泰中國語文研究中心聯合主辦之「國際中國古文字學研討會」，會期三天，與會者有來自臺灣、大陸、美國、香港之學者潘重規（石禪）、高明（仲華）、周法高（子範）、商承祚（錫永）、胡厚宣、高明（一高明來自臺灣，一高明來自大陸，二人同名同姓，並非重出）、周策縱、金祥恒、張秉權等三十餘人，在會上宣讀論文〈釋從天從大從人的一些古文字〉（載《古文字學論集》初編，七十二年九月，香港中文大學中國文化研究所、吳多泰中國語文研究中心版），文章整理出古文字形變選之規律，指出早期或較早期之甲骨文、金文中之「天」、「大」、「人」三字在偏旁中常可互用，同月以理事身份，至山西太原出席「中國古文字學會」第四屆年會；十二月，「山西人民出版社」印行《中國現代社會科學家傳略》第三輯，內收〈于省吾自傳〉一文；同年招收一屆博士研究生，仍堅持每週講課兩個半天。七十三年七月，因病在長春去世，年八十九歲。〔關國煊稿。參考：于省吾〈于省吾自傳〉（載《中國現代社會科學家傳略》第三輯）、董樹人〈于省吾〉（載《中國現代語言學家》第四分冊）、林澐〈于省吾教學和科研成果概述〉（載《中國當代社會科學家》第一輯）、高鴻縉〈周金文參考書籍目錄〉（臺灣省立師範大學講義本）。〕

——錄自關國煊〈于省吾（1896－1984）〉（《傳記文學》第 50 卷第 1 期（總第 296 期），1987 年 1 月），頁 144－146。

附錄三：于省吾語言學論著目錄

【專著】

雙劍誃吉金文選　1933 年

雙劍誃尚書新證 1934 年

雙劍誃詩經新證 1935 年

雙劍誃易經新證 1936 年

雙劍誃諸子新證 1938 年，中華書局 1962 年重印

雙劍誃殷契駢枝 1940 年

雙劍誃殷契駢枝續編 1941 年

論語新證 輔仁大學講演集第 2 輯，1941 年印行，重訂新稿見《社會科學戰線》1980 年第 4 期

雙劍誃殷契駢枝三編（附古文雜釋） 1943 年

商周金文錄遺 考古學專刊二種第六號，科學出版社出版，1957 年出版

甲骨文字釋林 中華書局 1979 年出版

澤螺居詩經新證 中華書局 1982 年出版

【論文】

1935 年

易說卦巽為寡髮解 《考古學社社刊》第 3 期

續殷文存序 《北平圖書館館刊》第 9 卷第 4 期

1936 年

釋「賁」 《晨報・思辨》（北平）2 月 17 日

井侯毁銘文考釋 《考古學社社刊》第 4 期

春秋名字解詁商誼 《考古學社社刊》第 5 期

毛伯班毁名考釋 《考古學社社刊》第 5 期

1939 年

釋屯 《輔仁學志》第 8 卷第 2 期

1947 年

釋人、尸、仁、𡰥、夷 《大公報・文史周刊》（天津）第 14 期，1 月 15 日

古文字對於載籍故訓之糾正 《經世日報・讀書周刊》（北平）第 43 期，6 月 11 日

急就篇新證 《遼海引年錄》

1949 年

重文例　《燕京學報》第 37 期

1956 年

釋「蔑曆」　《東北人民大人文科學學報》第 2 期

《商周金文錄遺》序言　《史學集刊》第一期

1959 年

《書・無逸》「文王卑服即康功田功」解　《吉林大學人文科學學報》第 3 期

釋庶　（與陳世輝合寫）　《考古》第 10 期

1960 年

「楚公冢」辨偽　（與姚孝遂合寫）　《文物》第 3 期

關於「天亡簋」銘文的幾點論證　《考古》第 8 期

1961 年

陳僖壺銘文考釋　《文物》第 10 期

1962 年

釋⊖、8兼論古韻部東、冬的分合　《吉林大學社會科學學報》第 1 期

《詩》「駿惠我文王」解　《吉林大學社會科學學報》第 3 期

從古文字方面來評判清代文字、聲韻、訓詁之學的得失　《歷史研究》第 2 期

〈師克盨名考釋〉書後　《文物》第 11 期

對於《詩・既醉》篇舊說的批判和新的解釋　《學術月刊》第 12 期

澤螺居讀詩札記　《文史》第 1 輯

1963 年

澤螺居詩義解結　《文史》第 2 輯

《詩經》中「止」字的辨釋　《中華文史論叢》第 3 輯

釋羌、苟、敬、美　《吉林大學社會科學學報》第 3 期

釋尼　《吉林大學社會科學學報》第 3 期

「鄂君啟節」考釋　《考古》第 8 期

1964 年

略論西周金文中的「六自」和「八自」及其屯田制　《考古》第 3 期

1965 年

關於〈釋臣和鬲〉一文的幾點意見　《考古》第 6 期

夏小正五事質疑　《文史》第 4 輯

《詩》「履帝武敏，歆」解——附論姜嫄棄子的由來　《中華文史論叢》第 6 輯

1966 年

讀西周金文札記五則　《考古》第 2 期

「王若曰」釋義　《中國語文》第 2 期

1973 年

關於古文字研究的若干問題　《文物》第 2 期

1978 年

利簋銘文考釋　《文物》第 8 期

晉祁奚字黃羊解　《文史》第 5 輯

略論甲骨文「自上甲六示」的廟號以及我國成文歷史的開始　《社會科學戰線》第 1 期

周易尚氏學序言　《社會科學戰線》第 2 期

〈關於利簋銘文的釋讀〉一文的幾點意見　《中山大學學報》（哲社版）第 5 期

1979 年

澤螺居楚辭新證　《社會科學戰線》第 3、4 期

壽縣蔡侯墓銅器銘文考釋　《古文字研究》第 1 輯

釋盾　《古文字研究》第 3 輯

盤𤅊銘文十二解　《古文字研究》第 5 輯

釋𡨦　《考古》第 4 期

1980 年

關於《尚書》的一封信　《中國史研究》第 3 期

論語「子罕言利與命與仁」解　《歷史論叢》第 1 輯

1981 年

釋皇　《吉林大學學報》（哲社版）第 2 期

釋鬲、隸　《史學集刊》復刊號

1982 年

釋曰 《鄭州大學學報》（哲社版）第1期

1983年

釋「巳」和「亞巳」 《社會科學戰線》第1期

——摘錄自董樹人〈于省吾〉（《中國現代語言學家》第四分冊，石家莊：河北人民出版社，1985年12月），頁230－233。

附錄四：于省吾先生及其學術貢獻述略

于省吾先生，字思泊，號夙興叟，齋名雙劍誃、澤螺居。一八九六年十二月二十三日（光緒二十二年十一月十九日）誕生於遼寧省海城縣西十五里中央堡，一九八四年七月十七日病逝於長春，享年八十八歲。先生一生致力於古文字學、古籍整理、古代歷史、古代文物等方面的研究，治學嚴謹，成績卓著。畢生六十餘年學術生涯，筆耕不輟，著書十四種（未正式出版者不計）、論文近百篇。是我國著名的古文字學家、考古學家、古籍整理專家。去世前，先生曾擔任九三學社中央委員會顧問、吉林省政協常委、國務院古籍整理與出版規劃小組顧問、中國古文字研究會理事、中國考古學會名譽理事、中國語言學會顧問兼學術委員、中國訓詁學會顧問、中國大百科全書編輯委員會顧問、吉林省歷史學會常務理事等職，是吉林大學一級教授、博士研究生導師。

先生少承庭訓，學習勤奮。十七歲入海城中學，後入奉天教育會國學專修科，未及結業，就以優異成績考入瀋陽國立高等師範，一九一九年畢業。此後，曾先後任安東縣縣志編輯、奉天交通銀行職員、西北籌邊使署文牘委員、奉天省教育廳科員兼臨時省視學等職。一九二四年任奉天省城稅捐局局長。一九二八年，張學良籌建奉天萃升書院，聘先生為院監。為開化東北、傳播國學，先生曾親自聘請國內一流知名學者為該院教師。如聘高步瀛先生主講文選，聘王樹楠先生主講經學，聘吳廷燮先生主講史學、聘吳闓生先生主講古文。先生因此也曾受其影響，更喜愛「桐城派」古文。在此前，先生也曾有《未兆廬文鈔》行於世。一九三一年，「九・一八」事變前夕，萃升書院停辦，東北形勢急劇變化，為避免日寇的奴役統治，先生毅然變賣了在奉天及海城的家產，輾轉遷居北京。

到北京後，先生開始研究古文字及從事古籍經典的校訂、研究工作。為了更深入地從事研究和著述，先生幾乎動用了大部分資產，甚至不惜變賣夫人首飾，來收集甲骨、青銅器等文物，很多是有名的兵器，如吳王夫差劍、少虡劍、吳王光戈、楚王酓戈等。先生很得意收藏的上列兩把劍，遂以「雙劍誃」名齋。此後的著述便多冠以齋名「雙劍誃」。先生珍藏的文物約有二百多件，解放後全部捐給故宮博物院和中國歷史博物館。為了辨別文物的真偽，先生曾潛心研究過青銅器的時代特徵，並對收藏的文物作過精心的整理。先生辨別古文物真偽的功力，也是這時候不斷總結經驗教訓鍛練出來的。

在北京，先生一面從事著述，一面從事教學。三〇、四〇年代，先生先後擔任輔仁大學教授、燕京大學名譽教授，講授古文字及古器物學等。此間出版專著有《雙劍誃古金文選》等十餘部著作，還編撰有《雙劍誃殷契駢枝四編》及《契文例》稿本（曾毅公助理），發表論文近二十篇。在這麼短的時間內取得如此豐碩的研究成果，可見先生驚人的筆耕毅力及對學術事業執著追求的精神。一九五二年全國高等學校院系調整，先生被聘為故宮博物院專門委員。一九五五年，東北人民大學（後改為吉林大學）匡亞明校長至京，聘請先生為該校歷史系教授，先生欣然同意。同年六月正式奉調長春。從一九五五年至一九八四年，先生在長春生活，工作了近三十年。

在吉林大學工作期間，除去歷次運動及文化大革命，先生主要是培養研究生和從事著述。一九五六年至一九六六年期間，先生曾先後招收三屆六名研究生。一九七八年恢復研究生招考制度，先生置年邁體弱於不顧，於八十二歲高齡繼續招收研究生五名。一九八一年又繼續指導博士研究生三名。一九八〇年與一九八三年，受教育部委託，主辦全國具有講師以上水平的古文字進修班兩期，共招收學員二十餘名，為全國高等院校及文博單位培養了一大批專業人才。在此朗間，先生出版專著有《商周金文錄遺》等多部著作，主編《甲骨文考釋類編》，並發表論文六十餘篇。直至生命的最後一息，先生都沒有停止從事著述及教書育人的工作。

綜觀先生一生所走的學術道路及取得的學術成就，其貢獻是多方面的。在這裡，只是就下列幾個方面談一點認識和體會。

一、在考釋古文字方面的貢獻

先生研究古文字，是從三〇年代初寓居北京時開始的。那時先生已經三十多歲接近四十歲了。由於先生具有深厚的古典文獻功底及古文字學基礎，加上治學勤奮，所以後來居上。四十多年間共考釋出一大批前人不識或誤解誤釋之字，並提出了突破傳統「六書」的文字學理論，為學術界所稱道。

首先是考釋甲骨文字。殷商甲骨文，自清末發現以來，經過不少學者，尤其是羅振玉、王國維的不斷研究，取得了不小的成績，但也存在很多不易解決的疑難問題。僅就文字考釋方面而言，越往後考釋疑難文字的難度就越大。據初步統計，甲骨文不重複的字約有五千左右，能認識者也就千字左右，多數還不認識，這就影響到對有關問題的進一步研究。先生認為「這是我們應當擔負起的一個艱巨任務」。因此，先生知難而進，在前人研究的基礎上，經過不懈的努力，終於在一九四〇年至一九四三年間，連續出版了考釋甲骨文的專著《雙劍誃殷契駢枝》初編、續編、三編。在同行中嶄露頭角。一九七九年，先生總結了四十多年來研究甲骨文的成果，刪訂《殷契駢枝》三編，與新釋合為一編，題名《甲骨文字釋林》，由中華書局精裝出版。全書一百九十篇，二十萬字左右。這是先生積一輩子心血研究甲骨文字的精華。全書用「分析偏旁以定形，聲韻通假以定音，援據典籍以訓詁貫通形與音」（陳夢家《殷虛卜辭綜述》等科學方法，新釋，或糾正前人誤釋及前人已釋而不知其造字本義者，約有三百來字，論正簡潔嚴謹，結論多屬可信。如釋氣、釋敗、釋襄、釋大叜風、釋虹、釋屯、釋奚、釋尼、釋媿、釋朿、釋'J、釋庶等等，以及釋小王為孝己、羌甲為沃甲、膏魚為高魚等，其例不勝枚舉。是羅、王之後考釋文字最多的學者。同時，先生在讀書中所釋的「具有部分表音的獨體象形字」、「附劃因聲指事字」，則是對傳統文字學理論「六書」說的發展和突破，開創了考釋文字的新方法和新途徑。先生的《雙劍誃殷契駢枝》及《甲骨文字釋林》的出版，受到了學術界的普遍重視和高度評價。如王宇信在《甲骨學通論》中指出：

> 于省吾在甲骨文字考釋的廣度和深度方面超過了前人。不僅他考釋或加以解說的三百多個甲骨文字對我們很有參考價值，而且他將羅、王以來考釋甲骨文字的方法加以繼承並發展，對我們今後文字的考釋工作將發生深遠的影

響。

此外，陳偉湛、唐鈺明在《古文字學綱要》中，吳浩坤、潘悠在《中國甲骨學史》中，王宇信在《建國以來甲骨文研究》中，以及曾憲通在〈建國以來古文字研究概況及展望〉（《中國語文》1988 年 1 期）一文中，都對于省吾先生在甲骨文字考釋方面所取得的成就做了概括性的評述，並給予了高度評價。

這些評論，應該說是比較公允而符合實際的，代表了學術界的看法。郭沫若先生再版他的甲骨文重要著作《卜辭通纂》和《殷契粹編》時，就特別邀請于先生在文字考釋方面進行校訂，並將校改之處，錄於該書的眉端。一九七七年，中華書局邀請先生主編《甲骨文考釋類編》，先生去世前已完成部分資料長編，近經增補編輯抄正，不久即可面世。

先生考釋甲骨文字的成就大於其他方面，但於金文的研究也下過一番苦功，提出了不少極富創見性的解釋，也做出了比較突出的貢獻。先生曾計劃繼《甲骨文字釋林》之後，總結對銅器銘文研究的成果，出一部《吉金文字釋林》，預計考釋文字二百個左右，並曾就書名一事還與他的研究生反覆琢磨過。先生之意是，《甲骨文字釋林》當初應取名「古文字釋林」，以後所輯均同樣命名，僅以一輯、二輯、三輯等以別之。可惜此書未能完稿而先生即溘然長逝。回憶先生當時談起宏偉計劃的情景，彷彿先生根本就沒有考慮過他已經是八十多歲高齡老人似的。儘管我們今天已難以見到先生對二百字左右金文考釋的全部內容，但從已發表的論文中可窺見其梗概。如〈釋中國〉、〈釋㠱〉（舉））、〈釋盾〉、〈釋兩〉、〈釋能和㲋以及從㲋的字〉、〈釋從天從大從人的一些古文字〉、〈讀金文雜記五則〉、〈關於利簋銘文的釋讀〉、〈墻盤十二解〉、〈壽縣蔡侯墓銅器銘文考釋〉等等，相當精闢地考釋了一大批難度較大的銅器銘文。由於先生長於字形分析和音韻、訓詁，又善於利用出土文物等材料，因此，所考文字及所釋字義多令人信服。如通過偏旁分析，釋出了一批從能從㲋和從天從大從人的古文字，對武王克商時的利簋中「歲貞克聞」的解釋，對閶為管蔡之「管」的考證；利用出土文物與古文字字形的演變，論證「盾」的變化及「登盾，生皇畫內」的含義；釋秦公鐘䪫為䪫䪫，讀「趩文武」之䪫䪫為藹藹，訓為威儀之盛，讀蔡侯鐘「窵窵為政」之「窵窵」為「懋懋」，訓為「黽勉」；讀墻盤「方蠻亡不𡛷見」之𡛷為踝，訓踵，解為方蠻無不接踵而至，等等，於形、音、義等均密合貫通。又如〈釋𦦙〉一文，先生根據甲骨、金文中𦦙字的構形，以納西族文和古代典籍為證，釋此字為「舉」，為進一步研究族氏文字樹立了榜樣。另外，《甲骨文字釋林》中也包含了不少先生對金文考釋的意見，早年出版的《雙劍誃吉金文選》，對青銅器銘文的訓釋，也多有獨到之外，其著錄的金文書籍，如《商周金文錄遺》等，為促進金文的研究起到了積極作用。

先生研究戰國文字及漢隸「古文」等方面，也有不少新的見解。這一方面，以前似乎不大為人們所注意。其實，早在先生開始研究古文字時，就曾注意到戰國古文及秦漢篆隸對於研究甲骨、金文的重要性，考釋文章中不乏徵引這類材料以闡明文字的源流。一九四三年出版的《雙劍誃殷契駢枝三編》中就專附有「古文雜釋」。其中考釋戰國文字者，如〈釋古坙質〉、〈陰〉、〈颬〉等字，釋古貨幣文𪊨陽，鑄、均、居、㡆、堂等字，釋古陶文咨滿等字，等等，多準確無誤。〈論俗書每合于古文〉，是繼羅振玉〈古文間存於今隸說〉之後，主張研究商周古文字及《說文》古文等還要注意秦漢以後所謂「俗體」中所保存的「古文」形體的又一篇力作。全文共舉六十四字為例，逐字進行分析論證，亦多準確無誤。

另外，先生所藏有關書籍及資料中，也每見有眉批，其中不乏先生的精闢見解。如能將先生的筆記（先生不作卡片，以防丟失）及眉批等綜合整理出來，可以看出先生有很多考釋文字的意見未能來得及整理發表。如五〇年代商承祚先生贈送「思泊先生考正」的《信陽出土戰國楚竹簡摹本》（曬藍本）中，先生就有不少旁注及眉批。現羅列幾條如下：

簡 2—01[illegible]，摹本缺釋。先生旁注云：「專，從刃從刀同，同第一組剛字從刃。」又於眉批云：「[illegible]系專字，龍節遵從專作[illegible]可證。」

簡 2—03「一簹竽」，先生眉批云：「夸從于聲，瓠從夸聲。簹通瓠，古韻同屬魚部。竽三十六管，以管貫瓠，故曰簹竽。」

簡 2—11[illegible]，摹本釋□。先生旁注云：「□，從□」。[illegible]，摹本釋□。先生旁注「篚」字。云：「非邋字，從□」。

簡 2—133「一紅介之留衣」。先生於「介」旁注云：「[illegible]古界字。『紅介』猶言『紅格』。

先生曾有撰寫《戰國文字釋林》（開始叫《古文字釋林》），見《文獻》19 輯）一書的計劃，可惜未能實現。

如果將先生所釋之甲骨文（三百）、金文（二百）、戰國文字及尚未整理之考釋文字的意見一起計算，先生一生考釋、訓釋的文字，估計有六、七百字之多。

總之，先生在考釋古文字方面取得了舉世矚目的驚人成就，作出了巨大的貢獻。

二、在整理校訂古籍方面的貢獻

先生學術貢獻的另一很重要也是很具有代表性的方面，就是利用古文字材料及研究成果，參以舊書寫本及出土文物等材料來校訂古代典藉，開創了科學整理古籍的一個新途徑。先生一貫認為，先秦典籍原是用先秦古文字寫成的，其在流傳中出現的種種錯誤，與當時的古文字在形、音、義各方面的特點有密切關係；又因漢代學者譯釋先秦古文獻時已不能完全認識古文字，再加以口耳相受及輾轉傳抄，以至錯誤較多。今天糾正其錯誤，不僅要直接利用或聯繫當時文字的形、音、義的特點加以研究，而且還要利用同一時代的典籍及出土文物等相互驗證，才能有所創獲。清代乾嘉學者，由於受當時條件的限制，雖然根據流傳下來的古書相互比勘以校證本文和訓釋的錯誤，作了大量工作，取得了很大成績，但存在的問題仍然不少。今天能有條件用古文字校勘典籍，這是一種直接有效的方法。同時，先生又主張地下出土的資料與文獻資料有主輔之別，要以發掘的文字資料為主，以古典文獻為輔。既要用發掘的文字資料來糾正古典文獻之訛誤，又要用古典文獻來補充發掘的文字資料之不足。兩者辯證地結合起來，交驗互證，才能全面研究問題，才能解決問題。先生是這樣認為的，也是這樣身體力行的。三〇年代初，先生一到北京後就開始了這方面的工作，他將對古文字的研究與校訂古籍有機地結合起來，取得了很大成就。解放前就連續發表並出版了多部著作。由於先生精通古文字，又具有群經諸子、目錄版本、典籍校勘、考古發掘、音韻訓詁等方面的修養，所以所闡述的問題能左右逢源，所校所釋多令人信服。下面僅據修改增訂後的《詩經・楚辭新證》，各舉一例，以見一斑。

《詩・緜》「古公亶父，陶復陶穴」之「陶復陶穴」一句，二千年來舊注及解說《詩》者對於「陶」和「復」字一向訓釋不清，而清儒又多拘泥於《說文》，誤以為「陶復」是於地上復築土室。先生根據典籍，及西安半坡、華縣元君廟的仰紹文化和大汶口的龍山文化等墓葬和遺址中有紅燒土的發現，交驗互證，認為此句的「陶」字為動詞，義為「燒製」，是說住穴與復穴的內部都用陶冶出來的紅燒土所築成，為的是質地堅固，以防潮濕。又指出，「陶復」的「復」字應在句末，為與上下句押韻而與「穴」字顛倒，本應作「陶穴陶復」。「復」系開掘於住穴內的地窨，用以儲藏穀物之類。這是周人詠太王在豳穴居之事。

《楚辭・大招》「小腰秀頸，若鮮卑只」一句，舊注雖知「鮮卑」為帶鈎，由於未能驗諸實物，每語意籠統不清，先生以鄭州戰國墓中出土的帶鈎實物為例，詳細指明帶鈎各部位的名稱，最後指出，此句「是以帶鈎之形制比擬女人之腰頸。「小腰」指帶鈎身部中間言之，「秀頸」指帶鈎左端彎曲處言之」。

這樣交驗互證地校訂古代典籍，不僅文義較舊注通達，細微而準確，令人信服，而且開創了整理古代典籍的新路，受到了學術界的肯定和稱讚。胡樸安在《中國訓詁學史》中，認為先生這種整理、校訂古籍的方法有「篳路藍縷，以啟山林」之功，為訓詁學開闢了新的途徑，並推崇先生為「新證派」的代表。

三、在利用甲骨金文研究商周歷史方面的貢獻

先生在運用馬克思主義理論為指導，利用古文字研究成果及古代典籍，結合歷史學、考古學及民族志等，來研究、探索中國古代歷史及有關制度方面，也做出了不少成績。先生研究古文字與古代典籍，並非僅僅是為了解決其中的疑難問題，而是要透過這些材料來探討當時的歷史面貌。在《甲骨文字釋林・序》中，先生曾明確闡述了「研究中國古文字的主要目的，是為探討古代史」的觀點，並就此作了進一步的論述。先生說：

> 中國古文字中的某些象形字和會意字，往往形象地反映了古代社會活動的實際情況，可見文字的本身也是很珍貴的史料。在本書中，我利用甲骨文字的構形和甲骨文的記事，對我國成文歷史的開始，對我國古代社會的經濟基礎和上層建築，都進行了一些研究。而特別值得注意的是，其中所反映出來的

> 商代統治階級對人民的踐踏和刑殺，在這裏有必要概括地闡述這一問題。

緊接著，先生通過列舉甲骨文中有關「人身的蹂躪」、「捆縛」、「械具和囹圄」、「肉刑」、「火刑」、「陷人以祭」、「砍頭以祭」、剖腹刳腸的「敆與乇」為例，說明商代統治階級踐踏和刑殺人民的殘酷性，進而指出文獻中所載關於商王統治時期的所謂「修正刑德，天下咸歡」（《史記・殷本紀》）多為頌揚粉飾之詞。

先生所發表的單篇論文，也多具這個特點，即運用馬克思主義的史學觀，通過對古文字的考釋來研究商周歷史。如〈略論甲骨文「自上甲六示」的廟號以及我國成文歷史的開始〉、〈略論圖騰與宗教的起源和夏商圖騰〉、〈從甲骨文看商代社會性質〉、〈商代的穀類作物〉、〈從甲骨文看商代的農田墾殖〉、〈關於商周時代對於「禾」、「積」或土地有限度的賞賜〉、〈殷代的交通工具和馹傳制度〉、〈歲、時起源初考〉、〈「皇帝」稱號由來和「秦始皇」的正始稱號〉等，就我國成文歷史的開始、古代的圖騰制度、商周時代的社會性質及階級鬥爭、農業生產、土地制度、馹傳交通等等方面，都提出了比較新穎的見解，「做了創造性的探索」（王宇信《甲骨學通論》）。如通過辨析甲骨文中的黍、稷、菽、麥、稻等，證明我國商代已經具備了後世所習稱的「五穀」。據典籍，墾田始見於《國語・周語》。先生通過對甲骨文坒字的考釋，認為聖田即墾田，說明商代武丁時已有農田墾殖。先生根據甲骨文、金文及文物考古資料等與古籍記載相互印證，說明殷代不僅有了車馬、步輦和舟等交通工具，而且也盛行單騎與騎射；先生又根據甲骨文迍與遷字的形義演變及「迍入」、「遷往」、「迍來歸」等辭例，以金文及傳記資料為佐證，將過去多認為「馹傳」起源於春秋的時間推前至殷代。等等這些，雖不能都視為定論，但先生是在努力運用馬克思主義史學理論來探索商周歷史及其有關制度。

關於古文字資料在研究古代歷史上的地位問題，先生也一向認為（見《甲骨文字釋林・序》）：

> 我過去一再強調要以地下發掘的文字資料為主，以古典文獻為輔。像甲骨文

> 這種保存在地下的文字材料，是三千多年來原封不動的。而古典文獻則有許多人為的演繹說法和輾轉傳訛之處。……當然，我們同時也要用古典文獻來補充地下發掘的文字資料的不足，特別還需要用地下發掘的實物資料，來補充文字資料的不足，把這幾方面辯證地結合起來，交驗互證，才能使我國古代史的研究不斷取得新的成果。

先生研究古史的論文及所取得的成就基本體現了他一向主張的這種思想。先生「通過古文字考釋研究商史，為恢復我國古代社會面貌做出了貢獻」（王宇信《甲骨學通論》）。

四、在教書育人方面的貢獻

先生對學術事業的另一貢獻是教書育人。先生一生的學術生涯，除從事研究和著述外，就是培養人才。

先生培養學生，認真負責，方法得當，效果好。歸納起來，約有下列幾個方面。

一是教導學生熟讀原始材料，掌握好學習方法。先生指導研究生，學甲骨文時，就以《甲骨文合集》為課本；學金文，就以《殷文存》、《續殷文存》、《三代吉金文序》等為課本，叫學生老老實實地一片片、一篇篇閱讀，有疑問者，研究生先行討論，實在不明者，由先生答疑。學習中要學生隨時記下重要材料及心得。對前人的解釋，先生教導學生不要一味盲從「大家」或「權威」，要以懷疑的態度去思考每一問題，進而才能發現問題，久而久之，積少成多，自然會有不少收獲。

二是教導學生治學要勤奮，要有鍥而不捨的精神，先生做學問一向是一絲不苟，勤勤懇懇的。到晚年每天都是清晨三、四點鐘就起床從事著述，因此以「夙興叟」名號。先生經常用美國愛迪生的名言「天才是百分之一的靈感，百分之九十九的汗水」來告誡、勉勵學生。先生常說，「念茲在茲，食茲在茲。做學問貴有恆，功到自然成」，「不怕慢，就怕站，站一站，二里半」。這些風趣而帶有哲理性的教導，至今還在先生的學生中廣為流傳。先生在生命的垂危之際，於病床上還用手指比畫字形以教導學生，真可謂是「鞠躬盡瘁，死而後已」。

三是強調學生做學問要嚴謹，要知道「闕疑」。先生做學問以嚴謹著稱，對乾嘉學者中的段玉裁、王念孫、王引之治學嚴謹，無證不信的精神備加推崇。先生在整理《甲骨文字釋林》時，對早期研究中誤釋或有疑問者「大加刪訂」，幾乎刪去一半，意在「寧缺毋濫」。先生常說，做文章要「流於既溢之外」（蘇東坡語），論證一個問題要「嚴絲合縫」，文章要短小精練，少說廢話。

先生不僅對他的研究生是如此，凡是登門或書信求教者，都一視同仁，耐心指教。一九七五至一九七八年間，先生對浙江的一位下鄉插隊但熱愛甲骨文的青年，為鼓勵他學習，幫助他尋找學習的機會，在年邁多病的情況下，短期內竟回覆書信達十七封之多（見《于省吾先生書簡》），可見先生對後學的關心和愛護之情。

先生的貢獻是多方面的。此文記述的僅是其中的幾個方面。明年是先生誕辰一百周年，謹以此文作為對先師思泊先生的懷念。

最後，敬以自撰之聯，獻於先生之靈：

校群經諸子，育中華英才，鞠躬盡瘁；

考甲骨金文，寫商周歷史，博大精深。

于省吾著作目錄

專著

1. 《雙劍誃吉金文選》，大業印刷局，1933 年。
2. 《雙劍誃尚書新證》，大業印刷局，1934 年。
3. 《雙劍誃吉金圖錄》，1934 年。
4. 《雙劍誃詩經新證》，大業印刷局，1935 年。
5. 《雙劍誃易經新證》，大業印刷局，1937 年。
6. 《雙劍誃殷契駢枝》，大業印刷局，1940 年。
7. 《雙劍誃古器物圖錄》，大業印刷局，1940 年。
8. 《雙劍誃殷契駢技續編》，大業印刷局，1941 年。
9. 《論語新證》，1941 年輔仁大學講演集第二輯。
10. 《雙劍誃殷契駢枝三編》，大業印刷局，1943 年。
11. 《商周金文錄遺》，科學出版社，1957 年。

12. 《雙劍誃諸子新證》，1940 年大業印刷局初版，1962 年中華書局再版。

13. 《甲骨文字釋林》，中華書局，1979 年。

14. 《澤螺居詩經新證・澤螺居楚辭新證》，中華書局，1982 年。

論文

1. 〈四國多方考〉，《考古學社社刊》第 1 期，1934 年 12 月。

2. 〈易說卦巽為寡髮解〉，《考古學社社刊》第 3 期，1935 年 12 月。

3. 〈井侯簋銘文考釋〉，《考古學社社刊》第 4 期，1936 年 6 月。

4. 〈毛伯班簋銘文考釋〉，《考古學社社刊》第 5 期，1936 年 12 月。

5. 〈碧落碑跋〉，同上。

6. 〈春秋名字解詁商誼〉，同上。

7. 〈老子新證〉，《燕京學報》第 20 期，1936 年 12 月。

8. 〈武王伐紂行程考〉，《禹貢》七卷 1－3 期，1937 年 4 月。

9. 〈穆天子傳新證〉，《考古學社社刊》第 6 期，1937 年 6 月。

10. 〈釋「賁」〉，《晨報》1936 年 2 月 17 日。

11. 〈釋屯〉，《輔仁學志》第 8 卷 2 期，1939 年 12 月。

12. 〈澤螺居讀書記〉，《經世日報・讀書周刊》7 期，1946 年 9 月 25 日。

13. 〈釋人、尸、仁、𡰥、夷〉，《大公報・文史周刊》（天津）14 期，1947 年 1 月 29 日。

14. 〈古文字對於載籍故訓之糾正〉，《經世日報・讀書周刊》43 期，1947 年 6 月 11 日。

15. 〈論語新證〉，《經世日報・讀書周刊》45－47 期，1947 年 6 月 25 日、7 月 2 日、7 月 9 日。

16. 〈急就篇新證〉，《遼海引年錄》，1947 年。

17. 〈重文例〉，《燕京學報》第 37 期，1949 年 12 月。

18. 〈殷代的交通工具和馹傳制度〉，《東北人民大學人文科學學報》1955 年 2 期。

19. 〈殷代的奚奴〉，《東北人民大學人文科學學報》1956 年 1 期。

20. 〈釋蔑曆〉，《東北人民大學人文科學學報》1956 年 2 期。

21. 〈《商周金文錄遺》序言〉，《史學集刊》1956 年 1 期。
22. 〈商代的穀類作物〉，《東北人民大學人文科學學報》1957 年 1 期。
23. 〈從甲骨文看商代社會性質〉，《東北人民大學人文科學學報》1957 年 2－3 期。
24. 〈讀趙光賢先生「釋蔑曆」〉，《歷史研究》1957 年 4 期。
25. 〈駁唐蘭先生「關於商代社會性質的討論」〉，《歷史研究》1958 年 8 期。
26. 〈《書・無逸》「文王卑服即康功田功」解〉，《吉林大學人文科學學報》1959 年 3 期。
27. 〈釋庶〉（與陳世輝合寫），《考古》1959 年 10 期。
28. 〈略論圖騰與宗教起源和夏商圖騰〉，《歷史研究》1959 年 11 期。
29. 〈關於「天亡簋」銘文的幾點論證〉，《考古》1960 年 8 期。
30. 〈歲、時起源初考〉，《歷史研究》1961 年 4 期。
31. 〈陳僖壺銘文考釋〉，《文物》1961 年 10 期。
32. 〈釋⊖、8兼論古韻部東、冬的分合〉，《吉林大學社會科學學報》1962 年 1 期。
33. 〈盜蹠和有關史料的幾點解釋〉，《學術月刊》1962 年 3 期。
34. 〈「皇帝」稱號的由來和「秦始皇」的正式稱號〉，《吉林大學社會科學學報》1962 年 2 期。
35. 〈詩駿惠我文王解〉，《吉林大學社會科學學報》1962 年 3 期。
36. 〈《師克盨名考釋》書後〉，《文物》1962 年 11 期。
37. 〈從古文字方面來評判清代文字、聲韻、訓詁之學的得失〉，《歷史研究》1962 年 6 期。
38. 〈釋奴、婢〉，《考古》1962 年 9 期。
39. 〈對於《詩・既醉》篇舊說的批判和新的解釋〉，《學術月刊》1962 年 12 期。
40. 〈澤螺居讀詩札記〉，《文史》第 1 輯，1962 年。
41. 〈澤螺居詩義解結〉，《文史》第 2 輯，1963 年。
42. 〈《詩經》中「止」字的辨釋〉，《中華文史論叢》第 3 輯，1962 年。
43. 〈釋羌、苟、敬、美〉，《吉林大學社會科學學報》1963 年 1 期。

44. 〈釋尼〉，《吉林大學社會科學學報》1963 年 3 期。
45. 〈「鄂君啟節」考釋〉，《考古》1963 年 8 期。
46. 〈司母戊鼎的鑄造和年代問題〉，《文物精華》第 3 集，1964 年。
47. 〈略論西周金文中的「六自」「八自」及其屯田制〉，《考古》1964 年 3 期。
48. 〈關於〈論西周金文中的六自八自和鄉遂制度的關係〉一文的意見〉，《考古》1965 年 3 期。
49. 〈關於〈釋臣和鬲〉一文的幾點意見〉，《考古》1965 年 6 期。
50. 〈〈夏小正〉五事質疑〉，《文史》第 4 輯，1965 年。
51. 〈讀西周金文札記五則〉，《考古》1966 年 2 期。
52. 〈「王若曰」釋義〉，《中國語文》1966 年 2 期。
53. 〈詩「履帝武敏，歆」解——附論姜嫄棄子的由來〉，《中華文史論叢》第 4 輯，1963 年。
54. 〈從甲骨文看商代的農田墾殖〉，《考古》1972 年 4 期。
55. 〈關於古文字研究的若干問題〉，《文物》1973 年 2 期。
56. 〈關於長沙馬王堆一號漢墓內棺棺飾的解說〉，《考古》1973 年 2 期。
57. 〈利簋銘文考釋〉，《文物》1977 年 8 期。
58. 〈略論甲骨文「自上甲六示」的廟號以及我國成文歷史的開始〉，《社會科學戰線》1978 年 1 期。
59. 〈周易尚氏學序言〉，《社會科學戰線》1978 年 2 期。
60. 〈〈關於利簋銘文的釋讀〉一文的幾點意見〉，《中山大學學報》（哲學社會科學版）1978 年 5 期。
61. 〈晉祁奚字黃羊解〉，《文史》第 5 輯，1978 年。
62. 〈釋㚸〉，《考古》1979 年 4 期。
63. 〈澤螺居楚辭新證〉，《社會科學戰線》1979 年 3、4 期。
64. 〈壽縣蔡侯墓銅器銘文考釋〉，《古文字研究》第 1 輯，1979 年。
65. 〈關於商周時代對於「禾」、「積」或土地有限度的賞賜〉，《中國考古學會第一次年會論文集》，1979 年。
66. 〈鬼判〉，《社會科學輯刊》1979 年 2 期。

67. 〈《論語》「子罕言利與命與仁」解〉，《歷史論叢》第 1 輯，1980 年。
68. 〈論〈甘誓〉書〉，《中國史研究》1980 年 2 期。
69. 〈論語新證〉，《社會科學戰線》1980 年 4 期。
70. 〈釋盾〉，《古文字研究》第 3 輯，1980 年。
71. 〈甲骨文「家譜刻辭」真偽辨〉，《古文字研究》第 4 輯，1980 年。
72. 〈牆盤銘文十二解〉，《古文字研究》第 5 輯，1981 年。
73. 〈釋中國〉，《中華學術論文集》，1981 年。
74. 〈釋皇〉，《吉林大學社會科學學報》1981 年 2 期。
75. 〈釋日〉，《鄭州大學學報》1981 年 4 期。
76. 〈釋鬲、隸〉，《史學集刊》1981 年復刊號。
77. 〈釋龜、黿〉，《古文字研究》第 7 輯，1982 年。
78. 〈釋齵〉，《上海博物館集刊》第 2 集，1982 年。
79. 〈釋䶩〉，《史學集刊》1982 年 4 期。
80. 〈釋「能」和「贏」以及從「贏」的字〉，《古文字研究》第8輯，1983年。
81. 〈釋百〉，《江漢考古》1983 年 4 期。
82. 〈釋兩〉，《古文字研究》第 10 輯，1983 年。
83. 〈釋「𠨑」和「亞𠨑」〉，《社會科學戰線》1983 年 1 期。
84. 〈論俗書每合于古文〉，《中國語文研究》第 5 期，1983 年。
85. 〈釋從天從大從人的一些古文字〉，《古文字學論集》（初編），1983 年。
86. 〈釋古文字中的𥁕字和工冊、弜冊、豆冊〉，《古文字研究》第 12 輯，1985 年。

未出版著作

1. 《雙劍誃殷栔駢枝》四編
2. 《契文例》（曾毅公助理）
3. 《國語新證》（初稿本）
4. 《逸周書新證》（初稿本）
5. 《爾雅新證》（初稿本）
6. 《甲骨文考釋類編》（主編）

7. 《吉金文字釋林》（未能完稿）

作者單位：中國錢幣博物館

責任編輯：田　禾

——摘錄自黃錫全、于德偶〈于省吾先生及其學術貢獻述略〉（社會科學戰線，1995 年第 2 期（總第 74 期），1995 年），頁 257－265。

經　學　研　究　論　叢
第十五輯　頁123～154
臺灣學生書局　2008年3月

陳夢家著作目錄

鄭淑君*

小　傳

陳夢家（1911－1966），筆名漫哉，浙江上虞人，一九一一年四月十六日生於南京，一九三一年畢業於中央大學法律系，早年加入新月詩社致力於詩歌之創作，為新月派詩人，師事徐志摩和聞一多，於青島大學任助教時始對古文字發生興趣。一九三四年入燕京大學國學研究所研究古文字學，一九三七年起任教於西南聯合大學，一九四四至一九四七年間赴美國芝加哥大學講授古文字學，並蒐集流散於北美、歐洲的中國青銅器資料，回國後任清華大學教授。一九五二年後擔任中國科學院考古研究所研究員。編著有《殷虛卜辭綜述》、《西周銅器斷代》、《六國紀年》、《尚書通論》、《武威漢簡》、《漢簡綴述》、《中國銅器綜錄》……等多種書籍，後因文革於一九六六年九月三日自縊身亡。陳夢家曾於一九五六年自言治學門徑為「因研究古代的宗教、神話、禮俗而治古文字，由於古文字學的研究而轉入古史的研究。」王世民認為陳夢家先生治學的主要特點為占有資料豐富、分析問題細緻，尤其注意古文字資料、文獻記載和出土實物的交相考訂互證。其作為考古學家與古文字學家，善於利用出土西周銅器長篇銘文和戰國漢代簡冊資料，由體例上探索《尚書》由若干單篇構成一書的過程，以期讓過去的「經學」研究轉變為古代書籍學或史料學的研究；於古代年史的斷代研究亦著力頗深，利用金文資料研究

* 鄭淑君，東吳大學中國文學系碩士生。

西周年代，取《竹書紀年》佚文重譜《六國紀年表》雖是基礎但甚為重要。

編輯說明

1. 本目錄收民國經學家陳夢家（1911－1966）之著作目錄，陳氏學貫多方，涉略範圍亦廣，亦為著名之歷史學家、考古學家、古文字學家，著述頗眾，本目錄參王世民先生所編〈陳夢家著述要目〉與各相關學術目錄訂補充進行整理。
2. 本目錄分專著、單篇論文、編輯三類編排，專著部分不依年代，按經學、史學、文字學、文學創作之順序排列。單篇論文又分經學；文字、考古；聲韻；哲學思想；歷史、社會；傳記；文學、創作；評論、序跋；時評；天文十類，依論文所屬朝代之先後排列。另附錄有陳夢家後人研究文獻目錄，分為陳夢家傳記資料、經學、考古學、現代文學、專輯、其他六類。
3. 專著之著錄項依書名、出版地、初版者、頁數、出版年月之順序排列；論文則依篇名、期刊名、卷期、頁數、出版年月之順序排列。
   【《新月》之目錄僅載當期刊載篇目，未依序編排目錄頁數，故於此載其刊載之總頁數】
4. 陳氏論文之未能尋得核對者，註明「頁數不明」，收入《夢甲室存文》與《陳夢家論文集》者，亦一併註明。
5. 條目後標示「署名」者，為作者署名非陳夢家，然仍收入《陳夢家著作集》之《夢甲室存文》或王世民先生所編〈陳夢家著述要目〉者，故於此亦收錄。
6. 陳夢家先生之著作篇目眾多，遺作亦相繼整理刊登，本目錄必有不少闕漏，海內外博雅君子，請有以教之。

一、專著

1. 尚書通論
   上海　商務印書館　223頁　1957年
   北京　中華書局　355頁　1985年10月
   臺北　新文豐出版公司　頁383－508　1984年10月，《尚書類聚初集》第8冊
   臺北　仰哲出版社　355頁　1987年11月

石家莊　河北教育出版社　頁 1－402　2000 年 12 月

2. 老子今釋

重慶　商務印書館　71 頁（附表）　1945 年 11 月

對《老子》一書的文字加以訓詁，并闡明該書的思想。全書分為：道、常、玄、無、有等 22 篇。書前有作者自序。

3. 史字新釋（附尹奭）

北平　考古學社　16 頁　1936 年 12 月

分三部分：⑴史字新釋（附：尹奭），作者對「史」字重作考證，對王國維《觀堂集林》「釋史」一文提出異議；⑵史字新釋補正（附：論鳥網）；⑶釋冎，作者通過對甲骨文和卜辭的研究，認為「冎」字即為「囚」，也就是「龟」字，音「咎」（liou）。本書為《考古學社社刊》第 5 期抽印本。

4. 商王名號考

北平　燕京大學哈佛燕京學社　28 頁　1940 年 6 月

根據《左傳》、《史記》、《說文》、《竹書紀年》等書及對甲骨文的研究考證了商代三系夔、上假、小甲王的名號。本書為《燕京學報》第 27 期抽印本。

5. 西周年代考

重慶　商務印書館　48 頁　1945 年 11 月

香港　香港明石文化出版公司　頁 208－224　2004 年 12 月，《金文文獻集成》第 38 冊

尚書通論（外二種）　石家莊　河北教育出版社　頁 405－464　2000 年 12 月

Chronology of the Western Chou dynasty（西周年代考）　頁 173－205　Hong Kong　University of Hong Kong　1971 年 1 月

分兩部分：⑴以歷代有關上古書籍，尤以《竹書紀年》為主，考證西周的年代。⑵以古器物上的金石文字考證西周的年代。書中有表多幅。

6. 六國紀年表

北平　燕京大學　35 頁　1948 年

作者針對《史記・六國年表》之不足，據金文和《竹書紀年》重作一表，發表

《燕京學報》第 34 期，本書為其抽印本。

7. 六國紀年表考證

北平 燕京大學 42 頁 1949 年 6 月

本書為《燕京學報》第 36 期抽印本。

8. 六國紀年

上海 學習生活出版社 146 頁 1955 年

尚書通論（外二種） 石家莊 河北教育出版社 頁 467－630 2000 年 12 月

9. 中國歷史紀年表

萬國鼎編 萬斯年、陳夢家補訂

上海 商務印書館 166 頁 1956 年

臺北 商務印書館 166 頁 1958 年 11 月

北京 中華書局 166 頁 1978 年 11 月

臺北 華世出版社 163 頁 1987 年 1 月

10. 海外中國銅器圖錄・第一集（Chinese bronzes in foreign collections. first series）

上海 商務印書館 線裝 2 冊 1946 年

北平 國立北平圖書館 線裝 2 冊 1946 年

11. 殷周青銅器分類圖錄（A corpus of Chinese bronzes in American collections）

陳夢家編；松丸道雄改編

東京都 汲古書院 1188 頁 1977 年

12. 殷虛卜辭綜述

北平 科學出版社 674 頁 1956 年 7 月，《考古學專刊》甲種第 2 號

東京都 大安株式會社 674 頁 1964 年

臺北 大通書局 708 頁 1971 年 5 月

北京 中華書局 708 頁 1988 年 1 月

成都 四川大學出版社 頁45－225 2004年4月，《甲骨文獻集成》第 35 冊

甲骨文字和漢字的構造（截錄自殷虛卜辭綜述）

北京 作家出版社 頁 99－104 2006 年 7 月，《說文解字研究文獻集成》第 10 冊

13. 【陳夢家著作集】

《西周銅器斷代》（上、下冊）

北京　中華書局　918頁　2004年4月

上冊

上編　西周器銘考釋　頁3－349

下編　西周銅器總論　頁353－488

外編　相關論著

⑴西周年代考　頁491－524

⑵中國青銅器的形制　頁525－539

下冊

圖版

《殷虛卜辭綜述》

北京　中華書局　674頁　1988年1月1版；2004年4月1版2刷

《漢簡綴述》

北京　中華書局　317頁　1980年12月1版；2004年4月1版2刷

⑴漢簡考述　頁1－36

⑵漢簡所見居延邊塞與防禦組織　頁37－96

⑶漢簡所見太守、都尉二府屬吏　頁97－124

⑷西漢都尉考　頁125－134

⑸漢簡所見奉例　頁135－148

⑹關於大小石、斛　頁149－152

⑺漢代烽燧制度　頁153－178

⑻西河四郡的設置年代　頁179－194

⑼玉門關與玉門縣　頁179－204

⑽漢武邊塞考略　頁205－220

⑾漢居延考　頁221－228

⑿漢簡年歷表敘　頁229－274

⒀西漢施行詔書目錄　頁275－284

⒁武威漢簡補述　頁 285－290

⒂由實物所見漢代簡冊制度　頁 291－316

《陳夢家論文集》

北京　中華書局　120 頁　2004 年 4 月

《老子今釋》

北京　中華書局　2004 年 4 月

《尚書通論》

北京　中華書局　361 頁　2005 年 6 月

《西周年代考、六國紀年》

北京　中華書局　55 頁；144 頁　2005 年 7 月

《中國文字學》

北京　中華書局　396 頁　2006 年 7 月

⑴中國文字學甲編　頁 3－208　1939 年夏訂本

⑵中國文字學　208－260　1943 年重訂本

⑶ AN INTRODUCTION TO CHINESE PALAEOGRAPHY　（英文稿：中國古文獻學概要）　頁 261－395

《夢甲室存文》

北京　中華書局　344 頁

第一輯

⑴不開花的春天　頁 1－29（自序、敘詩、信（上）、信（下））

⑵你披了文黛的衣裳還能同彼得飛　頁 30－44

⑶獄　頁 45－48

⑷某女人的夢　頁 49－60

⑸一夜之夢　頁 61－70

⑹某夕　頁 71－78

⑺七重封印的夢　頁 79－83

⑻五月　頁 84－88

⑼青的一段　頁 89－113

⑸「銅器發展的歷史概要」討論：就讀者所提的意見說明我的看法　頁 326－328

⑹關於修理銅器　頁 329－331

⑹銅鼎　頁 332－336

⑹《中國歷史紀年表》重編敘　頁 337－339

⑹郭沫若著：《兩周金文辭大系圖錄考釋》　頁 344

《夢家詩集》

北京　中華書局　245 頁　2006 年 7 月

14. 夢家詩集

上海　新月書店　129 頁　1933 年 1 月

本書初版共分 4 卷，收〈一朵野花〉、〈自己的歌〉、〈有一天〉、〈遲疑〉等 40 首詩。書前有作者的序詩，頁數為 105 頁。1933 年再版時，增加 12 首詩，作為第五卷，書前有作者再版自序。

15. 鐵馬集

上海　開明書店　98 頁　1934 年 1 月

上海　上海書店　1992 年 12 月

收〈橋〉、〈雨〉、〈我是誰〉、〈我望著你來〉、〈焦山〉、〈藍庄十號〉、〈相信〉、〈天沒有亮〉、〈夜漁〉、〈燕子〉、〈一半紅一半黃的葉子〉等 40 首。書前有序詩，書後有俞大綱的序和方瑋德的跋。

16. 陳夢家存詩

上海　時代圖書公司　68 頁　1936 年 3 月

收〈一朵野花〉、〈夜漁〉、〈老人〉、〈過當涂河〉、〈當初〉、〈出塞〉等 23 首。書前有作者自序。

17. 陳夢家卷　周良沛編選

武漢市　長江文藝出版社　81 頁　1988 年 9 月

18. 陳夢家詩全編　藍棣之編

浙江　浙江文藝出版社　240 頁　1995 年 12 月

二、單篇論文

㈠ 經學

1. 古文尚書作者考

   圖書季刊　新第4卷3、4期　頁1－15　1943年9、12月

2. 堯典為秦官本尚書說

   清華學報　第14卷1期　頁155－166　1947年10月

3. 汲冢竹書考

   圖書季刊　新第5卷2、3期　頁1－15　1944年6、9月

   六國紀年　頁118－135　上海　學習生活出版社　1955年

   尚書通論（外二種）　頁596－617　石家莊　河北教育出版社　2000年12月

   六國紀年　頁173－190　北京　中華書局　2005年7月

4. 風、謠釋名

   歌謠周刊　第3卷12期　頁4－6　1937年6月19日

   夢甲室存文　頁205－208　北京　中華書局　2006年7月

5. 卜辭四方風考【據陳夢家著述要目錄入】

   未發表　1937年

㈡ 文字、考古

1. 令彝新釋

   考古社刊　第4卷　頁27－39　1936年6月

   金文文獻集成第28冊（銘文及考釋）　頁286－289　香港明石文化出版公司　2004年12月

2. 釋底漁

   考古社刊　第4期　頁40－42　1936年6月

   金文文獻集成第36冊（文字學研究）　頁389　香港　香港明石文化出版公司　2004年12月

3. 史字新釋（附尹奭）

   考古社刊　第5期　頁7－12　1936年12月

金文文獻集成第 40 冊（商周史研究） 頁 226－227 香港 香港明石文化出版公司 2004 年 12 月

4. 史字新釋補證（附論烏网）

考古社刊 第 5 期 頁 13－16 1936 年 12 月

金文文獻集成第 40 冊（商周史研究） 頁 227－228 香港 香港明石文化出版公司 2004 年 12 月

5. 釋冎

考古社刊 第 5 期 頁 17－22 1936 年 12 月

6. 釋𢻱釋豖

考古社刊 第 6 期 頁 195－202 1937 年 6 月

7. 夢甲室字話

國文月刊 第 2 期 頁 18－19，25 1940 年 9 月

夢甲室存文 頁 209－204 北京 中華書局 2006 年 7 月

8. 釋「國」、「文」

國文月刊 第 11 期 頁數不明 1941 年 12 月

夢甲室存文 頁 224－225 北京 中華書局 2006 年 7 月

9. 「王若曰」考

說文月刊 第 4 卷 頁 335－340 1944 年 6 月

10. 商王名號考

中央日報 第 4 版 1939 年 10 月 8 日

11. 商王名號考

燕京學報 第 27 期 頁 115－142 1940 年 6 月

12. 周公旦父子考

金陵學報 第 10 卷 1、2 期 頁 113－118 1940 年 5 月

13. 禺邗王壺考釋

燕京學報 第 21 期 頁 207－229 1937 年 6 月

金文文獻集成第 29 冊（銘文與考釋） 頁 184－192 香港 香港明石文化出版公司 2004 年 12 月

14. 陳騂壺考釋

責善半月刊　第2卷23期　頁2－3　1942年11月

15. 述方法斂所摹假骨卜辭

圖書季刊　新第2卷1期　頁45－49　1940年3月

16. 述方法斂所摹甲骨卜辭補

圖書季刊　新第2卷3期　頁325－330　1940年9月

17. 敦煌在中國考古藝術史上的重要

文物參考資料　第2卷4期　頁69－73　1951年4月

夢甲室存文　頁275－280　北京　中華書局　2006年7月

18. 甲骨斷代學甲篇

燕京學報　第40卷　頁1－63　1951年6月

19. 甲骨斷代與坑位——甲骨斷代學乙篇

中國考古學報　第5冊　頁177－224　1951年12月

20. 殷代卜人篇——甲骨斷代學丙編

考古學報　第6期　頁17－55　1953年12月

21. 商王廟號考——甲骨斷代學丁編

考古學報　第8期　頁1－48　1954年12月

22. 殷代銅器三篇

考古學報　第7期　頁15－59　1954年9月

23. 西周銅器斷代

⑴考古學報　第9卷　頁137－175　1955年9月

⑵考古學報　第10卷　頁69－142　1955年12月

⑶考古學報　第11卷　頁65－144　1956年3月

⑷考古學報　第12卷　頁85－94　1956年6月

⑸考古學報　第13卷　頁105－127　1956年9月

⑹考古學報　第14卷　頁85－122　1956年12月

金文文獻集成第38冊（曆法與斷代）　頁225－315　香港　香港明石文化出版公司　2004年12月

24. 宜侯夨簋和它的意義

文物參考資料　1955 年第 5 期　頁 63－66　1955 年 5 月 27 日

金文文獻集成第 28 冊（銘文與考釋）　頁 227－28　香港　香港明石文化出版公司　2004 年 12 月

25. 壽縣蔡侯墓銅器

考古學報　1956 年第 2 期　頁 95－123　1956 年 6 月

金文文獻集成第 29 冊（銘文與考釋）　頁 206－213　香港　香港明石文化出版公司　2004 年 12 月

26. 蔡器三記

考古　1963 年第 7 期　頁 381－384　1963 年 7 月 15 日

金文文獻集成第 29 冊（銘文與考釋）　頁 214－215　香港　香港明石文化出版公司　2004 年 12 月

27. 漢簡考述

考古學報　1963 年第 1 期　頁 77－110　1963 年 10 月

漢簡綴述　頁 1－36　北京　中華書局　1980 年 12 月 1 版；2004 年 4 月 1 版 2 刷

28. 宋大晟編鐘考述

文物　1964 年第 2 期　頁 51－53　1964 年 2 月

29. 叔尸鐘、鎛考【遺稿整理發表】

燕京學報　新 4 期　頁 1－24　1998 年 5 月

金文文獻集成第 29 冊（銘文與考釋）　頁 464－470　香港　香港明石文化出版公司　2004 年 12 月

30. 東周盟誓與出土載書

附錄：河南泌陽出土戰國載書

考古　1966 年第 5 期　頁 271－279　1966 年 5 月 13 日

31. 世本考略

周叔弢先生六十生日紀念論文集　頁 263－270　香港　龍門書店　1951 年 6 月頃初版；1967 年 2 月影印

六國紀年　頁 136－142　上海　學習生活出版社　1955 年

尚書通論（外二種）　頁 618－625　石家莊　河北教育出版社　2000 年 12 月

六國紀年　頁 191－197　北京　中華書局　2005 年 7 月

32. 戰國楚帛書考【作於 1962，發表於 1984，王世民據遺稿整理】

考古學報　1984 年第 2 期　頁 137－158　1984 年 4 月

33. 認字的方法

國文月刊　第 1 卷 5 期　頁數不明　1941 年 1 月

夢甲室存文　頁 215－219　北京　中華書局　2006 年 7 月

34. 書語

國文月刊　第 1 卷 6 期　頁數不明　1941 年 2 月

夢甲室存文　頁 220－223　北京　中華書局　2006 年 7 月

35. 介紹王了一先生漢字改革

國文月刊　第 19 期　頁數不明　1942 年 2 月

夢甲室存文　頁 226－231　北京　中華書局　2006 年 7 月

36. 略論文字學

光明日報　第 2 版　1957 年 2 月 4 日

夢甲室存文　頁 235－239　北京　中華書局　2006 年 7 月

37. 慎重一點「改革」漢字

文匯報　第 2 版　1957 年 5 月 17 日

夢甲室存文　頁 240－243　北京　中華書局　2006 年 7 月

38. 關於漢字的前途：1957 年 3 月 22 日在中國文字改革委員會的講演

光明日報　第 6 版　文字改革專刊第 82 期　1957 年 5 月 19 日

夢甲室存文　頁 244－251　北京　中華書局　2006 年 7 月

39. 迎接黃河規劃中的考古工作

考古通訊　1955 年第 5 期　頁 3－4　1955 年 9 月 10 日

夢甲室存文　頁 286－289　北京　中華書局　2006 年 7 月

40. 六年來的考古新發現

人民日報　第 7 版　1956 年 7 月 18 日

夢甲室存文　頁 292－297　北京　中華書局　2006 年 7 月

41. 對於考古工作的一些意見

光明日報　第 2 版　1956 年 7 月 19 日

夢甲室存文　頁 298－302　北京　中華書局　2006 年 7 月

42. 海外中國銅器的收藏與研究

天津民國日報　1948 年 2 月 6 日

夢甲室存文　頁 303－309　北京　中華書局　2006 年 7 月

43. 洛陽出土嗣子壺歸國記

【本文為遺作整理，《文物天地》後附錄〈關於嗣子壺〉與王世民的後記】

文物天地　1997 年第 2 期　頁 19－21　1997 年

夢甲室存文　頁 310－311　北京　中華書局　2006 年 7 月

44. 「銅器發展的歷史概要」討論：就讀者所提的意見說明我的看法

文物參考資料　1953 年第 7 期　頁 126－128　1953 年 7 月 30 日

夢甲室存文　頁 326－328　北京　中華書局　2006 年 7 月

45. 關於修理銅器

考古通訊　1955 年第 3 期　頁 67－68　1955 年 5 月

夢甲室存文　頁 329－331　北京　中華書局　2006 年 7 月

46. 銅鼎

新觀察　1954 年第 9 期　頁 18－19　1954 年 5 月 1 日

夢甲室存文　頁 332－336　北京　中華書局　2006 年 7 月

47. 解放後甲骨的新資料和整理研究

文物參考資料　1954 年第 5 期　頁 3－12　1954 年 5 月 30 日

48. 論史籀不是我名

中央日報　第 4 版　1939 年 10 月 13 日

49. 中國青銅器的形制【原英文稿，張長壽譯】

全美中國藝術學會年報（英文稿）　第 1 期　頁 26－52　1945－1946 年

西周銅器斷代（上冊）　頁 525－539　北京　中華書局　1980 年 12 月 1 版；2004 年 4 月 1 版 2 刷

㈢ **聲韻**

1. 關於上古音系的討論（附錄高本漢《中國文法緒論》及其他）

   清華學報 第13卷2期 頁1－13 1941年10月

㈣ **哲學思想**

1. 孟子養氣章新釋

   理想與文化 第7卷 頁數不明 1944年11月

2. 五行之起源

   燕京學報 第24期 頁35－53 頁1938年12月

3. 祖廟與神主之起源（釋且、宜、俎、宗、祏、祊、示、主、籌字）

   文學年報 第3期 頁63－70 1937年5月

4. 跋老子文法初探

   中央日報 第4版 1940年4月10日

㈤ **歷史、社會**

1. 隹夷考（商代地理小記之一）

   禹貢 第5卷10期 頁12－17 1936年7月

2. 叡夷考 【署名：丁山】

   中央研究院歷史語言研究所集刊 第2本4分 頁419－422 1932年

   中央研究院歷史語言研究所集刊重印本‧第2本4分 頁419－422 1972年1月 臺北 中央研究院歷史語言研究所 1972年1月

3. 商代地理小記

   禹貢 第7卷6、7期 頁101－108 1937年6月

4. 古文字中之商周祭祀

   燕京學報 第19期 頁91－155 1936年6月

5. 商代的神話與巫術

   燕京學報 第20期 頁485－576 1936年12月

   商代神話 頁1－46 臺北 天一出版社 1991年，中國古典小說研究資料彙編

6. 高禖郊祀祖廟通考

   清華學報 第12卷3期 頁445－472 1937年7月

7. 西周初期的師保

中央日報 第4版 1939年11月18日

8. 浲水考

史學雜誌 第1期 頁63－64 1945年12月

9. 六國紀年表

燕京學報 第34期 頁165－200 1948年6月

10. 六國紀年表考證（上、下）

（上）燕京學報 第36期 頁97－139 1949年6月

（下）燕京學報 第37期 頁159－202 1949年12月

11. 中華民族文化的共同性

文物參考資料 1954年第9期 頁67－69 1954年9月

夢甲室存文 頁281－285 北京 中華書局 2006年7月

12. 商周文中的殷人資料

歷史研究 第54卷6期 頁85－106 1954年12月

金文文獻集成第40冊（商周史研究） 頁234－240 香港 香港明石文化出版公司 2004年12月

13. 商殷與夏周的年代問題

歷史研究 第55卷2期 頁53－75 1955年4月

14. 殷代社會的歷史文化

新建設 第55卷7期 頁41－48 1955年7月

中國史論集（中） 頁813－836 臺北 茂昌圖書有限公司 1989年1月

中國上古史論文選集 頁813－831 臺北 華世出版社 1979年9月

15. 關於歷史分期的一些補充意見

新建設 第57卷4期 頁63－69 1957年4月

16. 談虎官與庸 【署名：王祥】

考古 1960年第5期 頁33－36 1960年5月10日

17. 戰國度量衡略說

考古 1964年第6期 頁312－314 1964年6月13日

18. 漢簡所見居延邊塞與防禦組織

考古學報 1964年第1期 頁55－109 1964年8月

漢簡綴述 頁37－96 北京 中華書局 1980年12月1版；2004年4月1版2刷

19. 漢簡年曆表述

考古學報 1965年第2期 頁103－149 1965年12月

漢簡綴述 頁229－274 北京 中華書局 1980年12月1版；2004年4月1版2刷

20. 玉門關與玉門縣

考古 1965年第9期 頁469－477 1965年9月13日

漢簡綴述 頁179－204 北京 中華書局 1980年12月1版；2004年4月1版2刷

21. 博古圖考述 【陳夢家遺稿，王世民整理】

湖南省博物館文集・第四輯 頁8－20 長沙 船山學刊雜誌社 1998年4月

22. 廟制與里制

考古 1966年第1期 頁36－45 1966年1月13日

23. 射與郊

清華學報 第13卷1期 頁115－162 1941年4月

24. 殷代的自然崇拜【據陳夢家著述要目錄入】

未發表 1937年

㈥ **傳記**

1. 孫詒讓先生百年誕紀念

申報 第8版 文史第7期 1948年1月24日

夢甲室存文 頁232－234 北京 中華書局 2006年7月

2. 紀念徐志摩

新月 第4卷5期 8頁 1932年12月

夢甲室存文 頁137－142 北京 中華書局 2006年7月

3. 瑋德得病始末

夢甲室存文　頁 161－62　北京　中華書局　2006 年 7 月

4. 藝術家的聞一多先生

文匯報　第 3 版　筆會專刊　1956 年 11 月 17 日

夢甲室存文　頁 130－134　北京　中華書局　2006 年 7 月

（附錄：論形體：介紹唐仲明先生的畫　頁 135－136）

5. 悼淩其墱先生

中央日報　第 8 版　1933 年 10 月 28 日

㈦ 文學、創作

1. 詩的裝飾和靈魂

國立中央大學半月刊　第 1 卷 7 期　頁 883－886　1930 年 1 月 16 日

夢甲室存文　頁 120－123　北京　中華書局　2006 年 7 月

2. 文學與演藝

國立中央大學半月刊　第 1 卷 8 期　頁 887－888　1930 年 1 月 16 日

夢甲室存文　頁 124－125　北京　中華書局　2006 年 7 月

3. 文學上的中庸論

中央日報　第 11 版　文學週刊第 1 期　1934 年 5 月 10 日

夢甲室存文　頁 126－129　北京　中華書局　2006 年 7 月

4. 風雨送情：陳夢家先生寄宗白華先生信

中央日報　第 11 版　1935 年 5 月 22 日

5. 不開花的春天（自序、敘詩、信（上）、信（下））

不開花的春天　頁 118－178　上海　良友圖書印刷公司　1931 年 9 月

夢甲室存文　頁 1－29　北京　中華書局　2006 年 7 月

6. 你披了文黛的衣裳還能同彼得飛

新月　第 3 卷 3 期　19 頁　1930 年 12 月

（《新月》原標題為「信」，作者為陳夢家、方令孺；今名為第一部前題名）

夢甲室存文　頁 30－44　北京　中華書局　2006 年 7 月

7. 獄

國立中央大學半月刊　第 1 卷 7 期　頁數不明　1930 年 1 月 16 日

夢甲室存文　頁45－48　北京　中華書局　2006年7月

8. 某女人的夢

國立中央大學半月刊　第1卷7期　頁數不明　1930年1月16日

夢甲室存文　頁49－60　北京　中華書局　2006年7月

9. 一夜之夢

新月　第2卷11期　12頁　1930年1月

夢甲室存文　頁61－70　北京　中華書局　2006年7月

10. 某夕

東方雜誌　第28卷7號　頁93－97　1931年4月

夢甲室存文　頁71－78　北京　中華書局　2006年7月

11. 七重封印的夢

文藝月刊　第2卷5、6期　頁161－164　1931年6月

夢甲室存文　頁79－83　北京　中華書局　2006年7月

12. 五月

新月　第2卷12期　5頁　1930年6月

夢甲室存文　頁84－88　北京　中華書局　2006年7月

13. 青的一段

文藝月刊　第2卷11、12期　頁數不明　1931年12月

夢甲室存文　頁89－113　北京　中華書局　2006年7月

14. 論朋友

中央日報　第11版　文學週刊第3期　1934年5月24日

夢甲室存文　頁114－119　北京　中華書局　2006年7月

15. 論簡樸

人民日報　第8版　1956年11月17日

夢甲室存文　頁170－173　北京　中華書局　2006年7月

16. 論間空

人民日報　第8版　1957年1月23日

夢甲室存文　頁174－177　北京　中華書局　2006年7月

17. 論人情

人民日報　第 8 版　1957 年 5 月 8 日

夢甲室存文　頁 178－181　北京　中華書局　2006 年 7 月

18. 要去看一次曲劇

人民日報　第 8 版　1957 年 2 月 14 日

夢甲室存文　頁 194－195　北京　中華書局　2006 年 7 月

19. 論老根與開花

人民日報　第 8 版　1956 年 9 月 25 日

夢甲室存文　頁 188－190　北京　中華書局　2006 年 7 月

20. 造搖篇

中央日報　第 8 版　1934 年 1 月 1 日

21. 紅帆船

中央日報　第 12 版　1934 年 7 月 5 日

22. 吹

中央日報　第 11 版　1934 年 11 月 29 日

23. 叫魂

中央日報　第 8 版　1933 年 7 月 31 日

24. 大悲樓閣談

中央日報　第 8 版　1933 年 9 月 5 日

25. 有思

中央日報　第 8 版　1933 年 9 月 8 日

26. 悼兔子

中央日報　第 5 版　1933 年 10 月 11 日

27. 景山前街

中央日報　第 5 版　1933 年 10 月 18 日

28. 無信仰的世界

中央日報　第 5 版　1933 年 10 月 20 日

29. 祀孔夫子皇帝記

中央日報　第 8 版　1933 年 10 月 25 日

30. 詩欄，國殤

中央日報　第 8 版　1932 年 6 月 10 日

㈧ 評論、序跋

1. 讀《天壤閣甲骨文存》（唐蘭譔集）

圖書季刊　新第 1 卷 3 期　頁 287－291　1939 年 9 月

2. 評金祖同編《殷契遺珠》並論羅氏前編的來源

圖書季刊　新第 2 卷 1 期　頁 42－44　1940 年 3 月

3. 《甲骨綴合編》序

甲骨綴合編　頁 1－3　北京　北京圖書館　2000 年

4. 《殷契拾掇》序

殷契拾掇　頁 5－6　上海　上海古籍出版社　2005 年 6 月

5. 郭沫若著：《兩周金文辭大系圖錄考釋》　【署名：余孚山】

考古通訊　1958 年第 5 期　頁 66－68　1958 年 5 月 10 日

夢甲室存文　頁 344　北京　中華書局　2006 年 7 月

6. 《尚書通論》重版自敘

尚書通論　頁 6－9　北京　中華書局　1985 年 10 月

尚書通論　頁 383　臺北　新文豐出版公司　1984 年 10 月

尚書通論　頁 6－9　臺北　仰哲出版社　1987 年 11 月

尚書通論（外二種）　頁 3－7　石家莊　河北教育出版社　2000 年 12 月

7. 《老子今釋》自序

老子今釋　頁數不明　重慶　商務印書館　1945 年 11 月

8. 《西周年代考》自敘

西周年代考　頁 1　重慶　商務印書館　1945 年 11 月

西周年代考　頁 209　香港　香港明石文化出版公司　2004 年 12 月

尚書通論（外二種）　頁 411　石家莊　河北教育出版社　2000 年 12 月

Chronology of the Western Chou dynasty（西周年代考）　頁數不明　Hong Kong　University of Hong Kong　1971 年 1 月

西周銅器斷代　頁 496　北京　中華書局　2004 年 4 月

9. 《西周年代考》再版附記

西周年代考　頁 208　香港　香港明石文化出版公司　2004 年 12 月

尚書通論（外二種）　頁 405　石家莊　河北教育出版社　2000 年 12 月

Chronology of the Western Chou dynasty（西周年代考）　頁數不明　Hong Kong　University of Hong Kong　1971 年 1 月

西周銅器斷代　頁 492　北京　中華書局　2004 年 4 月

10. 《西周年代考》重編前言

西周年代考　頁 208－209　香港　香港明石文化出版公司　2004 年 12 月

尚書通論（外二種）　頁 406－410　石家莊　河北教育出版社　2000 年 12 月

Chronology of the Western Chou dynasty（西周年代考）　頁數不明　Hong Kong　University of Hong Kong　1971 年 1 月

西周銅器斷代　頁 493－495　北京　中華書局　2004 年 4 月

11. 《六國紀年表》敘

六國紀年　頁 1－23　上海　學習生活出版社　1955 年

尚書通論（外二種）　頁 467－493　石家莊　河北教育出版社　2000 年 12 月

六國紀年　頁 59－81　北京　中華書局　2005 年 7 月

12. 《六國紀年》跋

六國紀年　頁 114　上海　學習生活出版社　1955 年

尚書通論（外二種）　頁 595　石家莊　河北教育出版社　2000 年 12 月

六國紀年　頁 171　北京　中華書局　2005 年 7 月

13. 《六國紀年》後記

六國紀年　頁 145－146　上海　學習生活出版社　1955 年

尚書通論（外二種）　頁 629－630　石家莊　河北教育出版社　2000 年 12 月

六國紀年　頁 201－202　北京　中華書局　2005 年 7 月

14. 《殷虛卜辭綜述》前言

殷虛卜辭綜述　頁 9　北京　科學出版社　1956 年 7 月

殷虛卜辭綜述　頁 9　臺北　大通書局　1971 年 5 月

殷虛卜辭綜述　頁9　北京　中華書局　1988年1月1版；2004年4月1版2刷

殷虛卜辭綜述　頁45　成都　四川大學出版社　2004年4月

15. 評張蔭麟先生《中國史綱》第一冊

思想與時代（遵義）　第18期　頁28－32　1943年1月

夢甲室存文　頁252－258　北京　中華書局　2006年7月

16. 《中國歷史紀年表》重編敘

中國歷史紀年表　頁5－6　上海　商務印書館　1956年

中國歷史紀年表　頁5－6　臺北　商務印書館　1958年11月

中國歷史紀年表　頁5－6　北京　中華書局　1978年11月

中國歷史紀年表　頁5－6　臺北　華世出版社　1987年1月

夢甲室存文　頁337－339　北京　中華書局　2006年7月

17. 《山東古國考》後記

山東古國考　頁276－280　濟南　齊魯書舍　1983年11月

18. 《長沙古物聞見記》序

圖書季刊　新第2卷3期　頁347－352　1940年9月

19. 介紹王了一先生《漢字改革》

國文月刊　第19期　頁15－17　1943年2月

20. 《鐵馬集》在前線四首小記

鐵馬集　頁39－41　上海　開明書店　1934年1月

21. 《鐵馬集》附記

鐵馬集　頁10　上海　開明書店　1934年1月

22. 《鐵馬集》複印後記

鐵馬集　頁11　上海　開明書店　1934年1月

23. 《新月詩選》序

上海　詩社　頁1－32　1931年9月

上海　新月書店　頁1－32　1933年4月

24. 談談徐志摩的詩

詩刊　第2期　頁81－87　1957年2月25日

夢甲室存文　頁143－150　北京　中華書局　2006年7月

25. 談後追記

詩刊　第6期　8－11頁　1957年6月25日

夢甲室存文　頁151－54　北京　中華書局　2006年7月

26. 瑋德詩文集跋

瑋德詩文集　175－178頁　上海　上海時代圖書公司　1936年3月

瑋德詩文集　175－178頁　上海　上海書店　1992年12月

夢甲室存文　頁155－160　北京　中華書局　2006年7月

（附錄：瑋德著作年表　頁158－160）

27. 《歌中之歌》譯序　頁163－167

歌中之歌　頁數不明　上海　良友圖書印刷公司　1932年11月

夢甲室存文　頁163－167　北京　中華書局　2006年7月

28. 《白雷客詩選譯》序　頁168－169

文藝月刊　第4卷4期　頁數不明　1933年10月

夢甲室存文　頁168－169　北京　中華書局　2006年7月

29. 評劇《秦香蓮》

新觀察　1954年第12期　頁26－27　1954年6月16日

夢甲室存文　頁182－187　北京　中華書局　2006年7月

30. 關於電影《花木蘭》

人民日報　第7版　1956年11月26日

夢甲室存文　頁191－193　北京　中華書局　2006年7月

31. 看豫劇「樊戲」

人民日報　第8版　1957年5月5日

夢甲室存文　頁196－197　北京　中華書局　2006年7月

㈨ 時評

1. 論時文四弊

周論　第1卷7期　1948年2月27日

2. 美國的漢學研究
周論 第1卷7期 1948年3月15日
3. 記紐約五十七街中國古董鋪
周論 第2卷6期 1948年8月20日
4. 咱們在社會主義道上怎不快走
考古通訊 1956年第2期 頁19－20 1956年3月10日
夢甲室存文 頁290－291 北京 中華書局 2006年7月
5. 論習文史
觀察 第3卷23期 頁6－7 1948年1月31日
夢甲室存文 頁259－261 北京 中華書局 2006年7月
6. 清華大學文物陳列室成立經過
大公報（天津） 第3版 1948年5月1日
夢甲室存文 頁262－263 北京 中華書局 2006年7月
7. 清華大學搜集文物的經過及此次展覽的意義
臺灣西藏西南少數民族文物展覽特刊 頁數不明 1949年10月
夢甲室存文 頁266－270 北京 中華書局 2006年7月
8. 清華大學少數民族文物展後感：並論大學博物館的前途
人民日報 第5版 1949年12月14日
夢甲室存文 頁271－274 北京 中華書局 2006年7月
9. 古代銅器怎樣到美國去的
文物參考資料 第1卷11期 頁87－91 1950年11月
夢甲室存文 頁312－317 北京 中華書局 2006年7月
10. 略集團劫奪在臺灣的古代銅器
文物參考資料 1955年第7期 頁58－59 1955年7月
夢甲室存文 頁318－320 北京 中華書局 2006年7月
11. 美國主義盜劫的我國銅器 【署名：張仲平】
考古 1960年第4期 頁11－12下轉14 1960年4月
夢甲室存文 頁321－325 北京 中華書局 2006年7月

12. 我們當編輯的

文匯報　第2版　1957年4月19日

夢甲室存文　頁198－201　北京　中華書局　2006年7月

13. 兩點希望

文匯報　第2版　1957年5月6日

夢甲室存文　頁202－204　北京　中華書局　2006年7月

(十) 天文

1. 上古天文材料

學原　第1卷6期　頁88－99　1947年10月

三、編輯

1. 新月詩選

上海　詩社　264頁　1931年9月

上海　新月書店　264頁　1933年4月

2. 美帝國主義劫掠的我國殷周銅器集錄　【署名：中國科學院考古研究所編】

北京　科學出版社　1188頁　1962年8月

3. 武威漢簡　【署名：甘肅省博物館、中國科學院考古研究所】

北京　文物出版社　226頁　1964年7月，《考古學專刊》乙種第12號

北京　中華書局　206頁　2005年9月，《考古學專刊》乙種第12號

4. 居延漢簡甲乙編　【署名：中國社會科學院　考古研究所】

北京　中華書局　345頁（2冊）　1980年12月

附錄：後人研究文獻目錄

(一) 傳記資料

1. 陳夢家　周永珍

中國現代社會科學家傳略（六）　頁240　太原　山西人民出版社　1958年9月

2. 從詩人到考古學家陳夢家　南揚

明報　1971年12月21日

3. 陳夢家的著述　南揚

明報　1971年12月26日

4. 懷念陳夢家先生　周永珍

考古　1981年第5期　頁473　1981年9月

5. 陳夢家　王紹新

語言教學與研究　第4期　頁155　1982年

中國現代語言學家・第3冊　頁5　石家莊　河北人民出版社　1981年11月

6. 陳夢家（1911－1966）　關國煊

傳記文學　第44卷6期　頁140－141　1984年6月

7. 陳夢家小傳　皮遠長

武漢大學學報（社會科學版）　1985年第6期　頁116－118　1985年11月

8. 現代已故史學家：陳夢家　周永珍

中國歷史學年鑑　頁272　北京　人民出版社　1986年12月

9. 陳夢家　王世民

中國史學家評傳（下冊）　頁1690－1713　河南　中州古籍出版社　1985年4月

10. 陳夢家　李立明

中國現代六百作家小傳　頁365－357　香港　波文書局　1977年10月

11. 陳夢家　舒蘭

北伐前後的新詩作家和作品　頁127－133　臺北　成文出版社　1980年6月，《中國現代文學研究叢刊》第19冊

12. 新月詩派及作者列傳　秦賢次

詩學　第2輯　頁407　1976年10月

13. 詩人、學者陳夢家四十年祭　羅孚

明報月刊　第41卷11期　頁47　2006年11月

14. 與趙蘿蕤陳夢家一瞥之緣　喬志高

明報月刊　第39卷4期　頁18　2004年4月

15. 我與陳夢家　王世襄
　文匯報　第 5 版　筆會專刊　1992 年 1 月 30 日
16. 拆墻和留線：考古學家陳夢家先生訪問記　曹孔瑞
　人民日報　第 7 版　1957 年 5 月 17 日

(二) 經學

1. 《尚書通論・前言》　王世民
　《尚書通論》（外兩種）　頁 1－10　石家莊　河北教育出版社　2000 年 12 月
　二十世紀中國史學名著敘錄　頁 441－450　石家莊　河北教育出版社　2002 年 11 月
2. 與陳夢家、屈萬里兩先生商討周公旦曾否踐阼稱王的問題　徐復觀
　東方雜誌　第 6 卷 7 期　頁 38－49　1973 年 1 月
　中國思想史論集續篇　頁 151－184　臺北　時報文化出版事業有限公司 1982 年 3 月
3. 有關周公踐阼稱王問題的申復　徐復觀
　中國思想史論集續篇　頁 185－205　臺北　時報文化出版事業有限公司 1982 年 3 月

(三) 考古學

1. 陳夢家研究綜述　史玉輝
　山東師大學報（社會科學版）　第 24 卷 2 期　頁 79－82　1999 年 3 月 25 日
2. 陳夢家與簡牘學　王子今
　第二屆簡帛學術討論會論文集：簡帛學名家與簡帛學——二十世紀簡帛學研究回顧，簡帛研究彙刊第二輯　頁 381－490　臺北　中國文化大學文學院簡帛學文教基金會籌備處　2004 年 5 月
3. 陳夢家與漢簡研究　沈頌金
　河北學刊　第 22 卷 3 期　頁 138－142　2002 年 5 月

(四) 現代文學

1. 論新月詩人陳夢家　王俊義

內蒙古師範大學中國語文學系碩士班　62 頁　2004 年 4 月 20 日

2. 論陳夢家的詩美追求　吳家榮
江海學刊　1994 年第 6 期　頁 180－183　1991 年 11 月 10 日

3. 論陳夢家詩歌理論的歷史地位　吳家榮
安徽大學學報（社會科學版）　第 21 卷 1 期　頁 15－19　1997 年 1 月

4. 論陳夢家對詩美觀的追求　史玉輝
徐州師範大學學報（哲學社會科學版）　第 24 卷 2 期　頁 144－145　1998 年 6 月

5. 陳夢家詩歌理論藝術　史玉輝
徐州教育學院學報　第 18 卷 3 期　頁 96－98、下接 102　2003 年 9 月

6. 淺析陳夢家早期詩歌的精神指向　王昌忠
南京師範大學文學院學報　2006 年第 2 期　頁 32－35　2006 年 6 月 30 日

7. 暗夜裡的歌吟：讀陳夢家《搖船夜歌》　王巧鳳
名作欣賞　1995 年第 2 期　頁 66－67　1995 年

8. 論清華新月詩人　張玲霞
清華大學學報（哲學社會科學版）　第 10 卷 4 期　頁 44－51　1995 年 12 月

9. 在夢的輕波裡依洄：論後期「新月詩派」的詩歌創作　徐榮街
徐州師範學院學報（哲學社會科學版）　第 21 卷 4 期　頁 38－43　1995 年 12 月 15 日

10. 陳夢家的《鐵馬集》　姜德明
文匯報　第 6 版　隨筆第 10 期　1991 年 5 月 22 日

(五) **專集**

1. 紀念陳夢家先生學術座談會
漢字文化　2006 年第 4 期　頁 78－95　2006 年 8 月 25 日
(1)「紀念陳夢家先生學術座談會」在京舉行　頁 78－79
(2)紀念陳夢家先生學術座談會開幕詞　劉慶柱　頁 79－80
(3)我們的懷念　陳夢熊　頁 80－82
(4)學術的綜合和創新——紀念陳夢家先生　李學勤　頁 82－83

⑸陳夢家先生對甲骨學的貢獻　王宇信　頁 83－85

⑹陳夢家對殷周銅器研究的卓越貢獻　王世民　頁 85－88

⑺陳夢家先生的年代學與《尚書》研究　馮時　頁 88－90

⑻陳夢家早年文學活動與其古史研究的關係　〔日〕稻畑耕一郎　頁 90－93

⑼不能忘卻的紀念——陳夢家先生反對漢字拉丁化的歷史意義　李敏生　頁 93－95

㈥ **其他**

1. 陳夢家何來熱情到處點火：自稱一貫忽視政治，陳在文字改革方面是章羅聯盟反黨急先鋒　佚名
   文匯報　第 2 版　1957 年 8 月 11 日
2. 捍衛歷史科學的馬列主義路線：京津史學家批判右派份子向達、雷海宗、榮孟源、陳夢家　佚名
   文匯報　第 2 版　1957 年 10 月 17 日
3. 批判右派份子陳夢家關於反對文自改革的荒謬言論　王力
   文匯報　第 3 版　1957 年 10 月 30 日
4. 一貫反黨反社會主義破壞民族團結：史學界右派分子向達原形畢露。在中國科學院哲學社會科學部座談會上，右派分子雷海宗、榮孟源、陳夢家也受到嚴正批判。范文瀾指出右派鬥爭不影響百家爭鳴，今後百家爭鳴的園地將會越加寬廣自由　佚名
   新民晚報　第 1 版　1957 年 10 月 16 日
5. 考古研究所批判揭露陳夢家：這個自稱忽視政治的學者實際是個人野心家　佚名
   人民日報　第 2 版　1957 年 8 月 11 日
6. 剝開所謂各種「專家」的皮來看陳夢家原來是個反共專家　佚名
   人民日報　第 2 版　1957 年 9 月 6 日

經　學　研　究　論　叢
第 十 五 輯　頁155～162
臺灣學生書局　2008 年 3 月

鄭王異同辨（二）

安井小太郎著、金培懿*譯

一、武王崩時成王之年齡

鄭康成用衛宏之說，以為武王崩時成王年十歲（見〈明堂位正義〉）。

孔穎達曰鄭玄以金滕之注中有「文王崩後明年生成王」，據此以為：武王崩時成王年十歲，服喪三年終而成王年十二。明年群叔流言，周公辟之居東都，成王年十三也。明年秋大熟遭雷風之變，時周公居東三年，成王年十五，迎周公反而，居攝之元年也。居攝四年作〈康誥〉，成王年十八，《書》傳云天子大子十八稱孟侯。居攝七年成王年二十一也，明年成王即政，年二十二也（見〈文王世子正義〉）。〈明堂位〉之《正義》中亦舉鄭玄之說更加詳敘之，以上為鄭玄之說法。

孔穎達曰：王肅據《家語》之文，以為武王崩時成王十三歲（見〈明堂位正義〉）。所謂《家語》之文，乃所謂《家語・冠頌》篇中有：「武王崩，成王年十有三而嗣立。」然而《家語》之中若亦有王肅為助己說而增加之舊文者，故難以信之，因王說亦無確切之證據。

案《禮記・明堂位》中有文曰：「武王崩，成王幼弱也。周公踐天子之位以治天下，六年朝諸侯於明堂，制禮作樂頒度量，而天下大服，七年致政於成王。」《史記・魯世家》中亦有文曰：「及七年還政於成王」，此以周公攝政為七年之說也。〈周本紀〉中有文曰：「周公行政十年，成王長而周公即政於成王。」此乃十

---

* 金培懿，中正大學中國文學系副教授。

年之說也。加以前述鄭氏十二年之說，周公攝政之年數共有三說（鄭氏以為武王崩後五年之間，周公並未攝政，後七年雖攝政，前後總共十二年）。然若依據《尚書・洛誥》中的「惟七年」之文，則周公之攝政應為七年。而若周公之攝政為七年，成王十歲時武王崩，則其親政為十七歲；若武王崩時成王為十三歲，則其親政為二十歲，然因武王崩時，以及周公復辟時成王之年齒，經傳並無明文記載，故未能知孰是孰非。《公羊傳・隱元年正義》中引異義《古尚書》之說，有文曰：「武王崩時成王年十三」，王肅之說或據此而來。《古尚書》所記者雖多有不可信之事，然徵之於事理，所謂成王二十歲時周公復辟者，筆者以為此說近於可。若如是，則武王崩時成王之年應為十三歲，王肅之說近是。

二、廟數

《禮記・王制》曰：「天子七廟，三昭三穆，與大祖之廟而七。」鄭氏曰：「此周制，七者大祖及文王、武王之祧與親廟四。大祖后稷，殷則六廟，契及湯與二昭二穆。夏則五廟，無大祖，禹與二昭二穆而已。」孔穎達曰：「鄭氏之意，天子立七廟唯謂周也。……按《禮緯・稽命徵》云：『唐虞五廟，親廟四始祖廟一。夏四廟，至子孫五。殷五廟，至子孫六。』〈鉤命決〉云：『……周六廟，至子孫七。』鄭據此為說，故謂七廟周制也。周所以七者，以文王武王受命，其廟不毀，以為二祧，并始祖后稷即高祖以下親廟四，故為七也。」

案：鄭氏以為七廟乃限於周朝之制，因為是在五廟之上加以文、武之二祧。然因祧廟不入昭、穆之數，與〈王制〉的「天子七廟，三昭三穆，與大祖之廟而七」不合，故王肅駁之。

王肅曰：「周之文武者受命之王，不遷之廟者權禮，非常廟之數。〈禮器〉云：『禮有以多為貴者，天子七廟。』孫卿曰：『有天下者事七世。』又曰：『自上以下，降殺以兩。』今天子諸侯立廟之事，並使親廟為四，君臣之制同而無尊卑之別。又〈祭法〉云：『王者下祭殤五，適子、適孫、適曾孫、適玄孫、適來孫。』如是，下祭及於無親之來孫；上祭不及於無親之祖者可疑。《穀梁傳》有『天子七廟，諸侯五廟』，《家語》有子羔問尊卑立廟之制，孔子曰：『天子七廟，諸侯五廟。』〈祭法〉有『遠廟為祧，有二祧。』《周禮》鄭《注》言『遷主之所藏云祧』，違於經之正文。鄭又曰：『先公之遷主，后稷之藏於廟；先王之遷主，文武之藏與廟。』據之則有三祧，〈祭法〉有二祧者何耶？」

（故〈聖證論〉肅難鄭云：「周之文武，受命之王，不遷之廟，權禮所施，非常廟之數。殷之三宗，宗其德而存其廟，亦不以為數。凡七廟者，皆不稱周室。〈禮器〉云：『有以多為貴者，天子七廟。』孫卿云：『有天下者事七世』，又云：『自上以下，降殺以兩』。今使天子諸侯立廟，並親廟四而止，則君臣同制，尊卑不別禮，名位不同，禮亦異數，況其君臣乎？又〈祭法〉云：『王下祭殤五，及五世來孫，則下及無親之孫，而祭上不及無親之祖，不亦詭哉？』《穀梁傳》云：『天子七廟，諸侯五。』《家語》云：『子羔問：尊卑立廟制。孔子云：禮，天子立七廟，諸侯立五廟，大夫立三廟』，又云：『遠廟為祧，有二祧焉。』又儒者難鄭云：『〈祭法〉遠廟為祧』，鄭注《周禮》云：『遷主所藏曰祧，違經正文』，鄭又云：『先公之遷主藏於后稷之廟，先王之遷主藏於文武之廟』，便有三祧，何得〈祭法〉云有二祧？」）（《禮記注疏》卷 12）

王肅駁鄭說者有三端：一者天子諸侯名制不同，故天子者七；諸侯者五也。如之，加文武二祧為七，則與諸侯之五廟無異。二者王者祭既止於適來孫，然宗廟記先之制卻僅止於四世，此實可疑。三者為祧廟之解也。鄭氏雖以之為遷主之所藏，但經文無此說。又若據鄭氏之《周禮注》，則有三祧，與〈祭法〉之二祧不合。

案：《新唐書・朱子奢傳》有言曰：『漢丞相韋玄成奏立五廟，劉歆以為宜為七。鄭玄本玄成，王肅宗歆。』此鄭、王所皆本於前人也。〈祭法〉有言曰：『王立七廟，曰考廟、曰王考廟、曰皇考廟、曰顯考廟、曰祖考廟，皆月祭之。遠廟為祧，有二祧，享嘗乃止。』又曰：『諸侯立五廟，曰考廟、曰王考廟、曰皇考廟，皆月祭之。顯考廟、祖考廟，享嘗乃止。』據此，天子七廟、諸侯五廟者明矣。唯〈王制〉以三昭、三穆與祖廟為七；〈祭法〉以二昭、二穆、祖考廟與二祧為七，兩者有所差異，而鄭據〈祭法〉，然王據〈王制〉以為說也。故鄭以〈祭法〉之二祧充於文武；王以七祧之外別有文武之祧，不入二祧於七廟之數也。蓋鄭玄所以以二祧為文武之廟，乃據〈祭法〉所謂：「周人祖文王宗武」之文，以為廟中必有文武之廟。然若以二祧充之，於祧廟祭文武者，未見於經文，且以文武為百世不遷之廟而祭，特不作其廟，而於遠廟祭之，此於事理不合，鄭之文武二祧說究竟如何？

王說以為七廟之外有文武之二祧，然若以〈祭法〉而言，則鄭說有據，唯文武二祧之說乃其小疵也。王說以為祀及於六世，合之於太祖則為七，故與〈王制〉之三昭、三穆及《荀子》之事七世相合，唯不詳其如何看待〈祭法〉之二祧，蓋〈王制〉、〈祭法〉其說各異，不可強合。〈喪服小記〉中有「王者立四廟」之文，此同於〈祭法〉。《古尚書・逸篇》有「七世之廟可以觀德」之文，《荀子》有「有天下者事七世」之文，此〈王制〉之說也。〈王制〉、〈祭法〉其異如此，然若以情理說之，則〈王制〉之說似乎為可。蓋士者一廟、大夫者三廟、諸侯者五廟、天子者七廟，此恐為通法，若周時以文武為不遷之廟，則有九廟也。或者雖為天子，然其親止於高祖，故云立廟者應止於四親。然據所謂士無祖父之廟、大夫無曾祖之廟推測時，則很難說：天子與諸侯同樣，祭祀皆止於高祖，故〈王制〉之說為可。

三、嫁娶之年齒及婚期

《周官・媒氏》曰：「掌萬民之判，凡男女自成名以上，皆書年、月、日、名焉。令男三十而娶，女二十而嫁，凡娶判妻入子者，皆書之。中春之月令會男女，於是時也奔者不禁，若無故而不用令者罰之。」

鄭氏曰：「二三者，天地相承覆之數也。中春，陰陽交以成婚禮順天時也。無故，謂無喪禍之變也。有喪禍者，娶得用非仲春之月。」

鄭氏以男三十、女二十為嫁娶之年，而以仲春為婚期，但若有喪禍之故者，則可用他月無妨。

王肅曰：「《周官》云男三十、女二十者，謂男女嫁娶之限，不得過之也。三十之男、二十之女者，不待禮而行之。前賢之言有丈夫二十無有無室；女子十五無有無家。《家語》有魯哀公問孔子：『《禮》言男三十而有室，女二十而有夫，豈不晚耶？』孔子曰：『《禮》云其極而已。男子二十而有人父之道；女子十五而有適人之道，自是以往者自婚。』然男三十、女二十，及仲春之月者，言其極法而已。」（〈媒氏正義〉）

（王肅曰：「《周官》云：『令男三十而娶，女二十嫁，謂男女之限，嫁娶不得過此也。三十之男，二十之女，不待禮而行之，所奔者不禁，娶何三十之限？前賢有言，丈夫二十不敢不有室，女子十五不敢不有其家。』《家語》魯哀公問於孔子：『男子十六精通，女子十四而化，是則可以生民矣。聞禮，男三十而有室，女二十而有夫，豈不晚哉？』孔子曰：『夫禮，言其極亦不是過，男子二十而冠，有為人父之端，女子十五許嫁，有適人之道，於此以往則自昏矣。』然則三十之男，二十之女，中春之月者，所謂言其極法耳。」）（《周禮注疏》卷 14）

王氏以男三十、女二十，及仲春之月為嫁娶之最後期限，而男二十、女十五以上得以嫁娶，引《家語》孔子之言為證也。

案：男三十、女二十者，鄭氏亦未必拘於此年齡，為將之視為一般之法則而如此規定者。王肅之極法說雖亦有其道理，然云二十而娶，十五而嫁者，經、傳無有明文，雖有文王十五而生伯邑考，然難以所謂諸侯比平民早昏為例。男三十而娶之說者，〈曲禮〉有言曰：「三十曰壯有室，四十曰強而仕，五十曰艾服官政，六十曰耆指使，七十曰老而傳。」〈內則〉亦有文曰：「三十而有室，七十致事。」此大體就定，多少有些快慢，雖然在所難免，然作為一般之法則，理當為如此。秦漢以後，封建之制壞，以無官職世襲之事，似乎有疑之也。若三十而娶，達七十時則其子為四十，已達強仕之年，則父致仕而其子得襲其職也，如此之事無世襲之時代有其必須也。如父無論至何時皆在職，則子不得不居住於所謂房室，故若人子達於相當之年歲，則父當隱居而讓家督於子，以定父之道也。故所謂三十而有室者，與七十而致仕者，乃相關聯之法則也。王氏之極法說，似未能詳於此義，故不取。

而限嫁娶之時於仲春者，鄭說失之於拘。〈媒氏正義〉中引王肅之說，大意言《毛詩・東門之楊・傳》中有男女失時，不逮秋冬也。又《荀子》有霜降而逆女之文，《韓詩外傳》亦有霜降而逆女者，及《詩》之引「士如歸妻，迨冰未泮」等，皆以秋冬為婚時之正，論《周禮》之仲春非婚姻之正時也。

（王肅論云：「吾幼為鄭學之時，為謬言尋其義，乃知古人可以於冬，自馬氏以來，乃因《周官》而有二月，《詩・東門之楊》：『其葉牂牂』，《毛傳》曰：『男女失時，不逮秋冬，三星參也，十月而見東方時，可以嫁娶。』又云：『時尚暇務須合昏，因萬物閉藏於冬，而用生育之時，娶妻入室，長養之母，亦不失也。』孫卿曰：『霜降逆女，冰泮殺止』，《詩》曰：『將子無怒秋以為期』，《韓詩傳》亦曰：『古者霜降逆女，冰泮殺止』，『士如歸妻，迨冰未泮』為此驗也。」）（《周禮注疏》卷 14，頁 217）

案：關於婚姻之時期，先儒亦有二說，特別是鄭、王二學之徒，極力主張師說，散見於《正義》中各處。言仲春者，乃據《詩》之「有女懷春，吉士誘之」、「春日遲遲，女心傷悲」、「天命玄鳥降而生商」、〈月令〉有「仲春玄鳥至之日」、〈夏小正〉之「二月綏多士女」、《易・泰卦》之「六五帝乙歸妹」等文而來也。秋冬說則據前述《毛傳》與《荀子》而來也。主張秋冬說者，乃是將《詩》之春娶，解釋為譏諷其不能待時也。《正義・東門之楊》中有言曰：「荀卿在焚書以前，必當有所憑依，毛公親事荀卿，故亦以為秋冬。」《荀子》與《毛傳》之所以一致，理由應在此。

如上所述，二說皆有所依據，唯婚禮有著種種之關係，禮儀亦繁多，非可以法令定時而實行之者，如從人昏之便利，則以秋成之後，冬作以前為其時期，實為自然之情勢。據《儀禮・士昏禮》以五禮皆摯鴈；〈昏禮記〉有摯不用死，此昏禮必用生鴈以為法。〈月令〉則以季秋為鴻鴈來賓之時節，而以季秋至仲春為止為嫁娶之時期者，近於可。然此僅云制禮之始，至於其後，四時皆有嫁娶。根據春秋時代，自魯送夫人以及嫁女，皆四時通用，則自孔子以前已然如此也。《周官》中媒氏於仲春時使嫁娶者，乃媒氏將干與完成婚姻之時期，視為其職務而定於仲春，而非一般之定昏時，此就經文便可得知。所以會將之視為一般之法者，乃後學之拘見也，不可從。

四、三年喪期

《儀禮・士虞記》曰：「又期而大祥，曰薦此祥事，中月而禫，是月也吉祭，猶未配。」

《鄭注》曰：「中，猶間也。禫，祭名也。與大祥間一月，自喪至此，凡二十七月云云。」

鄭注以三年喪為二十五月，加上禫而為二十七月也。

王肅曰：「二十五月大祥，其月為禫，二十六月作樂，所以然者。以下云：『祥而縞，是月禫，徒月樂。』又與上文魯人朝祥而暮歌，孔子云：『踰月則其善，是皆祥之後月作樂也。』又〈間傳〉云：『三年之喪，二十五月而畢』又〈士虞記〉中月而禫，是祥月之中也，與《尚書》文王中身享國，謂身之中間。同又文

公二年冬，公子遂如齊納幣，是僖公之喪，至此二十六月，《左氏》云納幣禮也。」（〈檀弓正義〉）

鄭、王之異在於中月之解。二十五月而有大祥，祥而禫者，二家無異，鄭以中月為間月；王以之為月中，而王之所據，在於〈檀弓〉之「祥而縞，是月禫。」

案：〈雜記〉曰：「期之喪十一月而練，十三月而祥，十五月而禫。」此鄭氏所以解中月為間月也。孔穎達曰：「為母為妻尚祥禫異月，豈容三年之喪乃祥禫同月。若以父在為母屈而不伸，故延禫月，其為妻當亦不申祥禫異月乎。若以中月而禫，為月之中間，應云月中而禫，何以言中月乎？案〈喪服小記〉云：「妾祔於妾祖姑亡則中，一以上而祔。」又學記云：「中年考校。」皆以中為間，謂間隔一年，故以中月為間隔一月也。……文公二年，公子遂如齊納幣者，鄭《箴膏肓》僖公母成風主婚，得權時之禮，若《公羊》猶譏其喪娶云云。」〈喪服小記〉引〈學記〉辨中月之間月，駁王氏之月中說甚好，唯是月禫之解不免牽強。〈檀弓〉之是月禫之下無鄭注，故鄭意不詳。以上乃孔《疏》引申鄭說以駁王說之梗概也。然〈雜記〉之十三月而祥，十五月而禫，與〈檀弓〉之是月禫，實為難以兩立之說也。又王氏引〈檀弓〉之「魯人朝祥而暮歌，孔子曰：『踰月則其善也。』」，解踰月為後月，然據《左傳・隱公元年》「士踰月外姻至」之文，則踰月即間月，因此鄭說為是。要之，十三月而小祥，二十五月而大祥，二十七月而禫，此三年喪之大節也。若大祥終則朝服，始即於吉也。然尚未純吉，禫後乃黃裳玄冠，即純吉也。〈雜記〉曰：「祥主人之除也，於夕為期，朝服。祥因其故服」是也。〈喪大記〉曰：「既祥黝堊，祥而外無哭者。」〈間傳〉於大祥之後，有文曰：「有醯醬，居復寢，素縞麻衣。」〈檀弓〉有「孔子祥後彈琴」之文，此乃大祥後去衰服，即吉為始，故言二十五月而終也。然以餘哀尚存，雖延兩月，然非喪之正期。公子遂如齊納幣者，乃僖公薨後二十六月，是大祥後也。故《左氏》云：「禮也」。《公羊傳》譏其「喪娶也」，乃因視其為大祥前（何休云二十五月）。若如是則為曆日之差，而非以禫前納幣為非也。

經 學 研 究 論 叢
第 十 五 輯　頁163～192
臺灣學生書局　2008 年 3 月

清代揚州學派學術淵源考辨

馮　乾*

前　言

漢學重師承，宋學有淵源。清儒則大都自得師，師承關係不如漢、宋二學緊密，此為清代樸學的特點。清代樸學有吳、皖、揚三派之分，揚州學派後起，大致淵源於吳、皖二學。但吳、皖二學如何對揚州學派施加影響，揚學內部又如何進行學術授受與學術交流，則須辨析學派成員的學術特色方能明晰。本文辨正了章太炎、劉師培關於揚州學派學術淵源的論點，考辨了揚州學派主要成員的學術淵源，並指出了揚州學派學術淵源的家學特徵。

一、關於揚州學派學術淵源的兩種觀點

揚州學派淵源於吳、皖二學，此學界定論。有學者清理清代揚州學派區域性學術淵源，強調揚州學派與歷代揚州文化之關係，如隋唐之際的《文選》學、南唐與宋初的《說文》學、明末清初的理學思潮等，以此彰顯揚州學派相對於吳、皖二學的獨立性。❶其意雖佳，然所舉之學或者淵源久遠，與揚學之直接淵源文獻佐證不足；或者僅為個別學者成學階段所習，不具學派之代表性；或者已為學術之公器，

*　馮乾，南京大學中國文學系講師。

❶　田漢雲：〈略說揚州學派與歷代揚州文化之關係〉，《中國文哲研究通訊》第九卷，第三期（1999 年 9 月），頁 177－184。

不得為揚州一派所私。因而就揚州學派而言，傳統看法即源自於吳、皖二學的觀點仍是最為可信的。

關於揚州學派學術淵源，有兩種觀點。一種認為揚學受到吳派影響較大，此以章太炎為代表。章氏曰：

> 吳始惠棟，其學好博而尊聞；皖南始戴震，綜形名，任裁斷。此其所異也。……（惠棟）教於揚州，則汪中、劉台拱、李惇、賈田祖，以次興起。蕭客弟子甘泉江藩，復纘續《周易述》，皆陳義爾雅，淵乎古訓是則者也。……（戴）震生休寧，受學婺源江永。治小學、禮經、算術、輿地，皆深通。其鄉里同學，有金榜、程瑤田，後有淩廷堪、三胡。三胡者，匡衷、承珙、培翬也。皆善治《禮》。而瑤田兼通水地、聲律、工藝、穀食之學。震又教於京師，任大椿、盧文弨、孔廣森，皆從問業。弟子最知名者，金壇段玉裁、高郵王念孫。玉裁為《六書音韻表》，以解《說文》，《說文》明；念孫疏《廣雅》，以經傳、諸子轉相證明，諸古書文義詰詘者皆理解。授子引之，《經傳釋詞》，明三古辭氣，漢儒所不能理繹。其小學訓詁，自魏以來，未嘗有也。❷

章氏將揚州學者汪中、劉台拱、李惇、賈田祖、江藩列入吳派，而以任大椿、王念孫、王引之為皖派嫡系。支偉成論吳派經學家一本章氏：

> 吳派經學以惠棟為大師，弟子著學統者遍大江南北。……其教於江北者，則有汪中、劉台拱、李惇，以次興起，皆陳義高古，淵乎古訓是則。流風所被，乾嘉上下百年間稱極盛焉。❸

---

❷ 章炳麟：〈清儒〉，《訄書重訂本》，《章太炎全集》（上海：上海人民出版社，1984年），頁156。

❸ 支偉成：《清代樸學大師列傳》（長沙：嶽麓書社，1998年），頁39。

> 及戴氏施教京師，而傳者愈眾。聲音詁訓傳于王念孫、段玉裁，典章制度傳于任大椿。既淩廷堪以歙人居揚州，與焦循友善。阮元問教于焦、淩，遂別創揚州學派。故浙、粵詁經、學海之士大都不惑於陳言，以知新為主，雖宗阮而實祧戴焉。❹

支氏謂阮元別創揚州學派，然序目中將阮元列於「提倡樸學諸顯達列傳」，而將揚學中人分列於吳、皖兩派之下。列於吳派的揚州經師有汪中、汪喜孫、賈田祖、顧九苞、顧鳳毛、李惇、宋綿初、宋保、張宗泰等十人，皖派有任大椿、焦循、焦廷琥、鍾裛、朱彬、寶應劉氏（台拱、寶楠、恭冕）、儀徵劉氏（文淇、毓崧、壽曾、師培）、凌曙、方申、劉熙載、成孺等十六人。又《小學大師列傳》中之高郵王念孫、引之父子及《提供樸學諸顯達列傳》中之阮元、福父子，支氏當以為皖派中人。

另一說認為揚州學派主要受皖派影響，此以劉師培為代表。劉氏曰：

> 東吳惠周惕作《詩說》、《易傳》，其子士奇繼之，作《易說》、《春秋傳》。棟繼祖父之業，始確宗漢詁。所學以掇拾為主，扶植微學，篤信而不疑。厥後掇拾之學傳于余蕭客，《尚書》之學則江聲得其傳，故余、江之書言必稱師。江藩受業於蕭客，作《周易述補》，以續惠棟之書。藩居揚州，由是鍾懷、李宗泗、徐復之流，均聞風興起。……及戴氏（震）施教燕京，而其學益遠被。聲音、訓詁之學傳于金壇段玉裁，而高郵王念孫所得尤精。典章制度之學傳于興化任大椿。而李惇、劉台拱、汪中均與念孫同里。台拱治宋學，上探朱、王之傳；中兼治詞章，雜治史籍。及從念孫遊，始專意說經。顧鳳苞❺與大椿同里，備聞其學，以授其子鳳毛。焦循少從鳳毛遊，時淩廷堪亦居揚州，與循友善。繼治數學，與汪萊切磋尤深。阮元之學亦得之焦循、淩廷堪。繼從戴門弟子游，故所學均宗戴氏。以知新為主，不惑於陳

❹ 同前注，頁69。

❺ 案：「顧鳳苞」，應作「顧九苞」。

言。然兼治校勘、金石。黃承吉亦友焦循，移焦氏說《易》之詞以治小學，故以聲為綱之說寖以大昌。❻

劉氏認為，吳派以嫡傳江藩為介，影響揚州鍾懷、李宗泗、徐復等學者。其成員數量及學術影響力均遠遜於皖派。而受皖派影響的揚郡學者最多，如王念孫、任大椿親炙戴震，李惇、劉台拱、汪中等友於王念孫而近皖派。興化顧氏之學受於任大椿。焦循友於顧鳳毛及徽學後進淩廷堪、汪萊。阮元受學於焦循、淩廷堪及王念孫、任大椿。黃承吉友於焦循。皆為皖派一系人物。

二說敘揚學淵源頗有不同，對揚學一些重要的人物的歸派也不同，孰是孰非，今據揚學代表人物的治學歷程與學術旨趣以折衷之。清代乾嘉樸學以吳派最先起，即使皖派大師戴震，其後期治學路向亦頗受惠棟影響。❼章太炎言惠棟教於揚州，考乾隆十九年惠棟客於揚州盧見曾幕府，助盧氏校勘《雅雨堂叢書》。此後四年間，惠氏與戴震、王昶、沈大成等相與論學。儘管惠棟在揚州未曾執掌書院或教授生徒，但揚州鹽運使盧見曾是揚州書院的經濟資助者，盧氏本人亦是學者。惠棟在揚州的學術活動可能會通過盧氏影響到書院生徒，使漢學觀念在揚州傳衍。論揚州學派學術淵源，應將這種潛在影響納入考慮範圍。就此而論，章、支二氏之言未為無據。然徑將汪中、劉台拱等隸入吳派，且錄為惠氏弟子，則非。下節有詳論。

劉師培謂：「藩居揚州，由是鍾懷、李宗泗、徐復之流，均聞風興起。」❽將鍾懷、李宗泗等人歸於吳派，亦未見妥當。李氏著作未傳，徐氏著作卒後即散，今無由知其學術傾向。江藩《漢學師承記》中言李鍾泗嘗從其問喪禮，往覆問難，發人所未發云，知李氏與江藩曾有論學。然江氏復記李鍾泗學術曰：「治經深于《左氏春秋》，撰《規規過》一書，抑劉伸杜。焦孝廉循稱其書精妙詳博。而藩未之見

---

❻ 劉師培：〈近儒學術統系論〉，《左盦外集》，《劉申叔遺書》（南京：江蘇古籍出版社，1997 年），下冊，頁 1533。

❼ 據漆永祥先生研究，戴氏學術可分前後兩期，前期受江永影響，後期受惠棟影響，其轉捩點即在此次會面。表現在：一、治經由漢宋兼采到獨得漢儒；二、義理由尊重宋儒到大反理學。見氏著《乾嘉考據學研究》（北京：中國社會科學出版社，1998 年），頁 116－117。

❽ 案：「李宗泗」，應作「李鍾泗」。

也。」❾江藩既云未見李氏著作，可知李氏學術並非源出江藩。徐復，據焦循《憶書》記：「徐心仲，西鄉農家子。讀書西門外都天廟中，師事甘泉老儒姚雨田。在廟甚苦，僧亦薄之。余以其有志也，乾隆癸卯請於先君，邀至家塾。彼所知者高頭講章、明人八股而已，余乃令看諸經注疏。」❿則徐氏從事漢學啟蒙於焦循，而非江藩。鍾懷著述十三種，有《春秋考異》論《三傳》，《說書》解《尚書》，《區別錄》考訂《毛詩》草木蟲魚，《論語考古》發《魯論》疑滯，《祭法解》核古祀典，《周官職小》經緯諸職而類釋之，《漢儒考》表章兩漢經師等。焦循刺取其精華為《菣厓考古錄》四卷，鍾氏論學之言曰：「從古而不必泥，博考以折其衷。」⓫又謂：「讀書固資實證，亦貴虛會，要衷之於理而已。」⓬與焦循治經當「證之以實，運之以虛」之論相表裡。要之，乾隆末嘉慶初期興起的揚州學者，皆承其時樸學之風而起，其學出於自得者為多，大略皆勤於考古而能以己意折衷，謂之受吳、皖二學影響可，至其師承淵源則不宜強斷，必須細析各家學術方可下結論。

如嚴論師承，吳派在揚州主要是通過惠棟的隔代傳人江藩傳播的。江藩是余蕭客、江聲弟子，於惠棟為小門生。惠棟治學宗漢學，重視師法淵源，認為漢儒近古，訓詁多得其實。所撰《周易述》二十卷，原本漢儒舊解，體例上區別十翼與經文，自作注而自疏之。惠棟《周易述》一書未完成，尚闕自《鼎》至《未濟》十五卦以及《序卦》、《雜卦》二傳。故江藩撰《周易述補》以足成之，其體例一依惠氏之舊。淩廷堪謂此書「引證精博，羽翼惠氏」，且舉惠氏書中《彖下傳》「家人，女正乎內，男正乎外」注：「內謂二，外謂五。」《象下傳》：「澤無水，困」注：「水在澤下，故無水。」「木上有水，井」注：「木上有水，上水之象。」等例，謂惠棟猶不免用王弼才說，而江藩則悉無之。⓭可見江藩在遵從漢儒

---

❾〔清〕江藩：《漢學師承記》（北京：中華書局，1983 年），頁 119－120。

❿〔清〕焦循：《憶書》（臺北：新文豐出版公司《叢書集成新編》本，1985 年），卷 5，頁 301。

⓫〔清〕鍾懷：〈校正字畫〉，《菣厓考古錄》（〔清〕嘉慶十三年（1809）刊本），卷 1，頁 1 上。

⓬〔清〕鍾懷：〈論語注有得失〉，同前注，頁 2 下。

⓭〔清〕淩廷堪：〈周易述補敘〉，〔清〕江藩：《周易述補》（〔清〕嘉慶道光乙丑

舊解上較惠氏有過之而無不及。江藩有親炙弟子黃奭。黃奭，字右原，江蘇甘泉人。因曾燠之介，延江藩為師。黃奭師從江藩四年，治經規循吳派家法，尊古崇漢。江藩因惠棟著《十三經古義》，其中惟《爾雅》未有成書，故命黃奭作《爾雅古義》，以繼成惠氏之業。黃奭乃從陸德明《經典釋文》中敘錄十家舊注，博引群書為之疏證，復攟拾十家外古注，撰《爾雅古義》十二卷。江藩卒後，黃氏獨學十餘年，輯漢儒鄭玄遺文成《高密遺書》十三種，可說是吳派在揚州的傳人。

揚州學派與皖派的關係較之吳派更為密切。揚學中親炙戴震者有王念孫、任大椿，曾相與論學者有劉端臨，不及見其人而私淑之者有焦循。皖派經師如程瑤田、汪萊、淩廷堪等與揚學中人關係亦極為密邇。揚學後起者甚至認為揚學是徽學的嫡系，並繪出徽學在揚郡流行的譜系。劉壽曾曰：

> 國初東南經學，昆山顧氏開之。吳門惠氏、武進臧氏繼之。迨乾隆之初，老師略盡，儒術少衰，婺源江氏崛起窮鄉，修述大業，其學傳于休甯戴氏。戴氏弟子以揚州為盛。高郵王氏傳其形聲訓故之學；興化任氏傳其典章制度之學。儀徵阮文達公友于王氏、任氏，得其師說。風聲所樹，專門並興。揚州以經學鳴者，凡七八家，是為江氏之再傳。先大父早受經于江都淩氏，又從文達問故，與寶應劉先生寶楠切劘至深，淮東有「二劉」之目。並世治經者，又五六家，是為江氏之三傳。先征君承先大父之學，師于劉先生。博綜四部，宏通淹雅，宗旨視文達為尤近。其游先大父之門，而與先征君為執友者，又多綴學方聞之彥，是為江氏之四傳。蓋乾、嘉、道、咸之朝，揚州經學之盛，自蘇常外，東南郡邑，無能與比焉。⑭

揚學後起亦頗以發揚戴學自礪。劉師培即謂：「故先生（戴震）之學，惟揚州之儒

（1829）刻本），卷首，頁1上。

⑭ 〔清〕劉壽曾：〈漚宧夜集記〉，《劉壽曾集》（臺北：中央研究院中國文哲研究所籌備處，2001年），卷1，頁54。

得其傳，則發揮光大，固吾郡學者之責也。」⓯

雖然揚學與徽學淵源深厚，但亦不可拘執於此，而將揚學視為徽學的附庸。以師承而論，皖派大師戴震在揚州的弟子僅王念孫一人。即以王氏論，乾隆二十一年戴震館於京師王安國第，教習王念孫。次年正月，王安國卒，王念孫歸里。則王氏從戴氏學至多不過一年，其所受習亦未必是戴氏專門之學。今觀二家文集及遺文佚墨中均不見戴、王師弟論學的記錄。考王氏從事音韻、文字之學，在乾隆三十一年。時王念孫入京，得讀江永《古韻標準》，始知顧炎武分古韻為十部，尚未周密。旋歸里，取《詩經》三百五篇反復探討，又覺江氏所分十三部，仍未盡善，故重加釐定，分為二十一部。王氏探討古韻學的基礎為顧氏之十部與江氏之十三部，而非戴震之十五部，則王氏音韻之學非得之戴氏。王氏訓詁之學亦較戴氏後出轉精，而戴震矜為獨得之秘、足以與宋儒較短長的義理之學，王氏則未得其傳。可見戴氏對王氏的影響並不在具體知識的傳授，而在奠是其一生為學的基礎以及由文字訓詁以求經義的治學路向上。

我認為，揚州學風近於於皖派，蓋當揚學之興，樸學已漸成規模。其由詁訓以求經旨的治學方法以及實事求是的治學態度已為多數學人體識和接受，故學風由師古的吳派轉為求是的皖派。即如吳派嫡傳江藩，一般認為其學專守吳學。然其居揚後學風亦受皖派影響，則人罕道之。李耳《揚州畫舫錄》卷九記曰：「江藩字子屏，號鄭堂。幼受業于蘇州余仲林，遂為惠氏之學。又參以江慎修、戴東原二家。著有《周易述》、《補考工戴氏車製圖翼》、《儀禮補釋》、《石經源流考》。」⓰李氏為江藩之友，其言當不謬。則吳、皖二學趨於和同，實是清代樸學發展的大端。揚州學派作為清代樸學後期的代表，得以避免樸學開山時期師古膠執之謬誤，而與皖派專精求是的宗旨更為相近。而其尤傑出者復不受皖派牢籠，遂形成以通學為特徵的揚學學派。

⓯ 〔清〕劉師培：〈戴震傳〉，《左盦外集》卷 18，《劉申叔遺書》，下冊，頁 1823。

⓰ 〔清〕李斗：《揚州畫舫錄》（北京：中華書局，1960 年），頁 194。

二、揚學主要學者淵源考辨

揚州學派中除王念孫學術師承關係較清晰外，其餘則皆類自得師。今擇其代表人物，略加辨析，以覘揚學淵源所在。

㈠ 汪中學術淵源考辨

汪中之學以乾隆三十八年為界，分為二期。乾隆三十三年，汪氏自述為學次第云：「某始時止習辭章之學。數年以來，略見涯涘。三《禮》、《毛詩》，以次研貫，且有志于古人立言之道。蓋挫折既多，名心轉熾，不欲使此身為速朽之物也。」⑰王引之《行狀》則言汪氏「年二十九，始專治經術。」⑱汪喜孫跋其父遺書曰「先君年二十九，與王先生定交，始治小學。」此年汪中有〈上朱學士書〉，曰：「古人為學之方，今歲始窺其門戶，任重道遠莫能自致。」又〈致程先生書〉謂：「於六書略有所窺。嘗因形以求其音，因音以求其義。綜核先秦、兩漢古訓，博極群書，依《爾雅》篇目，分別部居，作小學。」汪中二十九歲，當乾隆三十八年。是時汪中適與王念孫相交於安徽學政朱筠幕中，受王氏影響，從事聲音文字訓詁之學，其學因以一變。汪中〈與巡撫畢侍郎書〉云：「中少時問學，實私淑諸顧寧人處士，故嘗推六經之旨以合於世用。及為考古之學，惟實事求是，不尚墨守。以此不合於元和惠氏。」⑲汪中自言少時問學以亭林為宗，觀其早歲作《策學謏聞》，雖為科試應策之用，然以劄記為體，正與顧炎武《日知錄》同。⑳其後為考據學，「實事求是，不尚墨守」，已明言其與惠學異趣矣。大抵汪氏之學，前期以賅博為主，宗旨近於亭林。後期以經詁為主，兼及子史。不惑陳言，學主知新，與皖派為近。汪中嘗欲撰《六儒頌》，表章顧炎武、胡渭、梅文鼎、閻若璩、惠棟、

---

⑰ 〔清〕汪中：〈與秦文西岩書〉，引自〔清〕汪喜孫：《汪容甫年譜》（上海：上海中國書店，《江都汪氏叢書》本，1925年）「乾隆三十三年」，頁5下。

⑱ 〔清〕王引之：〈汪容甫行狀〉，羅振玉輯：《高郵王氏遺書》（南京：江蘇古籍出版社，2000年），頁216。

⑲ 案，《述學》此篇無「以此不合于元和惠氏」句，當為汪喜孫編集時所刪。

⑳ 國家圖書館藏《策略謏聞》，題江都汪庸夫先生著，嘉慶丙寅新鐫德成堂藏版。即汪中《策學謏聞》一書。名「策略」，為書賈翻刻之誤。

戴震，而以戴氏集其成。㉑可見汪中於樸學先儒中最重戴震。汪喜孫《先君學行記》曰：「先君精研三《禮》，遊歙，主汪梧鳳家，得見戴君未刻之書。私淑戴緒論，所學益進。」㉒戴震固為汪中求學進程中最有影響的人物之一。

抑更有論者，汪中學術中年以後年受錢大昕影響最大。據淩廷堪回憶：

> （汪中）於時流桓多否而少可。及與先生相見，辯論古今，深為折服。手書一十六人姓名示之。嘉定詹事府少詹事錢曉徵大昕、江甯府學教授錢學淵塘、陝西侯補直隸州州判錢獻之玷、廩生金其章日追、附生李生甫賡芸、長洲布衣江艮庭聲、江國屏藩、江浦副貢生韓紹真廷秀、陽湖進士莊保琛述祖、歙舉人程易田瑤田、修撰金輔之榜、寶應舉人劉端臨台拱、高郵進士李孝臣惇、餘姚編修邵與桐晉涵、曲阜檢討孔撝約廣森、仁和翰林院侍讀學士盧召弓文弨，曰：「此皆海內通人也，與吾夙相交契者，今得君合十有七矣。」㉓

汪中列舉己所服膺的當代學者中，以錢大昕居首，並非偶然。汪中平生學侶以吳派經師為多，唯吳派中又可分為兩派，一派以惠棟為領袖，一派以錢大昕為祭酒。錢大昕為一代史學大師，不斤斤株守漢學，而歸於求是，與傳統吳派之嗜古佞漢已不相類。故劉師培謂：「錢大昕于惠、戴之學，左右采獲，不名一師，所學界精博之間。」㉔漆永祥論乾嘉考據學派，將錢大昕獨立一派，極有道理。

乾隆四十一年，汪中作書與劉台拱，其中論及錢、戴之學，云：「前造嘉定，

㉑ 《淩廷堪年譜》「乾隆四十九年」下載：「揚州汪容甫先生中，其論學最惡宋儒。漢唐以後所服膺者昆山顧寧人氏、德清胡朏明氏、宣城梅定九氏、太原閻百詩氏、元和惠定宇氏、休甯戴東原氏，以為國朝六大儒。」〔清〕張其錦：《淩廷堪年譜》（〔清〕道光元年（1826）宣城曲肱亭刻本），卷 1，頁 13 上。汪喜孫則謂汪中欲作《七儒頌》，較《淩譜》增萬斯同一人，見〔清〕汪喜孫：〈先君學行記〉，《孤兒編》（上海：上海中國書店《江都汪氏叢書》本，1925）卷 1，頁 16 上。

㉒ 〔清〕汪喜孫：〈先君學行記〉，同前注。

㉓ 〔清〕張其錦：《淩廷堪年譜》，同前注，頁 13 上－13 下。

㉔ 劉師培：〈近儒學術系統論〉，《左盦外集》，卷 9，頁 1533－1534。

與錢先生語彌日。其人博學無方，而衷於至當。其高出戴君不止十等，誠一代之儒宗也。中於韻學多扣槃，然告之錢先生，無不合者。」㉕戴震論當代學者，有「當代學者，吾以曉征為第二人」㉖之語。汪中初以戴震為樸學集大成者，及見錢大昕後，則以為戴氏不及錢氏遠甚，可知其學趨向矣。

錢氏影響汪中，在於史學及韻學轉語方面。《述學》中有〈答錢步詹事問〉一篇，論《陳書・本紀》「廣陵」之地。汪中著《廣陵通典》、又撰名文《廣陵對》。復欲釆宋氏宗室之見紀傳者撰《宋世系表》，未成，有序存《迷學補遺》中。汪中精於轉語，以此從事校勘、經詁，所得綦多。汪中從事金石、校勘之學，亦與錢氏同。章太炎歸汪中於惠派，似尚未達汪氏學術之旨。

㈡ 劉台拱學術淵源考辨

寶應劉氏之學淵源久遠，六世祖永澄明神宗時任兵部職方司主事，與高攀龍、顧憲成諸儒講學東林，以名節相砥礪。受家學膏澤，劉台拱於理學獨有所契。朱彬撰《劉端臨行狀》中記曰：

> 年十三四，從同時王洛師先生學為文。先生老于文律，猶及方望溪、儲中子諸前輩。於門下生，多否而少可。獨奇君文，以為可追古作者。年十五，見王予中、朱止泉兩先生之書，欣然有得。始研宋程朱之學，以聖賢之道自繩，而于文辭弗屑也。㉗

寶應王懋竑，字予中，學者稱白田先生。白田一生專研朱子之學，撰《朱子年譜》，於朱子生平、著述考據最力。方法上已開揚州考據學先河。焦循曰：「他人講程朱理學，皆浮游剿襲，惟懋竑一生用力于朱子之書，考訂精核，乃真考亭功

㉕ 劉文興：〈劉端臨先生年譜〉，「乾隆四十一年」下引汪中寄劉台拱箚，《國學季刊》，第3卷，第2號，頁126。

㉖ 〔清〕江藩：《漢學師承記》，頁50。

㉗ 〔清〕朱彬：〈劉端臨行狀〉，《遊道堂集》（〔清〕同治七年（1869）袁浦刊本），卷3，頁20上－20下。

臣。」㉘朱澤沄字湘淘，別號止泉，與王懋竑同里。朱氏之學由博返約，其學術淵源於陽明學，與王氏醇粹宗朱不同。論者謂朱（澤沄）主尊德性，王（懋竑）主道問學。㉙王洛師（箴傳）即王懋竑子，朱澤沄婿。故劉台拱得以觀二家遺書，遂服膺理學以終其身。

劉台拱從事樸學，始於就讀揚州安定書院時，蓋亦承其時樸學風氣而起者。乾隆三十七年，劉台拱中鄉舉，入京應進士試不第，後留京師教館。時清廷方開四庫館，北京遂為考據學淵藪。一時知名學者如朱筠、程晉芳、戴震、邵晉涵、程瑤田、錢塘、王念孫、任大椿等，劉台拱皆與相交，「相約稽經考古，旦夕講論，務求底於至是而後即安。先生齒最少，每發一義，諸老先生莫不折服，以為好學深思、心知其義者，莫先生若也。」㉚因而聲譽鵲起。

劉台拱學長三《禮》，一時學者率以禮學推劉氏。翁方綱謂：「今之精研三禮者，吾最許寶應劉端林。㉛端林之於三禮也，視文子（顧九苞）之用力似分軌而實合轍。蓋端林之意在於證經，而文子之意在於翼注，皆學人所難能者。」㉜段玉裁謂劉氏：「窮治諸經，於三《禮》尤粹。」㉝盧文弨校刻《儀禮》，其序例亦以不獲就正劉氏為憾。劉台拱嘗欲撰《儀禮補疏》，未成。至其學術特徵，可以阮元「潔淨精微」㉞一辭概括。朱彬謂：「先生為學，自六書、九數以至天文、律呂，莫不窮極幼眇，而於聲音、文字尤深。其考證名物，研精理義，未嘗離而二之。傳

㉘〔清〕焦循：〈國史儒林文苑傳議〉，《雕菰集》（上海：商務印書館，1937），下冊，頁181。

㉙張舜徽謂，「就朱澤沄、王懋竑兩人來說，朱氏偏重於尊德性一面，王氏偏重於道問學一面。」見氏著《清代揚州學記》（上海：上海人民出版社，1962年），頁38。

㉚〔清〕朱彬：〈劉端臨行狀〉，同前注，頁20下。

㉛劉端林，應作端臨，即劉台拱。

㉜〔清〕翁方綱：〈送顧文子進士歸興化序〉，《復初齋文集》（〔清〕道光丙申（1836）開雕〔清〕光緒丁丑（1877）重校本），卷12，頁8上。

㉝〔清〕段玉裁：〈劉端臨先生家傳〉，段玉裁著，劉盼遂輯：《經韻樓文集補編》（〔民國〕丙子（1936）排印本），卷上，頁20下。

㉞〔清〕阮元：〈答友人書〉，《國粹學報》（臺北：文海出版社影印，1970年），第29期，第5冊，頁3670。

注有未確，雖自古經師相傳之古訓，亦不為苟同。于漢、宋諸儒絕無依傍門戶之見。」㉟劉台拱與段玉裁論學最契，書問往來不絕。劉盼遂編《經韻樓集補編》，載段玉裁與劉台拱書三十餘通。段氏評劉台拱學術曰：

> （劉台拱）於天文、律呂、六書、九數、聲韻之學，莫不該洽。窮治諸經，於三《禮》尤粹。研精考證，不為虛詞臆說。凡所發明，旁引曲證，與經文上下語氣吻合，無少穿鑿，精思卓識，堅確不移。闡先儒未發之秘，當世通儒，僉謂懸諸日月而不刊。故盧召弓、戴東原、邵二雲、王懷袓諸君著書，多采擇焉。㊱

王念孫評劉氏學術曰：

> 端臨邃于古學，自天文、律呂，至於聲音、文字，靡不該貫。其于漢、宋諸儒之說，不專一家，而唯是之求。精思所到，如與古作者晤言一室，而知其意指所在。比之征君閻百詩、先師戴庶常、亡友程易疇，學識蓋相伯仲。以視鑿空之談，株守之見，猶黃鵠之與壤蟲也。㊲

段、王之學代表了乾嘉小學的最高成就，而二氏推崇劉氏學術如此，足見其學術造詣。劉台拱精通天文、律呂、聲音、文字，皆是徽學擅場。其學術宗趣在探尋經旨，唯是之求，非拘守漢學者之比。今舉例以證之。

劉台拱《論語駢枝》釋《論語．述而》「子所雅言，詩書執禮，皆雅言也」曰：

㉟〔清〕朱彬：〈劉端臨行狀〉，《遊道堂集》卷 3，頁 21 上－21 下。

㊱〔清〕段玉裁：〈劉端臨先生家傳〉，同前注。盧召弓，原作「盧少弓」。

㊲〔清〕王念孫：〈劉端臨遺書序〉，《高郵王氏遺書》（南京：江蘇古籍出版社，2000 年）卷 2，頁 130。

雅言，正言也。鄭注謂：「正言其音」者，得之。但以為「《詩》、《書》不諱」、「臨文不諱」之義，則非是。……夫子生長于魯，不能不魯語，惟誦詩、讀書、執禮三者必正言其音，所以重先王之訓典，謹末學之流失。近人不解此義，聞愚說或頗以為怪。用敢旁推交通，敷暢厥旨，冀學者無惑焉。昔者周公著《爾雅》一篇，以釋古今之異言，通方俗之殊語。劉熙《釋名》曰：「爾，昵也，昵，近也。雅，義也，義，正也。五方之言不同，皆以近正為主也。」張晏《漢書》注亦云：「爾，近也；雅，正也。」後人解「近，正之」云，或以為「近而取正」，或以為「近于正道」，皆非也。上古聖人正名百物，以顯法象、別品類、統人情、壹道術。名定而實辨，言協而志通。其後事為踵起，象數滋生，積漸增加，隨時遷變。王者就一世之所宜而斟酌損益之，以為憲法，所謂雅也。然而五方之欲不能強同，或意同而言異，或言同而聲異。綜集謠俗，釋以雅言，比物連類，使相附近，故曰《爾雅》。（原注：揚雄《方言》繼《爾雅》而作，應邵《風俗通義》自謂述演《方言》，故其名書之意相表裡。）《詩》之有《風》、《雅》也亦然。王都之音最正，故以《雅》名。列國之音不盡正，故以《風》名。先邶、鄘、衛者，殷之舊都也。次《王》者，東都也。其餘或先封而次在後，或後封而次在前，或國小而有詩，或國大而無詩，大氐旨以聲音之遠近離合為之甄敘矣。王之所以撫邦國、諸侯者，七歲屬象胥，諭言語，協辭命。九歲屬瞽史，論書名，聽聲音，正于王朝，達于諸侯之國。是為雅言。雅之為言夏也。孫卿《榮辱篇》云：「越人安越，楚人安楚，君子安雅，是非知能材性然也，是注錯習俗之節異也。」又《儒效篇》云：「居楚而楚，居越而越，居夏而夏，是非天性也，積靡使然也。」然則「雅」、「夏」古字通。[38]

《論語》「子所雅言」之「雅言」，漢人釋為「正言」，是也。如孔安國注曰：

---

[38] 〔清〕劉台拱：《論語駢枝》（〔清〕嘉慶二十一年（1816）刻本），卷1，頁8上—9下。

「雅言，正言也。」㊴「詩書執禮，皆雅言也。」鄭玄注曰：「讀先王典法必正言其音，然後義全，故不可有所諱也。禮不誦，故言執也。」㊵唯漢人雖釋為正言，但又百「正言不諱」之說，徒生枝蔓。《正義》因之：「此章記孔子正言其音，無所諱避之事。雅，正也。子所正言者，《詩》、《書》、《禮》也。此三者，先王臨文教學，讀之必正言其音，然後義全，故不可有所諱。孔子平生讀書，皆正言之，不為私所避諱也。」㊶遂迂曲難通。宋儒盡舉漢晉之說而去之，為作新解，釋「雅言」為「常言」。程子曰：「孔子雅素之言，止於如此。若性與天道則有不可得而聞者，要在默而識之也。」㊷朱子曰：「雅，常也。《詩》以理情性，《書》以道政事，禮以謹節文，旨切於日用之實，故常言之。禮獨言執者，以人所執守而言，非徒誦說而已也。」㊸義雖似通，然不達「雅」之本意，遂有望文索義之嫌。劉台拱則釋「雅」與「夏」古字通，雅言即夏言，即王都之音，為異於方言俗語的正言，類於今天的普通話。劉台拱之說發兩千年未覆之秘，精確無匹。故阮元謂：「劉氏此說，足發千古之蒙矣。」㊹類似獨見卓解，《遺書》尚有多處。正可見劉台拱學術優長之處不在專主漢說，而在即古訓以求是。章太炎歸劉台拱入吳派，殊無道理。究其故，或受江藩影響所致。江氏《漢學師承記》一書嚴立漢學門戶，不免有意誇大學者的漢學特徵。其敘劉氏學術曰：「君學淹通，尤邃於經。解經專主訓詁，一本漢學，不雜以宋儒之說。」㊺非真知劉氏者。章氏蹈之，遂有此誤。

㈢ 任大椿學術淵源考辨

任大椿與戴震同年舉鄉試，後又同為四庫館臣，相與討論問學，論者往往歸之入皖派。江藩《漢學師承記》中將任大椿列於第六卷，與徽學諸人並列，而不列於

㊴ 〔魏〕何晏注、〔宋〕邢昺疏：《論語注疏》，〔清〕阮元校刻：《十三總注疏》（北京：中華書局，1980 年），下冊，頁 2843。

㊵ 同前注，頁 2842－2843。

㊶ 同前注，頁 2843。

㊷ 〔宋〕朱熹：《論語集注》（北京：中華書局，1983 年），卷 4，頁 97。

㊸ 同前注。

㊹ 〔清〕阮元：〈與郝蘭皋戶部論爾雅書〉，《揅經室集》（上海：商務印書館，1937 年），卷 5，第 1 冊，頁 107。

㊺ 〔清〕江藩：《漢學師承記》，頁 116。

卷七揚籍學者中。且曰：「子田與東原同學於鄉，於是習聞其論說，究心漢儒之學」㊻，目為戴氏「同志之友而問學焉」。㊼淩廷堪亦云：「先生卒後，其小學之學，則有高郵王念孫、金壇段玉裁傳之；測算之學，則有曲阜孔廣森傳之；典章制度之學，則有興化任大椿傳之，皆其弟子也。」㊽章太炎、梁啟超等皆無異辭。張舜徽則認為，「任大椿在二十歲左右的光景，對典章制度之學，早有深湛的研究，為前輩所器重。我們沒有根據肯定他在認識戴震以後，才向這方面努力。」㊾實則，任大椿師承關係在吳，而學術宗旨則與徽學為近。

任大椿為王鳴盛著籍弟子，王氏《西莊始存稿》乾隆三十一年刻本，前列參與編校受業弟子，鐫任大椿名。《存稿》列籍弟子後且書「鄉試分校典試所取士不入門人之列」㊿，而任大椿成進士在乾隆三十四年。故王氏與任氏之間非舉主與門生之泛泛關係，則任氏曾從學於王鳴盛無疑。《西莊始存稿》有〈贈任幼植序〉一文，曰：

> 興化任子大椿，字幼植。年甫逾冠，而篤志經術，覃精稽古。其于虞、夏、商、周四代郊丘、禘祫、宗廟之制，《周禮》井田、稅賦之法，遂人、匠人、五溝、五塗之異同，《禹貢》五服、《大司馬》九畿之遠近，以及《儀禮》之《喪服》經傳，靡不留心研核。于近日昆山徐氏所刻宋元諸家之《經解》，皆掇其說之誤者辨之。氣盛而志銳，求諸今世，實罕輩儔。進而不已，其將為一代之通儒無難也。嗟乎！學之難言也，豈不以其途之多所歧乎哉！有空談妙悟而徒遁于玄寂者矣；有氾濫雜博而不關於典要者矣；有溺意詞章春華爛然而離其本實者矣；有揣摩繩尺苟合流俗而中尠精意者矣。此皆不足務也。是故經學為急。今以任子之才，於彼數家皆優為之而不屑為，顧

㊻〔清〕江藩：《漢學師承記》，頁 97。

㊼同前注。

㊽〔清〕淩廷堪：〈東原先生事略狀〉，《校禮堂文集》（北京：中華書局，1998 年），頁 316。

㊾〔清〕張舜徽：《清代揚州學記》（上海：上海人民出版社，1962 年），頁 77。

㊿〔清〕王鳴盛：《西莊始存稿》（〔清〕乾隆三十一年（1766）刻本），卷首，頁 2 上。

一意於經，其取途也，可謂正矣。然而經學之難言也，又豈不以其途之多所歧乎哉！貿貿然而赴之，不知其途之將何從也。世之所傳《十三經注疏》者，不知何時所集，而漢人之傳注，唐宋人之義疏，舍是則無可求者矣。故言經者，必以是為質的，然則求訓詁於注疏焉，可也。若朱子、若蔡氏沈、陳氏澔、胡氏安國，立於學官久矣，場屋以之取士，經筵以之進講，學者童而習之。能考其說之所從來，存其是，而講去其非，斯善矣。斯二者，蓋治經之要務也。能務斯二者，則其餘固無暇遍觀，而亦有不必遍觀者矣。抑人生精力有限，即二者之為務，恐猶未能兼諸經也，專一經焉，可矣。一經通，則群經之旁通者必多，而其學亦已成矣。自予束髮而好言經義，求之數年，未得其門。三十以後，漸似稍有知識。四十而粗定。所謂專治一經，先求訓詁於注疏，而辨析于朱于暨蔡、陳、胡氏之是非者，正予今日之所有事，而功猶未能半也。任子氣盛而志銳，其才過予遠甚，又能不以自足而虛衷下問。予故舉其所嘗致力者為說以贈之，任子由予說擇焉，可乎？[51]

由此序「年甫弱冠」句觀，任氏生於乾隆三年，其問學於王鳴盛，當在乾隆二十三年前後。可知任氏弱冠以前於禮學研究已頗為精深。王氏教任氏治學要點有三：一、學以治經為先；二、治經當求訓詁於注疏；三、以先治一經，後通群經為治學次第。

任大椿既受業於吳派經師，復從皖派大師戴震問學，奠定了一生治學的方向。乾隆二十五年，時僅二十二歲的任大椿問《禮》於戴震，任氏原書今不可睹，《東原文集》中有戴震答書，從中可見其時任氏於《禮經》已有深湛造詣，但與戴氏頗有分歧。戴氏書云：

承示禘祫、喪服等辨，今之治此者蓋希矣。好學深思如幼植，誠震所想見其人不可得者。況思之銳、辨議之堅而緻，以此為文，直造古人不難；以此治經，則思之所入。願弗遽以為得，勿以前師之說，可奪而更之也。今幼植奮

---

[51] 〔清〕王鳴盛：〈贈任幼植序〉，《西莊始存稿》，卷 15，頁 1 下－2 下。

> 筆加駁于孔沖遠、賈公彥諸儒，進而難漢之先師鄭君康成矣；進而訾漢以來相傳之子夏《喪服傳》為劉歆、王莽傳會矣；進而遂訾《儀禮》之經、周公之製作，為歆、莽之為之矣。[52]

可見任大椿早年治經實持疑經的態度，以《喪服傳》為劉歆、王莽的傅會，《儀禮》為劉歆、王莽偽造。而戴震則尊古經，箴戒任大椿「毋輕議禮」。並列舉任氏以為劉歆、王莽傅會、偽作二例加以疏通證明，認為兩處皆經義精微之處，為聖人製作無疑。因茲諄諄告誡任氏曰：「震鄉病同學者多株守古人，今于幼植反是。凡學未貫本末、徹精粗，徒以意衡量，就令載籍極博，猶所謂『思而不學則殆』也。遠如鄭漁仲，近如毛大可，只賊經害道而已矣。」[53]箴任氏學以兼思，以免步鄭樵、毛奇齡後塵。戴氏之語對任氏影響深大。任大椿後來於禮學所造獨深，撰《弁服釋例》十卷、《深衣釋例》三卷、《釋繒》一卷。對禮制名物分門別類，作專門研究，其體制與戴震計畫撰寫的《七經小記》相類，據段玉裁撰《東原年譜》附著述輯要曰：「《學禮篇》，先生《七經小記》之一也。其書未成，蓋將取六經禮制糾紛不治、言人人殊者，每事為一章發明之。今文集中開卷〈記冕服〉、〈記皮弁服〉、〈記爵弁服〉、〈記玄端〉、〈記深衣〉、〈記中衣裼衣襦褶之屬〉、〈記冕弁冠〉、〈記括髮免髽〉、〈記絰帶〉、〈記繅藉〉、〈記捍決極〉，凡十三篇，是其體例也。」[54]則任氏禮學深受戴震影響無疑。

(四) 焦循學術淵源考辨

焦循自謂「學無師傳」[55]，又謂「循居甘泉之北鄉，地僻無師學。」[56]焦循十七歲受知學使劉信芳，入學後與興化顧鳳毛為同學。顧氏傳其父九苞家學，復從嘉定錢唐習音韻律呂，撰有《楚辭韻考》、《入聲韻考》、《毛詩韻考》等。焦循友

---

[52] 〔清〕戴震：〈與任孝廉幼植書〉，《東原文集》，《戴震全集》（合肥：黃山書社，1997年），第 4 冊，頁 365。

[53] 同前注，頁 369。

[54] 〔清〕段玉裁撰，楊應芹訂補：〈東原年譜訂補〉，《戴震全集》，第 6 冊，頁 704。

[55] 〔清〕焦循：〈復江艮庭處士書〉，《雕菰集》，卷 14，頁 218－219。

[56] 〔清〕焦循：〈上王述菴侍郎書二〉，《雕菰集》，卷 13，頁 198。

於顧氏，專力經學。乾隆丁未，顧鳳毛以《梅氏叢書》贈焦循，是為焦氏從事算學及其後以算學洞淵九容之術研《易》之緣起。焦循學無常師，而於學者之長，率有所受。自言平生「每得一書，無論其著名與否，必詳閱首尾，心有所契，則手錄之。」57又言「余交遊素少，然每有以著作教我者，無論經、史、子、集以至小說、詞曲，必詳讀至再至三，心有所契，則手錄之。」58歷二三十年，積成《里堂道聽錄》五十卷。焦循讀清儒書，撰《讀書三十二贊》，於清學成就，了然具於胸中。清學中焦循最稱徽學，早年讀《詩》，撰《毛詩草木魚蟲釋》、《毛詩地理釋》；讀《禮》，撰《群經宮室圖》，率為名物、典制之學，學路近皖。其義理之學私淑戴震，既作《申戴》為之辨誣，又作《論語通釋》以為翼贊。故而梁啟超謂焦循之學私淑戴震：「東原之學，其朋輩中能受之者，莫如程易疇，次則金檠齋。其鄉後學能受之者，莫如洪蕊登，次則凌次仲。蕊登壽僅三十五，倘假以年，亦東原之昶谷也。其弟子最著者段茂堂、孔巽軒、王懷祖及其子伯申。語其一曲，如或過師。雖然，未可云能傳東原學也。無已，則私淑之焦里堂乎？」59至《易學三書》，則純粹焦氏自得，非由師授。譚獻《師儒表》列焦循於「絕學」門，即以其《易》學。

㈤ 阮元學術淵源考辨

阮元聰穎早豁，少即有名鄉里。十七歲，與鍾褱同受經於李道南。此年與淩廷堪相交，乾隆四十九年，淩廷堪在揚州再晤阮元，作〈後大鵬遇稀有鳥賦〉贈阮氏，相視莫逆。淩氏作書與其師翁方綱，謂：

> 又有儀徵阮君名元字梁伯者，年逾弱冠，尚未采芹，其學問識解，俱臻極詣。不獨廷堪瞠乎其後，即方之容甫、鄭堂，亦未易軒輊也。60

---

57 〔清〕焦循：《里堂道聽錄序》，《雕菰集》，卷 16，頁 257。

58 同前注。

59 梁啟超：〈戴東原先生傳〉，《戴震全集》，第 7 冊，頁 100。

60 〔清〕淩廷堪：〈上洗馬翁覃溪師書〉，《校禮堂文集》，卷 22，頁 196。

對阮元學術推挹倍至。

阮元自道其學術特色在「推明古訓，實事求是」。[61]雖解經一依古訓，似近於吳派，而歸於求是，則與皖派宗旨尤近。故其論解經曰：「余以為儒者之於經，但求其是而已矣。是之所在，從注可，違注亦可，不必定如孔、賈義疏之例也。」[62]阮元轉益多師，「元自出門以來，於前輩獲見程、劉、王、任、錢數君，於同輩獲見江藩、孫星衍、朱錫庚、李賡芸、淩廷堪數君，皆拜手有所受焉。餘不必計也。」[63]

阮元於王念孫得其訓詁。阮氏自謂：「昔余初入京師，嘗問字于懷祖先生，先生頗有所授。」[64]又曰：「元于先生為鄉後學，乾隆丙午入京謁先生。先生之學精微廣博，語元，元略能知其意，先生遂樂以為教。元之稍知聲音文字訓詁者，得于先生也。」[65]於任大椿、劉台拱、淩廷堪得其禮學。乾隆五十三年，阮元寓居京師，撰《車製圖考》，考核精確，是徽學專門。嘉慶八年，阮元跋曰：「實可辨正鄭注，為江慎修、戴東原諸家所未發，且以此立法，實可閉門而造，駕而行之。……元之說姑與江、戴諸說並存之，以待後學者精益求精焉。」則阮氏對其作亦頗為自信。[66]揚學先進中興化任大椿長於對禮制名物分門別類作考訂，阮元此書可能受到任氏的啟發。乾隆五十六年，阮元充石經校勘官，分校《儀禮》。劉台拱治《儀禮》有聲，故阮元特作函徵求意見。[67]劉氏可能對阮元有所影響。阮元學術思想受淩廷堪影響很大，淩廷堪治經最精禮學，著《禮經釋例》，《校禮堂文集》中有《復禮》三篇，阮元稱為「唐宋儒者以來所未有」，「卓然可傳」。[68]其重視禮學而排斥理學，即與淩氏「以禮代理」思想極有關係。如阮氏謂：「心之大端，

---

[61] 〔清〕阮元：〈揅經室集自序〉，《揅經室集》，卷首，第1冊，頁1。

[62] 〔清〕阮元：〈焦理堂群經宮室圖序〉，《揅經室集》卷11，第1冊，頁226。

[63] 〔清〕阮元：〈與友人書〉，同前注。

[64] 〔清〕阮元：〈王伯申經義述聞序〉，《揅經室集》，卷5，第1冊，頁104。

[65] 〔清〕阮元：〈王懷祖墓誌銘〉，《揅經室續集》，《叢書集成新編》（臺北：新文豐出版公司，1985年），第69冊，頁415。

[66] 〔清〕阮元：〈考工記車制圖解後跋〉，《揅經室集》卷7，頁156。

[67] 劉文興：《劉端臨先生年譜》，頁135。

[68] 〔清〕阮元：〈坎仲淩君傳〉，《揅經室二集》卷4，第2冊，頁434。

治之必以禮。禮儀三百，威儀三千，非可以靜觀寂守者也。」(69)復謂：「禮者何？朝、聘、射、冠、昏、喪、祭，凡子臣弟友之庸行、帝王治法、性與天道，皆在其中。《詩》、《書》即文也、禮也。《易象》、《春秋》亦文也、禮也。其餘言存乎《大學》、《中庸》諸篇。《大學》、《中庸》所由載入《禮經》者以此。其事皆歸實踐，非高言頓悟所可掩襲而得者也。」(70)與淩氏《復禮》中論禮之說大同：「聖人不求諸理而求諸禮，蓋求諸理必至於師心，求諸禮始可以復性也。……後儒不察，乃舍禮而論理，縱極幽深微眇，皆釋氏之學，非聖學也。」(71)

阮元之學與錢大昕亦有淵源。李詳曰：「阮文達初刻《研經室集》，有其弟子烏程張鑑序，言『研經』之『研』，系慕錢少詹『潛研』之『研』名書。」(72)李詳自言嘗見《研經室集》初刻本，其言當不謬。阮元推尊錢大昕，曰：「國初以來，諸儒或言道德，或言經術，或言史學，或言天學，或言地理，或言文字音韻，或有金石詩文，專精者固多，兼擅者尚少，惟嘉定錢辛楣先生能兼其成。」(73)認為錢氏之學「九難」，表而出之。阮元金石、輿地之學與錢氏為近。

阮元論義理一本古訓，嘗自道其學曰：「余之學多在訓詁，甘守卑近，不敢矜高以賢儒自命，故《論仁論》、《性命古訓》皆不過訓詁而已。」(74)其，《論語論仁論》、《孟子論仁論》、《性命古訓》諸作，皆由經文中直抉「仁」、「性」諸字，由訓詁而臻義理，純然戴學面目。阮元受戴學影響，殆無可疑。但阮氏之生也晚，不及從戴震遊。乃《國粹學報》第三期載〈阮芸台傳經圖記〉曰：「有陋儒之學，有通儒之學。何謂陋儒之學？守一先生之言不能變通。其下焉者，則惟習詞章，攻八比之是務，此陋儒之學也；何謂通儒之學？篤信好古，實事求是，彙通前聖微言大義而涉其藩籬，此通儒之學也。元當弱冠後即與當代經師游，若戴君東

(69) 〔清〕阮元：〈性命古訓〉，《揅經室集》，卷 10，第 1 冊，頁 206。

(70) 〔清〕阮元：〈石刻孝經論語記〉，《揅經室集》，卷 11，第 1 冊，頁 216。

(71) 〔清〕淩廷堪：〈復禮下〉，《校禮堂文集》卷 3，頁 32。

(72) 李詳：〈愧生叢錄〉，《李審言文集》（南京：江蘇古籍出版社，1989 年），頁 526。

(73) 〔清〕阮元：〈十駕齋養新錄序〉，《錢大昕全集》（南京：江蘇古籍出版社，1997 年），第 7 冊，頁 1。

(74) 〔清〕張鑑等撰：《阮元年譜》（北京：中華書局，1995 年），頁 155。

原、孔君巽軒、孫君淵如，皆與元為忘年交，與元教學相長，因得略窺古經師家法。今諸君墓有宿草矣。……道光八年十月廿一日頤性老人阮元記。」案：篇中言阮元弱冠後與戴震相交，最為可疑。阮元生於乾隆二十九年，戴震卒於乾隆四十二年，無論阮氏弱冠時不及見。即以戴氏生前嘗見阮氏矣，十餘齡童子，雖早慧，焉能與戴氏教學相長？又東原之死下距道光八年已五十載，墓木久已合拱，不當云墓有宿草。此猶可曰阮氏誤記。落款頤性老人，則可斷定其偽！道光二十三年，阮元年八十，清宣宗賜「頤性延齡」扁額(75)，頤性老人之號，當由此來。此云道光八年，必偽撰無疑。因此文廣被引用，故辨其偽如此。

黃式三謂阮元義理之學本於段玉裁。其言曰：

> 《說文》段公注解「人偶」之義甚詳，阮公因而推衍之，作《論語仁論》、《孟子仁論》，……式三謂阮公作段公《漢讀考敘》，推尊段公書有功於天下後世，可謂極至。阮公集以《仁論》、《性命古訓》諸作所得為大，亦本于段公，足見段公之功矣。抑段公注《說文》，非特論仁之足以啟阮公也，其論敬、論才、論理，皆能去前人之弊，而又不顯駁前人，蓋精力與戴東原相等，而言尤醇粹也。後人幸勿以文字、聲音、訓詁之學而少之。(76)

段玉裁曾助阮元校勘《十三經注疏》，其《說文解字注》刊於嘉慶十九年。阮元撰《論語論仁論》、《孟子論仁論》、《性命古訓》在嘉慶三年後，道光三年前。(77)段、阮二氏釋經詳略雖異，方法則同。謂阮元之論為本於段玉裁而加以推衍，亦非無見。

㈥ 汪喜孫學術淵源考辨

汪喜孫為汪中子，幼秉庭訓，九齡喪父，艱苦力學以成材與其父同。汪喜孫幼

---

(75) 同前注，頁 209。

(76) 〔清〕黃式三：〈阮氏仁論說〉，《儆居集》，經說五，頁 20 上。

(77) 〔清〕張鑑等：《阮元年譜》「嘉慶三年」阮祐案語曰：「是時〈論語、孟子論仁論〉、〈性命古訓〉三卷尚未撰。」（頁 18）又據《年譜》道光三年，阮元刻《揅經室集》成。（頁 142）上三篇皆在其中，則此三篇撰于道光三年前。

年從學鍾懷，十六歲結識江藩，如賞識金石書畫、銅磁雕漆、刻絲器用及琢硯造墨之法。後以《許浦都統司磚考》質之江藩，江氏為之延譽。故汪喜孫早年治經實受吳派經師影響。嘉慶十七年，汪喜孫尊江藩囑撰〈漢學師承記跋〉，嚴分漢宋門戶。〈跋〉曰：

> 古者國家有巡守、封禪、朝聘、燕饗、明堂、宗廟、辟雍之儀。天子廣集眾儒，講議典禮，損益古今之宜，推所學以合於世用。根柢六經，憲章四代。先王製作之精義，可考而知焉。自後儒以讀書為玩物喪志，義理、典章區而為二，度數、文為，棄若弁髦，箋傳、注疏，東之高閣。又其甚者，肆其創獲之見，著為一家之言。綴王肅之卮詞，棄鄭君之奧論。末學膚受，後世滋惑。經學浸微，蓋七百年矣。國朝漢學昌明，超軼前古。閻百詩駁《偽孔》，梅定九定曆算，胡朏明辨《易圖》，惠定宇述漢《易》，戴東原集諸儒之大成。裒然著述，顯於當代；專門之學，于斯為盛。至若經史、詞章、金石之學，貫穿勃穴，靡不通擅，則顧寧人導之於前，錢曉徵及先君子繼之于後，可謂千古一時也。若夫矯誣之學，震驚耳目。舉世沿習，罔識其非。如汪鈍翁私造典故，其他古文詞支離牴牾，體例破壞；方靈皋以時文為古文，三《禮》之學，等之自鄶以下；毛西河肆意譏彈，譬如秦楚之無道；王白田根據漢宋，比諸春秋之調人。惡莠亂苗，似是而非。自非大儒，孰有能辨之者？吾鄉江先生博覽群籍，通知作者之意。聞見日廣，義據斯嚴。彙論經生授受之旨，輯為《漢學師承記》一書。異時采之柱下，傳之其人，先生名山之業，固當附此不朽。或如司馬子長《史記》、班孟堅《漢書》之例，撰次〈敘傳〉一篇列於卷後，亦足屏後儒擬議窺測之見，尤可與顧甯人、錢曉徵及先君子後先輝映者也。喜孫奉手受教，服膺有年，被命跋尾，不獲固辭，謹以所聞質諸坐右，未識先生以為知言不也。[78]

此謂「經學浸微，蓋七百年矣。」以七百年衡之，固指斥宋學也。然此篇中言「戴

[78] 〔清〕汪喜孫：〈國朝漢學師承記跋〉，〔清〕江藩：《國朝漢學師承記》，頁134。

東原集諸儒大成」云云，議論一本其文汪中《六儒頌》。汪喜孫又有鈔本《戴東原事實》，稱戴氏《孟子字義疏證序》「聖人復起，不易斯言」。備極推崇。《事實》中收錄諸家作戴震傳記，附有汪喜孫親筆評語。汪喜孫對各家所撰皆不甚滿意，如評錢大昕《戴先生傳》云，「此錢少詹撰傳，尚未能舉其大者。」評阮元《疇人傳．戴震傳》云：「此《疇人傳》，只敘錄算學。」評淩廷堪《戴東原先生事略狀》云：「東原先生無所不通，此只舉小學、算學，見偏不見全。」又云：「校《水經注》，正千年之訛，非深於地理而能之耶？《直隸河渠志》，非深於地理而能之耶？（原注：淩云其地理之學，僅《水地記》一卷，故云。）《考工記圖》、《文集》說禮之文，非深於禮經、鍾律而能之耶？仲子以三《禮》、地學自詡，遂欲掩前人之長，文內頗詆毀之，欲將一人手掩天下目，多見其不自量也。」評程瑤田《書四友事》云：「此書不過略舉所見，非該括其生平之學問也。」評孔廣森《戴氏遺書序》云：「此書羅列著迷，亦有未備，檢《年譜》核對可知。」評盧文弨《戴氏遺書序》云：「此書不如段先生序《文集》真深知東原先生者，嘆服。」唯於段玉裁所撰極加褒揚，評段氏〈與方葆岩制府書〉云：「此書真有古人風。」評段玉裁《戴東原集序》最多，云：「昌明絕學，有功世道人心。漢以後無人道之者，此之為絕學。恨不得起周公、孔子而就正之。」「此篇可謂日月經天，江河行地矣。」「周公、孔子之書具在，周公、孔子之道亦具在，學者盍尚論之？」又云：「三千年來長夜悠悠，一朝復旦。」又云：「為東原先生作傳志諸君，從未有如此包羅總括者。東原先生有段先生為之弟于其賈侍中之有許君耶？然許君未有傳賈侍中之文也」又云：「即以此篇為《儒林傳稿》，勝於他人千百言矣。」[79]由此可知汪氏對戴學備極傾倒之狀。

汪喜孫之學由樸學入，後來又受宋學影響，帶有揉和漢宋的色彩。前引〈漢學師承記跋〉中嚴文壁壘，力斥宋學。至其入都後則主調和漢宋之論。由汪喜孫可見嘉道學風潛轉之況。

以上分析了乾嘉時期揚州學派主要學人的學術淵源。至道咸而下，樸學的治學方法已人所共知。要之，根據古訓以求是，吳、皖界線漸漸泯滅。以寶應、儀徵二

---

[79] 李詳：〈愧生叢錄〉，頁535。

劉氏及其弟子為代表的後期揚州學派學術淵源主要在於前期的揚學傳統，而道咸以來今文經學的興起及宋學的復辟對後期揚學影響甚微。如凌曙雖習公羊學，為揚學異軍，但其甥文淇雖親受其教，並不為今文經學。[80]唯寶應劉恭冕晚年學術似稍有今文之意。[81]

三、揚州學派的家學淵源

家學指學術以家族為單位世代傳承。中國學術傳承中，家學作為最直接的鏈結，一直具有重要的地位。家學對清代樸學傳承尤為關鍵。其因在於樸學師傳特徵不著，乾嘉經師從事經學，往往熏沐家風，秉受庭訓而成。劉師培謂清代學術「惟有私學無官學，有家學無國學」[82]，復曰：「自漢學風靡天下，大江南北治經者以百計，或守一先生之言，累世不能殫其業。」[83]指出乾嘉漢學世代相遞的家學特點。陳居淵在分析乾嘉漢學的成因時，認為：「乾嘉漢學作為一個時代的主要學術文化，它雖然離不開政治的外緣因素和學術發展的內部因素，但它是由地域的人文性歷史文化的符號學即家學發展而成的，並且隨著這種學術趣向的不斷拓展和地域位置的轉移，最終形成了乾嘉漢學。」[84]抉出乾嘉漢學傳承的家學特徵，其識甚卓。陳氏復曰：「揚州學派與吳派一樣也是由家學的純漢學研究發展為一個地域性

---

[80] 劉文淇曰：「余學殖荒落，于先舅氏無所肖似。」見氏著：〈句溪雜著序〉，《青溪舊屋文集》（〔清〕光緒九年（1883）刻本），卷6，頁11上。

[81] 劉師培曰：寶應劉恭冕初治論語，繼作《何休注論語述》，掇刺《解詁》引《論語》者以解釋《公羊》，復作《春秋說》一書，亦頗信「三科」之義。（〈南北考證學不同論〉，《劉申叔遺書》，頁559。）案，劉恭冕雖輯《何休注訓論語述》，但僅屬輯佚，於今文經學微言大義無涉。劉恭冕且曰：「恭冕近於《三傳》稍通其義，而於《公羊》駁正尤多，大約以董、何之義，求之傳文，多無其證明。系博士傳說，不必為《公羊》本旨也。」見氏著《劉叔俛雜稿》（南京圖書館藏稿本），則劉氏似嘗用力於《公羊傳》，然於《公羊》之微言大義並不苟同。筆者未見劉恭冕《春秋說》一書，故不敢論，姑志此以存疑。

[82] 劉師培：〈南北考證學不同論〉，《劉申叔遺書》，頁586。

[83] 劉師培：〈揚州前哲畫像記〉，《左盦外集》，卷20，《劉師培遺書》，頁1896。

[84] 陳居淵：〈清代的家學與經學——兼論乾嘉漢學的成因〉，《漢學研究》，第16期，第2卷（1998年12月），頁197。

的學派。」[85]在清代學派中，揚州學派的家學特徵最為明顯。梁啟超謂：「蓋揚之學者，世家最多。江都汪氏、儀徵阮氏、寶應劉氏，咸有令子。而綿歷四代不殞嘉問者，前則高郵王氏，後則儀徵劉氏也。」[86]道出了揚學師承的這一特點。家學對於揚州學派的形成及傳衍具有舉足輕重的作用。今以家學為單位闡述揚州學派的學術淵源。

(一) 興化任氏、顧氏之學

興化任氏之學始於任陳晉。陳晉字似武，號後山，乾隆己未進士，官徽州府教授。著有《易象大意存解》。《四庫全書總目》曰：「書中首論太極、五行，兼談河洛先天諸圖，然發揮明簡，惟標舉其理所可通。凡一切支離推衍、布算經而繪弈譜者，翦除殆盡。」[87]此書大抵由宋《易》入手而歸於獨造自得，與後來漢學家循漢魏古注解經不同。陳晉孫大椿，精通禮學，其早期治學持疑經觀點，務為自得，是乃祖學風。族弟兆麟、振基亦為樸學。興化任氏與顧氏為姻戚。顧九苞之學受自其母，顧母即任陳晉妹。九苞博聞強識，章學誠記其學曰：「君淹雅，善於待問，學徒質經史疑難，應答不窮。」[88]九苞早卒，著述散佚。其子鳳毛既受父教，復從祖母受學。焦循論其學曰：「超宗於箋注義疏，不為異同。惟以強記博覽，堅守先儒之學。然間有論斷，未嘗不精核簡要，厭服眾心。」[89]此為興化任、顧之學。

(二) 高郵王氏之學

高郵王安國為宋學，至其子念孫，為聲音、文字之學。王念孫復傳其子引之。乾隆五十一年，王引之應順天鄉試，不中式，旋南歸。亟求《爾雅》、《說文》、《音學五書》讀之，日夕精研。乾隆五十五年，王引之再入都，以數年所學質疑於王念孫。念孫許為可傳其學，遂語以古韻廿一部之分合、《說文》諧聲之義例、

---

[85] 同前注，頁 215。

[86] 梁啟超：〈近代學風之地理的分佈〉，《飲冰室文集》，卷 41，頁 67。

[87] 〔清〕永瑢等：〈易象大意存解提要〉，《四庫總目提要》（北京：中華書局，1965），卷 6，頁 45。

[88] 〔清〕章學誠：〈庚辛亡友列傳〉，《章學誠遺書》（北京：文物出版社，1985 年），頁 193。

[89] 〔清〕焦循：〈顧小謝傳〉，《雕菰集》，卷 21，頁 344。

《爾雅》、《方言》及漢代經師詁訓之本原。王引之《經義述聞序》曰：「引之過庭之日，謹錄所聞于大人者以為圭臬，日積月累，遂成卷帙。既又由大人之說觸類推之，而見古人之詁訓有後人所未能發明者，亦有必當補正者，其字之假借有必當改讀者，不揆愚陋，輒取一隅之見，附於卷中，命曰《經義述聞》。」則《經義述聞》一書謂之王氏父子共撰可也。海內遂傳高郵王氏之學。焦循贊曰：「高郵王氏，鄭許之亞。借張揖書，示人大路。《經義述聞》，以子翼父。」(90)阮元謂：「高郵王氏一家之學，海內無匹。」(91)王引之子壽同亦為樸學，有《觀其自養齋燼餘錄》。此為高郵王氏之學。

㈢ 江都汪氏之學

汪中卒，其子喜孫成立後能讀父書，訪求先人手澤，不遺餘力。並請顧千里為校刻汪中遺書，以闡揚汪中之學。汪喜孫講學承其父遺緒，如汪中論學重《周禮》、《春秋》，汪喜孫亦然。其論曰：「凡周之官制、周公之後一代典禮，並謂之周禮，不必以他書所載周初官制與周禮不符，遂疑本書。亦如《爾雅》有『張仲孝友』、『如切如磋』之文，不得謂本書非周公作。《左氏春秋》凡左丘明以後治是經者，各家撰述並附於後，不必因『其後為劉氏』之文，遂疑本書。」(92)汪喜孫曰：「喜孫三十以內校寫楹書，略涉書史，迨後總甄錢穀，困頓簿書，二十年來廢寢忘餐，惟於經世之學發先人之蘊，自謂向所肆力。至經史、詞章，自分不能紹述先人專門之業，卒以無成。」(93)此有自屬撝謙也。汪喜孫雖未盡傳汪中之學，而家學淵源固自有在。唯汪喜孫後又頗涉宋學，其學遂不盡與乃父合。此為江都汪氏之學。

㈣ 寶應劉氏之學

寶應劉氏之學承自明劉永澄，世代以理學傳家。至劉台拱乃為樸學。劉氏精於禮學，復撰《論語駢枝》，極為精審。從子寶楠從之學，寶應劉氏遂以《論語》名

(90) 〔清〕焦循：〈讀書三十二〉贊，《雕菰集》，卷6，頁88。

(91) 〔清〕阮元：〈王懷祖墓誌銘〉，頁415。

(92) 〔清〕汪喜孫：〈與戴金溪先生書〉，《從政錄》（〔清〕道光二十一年（1841）刊本），卷1，無頁碼。

(93) 〔清〕汪喜孫：〈文稿自序〉，《從政錄》，卷1，無頁碼。

家。劉寶楠撰《論語正義》，其子恭冕續成之。為清人新疏十三經中上乘之作。劉寶楠兄寶樹亦為樸學，有《經義說略》，見氏著《娛景堂集》卷上。劉台拱表弟朱彬亦從事考證之學而不廢義理。著有《經傳考證》、《禮記訓纂》。又成孺與劉恭冕為表兄弟，其學亦並主漢宋，成就很大。朱、成二氏之學與劉氏之學應有影響。此為寶應劉氏之學。

㈤ 甘泉焦氏之學

焦循曾祖源、祖父鏡、父蔥皆研究《易》學，焦循對《易》學心得最多，而其從事《易》學，實緣於家學之影響。焦循曰：

> 循承祖父之學，幼年好《易》。憶乾隆丙申夏，自塾中歸。先子問日所課若何，循舉《小畜》彖辭，且誦所聞于師之解。先子曰：「然所謂『密雲不雨，自我西郊』者，何以復見於《小過》之六五？童子宜有會心。其思之也。」循於是反復其故，不可得。推之《同人》「旅人號咷」、《蠱》、《巽》之「先甲後甲」、「先庚後庚」，《明夷》、《渙》之「用拯馬壯，吉」，益憤塞欝滯，悒悒於胸腹中，不能自釋。聞有善說《易》者，就而叩之，無以應也。乙巳丁憂，輟舉子業。乃遍求說《易》之書閱之，於所疑皆無所發明。嘉慶九年甲子，授徒家塾。念先子之教，越幾三十年，無以報命，不肖自棄之罪，曷以逃免！

可見焦循《易》學實基於幼時庭訓。因遭其父之問，遂發寤於心。思之三十載，始發明旁通、相錯、時行、比例之法以治《易》，遂成焦氏絕學。焦循子廷琥亦從事樸學，嘗助焦循編《孟子正義長編》，為焦循肖子。清代自閻若璩、惠棟等人抉出《古文尚書》之偽，《古文尚書》地位一落千丈。焦循則認為《古文尚書》經文有不偽之處，即其偽者亦為魏晉古訓，不可一概抹殺，撰《尚書孔氏傳補疏》。焦廷琥撰《尚書伸孔篇》十九條，一本焦循意見，蓋推衍其父之意而成者。[94]焦廷琥又

[94] 〔清〕焦廷琥：《尚書伸孔篇》一卷，《積學齋叢書》。關於焦循《尚書孔傳補疏》與焦廷琥《尚書伸孔篇》的關係，何澤桓有考證，參見氏著：〈論焦廷琥尚書伸孔篇與焦循尚書補

撰《春秋三傳經文辨異》四卷，條列《春秋三傳》經文異文而加以訓釋，極為謹嚴篤實，見其家學矩矱。此為甘泉焦氏之學。[95]

(六) 儀徵劉氏

儀徵劉氏四代傳經，比於吳門惠氏、嘉定錢氏。劉氏之學始於劉文淇，文淇從舅氏凌曙受學。凌曙生於孤露，艱苦力學。問學於包世臣，得治經法。後受孔廣森及常州學派張惠言、劉逢祿影響，遂從事今文經學。劉毓崧代阮元序凌氏《蜚雲閣叢書》曰：

> 近儒治何氏《公羊》者，莫著于孔檢討（廣森），治鄭氏《儀禮》者，莫著于張編修（惠言）。孔氏之治《公羊》，以《春秋繁露》為根本；張氏之治《儀禮》，以《四書》古注為階梯。其授受各有師承，皆專門名家之學也。江都凌君曉樓（曙），經術湛深，力學不倦，推廣張氏之意，著《四書典故核》六卷。又引申孔氏之例，著《繁露注》十七卷。既而由《四書》以通三《禮》，著《禮論》一卷，而鄭氏之《儀禮》遂得其指歸。復由《繁露》以通《春秋》，著《公羊禮疏》十一卷、《公羊禮說》一卷、《公羊問答》二卷，而何氏之《公羊》亦探其奧賾。[96]

此文敘凌曙之學最為簡明。[97]劉文淇與凌曙學術趣向有別，其學不主今文經學，而

疏之關係〉，《焦循研究》（臺北：大安出版社，1990），頁253－258。

[95] 焦循冀以經學傳家，故名其孫為授易、授書、授詩，殷殷之意可知。惜焦循年不永，卒後其子廷琥抱病整理其文著作，未半載亦卒。乃其三孫長成後非但不克承父祖之志，甚至斥賣其祖、父稿。阮元已致其憤慨。揚州博物館藏阮元手跡曰：「《北湖小志》乃理堂先生所撰，乃元所刻板，今欲取印，乃自然之理，而焦外孫固留不付，意欲何為？賣其父、祖之書，已為公論所不許，今又扣留阮氏之板，更為無理。」（轉引自賴貴三：〈批判繼承與創造發展——清乾嘉通儒焦循經學述評：以手批《十三經注疏》為例簡說〉，《中國文哲研究通訊》第10卷，第4期（2000年12月），頁279。）君子之澤，二世即斬，令人歎息。

[96] 〔清〕劉毓崧：〈蜚雲閣叢書序〉，《通義堂文集》（民國九年（1920）南林劉氏求恕齋刊本）卷4，頁6上。

[97] 案，凌曙雖治公羊學，而其方法仍沿樸學家舊貫，即「由聲音訓詁而明乎制度典章，以求進

今文學家所糾彈抉摘的《春秋左氏傳》，則是其用力所在，成為儀徵劉氏四世相傳之一經。劉文淇治《左傳》，發願撰《左傳舊注疏證》一書，取賈逵、服虔、鄭眾之注，加以疏通證明，以糾杜預注之失。其《長編》裒然已具，《疏證》則僅成一卷而歿。其子毓崧有志繼之而未遑。劉壽曾《先考行狀》曰：

先祖湛深經術，尤致力於《左氏春秋》。所著《左傳疏證》一書，長編已具，先考思竟其業，謂：「左氏是非不謬於聖人，學術最正。」因歷采秦漢已來發明左氏一家要誼者，咸甄錄之，擬編為《春秋左氏傳大義》。又以先祖所著《左傳舊疏考正》，凡孔沖遠襲取劉光伯《述議》文，悉加辨正。自序謂：「群經中六朝舊疏，半乾沒于唐人之手。」將次第考正，稍還舊觀。以專力左氏，有志未遑。先考仰承遺緒，詳加討核，為《周易》、《尚書舊疏考正》各一卷。其《毛詩》、《禮記》，屬稿未成。[98]

至劉壽普復繼父祖之志，設立程限，銳意纂述，屬稿至襄公四年，復齎志沒地。孫詒讓〈劉恭甫墓表〉曰：

嘉慶之季，為義疏之學者，又有劉先生孟瞻，治《春秋左氏傳》。謂鄭、賈、服三君古義，久為杜氏所晦蝕，孔疏不能辨也。乃鉤稽三君佚注，精校詳釋，依孫氏《尚書疏》例，為《左氏疏證》。凡杜、孔所排擊者，糾正之；幹沒者，表著之。草創四十年，《長編》裒然，《疏證》則僅寫定一卷，而先生遽卒。其子伯山先生繼其業，亦未究而卒。伯山先生長子恭甫知縣，紹明家學，志尚閎遠。念三世之學，未有成書，創立程限，銳志研纂。屬稿至襄公四年，而恭甫又卒。千秋大業，虧於一簣。斯尤學人所為累欷而

夫微言大義。」其學實則仍在禮制上，對公羊家微言大義闡發甚勘。故今日學者多不滿其著，以為是「捨棄義理的大端宏緒，選擇從禮製作疏解，所走的是一條狹窄的小徑，所有確實是卑之無甚高論。」又謂其學「不賢而識其小」、「舍本而求其末」，與公羊學精神實相隔漠。參見陳其泰：《清代公羊學》（上海：東方出版社，1997 年），頁 123－132。

[98] 〔清〕劉壽曾：〈先考行狀〉，《劉壽曾集》，頁 107－108。

不釋者已。[99]

劉師培最晚出，承揚學遺緒、家學淵源，為揚學殿軍。尹炎武論劉氏學術曰：

> 師培晚出，席三世傳經之業，門風之勝，與吳中三惠、九錢相望。而淵綜廣博，實龍有吳、皖兩派之長。著述之盛，並世所罕見也。綜其術業，說經則淵源家學，務征古說。文淇考南北朝諸儒遺說，成《左傳舊疏考》，以證孔沖遠《左傳正義》所自出。師培則廣證兩漢經師之遺說，成《禮經舊說考》，以斠馬鄭之異同。其斠正群書，則演高郵成法，由聲音以明文字之通假，按詞例以定文句之衍奪。而又廣搜群籍，遍發類書，以審其同異，而歸於至當。其為文章，則宗阮文達《文筆對》之說。考型六代，而斷至初唐。雅好蔡中郎，兼嗜洪適《隸釋》、《隸續》所錄漢人碑版之文，以篤厚古雅為主。生平手不釋卷，而無書不覽。內典《道藏》，旁及東西洋哲學，咸有造述。其為《學報》，好以古書證新義，如六朝人所謂格義之流，內典與六藝、九流相配擬也。[100]

此為儀徵劉氏之學。

本節我們考察了揚州學派的家學淵源。有一點值得注意，揚州學派各個家學並非封閉的個體，家學之間通過婚姻或學友等關係相互聯繫，共同構成揚州學術圈。通過聯姻而形成的學術家族如興化任氏與顧氏（任大椿祖姑為顧九苞母），揚州阮氏與甘泉焦氏、寶應劉氏（阮元姊為焦循妻，子阮福娶劉台拱女），寶應劉氏與寶應朱氏、成氏（劉台拱與朱彬為表兄弟，劉恭冕與成孺為表兄弟），江都汪氏與寶應朱氏（汪中繼妻為朱氏族姐妹）等。這是揚州學派內部學術交流的重要途徑，亦是揚州學派歷久不衰的重要原因。

---

[99] 〔清〕孫詒讓：〈劉恭甫墓表〉，《籀膏述林》（民國五年（1916）刻本），卷 9，頁 9 下—10 上。

[100] 尹炎武：〈劉師培外傳〉，《劉申叔遺書》，頁 17。

經 學 研 究 論 叢
第 十 五 輯　頁193～208
臺灣學生書局　2008 年 3 月

《尚書古文攷實》述要

何銘鴻*

一

皮錫瑞，字鹿門，一字麓雲，清道光三十年十一月十四日（西元 1850 年 12 月 17 日）生於湖南長沙府善化縣，卒於清光緒三十四年二月初四日（西元 1908 年 3 月 6 日），享年五十九歲。❶皮氏乃晚清治《尚書》之大家，主西漢伏生之學，名其居曰「師伏堂」，學者因稱「師伏先生」。❷

皮氏的著作頗豐，除了子部以外，可說是遍及了經、史、集各部❸，其《經學歷史》、《經學通論》二書，可說是研究經學者的入門之典籍，重要性自不在話下，而做為一位晚清的今文經學者，其對《尚書》研究用力之深，可說是皮氏經學

---

* 何銘鴻，臺北市立師範學院應用語文研究所（今：臺北市立教育大學中國語文學系）碩士。

❶ 見皮名振：《清皮鹿門先生錫瑞年譜》（臺北：臺灣商務印書館，民國 70 年 12 月初版），頁 1－4。以下引是書皆省稱《年譜》。

❷ 見《年譜》，〈皮鹿門先生傳略〉，頁 1。

❸ 依筆者所考皮氏之著作，可歸納為經部者略有《尚書大傳疏證》、《尚書古文疏證辨正》、《古文尚書攷實》、《古文尚書冤詞平議》、《今文尚書考證》、《尚書中侯疏證》、《王制箋》等，史部略有《浙江宣平縣志》、《讀通鑑論史評》、《史記補注》等，集部略有《師伏堂詩草》、《師伏堂詠史》、《師伏堂駢文》等，包括未刊、已佚、已刊今佚等，其著作達四十種之多，可謂豐富。見筆者撰〈皮錫瑞著作目錄〉，《皮錫瑞尚書學研究》（臺北：臺北市立師範學院應用語言文學研究所碩士論文，2004 年）之附錄。

成就之基礎❹，然而一般學者多著眼於其《經學歷史》、《經學通論》二本晚期之著作與其南學會講學相關思想之探究，對於皮氏《尚書》之研究，反倒鮮少觸及。❺觀皮錫瑞之《尚書》專著，計有《尚書大傳疏證》七卷、《尚書古文疏證辨正》一卷、《尚書古文攷實》一卷、《古文尚書冤詞平議》二卷、《史記引尚書考》(未刊)、《今文尚書考證》三十卷、《尚書中侯疏證》一卷等七部，除未刊之《史記引尚書考》不得見之外，大抵皆得見影印刊行之版本，惟有《尚書古文攷實》一卷❻，原刊本現藏大陸湖北圖書館，臺灣地區尚未影印刊行，筆者有幸自中研院文哲所蔣秋華老師處，間接取得大陸學者吳仰湘先生影印自湖北圖書館的複印稿，試為〈述要〉一文，以就教方家。

二

《尚書古文攷實》一書，版框高約 18.2 公分，寬約 28.7 公分，共十九葉，每葉計二十二行，內容乃攷索文獻中對於古文《尚書》之陳述資料，計三十五條，於每條資料後加以皮氏之攷述，以低一格之方式為之，以見皮氏對於歷來有關古文《尚書》相關論述之見解，今整理其大要略述如下：

---

❹ 據《年譜》光緒十三年下云：「公治《尚書》，服膺伏生，宗今文說，至是作《尚書大傳箋》，為著書之始。」其下並引壬辰（光緒十八年）四月初六日記云：「於舟中檢丁亥（光緒十三年）、戊子（光緒十四年）居憂時所作《大傳箋》稿，覆閱之。」可推知皮氏學術著作與成就，當自《尚書》之研究始，浸淫日深，乃至其後《今文尚書考證》一書，遂為晚清今文《尚書》之集大成者。

❺ 就筆者資料所及，關於皮氏《尚書》研究之著作，目前臺灣地區僅有兩本，其一為夏鄉先生之《皮錫瑞尚書學述》（臺北：國立臺灣師範大學國文研究所碩士論文，民國 92 年 6 月）；另一為筆者所著《皮錫瑞尚書學研究》。筆者之論文計畫於 89 年底提出外審，90 年初通過並著手撰寫，時間或略早於夏先生亦未可知，惟完成日期略晚於夏先生，筆者於口試後方得知夏先生之論文已早一年完成，然二本論文撰述之重心、詳略，互有不同，可參看之。

❻ 夏鄉先生亦云：「今未見刊本流傳」其注 23 云：「《年譜》與《續修四庫全書總目提要》著錄是書，並誤題為《尚書古文攷實》，據皮氏所撰《古文尚書冤詞平議》三引此書，皮氏皆自題為《古文尚書攷實》，當據正。」見夏氏：《皮錫瑞尚書學述》，頁 19。惟據筆者手上之原刊本影印稿，正作《尚書古文攷實》，夏氏推論錯誤之處，今據正。

㈠ 孔安國習今文《尚書》

歷來古文家之說法，多引班固《漢書‧儒林傳》的記載，以為孔安國傳古文《尚書》，是古文經學家的始祖，而班固的記載，又來自於司馬遷《史記‧儒林傳》，因而將古文家的傳授始祖上溯至孔安國，進而以為孔安國乃習古文《尚書》者。

> 孔氏有古文《尚書》，而安國以今文讀之，因以起其家，逸書得十餘篇，蓋尚書滋多於是矣。（《史記‧儒林傳》）

> 孔氏有古文《尚書》，孔安國以今文字讀之，因以起其家，逸《書》得十餘篇，蓋《尚書》茲多於是矣。……安國為諫大夫，授都尉朝；而司馬遷亦從安國問故，遷書載〈堯典〉、〈禹貢〉、〈洪範〉、〈微子〉、〈金縢〉諸篇，多古文說；都尉朝授膠東庸生；庸生授清河胡常少子，以明《穀梁春秋》為博士、部刺史，又傳《左氏》；常授虢徐敖；敖為右扶風掾，又傳《毛詩》，授王璜平陵、涂惲子真；子真授河南桑欽君長。王莽時諸學皆立，劉歆為國師，璜、惲等皆貴顯。（《漢書‧儒林傳》）

皮氏對此以《史記》〈儒林傳〉、〈孔子世家〉、〈五宗世家〉之記載❼推論之，認為孔安國乃習今文《尚書》，且從時間上推論，安國應當受業於張生或歐陽生，不可能親受於伏生。如《史記‧孔子世家》曰：「安國為今皇帝博士，至臨淮太守，蚤卒。」皮氏攷述以為：⑴朝錯以太子家令對策，其受伏生《尚書》之時，尚未為家令，當在文帝十三四年之間。⑵武帝建元五年立五經博士，孔安國為博士當在建元五年之後。⑶安國遷太守及卒，不知何年？而《漢書》云：「為諫大夫。」諫大夫元狩五年置，距朝錯受書伏生時，已五十年矣。⑷《史記》不載伏生卒於何年，即令至文帝末年尚在，安國於此時受業伏生，其年必已十五六歲，歷景帝……武帝……凡三十九年，安國遷太守又在其後，則年已六十，與《史記》蚤卒之年不

❼ 皮錫瑞：《尚書古文攷實》，頁1－2。下引是書皆省稱《攷實》。

合。❽故皮氏推論：(1)安國當生於景帝初年，正魯恭王封魯之時。(2)孔安國當受業於歐陽生、張生，不得親受於伏生，且《史記》所說以今文讀古文《尚書》，正是孔安國習今文之明證。

其次，皮氏又以為班固於《漢書・儒林傳》中敘及伏生今文《尚書》之一脈時，於魯周霸下略去「孔安國」三字，此《史記・儒林傳》明言：「自此之後，魯周霸、孔安國、洛陽賈嘉頗能言《尚書》事。」而《漢書》所以不載者，蓋班固意謂孔安國乃治古文，非治伏生今文者。皮氏云：

> 孟堅於周霸下，去孔安國三字，意謂安國乃治古文，非治伏生今文者也，不知安國以今文讀古文，實由先習今文。史公云：「孔安國能為《尚書》事。」謂今文《尚書》也，故後別言之，云：「孔氏有古文《尚書》，安國以今文讀之。」孟堅於伏生今文《尚書》一家，刪去孔安國名，其於今古文家法，蓋未晰也。❾

而所謂：「以今文讀之」者，皮氏謂乃「古文當時不通行，知之者尠，字句異同多寡又與伏生壁藏者不盡合，故必以今文參校其義，如今之繙譯然，正其文字，釐其句讀，定其音義，別為定本，以藏之家。其書蓋有經文而無傳注。」❿然而，孔安國既以今文讀古文，其「意必有校勘攷定之詞，於今古文異同多寡處，或係以說，此之謂古文說」⓫，故皮氏以為孔安國於今古文之異同處，當有「校勘攷定之詞」，此可說為孔安國之「古文說」，然此「古文說」並無傳本留下，其內容如何不得而知，或僅止於口授，惟皮氏依照漢朝今文《尚書》傳授之情形，以為孔安國之古文說已在三家《尚書》中，皮氏之論說重點有四：(1)漢博士皆傳今文，安國必以今文教授；(2)三家《尚書》皆出於寬，寬受業歐陽，又受業孔安國，此西漢今古

❽ 見《攷實》，頁2。
❾ 見《攷實》，頁9。
❿ 見《攷實》，頁3。
⓫ 見《攷實》，頁10。

文《尚書》本同一家之證明；(3)兒寬既受業歐陽，又受業孔安國者，蓋以孔安國於古今本之差異處，必有校勘攷定之詞，故兒寬欲學於孔安國之理由在此；(4)兒寬得之後，用以傳習門生，而三家皆出於寬，則安國古文說已在三家《尚書》中，後之異於三家，而託於安國者，可不攻自破矣。⓬古文經既僅傳經文而無傳注，其說解皆為「今文」家之說法，則孔安國所傳者，亦僅能為今文一脈。故追根究柢，所謂古文說皮氏已將其納於西漢今文家之中。

㈡ 對於古文《尚書》篇卷的看法

關於古文《尚書》篇卷的看法，皮氏以為《漢書・藝文志》的說法：「尚書古文經四十六卷。為五十七篇」蓋本於劉歆《七略》而來，而其詳細篇目《漢書・藝文志》未載，僅曰：「以考二十九篇，得多十六篇。」皮氏乃據馬、鄭古文之說法以考之，除伏生所傳二十九篇外⓭，增加了〈舜典〉、〈汩作〉、〈九共〉、〈大禹謨〉、〈棄稷〉、〈五子之歌〉、〈允征〉、〈湯誥〉、〈咸有一德〉、〈典寶〉、〈伊訓〉、〈肆命〉、〈原命〉、〈太誓〉、〈武成〉、〈冏命〉共十六篇，加上百篇之〈序〉，則有四十六篇，其次又分〈九共〉為九篇，分〈般庚〉、〈太誓〉各為三篇，於是四十六加八再加四，合計五十八篇，惟〈武成〉一篇於建武之際亡佚，故實際得五十七篇。⓮皮氏對於古文篇卷的看法，基本上即依此數。

⓬ 同前注。

⓭ 案：《史記・儒林傳》云：「漢定，伏生求其書，亡數十篇，獨得二十九篇。」明言伏生今文《尚書》有二十九篇，而歷來學者對於二十九篇之篇目為何多所爭論（詳見張善文，馬重奇主編：《尚書漫談》（臺北：頂淵文化事業有限公司，1998 年 4 月初版），頁 26－40。），今據皮氏《經學通論・書經》與《今文尚書考證》所言，其主張之二十九篇為：〈堯典〉、〈皋陶謨〉、〈禹貢〉、〈甘誓〉、〈湯誓〉、〈般庚〉、〈高宗肜日〉、〈西伯戡黎〉、〈微子〉、〈牧誓〉、〈洪範〉、〈大誥〉、〈金縢〉、〈康誥〉、〈酒誥〉、〈梓材〉、〈召誥〉、〈洛誥〉、〈多士〉、〈無逸〉、〈君奭〉、〈多方〉、〈立政〉、〈顧命〉、〈康王之誥〉、〈甫刑〉、〈文侯之命〉、〈費誓〉、〈秦誓〉。

⓮ 見《攷實》，頁 3。皮氏此處僅就其對古文《尚書》篇卷之結果綜合論述，其詳細論證之過程則主要分見於其《尚書古文疏證辯正》、《古文尚書冤詞平議》、《經學通論・書經》條目之中，學者可參看之。

㈢ 漢時古文《尚書》僅經文，無說解，說解自劉歆始

皮氏以為古文《尚書》發現之始，即僅「有經文而無傳、注，故兩漢諸儒無有引孔安國說者，史公與之（孔安國）同時，而不言其作〈傳〉，《藝文志》亦無是說，並不列其書名，乃其塙證。」⑮蓋「《藝文志》列有歐陽、夏侯章句說義，於古文《尚書》但云：『經四十六卷』，不聞有章句說義，是安國所傳古文別無章句說義之明證。」⑯其次，皮氏又引《漢書・孔光傳》⑰所載古文《尚書》之傳承，推論古文《尚書》但有經文而無師說，皮氏云：

> 漢人重家法，歐陽生至歙，八世皆治歐陽《尚書》，霸乃安國從孫，延年之子，如安國古文有師說，霸豈得捨而事夏侯，且漢博士皆以今文教授，安國、延年為漢武博士，其教授必用今文，則孔氏雖以古文起其家，非別有古文傳注也。〈儒林傳〉云：「歆數見丞相孔光，為言《左氏》，以求助，光卒不肯。」據歆移書博士，以古文《尚書》與《左氏春秋》並舉，如古文《尚書》有孔安國師說，光何得不肯建立乎？⑱

如依皮氏之見解，古文《尚書》自發現之始即無說解，那麼說解是自何而始？自誰而始？皮氏以為：「古文《尚書》章句說義，蓋創始於劉歆。」⑲既然創始於劉歆，依劉歆之身分地位而言，其著作在《漢書》中理當著錄才是，為何卻不見《漢書》有任何之記載？對此皮氏解釋其原因為：「莽敗而歆所建置皆廢，歆說為當時所不用，《左氏春秋章句》〈歆傳〉明言其始於歆，而〈志〉亦不列，則古文《尚

---

⑮ 見《攷實》，頁3。

⑯ 同前注。

⑰ 《漢書・卷八十一・孔光傳》：「忠生武及安國，武生延年，延年生霸，字次儒，霸生光焉。安國、延年皆以治《尚書》為武帝博士，安國至臨淮太守，霸亦治《尚書》，事太傅夏侯勝，昭帝末年為博士。」

⑱ 見《攷實》，頁9。

⑲ 見《攷實》，頁4。

書》可知矣。」⑳皮氏以為《漢書・劉歆傳》明言《左氏春秋章句》自劉歆始，而《藝文志》卻無著錄，則劉歆為古文《尚書》所作之章句說義，亦可能未予著錄。然而這樣的說法只是皮氏的一種推論，為了使其推論更趨合理，皮氏進一步補充云：

> 劉歆建立古文諸經，為漢世經學一大變局。……歆云：「與其過而廢之也，甯過而立之。」古書不可聽其亡，置之學官，以備參稽，未為不可，然諸書自《毛詩》以外，皆無師說，歆自以意立說，於《周官》既創通大義，《左氏》之引傳解經者，亦始於歆，則古文《尚書》有說解，亦必自歆始，如：以三公為太師、太傅、太保；以六宗為乾坤六子；以父師為箕子；以文王為受命九年而崩。歆說至今可攷見者，皆不與今文《尚書》說同，是其明證。㉑

皮氏以為劉歆之解說《尚書》的說法，皆不與今文《尚書》之說法相同，足見古文說乃劉歆自創，最後，皮氏從「動機」上加以總結：

> 歆意欲以一人之新說，盡易十四博士之顓門，與王安石作《三經義》，前後一轍。歆又云：「皆有徵驗，外內相應。」歆意尤重《左氏春秋》特以孤經少與，恐人不信，乃引古文《尚書》、《毛詩》、逸《禮》與相應和，又引在下之庸生諸人，以扶其說。歆為國師，而璜、惲皆貴顯，則傳古文者，皆曲學阿世之輩，豈真能扶微學哉？厥後馬、鄭諸儒，引《周禮》解古文《尚書》，引《左氏傳》解《毛詩》，以為徵驗不誣，正用歆說。

皮氏最後將劉歆說解古文《尚書》的動機推論為：「（《左氏春秋》）孤經少與，恐人不信，乃引古文《尚書》、《毛詩》、逸《禮》與相應和。」認為劉歆為了使

---

⑳ 同前注。

㉑ 見《攷實》，頁8。

古文說更趨完備，以利古文經學立於學官，乃論斷劉歆為古文《尚書》說解之始作俑者。

㈣ 杜林古文漆書僅一卷且非孔壁古文

杜林漆書，舊以為偽書或完書，皮氏則以為非是，並主張杜林漆書實止一卷，且非孔壁古文，衛、賈、馬、鄭所傳古文《尚書》，蓋本杜林漆書，其推論的過程如下：

1.伯山乃杜鄴之子，張敞之外孫，兩家皆通古文，《漢書・杜鄴傳》云：「鄴子林，清靜好古，其正文字過於鄴、竦，故世言小學者，由杜公。」又《漢書・藝文志》並載杜林嘗為《蒼頡訓纂》與《蒼頡故》各一篇，故杜林乃精於小學者。

2.皮氏云：「孔壁古文，藏中秘，外人苦不得見，新莽之亂，或散民間，此漆書一卷，疑即中秘古文散佚者，伯山得而寶愛之。」蓋以漆書為中秘古文散佚民間，而為杜林於西州所得者。

3.皮氏云：「漆書古文必是竹簡，而伯山握持不離身，則其云一卷者，實止一卷，而非全文。」其書既非全文，而能傳全經者，皮氏以為《漢書・杜鄴傳》載：「林博洽多聞，時稱通儒。」蓋「杜林於古文《尚書》必已誦習，得漆書一卷之後，乃更訂正其文，以為定本。」㉒

4.「伯山精於小學，其訂正之本，必較他本古文《尚書》為善。」㉓故皮氏以為衛、賈、馬、鄭自杜林所傳之古文《尚書》，其所據之文本，當即據此。「然其書或有校正之文，亦無訓解，訓解出於衛、賈、馬、鄭也。」㉔《後漢書・儒林傳》曰：「扶風杜林傳《古文尚書》，林同郡賈逵為之作《訓》，馬融作《傳》，鄭玄注解，由是古文《尚書》遂顯於世。」故皮氏云：「此馬、鄭、古文《尚書》出於杜林之塙證也。當時傳古文《尚書》者，亦非一人，杜伯山獨得漆書，校正其文，其本最善。」

5.皮氏又云：「伯山所得漆書止一卷，其所定本未必皆合於孔壁古文，蓋孔壁

㉒ 以上皮氏所論之說，詳見《攷實》，頁 11。

㉓ 同前注。

㉔ 同前注。

真本藏於中秘，其民間私授者，不無以意增損，如〈堯典〉帝曰：『我其試哉』脫「帝曰」……皆與今文不合，其說乖謬，必非孔壁古文之舊也。」故皮氏云：「孔穎達以馬、鄭古文為張霸偽書，固非，閻、江、王、段以杜林古文為孔壁古文，亦豈其然乎？」由於漆書僅一卷，非完書，故依其本所訂正之處仍有限，且其書經散逸民間之後，或已經過他人之增損，故漆書古文必非孔壁古文之舊。

㈤ 論賈逵在古文《尚書》的地位

班固《漢書・儒林傳贊》曰：「自武帝立五經博士，開弟子員，設科射策，勸以官祿，迄於元始，百有餘年，傳業者寖盛，支葉蕃滋，一經說至百萬餘言，大師衆至千餘人，蓋祿利之路然也。」蓋漢朝經學之盛實因「治經可以富貴」之原因始然，今文學如此，古文學亦復如此。西漢時期雖有劉歆提倡古文立學，不過由於許多今文經學大儒的反對，終西漢之世，古文經學究竟未能立於學官，而古文經學並未因此而消失，仍在檯面下悄悄的持續萌芽，直到王莽掌權時，因劉歆之得勢而達到一暫時性的高峰，並培養了一批古文班底，隨即因失勢而沒落，到了東漢章帝之後，由於賈逵再度利用今古文經學之爭的機會，將古文經學拉到檯面上與今文經學一較短長，古文經學始而興盛起來。

皮氏首先據《後漢書・賈逵傳》之說：「賈逵之父賈徽從劉歆處受《左氏春秋》，兼習《國語》、《周官》，又受古文《尚書》於塗惲，學《毛詩》於謝曼卿，作《左氏條例》二十一篇，而賈逵悉傳其父業，能誦《左氏傳》及五經本文，並以大夏侯《尚書》教授。」說明賈逵古文經學的師傳，乃來自於其父賈徽。而既已傳古文學，卻仍以今文學的大夏侯《尚書》教授者，實因「古文不立學，受之者稀，且其時訓解尚未備也。」㉕訓解既「未備」，則其「訓解」為「後來所出」，「非壁中古本」可知矣，此又可為皮氏所謂「古文《尚書》僅有經文而無傳、注、說解」的最好證明。

其次，皮氏認為古文《尚書》在東漢章帝後之所以能持續興盛不墜，不被今文經學所打倒，一直延續到馬融、鄭玄之後，實因賈逵「增益偽文、附會圖讖、曲學

㉕ 見《攷實》，頁11。

阿世」並「導以利祿之途」㉖始然，其曲學阿世之舉，可說與劉歆如出一轍，甚至比劉歆尤有過之。賈逵將《左氏》與圖讖相結合，投漢章帝（肅宗）之所好，「上有好者，下必甚焉」，於是「古文盛而今文衰矣」，因此，賈逵可以說是「古文之功首，今文之罪魁。」皮氏云：

> 肅宗（章帝）之好古文，乃賈景伯坿會文致之力也，逵奏曰：「以永平中，上言《左氏》與圖讖合者，先帝不遺芻蕘，省納臣言。」是景伯當顯宗（明帝）之時，已增竄《左氏傳》文，謂劉氏為堯後，故肅宗信而好之，上有好者，下必甚焉，於是古文盛而今文衰矣。
>
> 古文不立學，故不能興。景伯導以利祿之途，而古文行於世矣，四經行而二家《公羊》、三家《詩》、三家《尚書》遂亡。若景伯者，非古文之功首，今文之罪魁歟。
>
> 漢時十四博士所傳今文為一家，古文《尚書》、《毛詩》、《左傳》為一家。故劉歆欲立《左氏春秋》，必牽引古文《尚書》、《毛詩》，賈逵欲興《左氏春秋》，亦必牽引古文《尚書》、《毛詩》。歆之說行於王莽，而旋廢，逵之說行於肅宗，而其學遂興矣。景伯於《左氏春秋》增益偽文，坿會圖讖，其曲學阿世，亦與劉歆之作偽阿莽略同。古文《尚書》訓今不傳，許叔重師賈侍中，《說文》、《五經異義》所引古《尚書》說，蓋多本賈說。㉗

皮氏認為，因為賈逵的倡行致古文經學昌盛，其影響力一直持續下來，故其後的大儒許慎，在其《說文》、《五經異義》中所引的古文《尚書》說㉘，亦多自賈逵而

㉖ 見《攷實》，頁 12。

㉗ 同前注。

㉘ 皮氏云：「《儒林傳》云：『賈逵作《訓》』，則古文《尚書》之訓詁，始於景伯。」（見

來，其於古文之功勞可見一斑。惟今文通行已久，自孔安國以下傳古文《尚書》者，亦多以今文教授，即便是「帝親稱制臨決」下的產物：《白虎通義》，亦多用今文家說，此或因當時今古文爭執下所不得不然的結果，然亦可以印證皮氏一貫主張「古文無傳、注、說解，其說解多同今文」的說法。不過，因今文說中又有歐陽、夏侯之別，在皮氏眼中，由於「歐陽純用今文」，其相對的較夏侯《尚書》為優，且因孔霸、孔光、賈逵等古文家習大夏侯《尚書》，並以之教授，故「夏侯家說間有與古文尚書相出入者，不如歐陽純用今文，其所傳之字，亦間用古字，漢書多古字，是其證。（小注：班氏世習夏侯《尚書》）」㉙此似乎又可為其後今古文家法混淆之先聲。因此，賈逵可以說是「古文之功首，今文之罪魁。」㉚

㈥ 論鄭玄

皮氏於本文中論鄭玄之資料計有四條㉛，主要來源為《後漢書‧鄭玄傳》與《書贊》。茲整理其大要如下：

1.鄭玄注《尚書》雜今古文

皮氏以為，依《鄭玄傳》所云，鄭玄於《易》、《詩》、《禮》、《春秋》皆先通今文，後通古文，獨於《尚書》不言曾習今文，然而鄭玄既注《尚書大傳》，則於今文亦必兼通，因此其注《尚書》㉜雖名為古文，亦兼用今文義。其次，鄭玄

《攷實》，頁 12）此乃皮氏之推論，蓋《後漢書‧賈逵傳》僅記載：「逵數為帝言古文《尚書》，與經傳爾雅訓詁相應，詔令撰《歐陽大小尚書古文同異》，逵集為三卷。」故皮氏亦云：「其撰《同異》三卷，必有古文作某，今文作某者，惜今不可見。」（《攷實》，頁 12）因此，皮氏據《漢書‧儒林傳》與《後漢書‧賈逵傳》的記載推論賈逵當為古文《尚書》作訓詁者。又案：皮氏其後又引《後漢書‧儒林傳》所載：「衛宏……後從大司空杜林更受古文《尚書》，為作訓旨。」並云：「前云賈逵為杜林古文《尚書》作《訓》，此又云：『衛宏為作訓旨』，是杜伯山僅傳古本，並無訓故，訓故始於衛、賈兩君。」是皮氏以為古文《尚書》訓故蓋出於衛、賈二人，然亦無確證。

㉙ 見《攷實》，頁 13。

㉚ 見《攷實》，頁 12。

㉛ 見《攷實》，頁 15－17。

㉜ 據〔清〕侯康：《補後漢書藝文志》（臺北：臺灣商務印書館，民 54 年）著錄，鄭玄之《尚書》著作計有：《尚書大傳注》三卷、《尚書注》九卷、《尚書音》一卷。

事馬融（季長），其注《尚書》與馬融又異，「或馬從今文，鄭從古文，或馬從古文，鄭從今文，蓋古文無師說，相傳衛、賈、馬、鄭諸君，各以意為之說，或襲今文舊說，或以《周禮》諸書易之耳。」（《攷實》，頁 10）因此，皮氏以為鄭玄之論學「非今非古」，雜亂師法也。

2.周之古文非為科斗文

鄭康成《書贊》曰：「《書》初出屋壁，皆周時象形，今所謂科斗書，以形言之，為科斗，指體即周之古文。」㉝以為所謂古文者即周之「科斗文」，而皮氏則以為鄭玄所言非是。蓋皮氏認為，雖然孔子書六經之時，皆以古文，然經秦火之後，古文幾近亡矣，不論伏生所藏之壁中本，抑或魯恭王壞孔子宅所得之孔壁本，其傳承之始與書籍所記載，都僅能確知古文與篆籀異，未聞古文即科斗文者，再者，東漢時號稱「五經無雙」的許慎，在其《說文序》明言《說文》中凡引經者，「皆古文也」，而觀《說文》之內容，其所引古文字皆有明言，卻未見「科斗文」之出現，足見鄭說之不可信。其次，皮氏從古文師傳上認為鄭玄《說文》所引之古文，「蓋本於賈侍中所受杜林漆書」。㉞

3.誤以杜林古文為安國古文

鄭康成《書贊》曰：「我先師棘下生子安國，亦好此學，自世祖興，後漢衛、賈、馬二三君子之業，則雅才好博，既宣之矣。」又曰：「歐陽氏失其本義，今疾此蔽冒，猶復疑惑未悛。」㉟皮氏考曰：「此鄭君古文《尚書》本衛、賈、馬之明證也。鄭受古文《尚書》於張恭祖，乃不齒及，殊不可解，又稱安國為先師，鄭意蓋以杜林古文即安國古文。」又曰：「鄭注伏生《大傳》而詆斥歐陽，其意皆以衛、賈、馬古文說即安國之說，亦即伏生之說，而歐陽氏之異於衛、賈、馬者，為失其本義也，鄭注《大傳》時，以古文說易《大傳》之文，蓋亦以《大傳》非伏生原文，為歐陽氏所亂也。」㊱

㉝ 見皮氏《攷實》，頁 15 所引。

㉞ 見《攷實》，頁 15、16。

㉟ 見《攷實》，頁 16。

㊱ 同前注。

皮氏既辨衛、賈、馬之古文《尚書》從杜林漆書而來，而鄭玄從張恭祖學古文《尚書》，又受馬融的古文《尚書》學，則其古文《尚書》必非孔壁古文明矣，而康成稱「安國為先師」者，蓋亦同賈、馬之誤，以杜林古文即安國古文矣。再者，「康成注伏生《大傳》而詆歐陽，其意皆以衛、賈、馬古文說即安國之說，亦即伏生之說，而歐陽氏之異於衛、賈、馬者，為失其本義矣。」㊲故皮氏云：「歐陽氏未嘗失其本義，而衛、賈、馬、鄭之說，非安國之故，亦非伏生之故矣……〈康成傳〉未言其習今文《尚書》，於歐陽諸家，蓋未深究其義，而以衛、賈、馬先入之言為主，故反以歐陽為蔽冒矣。」㊳

㈦ 其他

皮氏於文中另有一些攷述較為簡短者，今舉其大意於下：

1.評段玉裁對於古文的論述：⑴以段玉裁所言科斗文為晉人里語為非。⑵以段氏所言「古文者，謂其中所說字形字音字義，皆合《蒼頡》、《史籀》」不盡塙。⑶以段氏「古文不皆壁中古本」甚塙。㊴

2.疑古文〈書序〉乃衛宏所為，然無塙證。又謂《古文官書序》所言伏生使其女傳言交錯，錯所不知者，凡十二三，略以其意屬讀乙事，蓋衛宏榮古虐今，以伏生所傳今文不可信之故也。㊵

3.攷庸生名譚，僅見於於《後漢書・儒林傳》。㊶

4.據《丁鴻傳》攷定丁鴻當習歐陽《尚書》，《後漢書・儒林傳》所載習古文《尚書》者，乃誤。㊷

5.以《後漢書・劉陶傳》所載劉陶著《中文尚書》者，蓋本於杜林漆書。㊸

㊲ 同前注。

㊳ 見《攷實》，頁 16、17。

㊴ 見《攷實》，頁 19。

㊵ 見《攷實》，頁 14、17。

㊶ 見《攷實》，頁 13。

㊷ 同前注。

㊸ 見《攷實》，頁 17。

三

皮氏《尚書古文攷實》於古文《尚書》見解之大要已如上文所述，其主要論題包括古文《尚書》之文字、傳衍、篇目、版本、說解等，由於皮氏本書之內容體例頗似於札記，乃皮氏就其平日研究之所得，逐條記錄，並未予以適當之整理、分類，其所論之內容，亦僅略舉其大者，故未呈現其古文《尚書》的完整論述㊹，書中陳述之內容或見於《尚書大傳疏證》、《尚書古文疏證辨正》、《古文尚書冤詞平議》、《今文尚書考證》、《經學歷史》與《經學通論》各書之中，大旨約略相同，惟文字陳述則有詳略之差異。就成書之先後而言，《尚書大傳疏證》與《尚書古文疏證辨正》二書撰述較早㊺，皮氏於《尚書古文攷實》中所論，就筆者初步考察，約有三分之一之條目可見於前述二書，蓋皮氏於撰作《攷實》時，援引入書者也。皮氏為晚清研究今文《尚書》之大家，其《今文尚書考證》一書，乃其《尚書》學最後完成之著作，皮氏於各篇之考證，凡涉及今古文之處，皆予列出，故其完整古文《尚書》觀，當可據《今文尚書考證》予以呈現，而《尚書古文攷實》應可視為其初步研究之成果。

㊹ 如古文家於〈禹貢〉地理之敘述如何，《攷實》並未記載，惟見於《尚書古文疏證辨正》，就筆者初核，約有 14 條，即是其一，其文雖就閻若璩《尚書古文疏證》而來，亦反映皮氏對古文《尚書》的看法。

㊺ 據皮民振編：《清皮鹿門先生錫瑞年譜》（臺北：臺灣商務印書館，民國 72 年）所載，《尚書大傳疏證》始於光緒十三年，原作《尚書大傳箋》，二十一年重加疏注，改名《大傳疏注》，至二十二年七月，刊《尚書大傳疏證》七卷成；《尚書古文疏證辨正》始於光緒十八年，十九年十二月書成；《古文尚書攷實》成於光緒二十一年十二月，未載始於何時；《古文尚書冤詞平議》始於光緒二十一年，成於二十二年八月。

【《尚書古文攷實》書影】

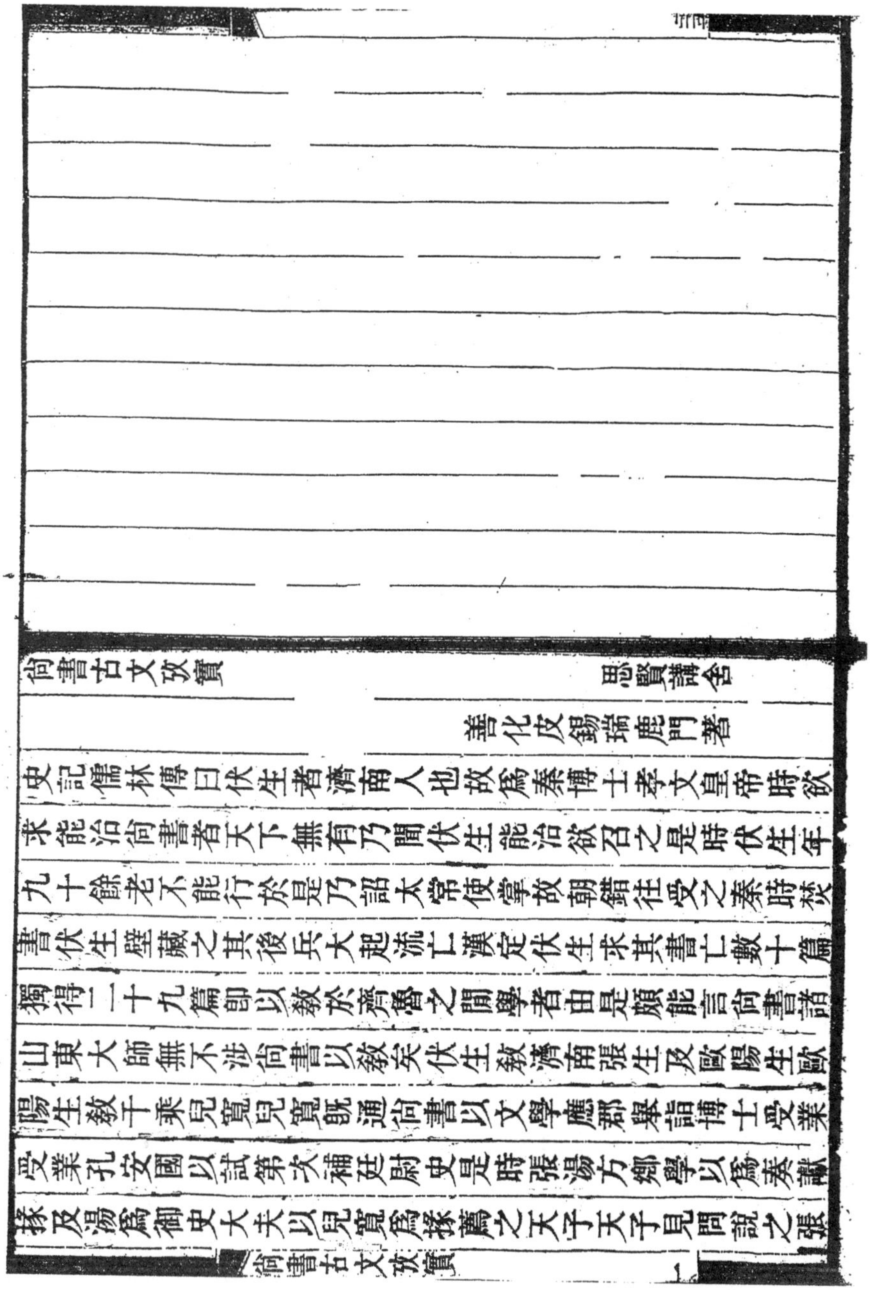

尚書古文攷實　　思賢講舍

善化皮錫瑞鹿門著

史記儒林傳曰伏生者濟南人也故爲秦博士孝文皇帝時欲求能治尚書者天下無有乃聞伏生能治欲召之是時伏生年九十餘老不能行於是乃詔太常使掌故朝錯往受之秦時焚書伏生壁藏之其後兵大起流亡漢定伏生求其書亡數十篇獨得二十九篇卽以教於齊魯之間學者由是頗能言尚書諸山東大師無不涉尚書以教矣伏生教濟南張生及歐陽生歐陽生教千乘兒寬兒寬既通尚書以文學應郡舉詣博士受業受業孔安國以試第次補廷尉史是時張湯方鄉學以爲奏讞掾及湯爲御史大夫以兒寬爲掾薦之天子天子見問說之張

尚書古文攷實　1

經學研究論叢
第十五輯　頁209～216
臺灣學生書局　2008年3月

戴震的《詩經》解讀

郭全芝*

戴震對《詩經》的研究，從經學角度講是比較全面的。他從考釋字義名物為主，兼涉篇義探討。前後寫下《毛詩補傳》、《毛鄭詩考證》及《杲溪詩經補注》等專著。他還在其《經考》與《經考附錄》中開闢專題，對傳統《詩》學的重要問題如「四始」「六義」等加以探索，作出新的解說。顯出對《詩經》的重視。

戴震在《詩經》研究上具有重要特徵，即以孔子「思無邪」為依據，而不拘守於某一經學派別的觀點主張，給自己留下廣闊的闡釋空間；在具體的闡釋當中將字義與經義結合起來，既不純粹以《詩序》《毛傳》為權威，也不僅僅用涵詠詩文的方式獲得意義。其解說對前人敢於大膽地懷疑與批判，同時又盡可能汲取其合理的因素，在《詩經》闡釋史上具有特殊地位。

一、富於創新意義的考釋字義名物

戴震《毛詩補傳序》云：「今就全詩考其名物字義于各章之下，不以作詩之意衍其說。」這一精神也貫注於其後的《毛鄭詩考證》、《杲溪詩經補注》當中。考釋字義、名物成為戴氏《詩經》研究的突出事項。

有關《詩經》的訓詁，自漢代以來就是《詩經》解讀的重點。只是在戴氏之前，「大致說經者，就經傳會而不可通於字；說字者，就字傳會而不可通於經」，

* 郭全芝，淮北煤炭師範學院中國文學系教授。

因此「訓詁之失傳久矣」。❶

戴震的理想的訓詁境界，是在字義、名物的考釋中熔進自己對經義的理解，從而將兩者緊密結合。而其訓詁實踐則明顯體現出他在這一方面的努力。其《杲溪詩經補注》卷一釋「芼」字：

> 《毛詩》曰：「芼，擇也。」《集傳》曰：「芼，熟而薦之也。」震按：《爾雅》「芼，搴也」，郭注云：「謂拔取菜」。蓋因采之、芼之相次比，宜其不遠。《毛詩》則以三章之次，先求、次取、次宜為擇，故不從《爾雅》。《集傳》以「采」已兼「擇」，故用董氏說為熟薦，不從《毛詩》。三說皆緣辭生訓，於字之偏旁不能明也。許叔重《說文解字》亦引此詩而雲「艸覆蔓」，又於詩之前後失次。……考之《禮》，羹、醢、菹、芼，凡四物，肉謂之醢，菜謂之菹；肉謂之羹，菜謂之芼。菹、醢生為之，是為豆實。芼則湇烹之。故菹、芼有別，芼之言用為鉶芼也。

戴氏認為《毛傳》、《爾雅》、《集傳》的解釋都是「緣辭生訓」，只注意經文提供的上下語境，而不考慮被釋字本身的形與義的關係，故是「就經傳合而不可通於字」。《說文解字》對字的形體構造與字義的關係予以了充分的關注，並且引《詩》證義，但事實上對「芼」字的解釋與所引《詩》文中的「芼」義無關。這是「就字傳合而不可通於經」。戴震因《關雎》一篇用於先秦禮樂，於是以《禮》釋之，獲取經義。再結合經文與「芼」字形體特徵，所以其訓釋兼顧了經與字兩個方面。

不難看出，戴震對於字義的確定，不僅結合了該字所在的經文內容進行考察，並且還要觀之於群經及字書。在那個時代這是很「客觀」的做法。這是難能可貴的。但他的解說也是有前提條件的，即把《詩經》看作不折不扣的儒家經典，看作禮樂教化的工具。所以注一經而以群經為依據，解一字終因經義來定奪。

《詩經》中有不少詩篇名目在先秦文獻如《左傳》《儀禮》《論語》等儒家經

---

❶ 戴震：《杲溪詩經補注》卷一，《戴震全書》第二冊（黃山書社，1994 年版），頁 7。

典中提及，明顯成為禮樂文化的組成部分。這類詩篇的訓詁，對戴震來說相對容易一些。如上舉〈關雎〉。又如〈召南・采蘩〉，《儀禮・燕禮》明確載有「工歌……〈召南〉、〈鵲巢〉、〈采蘩〉、〈采蘋〉」。詩文中「於以采蘩？於沼之址。於以用之？公侯之事」，也清楚說明了采蘩非一般人的尋常動作。兼之《左傳・隱公三年》：「澗溪沼沚之毛，蘋蘩薀藻之菜，或見之鬼神，可羞于王公。」《大戴禮・夏小正》：「二月榮堇采蘩」，說曰：「皆豆實也。」戴氏據此得出結論：「然則采蘩之為供祭事明矣」。經義與字義的結合非常自然。

也有一些詩，從先秦典籍中看不出曾服務於禮樂文化，歌辭本身又係民歌風味，尤其是一些內容「淫穢」的作品，要從中解釋出比較符合教化的意義，就比較困難。對此，戴震在就字詞、名物的解釋上並不勉強牽合經義，而是「實事求是」地指出作品的「淫穢」性。〈鄘風・桑中〉，戴震說詩中「孟姜」等云：「孟，謂長而已嫁者」，「詩言女之奔，直目孟姜、孟弋孟庸，而無所隱諱」，肯定其辭面顯示的「淫穢」意義。但另一方面又認為詩之作意在於「以其所惡聞者使聞之，或庶幾有救焉，詩人主文譎諫之法」。因為戴震認定《詩經》是經過聖人「正樂定詩」的，所以不能簡單地以文辭意義代替篇義。「不然，是穢言而已矣。後世不少哇淫之曲，豈亦可與聖經比倫也哉！」❷正確的方法應是兩者的結合，而以經義為主。

需要指出的是，戴氏的「經義」是很寬泛的，不一定符合傳統《詩》說，如《詩序》及《毛傳》。在這一點上，宋人的懷疑無疑是對其大有啟發。而深層原因則是戴氏認為「周秦之際所記解釋《詩》《書》，往往緣辭生訓，以為盡可證，實則違經矣。」❸不滿意於前人的訓詁方式。〈邶風・擊鼓〉，《詩序》謂其旨意為「怨州籲也」。戴震則從經文出發，得出不同的看法：「〈擊鼓〉五章，一章言從征之危也，二章言踰時不歸也，三章言怠而失伍也，四章言室家之情也，五章言死亡之懼也。《毛詩序》，『怨州籲也。』未聞其審。」並加注云：「州籲之日促矣，三月弒桓公，九月殺之於濮。」因而詩文中提到的城漕之役，州籲不曾參與。

---

❷ 戴震：《毛詩補傳》卷四，《戴震全書》第一冊，頁 210。

❸ 戴震：《杲溪詩經補注》卷一，《戴震全書》第二冊，頁 27。

據《左傳》記載，州籲之後六十年，才有城漕之事。「以是知〈擊鼓〉為州籲事不審信也。」❹這與清代一些學者說《詩》一準於《詩序》，不惜強《詩》就《序》的做法形成鮮明對比。〈采蘩〉一詩，戴震用《毛傳》「蘩，皤蒿」、「之事，祭事也」之釋，而棄其「公侯夫人執蘩菜已助祭、王后則荇菜也」之說，因為據先秦典籍，「蘩不在七菹之數，其用未聞」。《毛傳》是「因《詩》傅會，非禮制也」❺這種堅持從經文出發，驗之以群經記載而不盲從古人說解的訓詁方式，在當時無疑是比較高明的，也符合戴氏「以是為是」的治學主張，並使其具體的字義、名物闡釋多有新鮮見解。

二、以比爲主，解說比興義

《詩經》大量運用比興手法，使詩文出現了言在此而意在彼的現象。古代經學家多利用《詩經》這一特徵，十分方便地將整部集子納入到「美刺」的內容框架之中。

戴震也大致如此。因為他認定《詩經》「三百篇皆忠臣、孝子、賢婦、良友之言也，而又有立言最難、用心獨苦者，則大忠而托之詭言遜辭，亦聖人之所取也」。❻即使是「變風」「變雅」「鄭衛之音」一類，戴震仍然認為聖人取以作教化之用，其內容並無不妥。「《風》雖然有貞淫，詩所以美貞而刺淫。」❼為此，他寫下〈變風變雅〉與〈鄭衛之音〉兩篇專題文章，加以陳說。對《詩經》既有這樣的認識，在解釋詩文字詞及內容時，就會千方百計地將自己的看法融彙進去。於是戴氏的解說中就有了依靠聯想，「發掘」詩文比興義的內容。〈周南・木〉：

南有樛木，葛藟纍之。樂之君子，福履綏之。

---

❹ 戴震：《毛詩補傳》卷四，《戴震全書》第一冊，頁187。

❺ 戴震：《杲溪詩經補注》卷一，《戴震全書》第二冊，頁25。

❻ 戴震：《毛詩補傳序》，《戴震全書》第一冊，頁126。

❼ 戴震：《毛詩補傳序》，《戴震全書》第一冊，頁125。

戴氏說此詩意為「下美上」，在《杲溪詩經補注》中解釋云：「葛藟之附樛木，福履之隨君子，實樛木有以來之，君子有以致之也。」在《經考・六義》中說得更為明確：「〈樛木〉之詩，先儒以為興。是葛藟但興福履爾，然以是詩為『后妃逮下』，故眾妾稱願之。詩中無從知其為眾妾所作，徒因樛木下垂，葛藟上蔓，喻后妃逮下，眾妾上附，則比之義矣。」在《詩比義述序》中，戴氏又對〈樛木〉作了相同的解說。

戴氏認為《詩經》手法細分雖有之賦比興三宗，但三者你中有我，我中有你。「引端之辭，亦可寄意比擬。比擬之辭，亦可因以引端。敷陳之辭，又有虛實、淺深、反側、彼此之不同，而似於比擬、引端往往有之。」❽因此，即使是詩文為賦，也可以引出比義。如，「〈十月之交〉之為直賦其事，無疑也。」❾戴震《毛詩補傳》對此詩一方面作了合乎字面意義的解說，如就日蝕、月蝕作了非常科學的說明，並「以步算之法上推」，指出詩文「十月之交，朔月辛卯，日有食之，亦孔之丑」中「日蝕」發生在「幽王六年乙丑建酉之月，辛酉朔、辰時」。另一方面則云：「日月之主乎明者常也，其有所掩之者，則為變也。」故爾「聖人以為天變而畏」。「君道比於日，故以日引喻尤切。」於《詩比義述序》中又云：「日，君象；月，臣象。日失其明甚於月，喻君之蔽虧甚於臣。……詩詞顯以比德，非語徵祥。」從直陳天文現象的辭面尋覓出比喻意義。

賦比興三者的關係，戴震以為密不可分，而又以比占主導地位。他說：「賦者，比之實也。興者，比之推也。得比義，於興不待言，即賦之中復有比義。」可以「舉比以通賦與興」。❿

由是，從理論上講，《詩三百》篇篇都可以解讀出比喻、比擬的意義，這對於釋者無疑大開了方便之門。於是，綜覽戴震《詩》解，亦呈現出多改前人所謂「興」「賦」，而為比的現象。

然而，戴震的《詩》解並不是隨心所欲的，也不是僅僅憑藉聯想就得出結論。

---

❽ 戴震：《經考》卷三，《戴震全書》第二冊，頁243。

❾ 戴震：《經考》卷三，《戴震全書》第二冊，頁244。

❿ 戴震：《戴震文集・詩比義述序》，《戴震全書》第六冊，頁379。

他在強調《詩經》以比為主的同時，又主張喻義有限。其〈變風變雅〉曾舉例說明：「然春秋時，諸國燕享所賦，多今人所謂淫亂之辭者。鄭六卿餞韓宣子於郊，賦其本國之淫詩，其亦播其國亂無政乎？若曰賦詩斷章，則亦有當辨者。五倫之理本自相通，或朋友、兄弟、夫婦之詩用之於君臣，或男女之詩用之於好賢。然不可以小人之言加之君子，鄙褻之事誦之朝廷、接之賓客。以是斷之，變風止乎禮義，信矣。」針對的雖然只是變風，但是卻顯示出戴氏的重要看法，即比喻的運用是有限度的，《詩經》喻義是受一定時代的社會條件制約的。這種看法自有其道理。一般來講，美好的事物不宜比喻惡俗，反之也是一樣。而且就語言運用來講，不少詞語的喻義是固定的，約定俗成的，否則難於達到交流的目的。就《詩經》而言，它能在先秦某個時期廣泛運用於政治、外交場合，其辭義很有可能事先約定俗成。所以當人們對它斷章取義時，也未曾引起交流障礙。詩的喻義受到了限定。《詩經》這種情形對於戴震解《詩》，無疑也是一種限定。綜觀戴震的解說，往往既扣緊《詩經》本文，又同時採擷先秦典籍中用《詩》引《詩》或其他相關材料，將聯想與考證結合起來，原因就在這裏。〈召南・摽有梅〉，《毛傳》《鄭箋》皆以梅之落喻年衰，戴震先後引述《大戴禮記》、《周禮》、《荀子》及《詩經》他篇，以證「梅落非喻年衰」，而是「喻女子有離父母之道，及時當嫁耳」。並且結合詩文加以申說：「首章言十猶餘七，次章言十而餘三，卒章言皆在頃筐，喻待嫁者之先後畢嫁也。《周禮》所言者實古人相承之治法，此詩所言，即其見之民事者也。錄之〈召南〉，所以見治法之修明，民咸之從令與！」最後總結篇義云：「〈摽有梅〉，言治教之行，待嫁者之不使過期也。」⓫於是一篇從辭面意義上看不出與「治教之行」有關聯的詩文，被有根有據地解讀出教化意義。

同樣，由於戴震已經有了《詩經》為聖人所修定的「先見」，所以他「聯想」出的《詩》文喻義歸根結底都要符合「詩無邪」的精神。

三、根據「思無邪」，推論《詩經》篇義

戴震對《詩經》的解說偏重於文字名物訓詁。在完成《毛詩補傳》後，戴氏特

⓫ 戴震：《杲溪詩經補注》卷一，《戴震全書》第二冊，頁 37。

地「別錄書內辨證成一帙」⑫，即《毛鄭詩考證》。後者沒有保留《補傳》概括《詩經》篇義的文字，是較純粹的考釋字義、名物之作。但這並不意味著戴震輕視詩旨，恰恰相反，它說明了戴震對《詩》旨解說的審慎。十餘年後，因「識見稍定」，戴震撰寫了《杲溪詩經補注》。這一部書沿襲了《毛詩補傳》的體例，再次加上解說《詩》旨的內容，可資證明。

戴震對於《詩》旨解說的態度，源於作品的文學性質，加之其年代久遠，作詩之意失記。所以在《毛詩補傳序》中，戴氏清楚地表明「今就全詩考其名物字義于各章之下，不以作詩之意衍其說」的意願。但由於他對《詩》作者及其作詩之志有一個大致的推定（見前文），兼有對孔子選定詩篇的肯定，因此就《詩經》篇義的探索並沒有放棄。他將作詩之意「各推而論之」，附於篇題之後。

戴氏的「推論」，表現出對《詩序》的不信任。《詩序》時有牽強的說解，加之《後漢書》謂是衛宏所作，致使早在宋代就出現了一些《詩序》的懷疑論者。但戴震的看法與宋人不盡相同。他堅信衛宏不曾參與《詩序》的撰作，《序》說來源甚古，「傳自毛公，以為子夏之學」。「雖不子夏所為，要之師承當不誤。」《詩序》的問題是在傳承過程中出現了失誤。「孟子譏高叟言《詩》，先儒以為子夏授《詩》高行子，即其人」。所以孟子時期，「先師相傳，故已不能無失矣」。⑬傳承在第二代就出現了偏差。因此《詩序》之說未可盡信。

詩旨方面，戴氏認為作詩之志雖然「前人或失之者」，但「蔽之以『思無邪』之一言，則可通乎其志」。⑭因為根據《周禮》等先秦典籍，《詩經》用於周樂的詩篇，「皆周公所定之樂章。而太師教六詩，瞽矇掌六詩之歌，並定于周公制作禮樂時矣」。「周公已後之詩，後人所采入，因舊部而各隸其後」。後來，「孔子正樂定《詩》」。⑮故此，《詩經》的禮樂文化品質不成問題，它的內容應該是體現出了周、孔意志。後人說《詩》時，就應當以周孔之說為準。但周公《詩》說，文

---

⑫ 戴震：《戴震文集・詩比義述序》，《戴震全書》第六冊，頁 379。

⑬ 戴震：《經考附錄》卷三，《戴震全書》第二冊，頁 518。

⑭ 戴震：《毛詩補傳序》，《戴震全書》第一冊，頁 125。

⑮ 戴震：《經考》卷三，《戴震全書》第二冊，頁 248。

獻不載，唯孔子其說尚有存遺。「思無邪」正是孔子對《詩》旨的總體概括，戴氏遂以之為準則，探悉《詩經》作品的具體篇義。

由於「思無邪」含義十分籠統，戴震的闡釋空間相對擴大，能發揮出釋者在訓詁考釋方面的特長，使說解盡可能地接近「以是為是」的學術目標。而《詩經》許多篇章也在戴震筆下出現了非漢非宋的新的意義。〈邶風・靜女〉，《毛詩序》云其旨意：「刺時也，衛君無道，夫人無德。」朱熹《詩集傳》謂是「淫奔其會之作」。⑯戴氏則說是「思賢媵」。他結合詩文論析云：

> 〈靜女〉三章，……一章思其人之已至，以俟迎者，然而迎之不見。二章思其所秉持之物或來致貽，則說懌深也，三章思其至於郊外而歸之荑，則物又以人美也，不見其人即思見其物。〈靜女〉之詩，所謂賢賢易色也矣。衛人擬其君之宮中無是女以備嬪媵及女史之法廢也。故其詩非蕩佚之言也，所以譏蕩佚者之言也。蕩佚者，無貞靜之操。曰靜女，明不淫也。蕩佚者，無取乎彤管。女史曰彤管，主乎宮中之宜有法度也。《春秋傳》曰「〈靜女〉之三章，取彤管焉」，是也。歸荑，亦以為潔白之喻。若蕩佚者，曷取是？其辭微，其志莊，其稱物也可以訓，其思美也，不動於淫。使徒以色而已矣，豈足美哉！豈足取之乎詩！

雖然沒有點名，但看得出這段文字著重抨擊了朱熹的說法。朱熹主要靠「涵詠」經文以得出詩義。戴震通過對詩文中一些特殊名物和字詞的考釋，結合先秦文獻，得出了不同的結論。

可以說，戴氏的研讀方法是一以貫之的，因此他的《詩經》研究往往能提出與眾不同的見解，而驗之詩文既合，又有先秦文獻方面的根據。其中反映出的學術精神，則兼有漢學的努力務實，與宋學的大膽懷疑，同時又剔除了前者的膠柱固執與後者的說無根柢。

---

⑯ 朱熹：《詩經集傳》（吉林人民出版社，1994 年版），34 頁。

經學研究論叢
第十五輯　頁217～238
臺灣學生書局　2008年3月

陳柱《公羊家哲學》略論

張厚齊*

一、陳柱生平簡介

(一) 家世背景

陳柱，原名陳郁瑺，字柱尊，號守玄，室名守玄閣、十萬卷樓、變風變雅樓、夢村，廣西北流人，生於清光緒十五年（西元 1889 年），卒於民國三十三年（西元 1944 年）❶，得年約五十五歲。其父陳開楨，字幹丞，前清歲貢生❷；母杜坤元，字資生，為繼室❸；妻楊靜玄，字靜園；育有子三人（一百、三百、四百）、女三人（松英、梧英、蕙英）。❹

陳柱早年留學日本，畢業於成城中學；返國後，就讀於南洋公學（交通大學前身）。❺師事錫山唐蔚芝以學文，侯官陳石遺以學詩❻，容縣蘇寓庸以學禮、學

---

* 張厚齊，東吳大學中國文學系博士生。

❶ 陳玉堂：《中國近現代人物名號大辭典》（杭州：浙江古籍出版社，2005 年 1 月），頁 699。

❷ 陳柱：〈先君子幹丞公行述〉，《守玄閣文稿選》（上海：中國學術討論社，1938 年 8 月），頁 15。

❸ 陳柱：〈老母墓誌銘〉，同註❷，頁 21。

❹ 陳柱：〈妻楊靜玄墓誌銘〉，同註❷，頁 24、26。

❺ 陳柱：〈我青年時代讀書的略述〉，《青年界》第 8 卷第 1 號（1935 年 6 月），頁 34。

❻ 陳柱：〈待焚文稿自序〉，同註❷，頁 106－107。

詩。❼歷任廣西省參議員、梧州中學校長❽、無錫國學專校教授、大夏大學教授、暨南大學教授、廣西大學籌備委員、安徽大學校長、交通大學中文系主任等職。平日喜治詩文，訪求古書，又工書法，善魏碑。曾先後加入南社、中華學藝社，並擔任《學藝》、《國學雜誌》、《學術世界》等期刊編輯工作。❾

㈡ 論述著作

陳柱一生著作頗豐，自述：

> 十餘年間，成《易學》、《尚書學》、《公羊家哲學》、《周禮通論》、《中庸通義》、《字論》、《老子合訓》、《老學八篇》、《墨子閒詁補正》、《墨子十論》等，都數百萬言；合以詩文雜著等，共百餘種，蓋千餘萬言。❿

除此之外，見於他文引述者，尚有《子二十六論》⓫、《詩經正葩》⓬、《周易文法》⓭等三種。這些著作，友人徐固卿讚嘆道：「自古以來，經生著述之多，未有如君者也。」⓮弟子王蘧常亦讚嘆道：「多矣哉！古未嘗有也。」⓯

不過，上述經學、子學著作於今確實可考者，僅有《公羊家哲學》與《老學八篇》二種；《墨子十論》與今見《墨學十論》有一字之差，可能是同一著作；其餘

❼ 陳柱：〈叢桂山詩序〉，同註❷，頁76。
❽ 陳柱：〈待焚文稿自序〉，同註❷，頁104。
❾ 陳玉堂：《中國近現代人物名號大辭典》，同註❶。
❿ 陳柱：〈待焚文稿自序〉，同註❷，頁103。
⓫ 王蘧常：〈子二十六論序〉，《學術世界》第1卷第1期（1935年6月），頁121；李源澄：〈與陳柱尊教授論諸子書〉，《學術世界》第1卷第8期（1936年1月），頁91－93；陳柱：〈與黃賓虹先生論書畫書〉，同註❷，頁149。
⓬ 陳柱：〈詩經正葩自序〉，《學術世界》第1卷第1期（1935年6月），頁117－118；《守玄閣文稿選》（上海：中國學術討論社，1938年8月），頁73－76。
⓭ 陳柱：〈答唐蔚芝先生論文書〉，同註❷，頁123。
⓮ 陳柱：〈待焚文稿自序〉，同註❷，頁103。
⓯ 王蘧常：〈子二十六論序〉，《學術世界》第1卷第1期（1935年6月），頁121。

名稱則無一相同。臺灣可見者有《周易論略》、《尚書論略》、《孝經要義》、《諸子概論》、《老子》、《老子集訓》二卷、《闡老》二卷、《老子韓氏說》一卷、《老子與莊子》、《莊子菁華錄》一卷、《墨子刊誤》二卷、《尹文子校正》等十二種，不在其所述範圍內，是否同書異名或不同著作，不得而知；且其著作散見於海峽兩岸，目前亦無法比對。

另所謂「合以詩文雜著等，共百餘種」，除單篇論文五十三篇散見於《中大語史週刊》、《國學論衡》、《說文》、《學海》、《學衡》、《國學月刊》、《學藝》、《大陸雜誌》、《青年界》、《學術世界》、《真知學報》、《同聲月刊》⑯等十三種期刊外，如今大陸可見者，有《守玄閣集》殘本、《守玄閣文集》、《守玄閣文稿選》、《待焚文稿》十卷、《待焚詩稿》十卷、《變風變雅待焚詩稿二集》五卷、《續雅》⑰、《守玄閣詩文詁》、《守玄閣詩鈔》、《十萬卷樓說詩文叢》、《變風變雅樓文集》、《中國散文史》、《四十年來吾國之文學略談》、《白石道人詞箋評》、《研究國學之門徑》⑱等十五種；臺灣可見者僅有《中國散文史》、《守玄閣文稿選》二種，其中《守玄閣文稿選》係經由東吳大學與大陸復旦大學交流取得之 PDG 電子文件檔。又陳柱自述者，尚有《守玄閣詩學》⑲、《春秋三傳異同平》⑳、《粵西四家調》、《紅豆曲》㉑、《孟東野詩選講》㉒等五種，海峽兩岸圖書目錄均不可見。

二、陳柱的治經態度

陳柱對於經、子、文、史之學，涉獵極廣，學凡數變。自述：

---

⑯ 余秉權：《中國史學論文引得》（臺北：泰順書局，1971 年 10 月），頁 255；《中國史學論文引得續編》（哈佛大學：哈佛燕京圖書館，年月份不詳），頁 441－442。

⑰ 李靈年、楊忠：《清人別集總目》（中卷）（合肥：安徽教育出版社，2001 年 7 月），頁 1236。

⑱ 陳玉堂：《中國近現代人物名號大辭典》，同註❶。

⑲ 陳柱：〈守玄閣詩學敘〉，同註❷，頁 78。

⑳ 陳柱：〈公羊微言大義自序〉，同註❷，頁 100。

㉑ 陳柱：〈與黃賓虹先生論書畫書〉，同註❷，頁 149。

㉒ 陳柱：〈答高君二適論文書〉，同註❷，頁 152。

> 年十五、六，好《昭明文選》，由是而泛濫於漢、魏、六朝百三家，以至唐之四傑、王右丞、陸宣公、李義山、溫飛卿等，皆耆之。已而好姚王氏《古文辭類纂》，用力於所謂桐城義法者。後乃耽《太史公書》、班孟堅《漢書》，以為不獨馬、班之文，兩漢文之工者，亦悉在於是，而尤好司馬相如、揚雄之為。既而讀《韓昌黎集》，乃喟然嘆曰：「嗟乎！韓文之師，其在揚雄乎！」……又好六經、諸子之文，蓋自二十二、三以至三十之年，其治經、子，亦莫非以為文者也，然納蘭氏通志堂、阮氏學海堂之書，已博覽無遺矣。於是並好佛典，嘗購《大藏經》，於《華嚴》、《法華》、《三論》尤所研誦。既而棄去，轉治考證。㉓

陳柱「平生為文，不主一家，不專一體」㉔，而「其為文之宗旨，則已見於集中諸文。」㉕所稱「集中諸文」，是指《待焚文稿》所收錄文章，現藏於大陸南京圖書館、首都圖書館（北京市圖書館）、桂林圖書館㉖，可惜在臺灣無緣一睹；不過，由國家圖書館收藏的《學術世界》月刊微縮片，以及東吳大學收藏的《守玄閣文稿選》PDG 電子文件檔中，其治經態度尚可略窺一二：

㈠ 文與道不可偏廢

陳柱認為：

> 夫文者，載道之具；而道，非文莫載。文之與道，猶形之與神也；一有一無，固不足以為文，不足以為道。然而，自孔、孟以下，莫不各有其偏至焉。韓、柳、歐陽、曾、王之徒，文勝乎道者也；周、程、朱、張之徒，道勝乎文者也。然皆莫能相廢。而其徒傳之既久，遂不能不互相非距。于是，學道者，視文為玩物喪志之具；而論文者，亦自謂文惟不宜說理。嗚呼！是

㉓ 陳柱：〈待焚文稿自序〉，同註❷，頁 102－103。

㉔ 陳柱：〈待焚文稿自序〉，同註❷，頁 103。

㉕ 陳柱：〈待焚文稿自序〉，同註❷，頁 103。

㉖ 李靈年、楊忠：《清人別集總目》（中卷），同註⓱。

何言歟！文不說理，文將安用；道不賴文以載，道將安寄。離形、神而為二，文乎、道乎，其不將逃之無、何有之鄉乎？是斯道之所以厄者，非小人異端之所能厄，乃君子之為學者，離道與文為二而自厄之也。㉗

陳柱雖喜治詩文，但在這一段話中，他標榜的是「文以載道」，文既不可勝道，道亦不可勝文。就治經而言，經義即是道的具體表現。因此，治《詩》，則云：

《詩》之本，在乎興觀羣怨、事父事君。而興觀羣怨、事父事君之道，雖不一，一言以蔽之，亦曰：「情而已矣。」……太史公曰：「《詩》三百篇，大抵皆聖賢發憤之所為作也。」蓋以其不忍之情，發憤而出之。美刺之詞雖異，不忍之情則同。然則，今之學《詩》者，讀古人發憤之詞，而不能慨然興起其不忍之情，以施於身心家國者，皆無有得於《詩》之本也。其學愈繁，其心愈雜，亦適足以見其逐末而已。此柱之所諄諄忠告者也。㉘

治《易》，則云：

當泰之極，城復於隍，聖人可以退，則為否之初；茹以其彙，貞吉，聖人未嘗不進也。當否之極，傾否聖人未嘗不進，進，則為泰之初，茹以其彙，征吉，聖人雖進，而未嘗敢怠也。夫惟不敢怠，故于泰之六五，著帝乙、歸妹之戒，喻當以貴下賤也；于否之九五，著繫於苞桑之戒，喻否而知其所否，則思所以救之也。嗚呼！世有憂國憂民之君子乎？誰歟？吾將以斯文語之。㉙

陳柱文以載道、文與道不可偏廢的主張，正由治《詩》與治《易》這兩段話中凸顯

㉗ 陳柱：〈茹經堂文集序〉，同註❷，頁 85－86。

㉘ 陳柱：〈守玄閣詩學序〉，同註⓯，頁 120－121。

㉙ 陳柱：〈泰否二卦合論〉，同註❷，頁 63。

出來。

(二)「起衰救弊」

陳柱認為：

> 治經不治子，不足以知經之醇；治子不治經，不足以得子之用。蓋諸子之學，皆欲以一偏救一時之弊，若不治經，不明聖人之大道，則必流於偏激。㉚

經、子兼治的目的，雖是為了避免流於偏激，其實更重要的是為了救一時之弊。然而：

> 近代學者，以甲骨文字倡者有之，以小學考據倡者有之，以革命救國倡者有之，以古文讀經倡者有之，以白話倒孔倡者有之，其極皆足以譁世取寵。高門大屋，蓋其為術也，非以起衰救弊，乃以乘機起家耳。㉛

陳柱的青年時代，正處於清末國家衰敗的環境中，當時部分學者不思如何「起衰救弊」，反而假借學術之名「乘機起家」，才有如此的批評。「起衰救弊」不僅是治經應有的態度，也是治一切學問應有的態度。陳柱由「起衰救弊」的治經態度，推闡出革命救國的理想與抱負，並充分發揮在《公羊家哲學》一書中，容待後敘。

三、《公羊家哲學》成書概述

(一)寫作目的

1.探究孔子微言大義

據陳柱的弟子王蘧常云：

㉚ 陳柱：〈與燕京大學張孟劬教授論學書〉，同註⑮，頁146。

㉛ 陳柱：〈答高君二適論文書〉，同註❷，頁150－151。

> 先生儒者也，而獨論百家之學。……論儒家則曰「崇孔子」，……又推論九流之學，孔門實兆其耑，是先生欲以儒家括九流。㉜

藉由這段話，可知陳柱是一位博學的通儒，其研究範圍雖涵蓋諸子百家之學，實際上仍是以儒學為主。《公羊家哲學》正是陳柱發明孔子儒家思想的重要著作。

陳柱「崇孔子」，對於當時今文家否認孔子之經有微言大義，他堅決反對，力主：

> 孔子之經，必有大義，必有微言。……若謂孔子之經，絕無微言大義，皆古史而已，則孔子之經，將不及《太史公書》。何者？太史公自云：「故述往事，思來者。」述往事，所謂其文則史。思來者，所謂其義則竊取之者也。若孔子之經，而無微言大義，豈孔子尚不及太史公耶！讀經不究微言大義，而唯於訓詁文物求之，末矣。㉝

因此，陳柱治《詩》與《春秋》，皆著意於探究孔子的微言大義。如治《詩》所作《守玄閣詩學》，即是「博采羣書，网羅放失。……舉凡微言大義……古今漢宋異同之說，靡不精擇。」㉞治《春秋》所作《公羊微言大義》（後改編為《公羊家哲學》），即是認為「六經皆孔子所刪訂。然於《易》止為之傳，於《詩》、《書》止為之刪次，於《禮》、《樂》則止為之修明；惟於《春秋》，則雖因魯史舊文，而發凡起例，褒貶見意，則為聖心獨裁，故雖游、夏之徒，不能贊一辭，則其微言大義之寄乎字句詳略間者，蓋可知矣。」㉟並索性將「微言大義」四字，引為書名。

2.使學者通覽《春秋》義例

㉜ 王蘧常：〈子二十六論序〉，同註⑮，頁 121。

㉝ 陳柱：〈與張孟劬教授論學書〉，《學術世界》第 1 卷第 4 期（1935 年 9 月），頁 95。

㉞ 陳柱：〈守玄閣詩學敘〉，同註❷，頁 80。

㉟ 陳柱：《公羊家哲學》（臺北：臺灣中華書局，1980 年 11 月），頁 132。

《春秋》微言大義究竟有多少？司馬遷云：「《春秋》文成數萬，其指數千。」㊱康有為則提出質疑：「今《公》、《穀》二傳所傳大義，僅二百餘條，則其指數千安在？」㊲不僅康有為，提出質疑的學者大有人在，亦有否認孔子作《春秋》者。然而，陳柱作《公羊家哲學》，目的不在論辯這些是是非非，而是為了使學者通覽《春秋》義例，以明孔子微言大義。誠如陳柱云：

> 欲明孔子之微言大義，莫要於明《春秋》；欲明《春秋》，莫要於通其義例。㊳

又云：

> 故今茲所論，為省免論難之故，獨名之曰「《公羊家哲學》」。蓋今所傳之《春秋公羊傳》，與其謂為孔子之《春秋》，無寧謂為公羊之《春秋》。自董仲舒、何休以下，皆說公羊之學，而亦各不能盡其同，與其定孰為公羊之真，無寧統名為公羊家之學；條其大義，去其乖戾，使世之學者得以覽其通焉。夫然，故暫且不必為孔子辨誣，不必為《春秋》辨誣，亦不必為公羊辨誣，而公羊家之哲學乃大有其可論者矣。㊴

至於《春秋》是否孔子所作，陳柱撰有〈春秋論〉；三《傳》是否足以定《春秋》之是非，陳柱撰有〈三傳異同辨〉。㊵可惜兩篇文章均不知收錄於何處，目前臺灣無從稽考。

但如何通《春秋》義例？陳柱認為，必須從《春秋》特筆（即特殊筆法）著

㊱ 司馬遷：〈太史公自序〉，《史記》（臺北：榮文出版社，1981年5月），頁3297。

㊲ 康有為：《春秋筆削大義微言考》，《康南海先生遺著彙刊》第7集（臺北：宏業書局，1976年9月），頁17。

㊳ 陳柱：《公羊家哲學》，同註㉟，頁132。

㊴ 陳柱：〈自序〉，《公羊家哲學》，同註㉟，頁1－2。

㊵ 陳柱：〈自序〉，《公羊家哲學》，同註㉟，頁1。

手。《公羊》、《穀梁》二傳以《春秋》特筆闡釋義例，固不待言；即使是《左傳》，也不能否認《春秋》有特筆。㊶《公羊家哲學》重視《春秋》特筆，使學者通覽《春秋》義例。姑舉二例：

例一，《春秋》宣公十一年冬十月：

> 楚人殺陳夏徵舒。

《公羊傳》云：

> 此楚子也，其稱人何？貶。曷為貶？不與外討也。不與外討者，因其討乎外而不與也。雖內討亦不與也。曷為不與？實與，而文不與。文曷為不與？諸侯之義，不得專討也。

按宣公十年陳國大夫夏徵舒弒其君，翌年楚君以平亂為由，出兵討伐陳國，而殺夏徵舒。由於討伐諸侯之權在周王，楚君未受周王之命，即擅權討伐陳國，因此，陳柱云：

㊶ 陳柱云：「隱元年《經》書曰：『鄭伯克段于鄢。』《左氏傳》云：「段不弟，故不言弟。如二君，故曰克。稱鄭伯，譏失教也，謂之鄭志。不言出奔，難之也。」杜預注云：『《傳》言夫子作《春秋》，改舊史以明義。不早為之所，以養成其惡，故曰失教。段宜書出奔，而以克為文，明鄭伯志于殺，難言其奔。』然則，《左氏》非不言《春秋》為孔子特筆，治《左氏》者如杜預，亦不能不認《春秋》之有特筆也。」又云：「隱元年《經》書曰：『公子益師卒。』《左氏傳》曰：『公不與小斂，故不日。』杜預注云：『《傳》例云云，所以示厚薄也。《春秋》不以日月為例。惟卿佐之喪，獨紀日以見其義者，事之得失，既未足以褒貶人君，然亦非死者之罪，無辭可以寄文；而人臣之輕賤，死日可略，故特假日以見義。』夫既曰假日以見義，則非日月之例而何？然則，《左氏》非不言日月例。治《左氏》者如杜預，雖欲強言無日月例，亦不可得矣。」陳柱：《公羊家哲學》，同註㉟，頁132－133。

> 此以《春秋》書「楚人」，為譏其專討也。㊷

這是《春秋》以書「楚人」而不書「楚子」的特筆，闡釋「諸侯不得專討」的義例。

例二，《春秋》昭公四年秋七月：

> 楚子、蔡侯、陳侯、許男、頓子、胡子、沈子、淮夷伐吳，執齊慶封，殺之。

《公羊傳》云：

> 此伐吳也，其言執齊慶封何？為齊誅也。其為齊誅柰何？慶封走之吳，吳封之於防。然則，曷為不言伐防？不與諸侯專封也。慶封之罪何？脅齊君而亂齊國也。

按襄公二十八年齊國大夫慶封亂政，出奔吳國，吳君將防邑賜給他作為封地，楚君於是聯合各國國君出兵討伐吳國，而殺慶封。這個事件中有兩個問題：一是吳君專封，封地之權也在周王，吳君未受周王之命，即擅權封賞慶封；二是楚君專討，「諸侯不得專討」已見例一。然而，只見《春秋》以書「伐吳」而不書「伐防」的特筆，闡釋「諸侯不得專地」的義例；卻未見以書「楚人」而不書「楚子」的特筆，闡釋「諸侯不得專討」的義例，原因何在？陳柱引董仲舒《春秋繁露・楚莊王》云：

> 「楚莊王殺陳夏徵舒，《春秋》貶其文，不予專討也；靈王殺齊慶封，而直稱楚子，何也？」曰：「莊王之行賢，而徵舒之罪重，以賢君討重罪，其於人心善；若不貶，庸知其非正經。《春秋》常於其嫌得者，見其不得也。是

㊷ 陳柱：《公羊家哲學》，同註㉟，頁99。

> 故齊桓不予專地而封，晉文不予致王而朝，楚莊弗予專殺而討；三者不得，則諸侯之得，殆此矣。此楚靈之所以稱「子」而討也。

據此，陳柱云：

> 蓋靈王非賢君，不得專討，人所易知；而莊王賢君，懲舒罪重，嫌於得討，故貶稱「楚人」，以明其非正經也。蓋於莊王，去其「子」，以著不得，則其他之不得，可知；然則，於靈王，雖不去其「子」，以著慶封之當討，而其不得專討之義，仍隱然言外也。然《傳》猶慮人之疑於稱「楚子」而予之，故於《經》不書「伐防」，而仍發明不與專討之義，其斟酌經、權之間，別賢明疑，以守經也如此。㊸

因此，在這個事件中，《春秋》書「楚子」而不書「楚人」，沒有闡釋「諸侯不得專討」之義，反而是在闡釋「守經行權」之義，也是另一種特筆。

㈡ 編纂體例

1.按何休義例之旨分篇

陳柱云：

> 惟余末學，頗思紹明古學，閱前賢之書，散無統紀，曾作《公羊微言大義》。㊹

所謂古學，是指兩漢的公羊學。所謂前賢，是指東漢末年公羊家何休。按現存兩漢公羊學最重要的著作有三：一是公羊壽與胡毋子都合著的《公羊傳》，二是董仲舒的《春秋繁露》，三是何休的《春秋公羊解詁》。陳柱治公羊學，「尤愛何邵公之

㊸ 陳柱：《公羊家哲學》，同註㉟，頁 99－100。

㊹ 陳柱：《公羊家哲學》，同註㉟，頁 132。

注《公羊》」㊺，可惜「何君《解詁》雖存，而義例散見于經注，學者未易尋索，前儒所釋，又多不能祛除俗見，頗近怪誕」㊻，於是發憤整理何休公羊學說，按其義例，於民國十五年㊼（西元 1926 年）作《公羊微言大義》十六篇，並述各篇之旨：

> 恭惟《春秋》，撥亂反正。亂賊肆恣，獨夫驕橫。物窮則變，斯惟革命。述〈革命篇〉第一。
>
> 惟茲革命，乃起羣雄。羣龍無首，孰為之宗。不殺能一，統一是崇。述〈統一篇〉第二。
>
> 革命非艱，統一惟艱。羣雄割據，生民是殘。不戢自焚，使我心酸。述〈弭兵篇〉第三。
>
> 兵之不戢，豺虎從衡。一予一奪，得喪誰明。豈知君子，揖讓是稱。述〈崇讓篇〉第四。
>
> 凡所謂讓，福我邦人。豈將國土，讓于彊鄰。四夷交侵，孰甘帝秦。述〈攘夷篇〉第五。
>
> 慮亡則存，好樂斯愁。魚爛而亡，聖人所憂。己則自亡，于人何尤。述〈疾亡篇〉第六。
>
> 人非土石，孰無血氣。忘國家仇，昰曰無恥。大哉聖人，大復仇義。述〈尚恥篇〉第七。
>
> 人羣進化，必有定期。大同之世，今豈其時。今宜何施，內華外夷。述〈進化篇〉第八。
>
> 名之不正，則事不成。事之不成，禮樂曷興。禮樂不興，夷狄曷征。述〈正名篇〉第九。
>
> 外攘夷狄，內明人倫。親吾之親，以及人親。吾儒之教，惟茲是勤。述〈倫

㊺ 陳柱：《公羊家哲學》，同註㉟，頁 134。

㊻ 陳柱：《公羊家哲學》，同註㉟，頁 134。

㊼ 陳柱：〈公羊微言大義自序〉，同註❷，頁 98。

理篇〉第十。

同生斯世，曰我與人。何以處之，曰義與仁。以別公私，以明人倫。述〈仁義篇〉第十一。

《春秋》之嚴，誅鋤暴強。至其仁厚，惡短善長。為善既易，改惡何傷。述〈善惡篇〉第十二。

可立難權，聖人已明。世言公羊，重權棄經。寧知是子，言經獨精。述〈經權篇〉第十三。

君子之經，正大光明。豈說神怪，為世讖評。惜哉何生，以災異鳴。述〈匡何篇〉第十四。

惟茲何生，大雅不羣。言所不言，闡所未聞。雖有微瑕，燦矣其文。述〈恕何篇〉第十五。

嗟予小子，痛此崩隤。願抱遺經，出於秦灰。仰鑽前後，既竭吾才。述〈自序篇〉第十六。㊽

書成三年之後，陳柱自稱「昔日治經之態度，乃變而為考古之態度；且以昔日古文之體，未便於今日之學者」㊾，於是將《公羊微言大義》十六篇改編為《公羊家哲學》十五篇（革命說、尊王說、弭兵說、崇讓說、攘夷說、疾亡說、尚恥說、進化說、正名說、倫理說、仁義說、善惡說、經權說、災異說、傳述考）。自此，《公羊家哲學》行，而《公羊微言大義》則不復見。核其篇目，陳柱將「某某篇」改為「某某說」，可能即是象徵其態度由治經轉為考古；而〈統一篇〉改名為〈尊王說〉，自注：「或名統一說」㊿，可知其旨不變；〈匡何篇〉改名為〈災異說〉，末云：「吾懼今後之人尚有惑於何氏之說，重為公羊學之厄也，故為著是篇，以匡之云爾。」51可知其旨亦未變；〈恕何篇〉及〈自序篇〉全文抄錄於〈傳述考〉

㊽ 陳柱：〈公羊微言大義自序〉，同註❷，頁 101－102。

㊾ 陳柱：《公羊家哲學》，同註㉟，頁 136。

㊿ 陳柱：《公羊家哲學》，同註㉟，頁 9。

51 陳柱：《公羊家哲學》，同註㉟，頁 116。

中，其旨未失，抄錄的用意，應是在於補足〈傳述考〉的內容，俾「略述諸家之說，以明公羊學之傳述而已。」52至於《公羊家哲學》十五篇之前，尚有〈自序〉一篇，說明本書改編後命名緣由，已與《公羊微言大義》的〈自序篇〉說明著書之旨完全不同。因此，陳柱改編《公羊微言大義》，主要應是在《公羊家哲學》的〈傳述考〉內容上作了增飾，並在各篇之前新冠上〈自序〉一篇。

2.引董仲舒、何休、孔廣森三人學說闡釋義例

陳柱云：

> 嘗以《左氏》之事，《公》、《穀》之例，以求聖人之恉。嘗作《春秋三傳異同平》，以明三家異同之本，不能執一以廢二。尤愛何邵公之注《公羊》，以謂胡毋生之《條例》猶存于今，孔子之異義斯可考見。前乎何君之書，有董相之《繁露》；後乎何君之注，有孔氏之《通義》。皆麟經羽翼，孤家絕學，雖與何君間有異同，而大氐皆足相發。是故居常講論，既恆以三《傳》治經，而又以三子之書學公羊之傳。……箸此十五篇之文，采三子之精華，通《公羊》之傳例，以明《春秋》之特筆。53

所謂三子，即是董仲舒、何休、孔廣森三人。

(1)單引董仲舒學說闡釋義例者，凡三十三例。

如《春秋》宣公十二年夏六月乙卯：「晉荀林父帥師及楚子戰于邲。晉師敗績。」《公羊傳》云：「大夫不敵君，此其稱名氏，以敵楚子何？不與晉而與楚子為禮也。」董仲舒《春秋繁露．竹林》：「夫莊王之舍鄭，有可貴之美。晉人不知其善，而欲擊之。所救已解，如挑與之戰，此無善善之心，而輕救民之意也，是以賤之。」陳柱〈攘夷說〉云：「然則，稱大夫名氏以敵楚子，所以惡晉有夷狄之行也。」54

52 陳柱：《公羊家哲學》，同註35，頁117。

53 陳柱：《公羊家哲學》，同註35，頁134－135。

54 陳柱：《公羊家哲學》，同註35，頁43－44。

⑵單引何休學說闡釋義例者，凡八十三例。

如《春秋》隱公二年夏五月：「莒人入向。」何休《解詁》云：「入例時，傷害多則月。」陳柱〈弭兵說〉云：「久暴師，至不仁之事也，故《春秋》深疾之。」55

⑶單引孔廣森學說闡釋義例者，凡十二例。

如《春秋》成公六年夏六月壬申：「鄭伯費卒。」孔廣森《春秋公羊通義》云：「悼公在喪未踰年，而親代許，不子之甚，故去葬，奪臣子恩也。」陳柱〈倫理說〉云：「然則，公羊家說《春秋》，其於父子之恩，示不可忘者，可謂至矣。」56

⑷同時引董仲舒與何休學說闡釋義例者，凡三例。

如《春秋》桓公十五年夏：「邾婁人、牟人、葛人來朝。」《公羊傳》云：「皆何以稱人？夷狄之也。」董仲舒《春秋繁露・王道》云：「夷狄邾婁人、牟人、葛人，為其天王崩而相朝聘也。」何休《解詁》云：「桓公行惡，而三人俱朝事之。三人為眾，眾足責，故夷狄之。」陳柱〈倫理說〉云：「此二說雖不同，其譏不臣則一也。天王崩而相朝，是忘君臣之義也。桓公行惡，而三人朝事，蓋謂桓為弒君之人也。朝乎弒君之人，尚夷狄之，況親為弒君者乎！」57

⑸同時引何休與孔廣森學說闡釋義例者，凡一例。

如《春秋》莊公六年春三月：「王人子突救衛。」《公羊傳》云：「王人者何？微者也。子突者何？貴也。貴，則其稱人何？繫諸人也。曷為繫諸人？王人耳。」何休《解詁》云：「刺王者，朔在岱陰齊時，一使可致，一夫可誅，而緩令交五國之兵，伐天子所立，還以自納。王遣貴子突卒不能救，遂為天下笑。故為王者諱，使若遣微者弱愈，因為內殺惡。救例時，此月者，嫌實微者，故加錄之，以起實貴子突。」孔廣森《春秋公羊通義》云：「言子突乃王人耳，使若不深助留，但遣微者子突，無威重，不能成功，以為天子殺恥矣。」陳柱云：「此皆諱言之者

55 陳柱：《公羊家哲學》，同註35，頁25。

56 陳柱：《公羊家哲學》，同註35，頁73。

57 陳柱：《公羊家哲學》，同註35，頁79－80。

也。蓋公羊家之意，以謂諱之乃所以深恥之，恥之乃所以深痛之也。」㊿

然而，陳柱無同時引董仲舒與孔廣森學說闡釋義例者，遑論同時引董仲舒、何休與孔廣森學說闡釋義例者。

董仲舒、何休為兩漢最著名的公羊家，而孔廣森為清代公羊家。陳柱採孔廣森學說的原因，乃如孔氏云：「將袪何氏之惑，歸於大通，輒因原注，存其精粹，刪其支離，破其拘窒，增其隱漏，冀備一家之言。」且「近世學者深韙其書，以謂勝於何氏，蓋惡何氏之非常異義也。」[59]清代學者重視孔廣森的學說，固然是因為何休的學說有「非常異義」的成分；不過，陳柱並未深責，甚至認為可恕，容待後敘。

四、陳柱公羊學說內容特色舉隅

(一) 將王魯說變為革命說

陳柱的青年時代，正處於清末國家衰敗的環境中，曾自述：「回憶弱冠之年，未嘗不有志於事功，頗從事於革命。」[60]因此，革命思想在陳柱的學術事業中，占有相當重要的份量，甚至後來加入南社，可能就是因為該社是一個鼓吹反清革命的文學研究組織。陳柱以〈革命說〉置於《公羊家哲學》首篇，乃為理所當然；該篇開宗明義云：「《公羊傳》之說《春秋》，甚富於革命思想。漢何休注《公羊》，復立《春秋》新周王魯之說，革命之義益著。」[61]按《春秋》新周王魯之說為董仲舒首倡，但歷代學者多誤以為何休，如晉王接、宋蘇軾、陳振孫皆因此批評何休為「《公羊》罪人」。[62]而對此一「《公羊》罪人」的學說給予正面評價，並進而推闡為革命說的第一人，可能就是陳柱。

陳柱云：「蓋孔子之作《春秋》，深寓革命之指，《公羊》得之而未嘗暢言

---

[58] 陳柱：《公羊家哲學》，同註[35]，頁15－17。

[59] 陳柱：《公羊家哲學》，同註[35]，頁131。

[60] 陳柱：〈待焚文稿自序〉，同註[2]，頁104。

[61] 陳柱：《公羊家哲學》，同註[35]，頁1。

[62] 皮錫瑞：《經學通論》（臺北：河洛圖書出版社，1974年12月），頁7－8。

之；至何氏而後始大發其說，提倡革命。」(63)所舉之例如下：

1.「諸侯之國，先與魯盟者，則褒之」

《春秋》隱公元年春三月：「公及邾婁儀父盟于眛。」《公羊傳》云：「稱字，褒之也。……因其可褒而褒之……漸進也。」何休《解詁》云：「《春秋》王魯，託隱公以為始受命王。因儀父先與隱公盟，可假以見褒賞之法。譬若隱公受命而王，諸侯有倡始先歸之者，當進而封之，以率其後。」陳柱〈革命說〉云：「蓋不名而字，所以褒其先慕王化也。」(64)

2.「凡先來朝魯者，亦褒之」

《春秋》隱公七年春三月：「滕侯卒。」何休《解詁》云：「所以稱侯而卒者，《春秋》王魯，託隱公以為始受命王。滕子先朝隱公，《春秋》褒之以禮，嗣子得以其禮祭，故稱侯見其義。」又隱公十一年春：「滕侯、薛侯來朝。」何休《解詁》云：「稱侯者，《春秋》託始隱公，以為始受命王。滕、薛先朝隱公，故褒之。」陳柱〈革命說〉云：「蓋於所傳聞之世不卒，今卒而侯者，褒其能先朝也。」(65)

3.「先與魯交接者，則亦褒之」

《春秋》隱公八年夏六月辛亥：「宿男卒。」何休《解詁》云：「宿本小國，不當卒。所以卒而日之者，《春秋》王魯，以隱公為始受命王。宿男先與隱公交接，故卒褒之也。」陳柱〈革命說〉云：「蓋日而卒之者，亦以褒其先向化也。」(66)

4.「被化而失禮者，則亦責之」

《春秋》隱公元年秋七月：「天王使宰咺來歸惠公仲子之賵。」何休《解詁》云：「所傳聞之世，外小惡不書。書者，來接內也。《春秋》王魯，以魯為天下化首。明親來被王化，漸漬禮義者，在可備責之之域，故從內小惡舉也。」陳柱〈革

(63) 陳柱：《公羊家哲學》，同註㉟，頁128。
(64) 陳柱：《公羊家哲學》，同註㉟，頁4。
(65) 陳柱：《公羊家哲學》，同註㉟，頁4。
(66) 陳柱：《公羊家哲學》，同註㉟，頁4－5。

命說〉云：「凡此皆欲以魯化外，欲成其大一統者也。」(67)

5.「『往盟』書曰『莅盟』」

《春秋》僖公三年冬：「公子友如齊莅盟。」何休《解詁》云：「《春秋》王魯，故言『莅』以見王義。使若王者遣使莅諸侯盟，飭以法度。」陳柱〈革命說〉云：「蓋以魯為王者，遣使以莅諸侯之盟也。」(68)

6.「於魯戰勝則不書『戰』」

《春秋》隱公十年夏六月壬戌：「公敗宋師于菅。」何休《解詁》云：「不言『戰』者，託王於魯，故不以敵辭言之，所以彊王義也。」陳柱〈革命說〉云：「蓋所以示王者之無敵也。」(69)

7.「於敗績則諱敗而書『戰』」

《春秋》桓公十年冬十二月丙午：「齊侯、衛侯、鄭伯來，戰于郎。」《公羊傳》云：「何以不言師敗績？內不言戰，言戰，乃敗矣。」何休《解詁》云：「《春秋》託王於魯。戰者，敵文也。王者，兵不與諸侯敵，戰乃其已敗之文，故不復言師敗績。」陳柱〈革命說〉云：「蓋以明王者之不與諸侯敵也。」(70)

8.「於威我者，則書曰『獻捷』」

《春秋》莊公三十一年夏六月：「齊侯來獻戎捷。」《公羊傳》云：「齊，大國也。曷為親來獻戎捷？威我也。其威我奈何？旗獲而過我也。」何休《解詁》云：「不書威魯者，恥不能為齊所忌難，見輕侮也。言獻捷，繫戎者，《春秋》王魯，因見王義。古者，方伯征伐不道，諸侯交格而戰者，誅絕其國，獻於王者。」陳柱〈革命說〉云：「蓋使若方伯征伐，獻捷於王也。」(71)

陳柱以為，以上所舉八例，「斯皆欲以魯統諸侯，而定其尊卑者也。此皆何休所據以發明《春秋》革命之大義也，皆公羊家革命之學說。」(72)然而，《春秋》、

(67) 陳柱：《公羊家哲學》，同註㉟，頁5。
(68) 陳柱：《公羊家哲學》，同註㉟，頁5。
(69) 陳柱：《公羊家哲學》，同註㉟，頁5。
(70) 陳柱：《公羊家哲學》，同註㉟，頁5－6。
(71) 陳柱：《公羊家哲學》，同註㉟，頁6。
(72) 陳柱：《公羊家哲學》，同註㉟，頁6。

《公羊傳》或董仲舒、何休的學說中，都沒有提到革命說。因此，陳柱將王魯說變為革命說，並非如自己的主張從《春秋》特筆著手，而是以「託詞見意」[73]的方式來闡釋。

㈡ 使「革命說」與「尊王說」並存

陳柱主張革命說，革命既成之後，為何又主張尊王說？二說並存是否自相矛盾？陳柱云：「有一時之權，有長久之經。革命者，一時之權也；尊王者，長久之經也。……孔子所以倡革命之說者，誠以當時之所謂王，已昏亂無道，不足以為天下之共主，而天下之崩離日甚，故假王魯之說以見意。然而，統一之綱，君臣之權，上下之禮，固不可以不明也。故尊王、革命，雖似相反，而實不可以相廢。而其尊王之目的，則在於統一也。此公羊家既言革命，又言尊王，所以不得為矛盾也。」[74]

陳柱以《春秋》桓公十八年中「王」字或書或不書的問題，闡釋尊王說，是彰顯《春秋》特筆的最佳例證。《春秋》桓公十八年中，首時（「春」為四時之首）之下書「王」者，只有元年、二年、十年、十八年，其餘均未書「王」字。陳柱云：「《公羊傳》說《春秋》尊王之義，於十二公之中，其最顯著者，莫如桓公之篇。」次引董仲舒《春秋繁露．玉英》之說：「桓之志無王，故不書王；其志欲立，故書即位。書即位者，言其弒君兄也；不書王者，以言其背天子。是故隱不言立，桓不言王者，從其志，以見其事也。從賢之志，以達其義；從不肖之志，以著其惡。」又引何休《解詁》之說：「無王者，以見桓公無王而行也。二年有王者，見始也。十年有王者，數之終也。十八年有王者，桓公之終也。明終始有王，桓公無之爾。不就元年見始者，未無王也。」何休之說雜有讖緯數術的色彩，但終究聊備一說。陳柱略去數術色彩最明顯的二年與十年之說，而就元年與十八年之說續予闡述，云：「蓋桓無王，故從其不肖之志，以無王書之，以著其惡。而王法終不可以不加，故書王於終始以治之。由公羊家之說，則《春秋》尊王之大義，不亦甚隱

[73] 陳柱云：「王魯云者，特託詞以見意爾。」陳柱：《公羊家哲學》，同註[35]，頁7。

[74] 陳柱：《公羊家哲學》，同註[35]，頁9。

而至顯乎！」(75)可見尊王必須有可尊之道，若桓公無道，則不但無尊王可言，甚至可以起而革命；革命之後，再尊新王以求統一。所以陳柱同時主張革命說與尊王說，二者可以相濟，並不矛盾。

㈢ 愛何、匡何又恕何

陳柱《公羊家哲學》所舉義例一百二十四例，其中引何休學說者八十三例，約占百分之六十七，即為三分之二，自稱「愛何」(76)，確非虛言。然而，何休學說中最為後世學者詬病者有二，一是王魯說，二是災異說。

王魯說經陳柱通經以致用，結合時代意義，轉變為革命說，使與尊王說並存相濟，已如前述。陳柱認為：「此說未能盡暢其意，蓋懼當時之文網使然。」(77)又云：「在君主專制時代，持此種學說，實君主之所大忌。……恐言不旋踵，而誅其身、滅其書矣。故不得不稍用俗說，以文飾之。蓋以為：吾著書之恉，苟可以傳於天下後世，則此區區之俗說，固不足危害，而知言者，亦必有以知吾之用心云爾。嗚呼！此其何氏著書之苦心孤詣也與！則其過也，斯可恕矣。」(78)所謂俗說，即指流行於兩漢時期的讖緯說。何休採用王魯說，既有不得不然的苦衷，所以陳柱基於「愛何」的立場而「恕何」，不以為過。亦可見陳柱對於王魯說與讖緯說並存，其實並不滿意，才會以「託詞見意」的方式，將王魯說變為革命說。

至於災異說，陳柱係以科學知識加以處理。陳柱治學，不僅文學、史學、經學、子學並重，對於宗教、科學也同樣重視重視(79)，是一位兼習科學的通儒；所以，對於何休將災異說「傅會穿鑿以實之」，是相當在意的。陳柱云：

---

(75) 陳柱：《公羊家哲學》，同註㉟，頁 13－14。

(76) 陳柱：《公羊家哲學》，同註㉟，頁 134。

(77) 陳柱：《公羊家哲學》，同註㉟，頁 7。

(78) 陳柱：《公羊家哲學》，同註㉟，頁 129－130。

(79) 陳柱治學，主張：「先取《昭明文選》熟讀而精思之，由是而下窺唐、宋大家之選本（詩、文各擇選本），復由是而上稽《史》、《漢》、《說文》之籍，以至於先秦諸子、五經之書，則雅俗既分，然後恣意觀覽，取古今大家之專集，審其本末，別其精粗，再進而兼究各宗教之長短，明諸科學之新理，然後再取古人之最精者自行撰定，都為一集，終身誦之。」陳柱：〈答友人論文書〉，同註❷，頁 125－126。

> 《春秋》記災異甚眾。然公羊之《傳》，亦不過言其為災、為異而已，未嘗言其所以為災、所以為異也。而何休《解詁》則傅會穿鑿以實之。如隱三年《經》書曰：「春王二月己巳日有食之。」《傳》曰：「何以書？記異也。」如是而已。而何休則曰：「異者，非常可怪，先事而至者。是後衞州吁弒其君完，諸侯初僭，魯隱係獲，公子翬進諂謀。」是天以日食示警于人矣。……諸如此類，不勝枚舉。凡《經》之所書，《傳》申之曰「記災」、「記異」可也。何也？災者，君子之所當恤；異者，君子之所當攷也。若必實之曰「前者為某事」、「後者為某事」，一似天之于人，如同官長，而日月星辰為之獄吏也者。嗚呼！其亦不知天之廣大而已。[80]

陳柱為說明「天之廣大」，舉有太陽系、海王星、恆星、望遠鏡、光速等科學實驗事證；又為破除風、雨、雷、電、雪、雹等迷信，舉有空氣對流、氣壓、凝結、電子等科學觀察現象，可見其知識匪淺。陳柱又云：

> 夫以太陽之於天，尚無算於有無，則太陽系諸行星之行動，亦無算於天之有無也明矣，況吾人之一舉一動之微乎！天又烏得寸寸而度之，銖銖而稱之哉！……漢世儒者，暗於科學，未明經恉，故何休釋《公羊傳》，亦遂多迷信傅會之說，斯亦無足深責者。……吾懼今後之人，尚有惑於何氏之說，重為公羊學之厄也，故為著是篇，以匡之云爾。[81]

何休將災異說「傅會穿鑿以實之」，乃是因為當時科學知識不發達，所以陳柱基於「愛何」的立場而「匡何」，將公羊學導向正確方向。

五、結語

陳柱治詩、文、禮學，皆有師承；但治春秋學，尤其是公羊學，似乎是無師自

[80] 陳柱：《公羊家哲學》，同註[35]，頁 110－111。

[81] 陳柱：《公羊家哲學》，同註[35]，頁 112、115。

通。據陳柱自述，早年留學日本時，「那時章太炎、鄧秋枚、黃賓虹等所辦的《國粹學報》也傳到日本，尤喜讀它。因此，我對於國學就識了一些門徑。回國之後，甚喜讀經、子。」[82]單憑這一點蛛絲馬跡，實在看不出其公羊學的師承。但其公羊學思想重視革命說，卻是不爭的事實。不過，與其說陳柱的公羊學思想重視革命說，不如擴大層面來說，其治學事業就是革命救國事業。

陳柱〈與張孟劬教授論學書〉云：

> 近日吾師唐蔚芝先生極倡王陽明之學說，以為救國之第一要方。柱亦以為比較讀經尤為切要。非謂經不宜讀，亦非謂陽明之學高於經，實以經不易明，經說多歧。古經師多固，今經師多巧。反不如倡陽明學說，以求普及之易也。[83]

可知陳柱的革命救國事業，實在是不僅止於讀經，而《公羊家哲學》則是作為其寄託革命思想的憑藉而已。

[82] 陳柱：〈我青年時代讀書的略述〉，《青年界》第 8 卷第 1 號（1935 年 6 月），頁 34。
[83] 陳柱：〈與張孟劬教授論學書〉，《學術世界》第 1 卷第 4 期（1935 年 9 月），頁 95。

經 學 研 究 論 叢
第 十 五 輯　頁239～246
臺灣學生書局　2008 年 3 月

洪亮吉詩論的小學與考據特色

陳明鎬*

洪亮吉（1746－1809），初名蓮，字華峰，後改名禮吉，字君直。又改名亮吉，字稚存，號北江，晚號更生。乾隆五十五年進士，授翰林院編修，督貴州學政。嘉慶五年上〈極言時政啟疏〉，陳啟內外弊政，帝大怒，譴戍伊犁。過三月，赦歸。此後下鄉，書院主講，他與黃景仁是摯友，為詩歌唱和，人稱「洪黃」。後與孫星衍唱酬，時人稱「孫洪」。他與同邑人唱酬，時稱「毗陵七子」。北江著書甚富，經、史、子、集皆有，主要著有《附鮚軒詩》、《卷施閣集》、《更生齋集》、《北江詩話》、《春秋左傳詁》、《毛詩天文考》、《六書轉注錄》、《比雅》、《十六國疆域志》、《乾隆府廳州縣圖志》等。

乾嘉學術排斥宋理學與明心學之空談，漢學家強調實事求是，無徵不信，治經宗漢儒，以訓詁小學探究聖賢之旨，是故他們要求小學學問，戴震說「經之至者道也，所以明道者其詞也，所以成詞者字也。由字以通其詞，由詞以通其道，必有漸」（《東原文集》卷 9），可知治經的方法即由小學通道。重視學問是漢學家一般傾向，如錢大昕說「多讀書而已矣，善讀書而已矣」。❶清代中期考據學盛行，詩壇受到此影響如肌理詩派以考據入詩，出現了清代「學風影響詩風的特殊情況」。❷雖洪亮吉反對肌理派沒有性情的考據詩風，但也重視學問。他的歷史、地

* 陳明鎬，韓國全北大學校中語中文學科副教授。

❶ 錢大昕：《嘉定錢大昕全集》第九冊（南京：江蘇古籍出版社，1997 年），頁 405。

❷ 錢仲聯：〈清代學風和詩風的關係〉，《夢苕盦論集》（北京：中華書局，1993 年），頁 183。

理、小學、方志等著作皆以考據方法研究之，說研究方法「未嘗不嘆漢學專家之學。……然以後人證前人之失，人或不信之，以前人以前之人，正前人之失，則庶可釐然服矣。於是冥心搜錄，以他經證此經，以別傳校此傳，……」（〈春秋左傳詁序〉），此話與王引之如出一轍，王氏在〈經傳釋詞序〉說「揆之本文而協，驗之他卷而通」，可略知他們治經的態度與方法。但詩學與學術的性質儼然屬於不同範疇，故探究洪亮吉詩學中的學問性質如何。

訓詁聲音之學對詩歌創作有何作用？為何強調多讀書？小學與詩歌創作或賞析有何關聯？北江認為小學學問對創作起到重要作用。

> 三百篇無一篇非雙聲疊韻。降及楚辭與淵、雲、枚、馬之作，以迄三都、兩京諸賦，無不盡然。唐詩人以杜子美為宗，其五七言近體，無一非雙聲疊韻也。……至宋、元、明詩人，能知此者漸鮮。本朝王文簡頗知此訣，集中如「他日差池春燕影，祇今憔悴晚煙痕」，此類數十聯，亦可追蹤古人。然疊韻易曉，而雙聲雖知。則聲音、訓詁之學宜講也。」（《詩話》卷 1）

雙聲疊韻使詩文有鏗鏘流美之感，錢大昕謂「詩三百篇，聲韻之至善者也，唯杜子美善學之」❸，此語與北江有相合之處。北江標舉詩三百開山之作說明又曉運用雙聲疊韻者鮮少，原因則在於不知聲音與訓詁之學，所以他在此將小學知識聯繫到詩歌創作，並舉例強調「聲音、訓詁之學」。雙聲是指兩個字的聲母相同或是相近，《詩經》中已有「參差」、「邂逅」、「流離」等，在《文心雕龍．聲律》篇中「雙聲隔字」，已知雙聲之法。疊韻指兩個字的韻母相同或者相近，例如《詩經》中連綿詞「繾綣」、「綢繆」、「芍藥」、「蒙戎」等，《文心雕龍．聲韻》篇已說「疊韻雜句而必睽」。在上面北江舉的王漁洋詩句中「燕影」與「煙痕」之例，雖不是雙聲與疊韻詞語，但它們有雙聲與疊韻關係，「燕影」為雙聲，「煙痕」係疊韻。上古音「燕」的「y」聲母（紐）是喉音，即影母，為平聲「影」的「y」聲

---

❸ 錢大昕：〈杜甫雙聲疊韻選序〉，《嘉定錢大昕全集》第九冊（南京：江蘇古籍出版社，1997 年），頁 409。

母，亦是喉音，是零聲母，屬於上聲，因此「燕影」兩個字的聲母相同，是雙聲。「煙」的韻尾「n」是帶鼻音的舌頭音（即陽聲韻；沒有鼻音韻尾的音節即稱陰聲韻），上古韻屬於真部，平聲；「痕」的韻尾也是「n」，上古韻屬於文部，平聲。「煙」的「an」與「痕」的「ən」是同類，母音相近，韻尾相同，此所謂旁轉，「煙痕」的韻尾「n」相同即是疊韻。❹可知上面的王漁洋詩句是對句雙聲疊韻關係。他攻擊漁洋只仿王、孟不主性情，但在此讚賞漁洋頗知雙聲疊韻之法，可見北江持論態度無偏而公正。相反，他說服力弱小之處，即由三百篇而降，時代距三百篇越遠不知雙聲疊韻者越多，他的觀念顯然表示詩歌價值以代降而崇古賤今，這與他所主張自寫性情各有所長相互牴觸。

北江的讀書方法是從小學入手，這即反映乾嘉學術特色，尤其北江對詩歌創作的要求也是如此，說「詩人之工，未有不自識字讀書始者。……杜工部，詩家宗匠也，亦曰『讀書難字過』，可知讀書又必自識字始矣」，以創作而言，作家的學問即由識字開始，北江再舉韓退之詩句「凡為文辭，宜略識字」，說明詩壇巨匠皆有同樣的看法。讀書要博覽，他批評今人認為「餻」字俗而不入詩，《說文解字》也不收其字，因此他考證《北史・綦連猛傳》說「『九月噉餻未好』是六朝時歌謠已用餻字矣」，強調「詩人所用字，豈能盡出說文也」（上面引文皆出自《北江詩話》卷 3），主張學問要廣博，不能拘於一隅，即如「學問之友，必先器識，拘於一隅，難於高論」（《卷施閣文乙集》卷 5）。

洪北江對學古態度要求意新和詞新。批評王漁洋「略得其神，而不能遺貌」，但沈德潛「全師其貌，而先已遺神」，其實北江不是完全否定王漁洋，原因在於他要求學古要學精神，即「杜工部之於庾開府，李供奉之于謝宣城，可云神似」（《詩話》卷 2），可見重視神似。學古神似，其貴在新意，說「陳明經增，海寧人，束髮即有詩名。……其詩箴十六篇，學司空表聖體，亦有新意」、「年家子管學洛，……詩與詞皆工，實為後來之秀。記其雨中牡丹四絕，末一首云，……亦有新意」（《詩話》卷 5）等。黃景仁與北江是莫逆之交，黃仲則讀明初高啟的詩集

---

❹ 參見王力：《古代漢語》（北京：中華書局，1964 年）；唐作藩：《南京：江蘇古籍出版社，1982 年》。

之際，認為頗有意義，勸北江說「欲足下深心閱之，求其用意不用字，字意俱用處。且更欲足下多讀前人詩」（《兩當軒集》卷 20），窺知他們之間學古，重視詩人的「用意」。

不只用意的新，用詞也要新。但運用新詞，不能妄自造語，需要學古的學問，在此北江發揮考據學問的特色，解釋為：

> 李太白詩，不特天才卓越，即引用故實，亦皆領異標新，如「蓬萊文章建安骨」。《後漢書・竇章傳》：「是時學者稱東觀為老氏藏室，道家蓬萊山鄧康遂薦章入東觀，為校書郎。」是白所言「蓬萊文章」，即東觀文章也。〈俠客行〉：「鄲邯先震驚」，邯鄲古未有倒言「鄲邯」者，然張晏《漢書注》：「邯山在邯鄲縣東城下，單，盡也」是「鄲邯先震驚」，為盡邯山之地皆震驚耳。白詩不肯作常語如此。他若〈行路難〉、〈上雲樂〉等樂府，皆非讀破萬卷者不能為也。（《詩話》卷 5）

北江考證李白詩句中「蓬萊文章」的由來與《漢書注》「鄲」與「單」字在古代通用。《王引之校改本康熙字典》釋「鄲」為「單」，《前漢地理志》曰：邯鄲屬趙國。注：邯，山名；鄲，盡也。邯山至此而盡也。城郭字从邑，故加邑作鄲」。朱駿聲編《說文通訓定聲》說明「鄲」為「《聲訓》：《水經・濁漳水注》，單，盡也，城郭从邑，故加邑，蓋以殫為訓」，在「殫」的條目下說明「殫，殛盡也」，由此可知「鄲」即是「盡」的意思。在此北江要證明李白能夠天才卓越，且他的詩可以領異標新的緣故是從學問來的，若詩之詞句要造出新意，該有小學方面的學問或多讀書才能造出新的字句，這不只創作方面如此，賞析亦如此，無學問不能瞭解古人的詩。

洪亮吉在小學方面造詣深，著述有《漢魏音》、《比雅》、《六書轉注錄》，小篇有《釋舟》、《釋璽》、《釋髦》等。他是乾嘉期間屬於吳派的經學家，在學術思想上以考據訓詁為治經的方法，因此很重視小學方面的學問與考經的工夫，說「惟轉注，斯可通訓詁之窮」（〈六書轉注錄序〉），「聲音之理道，而六經之旨得矣」（〈漢魏音序〉），治經之學術思想如此。乾嘉學派的治經態度有頗為一致之處，江藩在《國朝漢學師承記》引戴震之語說「經之至者，有道也；所以明道者，辭也；所以成辭者，字也。必由字以通其辭，由辭以通其道，乃可得之」，以小學明道的口號是乾嘉學者一般主張，因此他們反宋理學的空疏，江藩在〈國朝漢學師承記序〉中說「事必有徵，意必有本，臆說無斷，概不取焉」，所以錢穆對考據學術說「以考文知音之工夫治經，即以治經工夫為明道」。❺北江即有此類思想與學問的根底，因此他在論詩方面也有以考據論詩的特徵，舉例：

> 漢文人無不識字，司馬相如作〈凡將篇〉，揚雄做〈訓纂篇〉是矣。隋唐以來，即學者亦不甚識字，曹憲注《廣雅》以「餅」為「餠」，顏師古注《漢書》以「汶」為「汶」是矣。（《詩話》卷 1）

若沒有小學知識即分不出是非如何，在《北江詩話》中有很多以考據論詩之例，這即重視小學之證。

學問薄厚有何目的？北江強調考據學問不是為考據而考據，所以在上面講述了新意與新詞，他的另外的目的就是性情篤厚。杜甫說「讀書破萬卷，下筆如有神」，自然有助於創作，但對作家而言有何要求，北江將學問聯繫到創作主體：

> 今世士惟務作詩，而不喜涉學，……《北齊書・孫搴傳》「邢邵嘗謂之曰：『更須讀書。搴曰我精騎三千，足敵軍羸卒數萬』豈今之不務讀書者，胸次皆有孫搴三千精騎耶？」（《詩話》卷 3）

學問即助於胸次高，沈德潛說「有第一等襟抱，第一等學識，斯有第一等真詩」（《詩說晬語》卷上），此話如北江之語，讀書多即胸次高。北江崇尚的詩人胸次，是有何形象？北江說「袁大令枚，自作〈生挽〉詩，雖極曠達，然尚不如豸青山人李鍇二語，蓋其胸次之高，道悟之早，又非大令所能及。其句云『定知無物還

❺ 錢穆：〈顧亭林〉，《中國近三百年學術史》第四章（北京：商務印書館，1997 年），頁 148。

天地，何不將身占水雲？』」（《詩話》卷 4），這說明詩人無所不寄之性情，曠達無際而高尚雅潔，此即北江崇尚的詩人胸次。提高胸次如何表達，說：

> 宗伯載之詩精深，太僕朝榦之詩古茂，通副澧之詩高超，侍御大椿之詩淒麗，其故當又求之於性情、學問、品格之間，非可以一篇一句之工拙定論也。……太僕詩，以四言五言為最，次則歌行，即近體亦別出杼軸，迥不猶人。讀其詩可以知其品也。……侍御於三禮最深，所著《深衣考》等，禮家皆奉為矩度。故其詩亦長於考證，集中金石及題畫諸長篇是也。然終不以學問掩其性情，故詩人學人，可以並擅其美。（《詩話》卷 5）

以學問涵養胸次，有詩人之品性之後，表達真性情即可以為詩，在上面北江提出詩人與學人皆可「並擅其美」，此條件是「不以學問掩其性情」。比北江稍前的方貞觀說「有詩人之詩，有學人之詩，有才人之詩」（《方南堂先生輟鍛錄》），指出創作主體各有不同的風格，但北江沒有明確指出詩人之才性，卻更強調學問廣博與品格，由此看，北江更重視後天的學習，這又是與袁枚不同的詩論，因為袁枚是重視詩人的才氣。另外，值得一提的是，他說錢載之詩「精深」，稱讚「錢宗伯載之詩，如樂廣清言，自然入理」（《詩話》卷 1），其實錢載推舉秀水派的始祖朱彝尊而繼承之。但北江對朱彝尊頗為不滿，說「晚宗北宋幼初唐，不及詞名獨擅場。辛苦謝家雙燕子，一生何事傍門牆」（〈論詩絕句〉），此意為學古始終有所偏，皆依傍他人之門牆，本無己情，未有變化，是「卒不能鎔鑄自成一家」（《詩話》卷 1）。北江認為錢載雖繼承朱氏，但如錢仲聯說他「變秀水之派，錢籜石出而堂廡益大」（〈浙派詩論〉），能夠跨出門派之欄，有變化而發展，這符合北江學古廣博、自寫性情之論，原因即在於「求之於性情、學問、品格之間」。

洪亮吉論詩主張創作本原以性情為詩，雖他學術方面有極大的成就，但有感性的詩學未混同於學術。他不是說考據的方法完全不能作詩，所以要求以自己的真情為詩，若是真情畢露的作品，自然有價值可傳，因而堅決反對只掉書袋，漫橫誇學問的創作，對翁方綱說：

> 翁閣學方綱詩，如博士解經，苦無心得。（《詩話》卷 1）

> 「最喜客談金石例，略嫌金戈少性情詩」蓋金石學為公專門，詩則時時欲入考證也。（同上）

> 只覺時流好尚偏，並將考證入詩篇。美人香草都刪卻，長短皆摹《擊壤篇》。（《絕句》）

翁覃溪曾編《悔存齋詩鈔》收入黃仲則詩，但刪除花月綺語之作，北江即謂「刪卻花月少精神（自注：詩為翁學士方綱所刪，凡稍涉綺語及飲酒諸詩，皆不入選）」❻（《卷施閣詩》卷 18），「美人香草都刪卻」句即指此。北江若在詩中表現性情，他不反對考據與性情兼舉，但反對只堆積學問或考據的毫無性情之作。袁枚譏諷翁覃溪說「誤把抄書當作詩」（〈仿元遺山論詩絕句〉），覃溪將考訂訓詁入於詩詞，抹殺詩中性情，故說「滿紙死氣」之作（《隨園詩話》），洪北江抨擊覃溪也是此意，尤其他以宋理學家邵雍的《擊壤篇》譏覃溪。劉克莊說《擊壤篇》是「語錄講義之壓韻者」（〈吳恕齋詩稿跋〉），詩集中理學氣味很濃，不以情為土，故朱彝尊說「自堯夫《擊壤》而後，將學毋復言詩，言詩輒祖堯夫，遂若理學、風雅不並立者，……」❼，明確說明在詩歌創作領域中以理為主，造成理與情分離之現象，之後明代臺閣體追求此詩風而言情之作不多見，覃溪之肌理說又踏前轍，詩中性情索然。

洪亮吉對經學與史學、聲音學、文字學等造詣深，尤其在考據學風風靡一時的乾嘉時期，他頗以經世致用的考據學有自負，說「蓋聞理無所宜，必求實效，用各有適，無貴虛名」（《連珠》第 25 首），可見他重視考據學。因此，他的詩學受到學術思想，對創作主體要求學問，尤其聲音與訓詁等學問，在詩歌題材上考據方

---

❻ 洪亮吉：〈劉刺史大觀為亡友黃景仁刊《悔存詩集》八卷王竣，感賦一首，幾柬刺史〉，《卷施閣詩》卷 18。

❼ 朱彝尊：《靜志居詩話》（北京：人民文學出版社，1990 年），頁 212。

法可以意新和詞新，但洪亮吉對創作方面強調不以考據入詩，主張以自寫性情。乾嘉時期考據學者熱中於經學或史學方面的研究，詩論與其他有關文學理論著作極少，洪亮吉也是個考據學者，但他的詩學理論反映了當時考據學風，不易見以小學論詩的詩論，此即自有其意義。

經　學　研　究　論　叢
第　十　五　輯　頁247~278
臺灣學生書局　2008 年 3 月

言偃在先秦儒學傳授中的地位研究

黃羽璿*

一、前言

周予同在〈從孔子到孟荀——戰國時的儒家派別和儒經傳授〉一文曾提及：

> 關於春秋末戰國初儒家各派的「傳經」情況，保存下來的文獻資料實在太少了，以致目前我們瞭解的只是些片段。儘管如此，我們仍然要研究。否則，我們對現存的「經書」，哪些同孔子有關，哪些與孔子無涉，怎能分辨清楚呢……如果把後儒關於「經書」的解說、發揮，不管是否墨守師說或變以新意，統統算到孔子的賬上，那一定要描畫出假孔子、假孔學的。❶

筆者以為所說甚是，蓋吾人對於先秦儒家的探討，一向集中在孔、孟、荀身上，孔門弟子的傳學狀況似乎因文獻短缺而往往被忽略，韓昌黎的道統說更是一語截斷❷，似孔子以下只有孟子，漠視了學術傳承的真實。《漢書・景十三王傳・河間獻

---

* 黃羽璿，中山大學中國文學系碩士生。

❶ 周予同撰：〈從孔子到孟荀——戰國時的儒家派別和儒經傳授〉，《中國經學史論文選集》（臺北：文史哲出版社，1992 年，初版），頁 89－90。原載《學術月刊》1979 年第 4 期。

❷ 韓愈〈原道〉：「文武周公傳之孔子，孔子傳之孟軻。軻之死，不得其傳焉。」見：〔唐〕韓愈撰、馬其昶校注：《韓昌黎文集校注》（臺北：世界書局，1988 年，五版），頁 10。

王》載：

> 獻王所得書皆古文先秦舊書，《周官》、《尚書》、《禮》、《禮記》、《孟子》、《老子》之屬，皆經傳說記，七十子之徒所論。❸

從這條記載便可知孔門弟子對於經典流傳的重要性。有鑑於此，筆者以孔門後進弟子為對象，並將焦點集中在言偃身上，希望能從中還原若干孔門弟子傳學的情況及其對後世經學發展可能的影響。蓋舉凡學術之考辨，莫不以明其源流為先，既得其源，又當通其傳承，況儒學之於經學，本一體之兩面。徐復觀在《中國經學史的基礎》中且云：

> 經學的基礎，實奠定實於孔子及其後學，無孔子即無所謂經學。❹

故筆者認為此題實有研究的價值，雖不見得能有一定論，但對於吾人了解儒學及經學的發展脈絡當有一定的助益。不揣疏陋提出一些不成熟的看法，請教於大方之家。

二、言偃之學的埋沒——以卜商爲對象的比較

孔子去世後，儒家內部的發展開始起了變化，門人弟子或各執一端，以為孔子真傳，《韓非子．顯學》：

> 故孔、墨之後，儒分為八，墨離為三，取舍相反、不同，而皆自謂真孔、墨，孔、墨不可復生，將誰使定世之學乎。❺

---

❸ 〔東漢〕班固撰：《漢書》（臺北：鼎文書局，1997年，九版），頁2410。

❹ 徐復觀撰：《中國經學史的基礎》（臺北：臺灣學生書局，2004年，初版），頁26。

❺ 陳奇猷撰：《韓非子集釋》（高雄：復文圖書出版社，1991年，二版），頁1080。

這段記載直接地反映了儒家走上分化的現象，而在經典❻的傳授上也因弟子見解不同遂出現差異。大抵來說，孔門弟子依從遊於孔子的時間不同又有先進、後進之分，《論語・先進》：

> 子曰：「先進於禮樂，野人也，後進於禮樂，君子也。」❼

錢穆在《先秦諸子繫年》對先進及後進的差別辨之甚詳：

> 余考孔門弟子，蓋有前後輩之別。前輩者，問學於孔子去魯之先，後輩則從遊於孔子返魯之後。如子路、冉有、宰我、子貢、顏淵、閔子騫、冉伯牛、仲弓、原憲、子羔、公西華，則孔門之前輩也。游、夏、子張、曾子、有若、樊遲、漆雕開、澹臺滅明，則孔門之後輩也。雖同列孔子之門，而前後風尚，已有不同。由、求、予、賜志在從政，游、夏、有、曾乃攻文學，前輩則致力於事功，後輩則研精於禮樂。❽

據此，吾人可推知在孔子去世後到孟子、荀子之前，扮演傳授經典的角色主要集中

---

❻ 錢穆在《先秦諸子繫年》中謂：「孔子之門，既無六經之學，亦無分經相傳之事。」此處所言經典與漢人的五經（或六經）乃不同的指涉。參見氏撰：《先秦諸子繫年》（臺北：東大圖書，1999 年，三版），頁 83。徐復觀在《中國經學史的基礎》中所說：「他（孔子）對詩書禮樂及易，作了整理和價值轉換的工作，因而，注入了新的內容，使春秋時代所開闢出的價值，得到提高、昇華，因而也形成了比較確定的內容與形式。」經典的概念當以此為是，故在傳授上並不囿於實際經書形式上的流傳，而是以孔子的闡述及價值轉化的內容為主。參見氏撰：《中國經學史的基礎》，頁 8。又，《春秋》絕筆於魯哀公十四年獲麟，孔子卒於魯哀公十六年，是否來得及授於弟子，猶未可知，司馬遷雖曾在《史記・孔子世家》中云：「弟子受《春秋》，孔子曰：『後世知丘者以《春秋》，而罪丘者亦以《春秋》。』。」然亦無其他具體史料可徵此說。參見氏撰：《史記》（臺北：鼎文書局，2002 年 12 月，第十三版），頁 1940。

❼ 〔魏〕何晏等注、〔宋〕邢昺疏：《論語注疏》，《十三經注疏》（臺北：藝文印書館，2001 年，據清嘉慶二十年江西南昌府學版影印），頁 96。

❽ 錢穆撰：《先秦諸子繫年》，頁 81。

在孔門後進身上，且這些弟子大抵有自己的一群門人❾，司馬遷《史記・儒林列傳》：

> 自孔子卒後，七十子之徒散游諸侯，大者為師傅卿相，小者友教士大夫，或隱而不見。故子路居衛，子張居陳，澹臺子羽居楚，子夏居西河，子貢終於齊。如田子方、段干木、吳起、禽滑釐之屬，皆受業於子夏之倫，為王者師。是時獨魏文侯好學。❿

太史公的記載亦只粗淺地交代，但實際上關於他們傳授經典的情況乃至具體主張及活動情形，文獻可徵者無多，稍有明確記載者亦僅卜商⓫、曾參及較晚的孔伋而已，即馬宗霍在《中國經學史》所云：

> 是故孔門高弟之學，其流被于後者，要以子夏、曾子為最可溯，子夏博學於文，故兼六藝之傳，曾子約之以禮，故得一貫之統，其後承曾子之學者有子思、孟子，則宋學之所祖也，承子夏之學者有荀卿，則漢學之所祖也。⓬

關於孔子去世後到孟、荀以前這段期間經典的傳授問題，囿於文獻，學界討論無多，筆者初探之餘，於其中發現若干問題，主要集中在言偃身上，《論語・先進》載：

---

❾ 按：考之史料，孔子去世後，弟子有門人且成一派者皆屬後進，唯《韓非子・顯學》記有「顏氏之儒」為可能的先進，然此顏氏所指為誰史料無徵，且亦無其他相關記載。又《論語》中記載弟子言行最多者，為有若、卜商、言偃、曾參、顓孫師，故傳授儒經的對象仍集中在後進弟子身上。

❿ 〔西漢〕司馬遷撰：《史記》，頁3116。

⓫ 皮錫瑞《經學歷史・經學流傳時代》言：「經名昉自孔子，經學傳於孔門……諸儒學皆不傳，無從考其家法；可考者，惟卜氏子夏。」參見氏撰：《經學歷史》（臺北：藝文印書館，2000年，初版），頁36。

⓬ 馬宗霍撰：《中國經學史》（臺北：臺灣商務印書館，2000年，臺一版），頁15。

> 子曰：「從我於陳蔡者，皆不及門也。」德行：顏淵、閔子騫、冉伯牛、仲弓。言語：宰我、子貢。政事：冉有、季路。文學：子游、子夏。⑬

孔門之四科十哲雖不一定為孔子語⑭，然《論語》之編纂者既有此記，則足以證明言偃及卜商在文學上的成就及其於當世的影響。錢穆在《論語新解》此條下註：

> 孔子言詩書禮樂文章，皆與言語政事相通，本章文學特成一科，蓋所偏重，乃若與言語政事兩科有異。子游、子夏於此最所擅長，不惟子貢、宰我、冉有、季路非共倫，即顏閔、冉伯牛、仲弓視之，殆亦有遜色，故游夏得於三科之外特標文學一目。此可見孔門晚年文勝之風。⑮

所言甚是，方可從中推知言偃及卜商當為後進弟子中最博於文者，然問題便出在這裡，文學一科言偃尚與卜商對舉，為何後世言傳授經典者僅餘卜商一人？⑯又荀子嘗舉子張氏、子夏氏及子游氏之賤儒批之⑰，可知言偃一派於戰國晚期仍有活動，且影響力不下於子張氏、子夏氏之儒。孫守儂亦有類似的推論，他以為荀子對子游

---

⑬ 〔魏〕何晏等注、〔宋〕邢昺疏：《論語注疏》，《十三經注疏》，頁96。

⑭ 錢穆在《論語新解》中謂：「此下非孔子語，乃記者因孔子言而附記及之，以見孔門學風先後之異。若記孔子語，則諸弟子當稱名，不稱字。四科中前三科，皆屬先進弟子，惟第四科文學子游、子夏屬後進，亦不從在陳蔡。或疑游夏亦在相從陳蔡之列，以年齡計之，決知其非。或以此下另為一章，則從我於陳蔡兩句，全無意義可說，今不從。」參見氏撰：《論語新解》（臺北：東大圖書，1991年，二版），頁376。按：疑游夏亦在相從陳蔡之列者為〔清〕閻若璩：《四書釋地又續》：「冉有以哀公三年己酉季康子召至魯，丁巳與季康子問答，中間既從陳蔡……又爾時子游年十八，子夏年十九，赫然以文學名。」參見氏撰：《四書釋地又續》，《景印文淵閣四庫全書．經部二〇四》（臺北：臺灣商務印書館，1985年，初版），頁393。

⑮ 錢穆撰：《論語新解》，頁376。

⑯ 〔唐〕司馬貞《史記索隱》云：「子夏文學著於四科，序詩，傳易。又孔子以春秋屬商。又傳禮，著在禮志。而此史並不論，空記論語小事，亦其疏也。」參見氏撰：《史記索隱》，《史記》，頁2203。

⑰ 見李滌生撰：《荀子集釋》（臺北：臺灣學生書局，1979年，初版），頁109。

氏之儒的批判為：

> 此當不是指言偃本人，而是指他的弟子。不過，亦由此可知，言偃的弟子，對於傳經，或有相當的貢獻。⓲

此意既明，然究竟言偃一派之具體主張及其在經典傳授上可能的貢獻為何？歷代學者鮮少論之。幸今人黃俊郎曾撰碩士論文《子游學案》，其中對於言偃本身的學術有相當的論述，然他在文中亦提到：

> 孔門四科有文學，六藝之傳，應屬此科。子游雖與子夏同以文學稱，而學者論經學之傳授，多推子夏，豈子游之學失傳乎……而邵懿辰禮經通論云：「聖門子夏傳詩，子游傳禮，此學者之恆言也。」然其傳授系統，則不可詳矣。⓳

因之，筆者此題的研究即在《子游學案》的基礎上行更進一步的推論，企圖解決前人未能盡善的問題。

孔門弟子在經典的傳授上除言偃較有問題外，筆者尚發現學者對於有若的探討亦不多見。有若在孔子去世後，於門弟子間應有相當高的地位。《孟子．滕文公上》：

> 昔者孔子沒，三年之外，門人治任將歸，入揖於子貢，相嚮而哭，皆失聲，然後歸。子貢反，築室於場，獨居三年，然後歸。子夏、子張、子游以有若似聖人，欲以所事孔子事之。⓴

⓲ 孫守儀撰：《闕里志行考述》（臺北：臺灣商務印書館，1981 年，初版），頁 235－236。

⓳ 黃俊郎撰：《子游學案》（國立政治大學中國文學研究所研究生論文，1968 年），頁 125－126。

⓴ 〔漢〕趙岐注、〔宋〕孫奭疏：《孟子注疏》，《十三經注疏》（臺北：藝文印書館，2001 年，據清嘉慶二十年江西南昌府學版影印），頁 98。

類似的記載亦見於《禮記・檀弓上》：

> 子游曰：「甚哉，有子之言似夫子也！」[21]

唯司馬遷《史記・仲尼弟子列傳》作：

> 孔子既沒，弟子思慕，有若狀似孔子，弟子相與共立為師，師之如夫子時也……弟子起曰：「有子避之，此非子之座也！」[22]

太史公以有若狀似孔子，且後來因其不能對弟子之問，因而撤座，此說甚謬。洪邁於《容齋隨筆》卷十五辨之甚明：

> 予謂此兩事近於星曆卜祝之學，何足以為聖人，而孔子言之？有若不能知，何所加損，而弟子遽以是斥退之乎？孟子稱游、夏、子張以有若似聖人，欲以所事孔子事之，曾子不可，未嘗深詆也。《論語》記有子之言為第二章，在曾子之前……檀弓載子游曰：「有子之言似夫子也！」其為門弟子所敬久矣，太史公之書，於是為失矣。且門人所傳者道也，豈虛以狀貌之似而師之耶？[23]

既能確定有若在孔門的地位，進一步推論，有若當有不少的門人為是。然關於這部份的記載未有多見，其門人較明顯的活動，史料可徵者，當為參與《論語》的編纂。朱子於《四書章句集注・論語序說》引程子言：

---

[21] 〔漢〕鄭玄注、〔唐〕孔穎達正義：《禮記正義》，《十三經注疏》（臺北：藝文印書館，2001 年，據清嘉慶二十年江西南昌府學版影印），頁 145。

[22] 〔西漢〕司馬遷撰：《史記》，頁 2216。

[23] 〔宋〕洪邁撰：《容齋隨筆》（長沙：岳麓書社，1994 年，初版），頁 127－128。

> 《論語》之書，成於有子、曾子之門人，故其書獨二子以子稱。[24]

此說信而有徵，後人多從之。錢穆對於有若在孔門的地位，亦有類似的見解，《孔子傳》：

> 孔子身後，真能大孔子之傳者，有、曾二子之功應猶在游、夏、子張諸人之上。惟〈學而〉篇首有子，次曾子，則有子地位在孔子身後諸弟子所共認中似尚在曾子之前。而〈子張〉篇備記子張、子夏、子游、乃及曾子、子貢之言，獨不及有子。殆似有子之傳學不盛。[25]

筆者認為，有若之門人既能參與《論語》之編纂，於當時必有一定的影響力，至少在儒家經典的傳承上，已有《論語》一書，則在孔子去世後到孟、荀的這段期間，是否仍有其他關於經典的傳授，頗值得吾人再進一步探討。此則附在言偃之學的研究中一併處理。

三、言偃之學與《禮記・禮運》的關係

關於言偃之學的可能內容，有直接關係且史料可徵者，多散見在《禮記》一書。〈檀弓〉所記最多，其他則摻雜一二於〈曾子問〉、〈玉藻〉、〈雜記下〉、〈仲尼燕居〉等篇；此外，最重要的一篇當為〈禮運〉。馬宗霍《中國經學史》即言：

> 大抵子夏居西河教授，教於諸經皆有發明，子游雖同以文學稱，而先儒相傳，止禮運一篇為其所記。[26]

---

[24] 〔宋〕朱熹撰：《四書章句集注》（高雄：復文圖書出版社，1985 年，初版），頁 43。

[25] 錢穆撰：《孔子傳》（臺北：東大圖書，2003 年，重印二版），頁 98。

[26] 馬宗霍撰：《中國經學史》，頁 14。

但學界對此篇卻持兩派看法，主要的爭論在於孔子與言偃言大同小康之道時，言偃竟已成年或仍為三尺童蒙。會造成意見分歧的主因乃《禮記》與《孔子家語》的記載有所出入，茲分錄於下，《禮記・禮運》：

> 昔者仲尼與於蜡賓，事畢，出游於大觀之上，喟然而歎，蓋歎魯也。言偃在側，曰：「君子何嘆？」㉗

《孔子家語・禮運》：

> 孔子為魯司寇，與於蜡，既賓，事畢，乃出遊於觀之上，喟然而歎。言偃侍曰：「夫子何歎也？」㉘

錢穆據《孔予家語》及〈禮運〉鄭玄注㉙認為：

> 考孔子年五十一，為司寇，子游年六歲，孔子五十五歲去魯，子游年十歲，孔子與語大同小康，有是理乎？㉚

郭沫若則持不同的看法，他在《十批判書・儒家八派的批判》中言：

> 《禮記・禮運》一篇，毫無疑問，便是子游氏之儒的主要經典……《家語》偽書，本不足據，為魯司寇時之推測雖亦本于《禮運注》而來，此亦鄭康成一時疏忽之語，同一不足為據。蜡乃歲終報田大祭，一國之人皆得參與。《雜記》：「子貢觀于蜡，孔子曰：『賜也，樂乎？』對曰：『一國之人皆

㉗〔漢〕鄭玄注、〔唐〕孔穎達正義：《禮記正義》，《十三經注疏》，頁 412。

㉘ 羊春秋注譯：《孔子家語》（臺北：三民書局，1996 年，初版），頁 430。

㉙ 鄭玄所注為「孔子仕魯，在助祭之中。」參見〔漢〕鄭玄注、〔唐〕孔穎達正義：《禮記正義》，《十三經注疏》，頁 412。

㉚ 錢穆撰：《先秦諸子繫年》，頁 72。

若狂』。」此可見孔子與于蜡非必一定要在「仕魯」或「為魯司寇」時才有資格。㉛

近人蔡仁厚亦持類似觀點，且引《左傳》為證，他在《孔門弟子志行考述》中言：

> 孔子自衛返魯，仍在大夫之列（左傳哀公十四年與論語憲問篇，都記載陳成子弒齊簡公，孔子請討之，有「以吾從大夫之後」的話），祭祀之事既為孔子素所重視，而蜡又是大祭，我們怎能斷定孔子「與於蜡賓」，一定不是在他返魯為國老的時候呢？然則，蜡祭完畢，孔子在感歎之餘，乃與子游論及大同小康之義，為何必不可能？所以對禮運這一段記載表示闕疑則可，假若一定要說子游不及聞孔子大同之論，那就不免失之固蔽而有欠通達了。㉜

〈禮運〉一篇的問題，雖缺乏決定性的證據，吾人至多只能有所存疑。但筆者認為，從另一個角度看，反能使吾人見到言偃之學的可能面相。從〈禮運〉一篇的思想內容來看，顯然是融合了戰國時的諸家說法，王應麟《困學紀聞》中載：

> 〈禮運〉……呂成公謂：蜡賓之歎，前輩疑之，以為非孔子語；不獨親其親，子其子，而以堯舜禹湯為小康，是老聃、墨氏之論。㉝

錢穆則有更進一步的闡述：

> 便知如〈禮運篇〉，固然中間有儒家思想，但同時也有墨家、道家思想。〈禮運〉的「禮」字，固然是儒家思想，然而它講禮之「運」，就是說禮要

㉛ 郭沫若撰：《十批判書》（北京：東方出版社，1996 年，初版），頁 121。

㉜ 蔡仁厚撰：《孔門弟子志行考述》（臺北：臺灣商務印書館，1992 年，二版），頁 100－101。

㉝ 〔宋〕王應麟撰：《困學紀聞》，《中國子學名著集成》（臺北：中國子學名著集成編印基金會，1978 年，初版），頁 320。

「變」，其中便夾進了道家、墨家思想在內。㉞

蓋戰國時百家爭鳴的現象更見蓬勃，各家說法相互影響本為常事，戰國晚年便漸漸演變成會通各家思想於一家的現象，如《呂氏春秋》的雜糅各家㉟，《淮南子》的融合諸說於道家。當時的儒家亦受此風影響，而有相同的動作㊱，〈禮運〉一篇便可為證。若我們將它理解成言偃的門弟子受當時各家思想影響，而後融合所學記成此篇㊲，一來，孔子是否真有授大同之道於言偃便不成問題，因為它亦有可能是言偃的門弟子所托以重師說；二來，如果上述的假設成立，〈禮運〉一篇的思想內容便成為吾人窺探言偃之學的重要依據。

四、從社會背景觀言偃之學

先秦時代的學術發展，皆與政治有密切的關係，時入戰國，各國勢力群起，皆欲稱霸於世，養士之風遂生，故有信陵、孟嘗之出。諸家應此風，大行其說，或其學顯名諸侯，或因之而得高位，皆與得用與否相互彰應。《史記．仲尼弟子列傳》：

孔子既沒，子夏居西河教授，為魏文侯師。㊳

㉞ 見錢穆撰：《經學大要》（臺北：素書樓文教基金會，2000 年，未註版次），頁 80。

㉟ 筆者按：較之《淮南子》，《呂氏春秋》中的思想較無一明顯的學說中心。

㊱ 錢穆將他們目之為「戰國新儒家」，並言：「這派『新儒家』以什麼書作代表？我想有兩部書可作代表，一部是《易傳》，《易經》的《十傳》，它拿各家會通之於孔子……另外一書，便是《禮記》。」參見氏撰：《經學大要》，頁 68。

㊲ 按：上曾引《荀子．非十二子》荀子特舉子游氏之儒批之，足證子游氏之儒於戰國晚年仍有活動，亦可為筆者此推論增加可能性。或謂〈禮運〉為言偃親作，高明說：「胡寅說〈禮運〉是子游作的，這從篇首『仲尼與於蜡賓，喟然而嘆，言偃在側』，可以推知。古人自稱，多舉姓名，這篇稱為言偃，而不稱子游，可能這篇就是子游作的。」可備為一說。參見氏撰：《禮學新探》，頁 39。

㊳ 〔西漢〕司馬遷撰：《史記》，頁 2203。或曰無此事，錢穆辨之甚詳：「魏文初立，實周定

此是一例，後有荀子為稷下祭酒㊴，其學亦盛於齊。言偃既與卜商同列文學一科，程度不當相去太遠，錢穆亦言：

游夏在孔門相伯仲，猶回賜也。㊵

所說甚是。然何以後世言傳經之事皆直指卜商，於言偃鮮少提及，就社會因素來看，卜商之為魏文侯師，或可為一因，然孟子亦不仕，其名仍顯於天下。或疑筆者此說不當，蓋言偃未得同孟子般周遊列國，考之《論語，陽貨》：

子之武城，聞弦歌之聲，夫子莞爾而笑，曰：「割雞焉用牛刀？」子游對曰：「昔者偃也聞諸夫子曰：『君子學道則愛人，小人學道則易使也。』」子曰：「二三子！偃之言是也。前言戲之耳。」㊶

可知言偃於孔子在世時，已能行禮樂之教，較之卜商亦不遜色。又《禮記・檀弓上》：

司士賁告於子游曰：「請襲於牀。」子游曰：「諾。」縣子聞之，曰：「汰哉叔氏，專以禮許人。」㊷

類似的例子在〈檀弓〉篇中屢見不鮮，可知時公卿大夫議禮，莫不以得言偃之一言

王二十三年，去孔子之卒三十三年。子夏年六十三也。為文侯師，自是後人追述之語，何必定計魏文始侯以往哉……余意文侯賢者，其初即位，子夏年已六十二。方孔子之未死，子夏固已顯名，至是則巍然大師矣。文侯師子夏，雖不可以年定，而其在早歲可知。」參見氏撰：《先秦諸子繫年》，頁124－125。

㊴ 司馬遷《史記・孟子荀卿列傳》載：「齊襄王時，而荀卿最為老師。齊尚脩列大夫之缺，而荀卿三為祭酒焉。」參見氏撰：《史記》，頁2348。

㊵ 錢穆撰：《先秦諸子繫年》，頁72。

㊶ 〔魏〕何晏等注、〔宋〕邢昺疏：《論語注疏》，《十三經注疏》，頁154。

㊷ 〔漢〕鄭玄注、〔唐〕孔穎達正義：《禮記正義》，《十三經注疏》，頁148。

以為輕重。閻若璩在《四書釋地又續》中即言：

> 大抵當典禮訛闕無所考訂之時，人之有疑弗決者，以質諸子游，故前後典禮所關者十有四，皆以言游一言為可否，亦足以見其為時人之耳目，雖汏哉叔氏之語若譏之，而實尊之。[43]

可謂至論。據上引諸例，斷可知言偃後雖未仕、未周遊列國，然其聲名亦為時人所聞，尤其於喪禮之儀，有若、卜商、曾參等亦未可及。如《禮記・檀弓》：

> 曾子弔於負夏。主人既祖，填池，推柩而反之，降婦人而後行禮。從者曰：「禮與？」曾子曰：「夫祖者且也，且胡為其不可反宿也。」從者又問諸子游曰：「禮與？」子游曰：「飯於牖下，小斂於戶內，大斂於阼，殯於客位，祖於庭，葬於墓，所以即遠也。故喪事有進而無退。」曾子聞之，曰：「多矣乎，予出祖者！曾子襲裘而弔，子游裼裘而弔。」曾子指子游而示人曰：「大夫也，為習於禮者，如之何其裼裘而弔也。」主人既小斂，袒、括髮。子游趨而出，襲裘帶絰而入。曾子曰：「我過矣，我過矣！夫夫是也！」[44]

> 小斂之奠，子游曰；「於東方。」曾子曰：「於西方，斂斯席矣。」小斂之奠在西方，魯禮之末失也。[45]

> 衛司徒敬子死，子夏弔焉，主人未小斂，絰而往。子游弔焉，主人既小斂，子游出絰反哭，子夏曰：「聞之也與？」曰：「聞諸夫子，主人未改服則不

---

[43] 〔清〕閻若璩撰：《四書釋地又續》，頁 394。

[44] 〔漢〕鄭玄注、〔唐〕孔穎達正義：《禮記正義》，《十三經注疏》，頁 134。

[45] 同前註，頁 147。

經。」㊻

此皆可證言偃之於喪禮，確是嫻於其他弟子的。又《論語・雍也》：

子游為武城宰。子曰：「女得人焉耳乎？」曰：「有澹臺滅明者，行不由徑，非公事，未嘗至於偃之室也。」㊼

澹臺滅明因言偃而得遊孔子之門。《史記・仲尼弟子列傳》：

南游至江，從弟子三百人，設取予去就，名施乎諸侯。㊽

錢穆云：

孔道之行於南方，子羽有力焉。武城近吳、魯南境，當吳越至魯之衝。蓋亦由滅明之揄揚，故子游之石盛於吳，遂有誤為子游吳人者。㊾

加上此例，復又可證言偃之名廣傳於世。至此，以魏文侯師事卜商為理由，來證說言偃之名不及卜商，其學遂不顯的說法便不得成立。但究竟是什麼原因使得言偃之學後來不傳於世呢？筆者的推論如下：

清・邵懿辰《禮經通論》曰：

聖門子夏傳詩，子游傳禮。㊿

㊻ 同前註，頁 173。

㊼ 〔魏〕何晏等注、〔宋〕邢昺疏：《論語注疏》，《十三經注疏》，頁 53。

㊽ 〔西漢〕司馬遷撰：《史記》，頁 2206。

㊾ 錢穆撰：《孔子傳》，頁 95。

㊿ 〔清〕邵懿辰撰：《禮經通論》，《經解續經解三禮類彙編》（臺北：藝文印書館，1986

知言偃在孔門的學術傳承上，當是以禮為主。然筆者考之言偃的相關記載，發現其對於「禮意」的闡述極少，幾近乎無，顯可見者亦只《禮記・檀弓下》所載：

> 有子與子游立，見孺子慕者，有子謂子游曰：「予壹不知夫喪之踊也，予欲去之久矣。情在於斯，其是也夫？」子游曰：「禮：有微情者，有以故興物者；有直情而徑行者，戎狄之道也。禮道則不然，人喜則斯陶，陶斯咏，咏斯猶，猶斯舞，舞斯慍，慍斯戚，歎斯辟，辟斯踊矣，品節斯，斯之謂禮。人死，斯惡之矣，無能也，斯倍之矣。是故，制絞衾，設蔞翣，為使人勿惡也。始死，脯醢之奠；將行，遣而行之，既葬而食之，未有見其饗之者也；自上世以來，未之有舍也，為使人勿倍也。故子之所刺於禮者，亦非禮之訾也。」[51]

《正義》曰：

> 此一節論子游言制禮有節之事。[52]

從這條記載來看，言偃不但熟習禮，亦通曉行禮背後之意義，並非只墨守於形式上的「禮容」而已。但筆者認為問題的關鍵就在這裡，蓋言偃之於禮，只見其日常行事皆中禮，而不見其對禮意有所闡發。[53]傳之既久，其後學遂漸失其本，僅知追求行禮之儀，而忽略了制禮的原本精神所在，再以此結合春秋到戰國間的社會背景變遷，便能勾勒出言偃之學為何漸不顯的一可能原因，余英時在《中國知識階層史論・古代篇》說：

年，初版），頁 599。

[51] 〔漢〕鄭玄注、〔唐〕孔穎達正義：《禮記正義》，《十三經注疏》，頁 175。

[52] 同前註。

[53] 按：從後人或其後學對言偃的言行記載反推，便可得此結果。若言偃對禮意多有闡發，則後世記載斷不可能只記其行，而不錄其義。

> 春秋是古代貴族文化的最後而同時也是最高的階段。顧炎武論春秋與戰國之不同，說道：「春秋時猶尊禮重信，而七國則絕不言禮與信矣。春秋時猶論宗姓氏族，而七國則無一言及之矣。春秋時猶宴會賦詩，而七國則不聞矣。春秋時猶有赴告策書，而七國則無有矣。」……春秋時代一方面是所謂「禮壞樂崩」，一方面卻又是禮樂愈益繁縟……春秋早期的禮樂遠不如後期的複雜，所以貴族中尚不乏文武兼資之人。後期則貴族中已多不知禮之人了，《左傳》昭公七年條云：「孟僖子病不能相禮，乃講學之，苟能禮者從之。及其將死也，召其大夫曰：禮，人之幹也，無禮無以立。吾聞將有達者曰孔丘，聖人之後也……我若獲沒，必屬說與何忌於夫子。使事之，而學禮焉以定其位。故孟懿子與南宮敬叔師事仲尼。」像孟僖子父子這樣的貴族居然已不能知禮，而必須向「士」階層中的孔子去學禮了，可見得貴族時代已到了曲終雅奏的時候了。[54]

從顧亭林的說法中可知戰國時連禮都不在乎了，更況乎行禮之「儀」呢？又據《左傳》的記載，誠如余英時所說，春秋時的貴族都已不能知禮，至戰國又如何？孟子更是直言：

> 諸侯之禮，吾未之學也。[55]

即如以孔子真傳自居的孟子都這樣說了，可見行禮之儀在戰國時受重視的程度當已大大減低無誤。徐復觀進一步解釋：

> 禮必以踐履而見。但孟子時代，因封建政治已解體，本由適應封建政治的要

---

[54] 余英時撰：《中國知識階層史論・古代篇》（臺北：聯經出版事業，1980年，初版），頁28－29。

[55] 〔漢〕趙岐注、〔宋〕孫奭疏：《孟子注疏》，《十三經注疏》，頁89。

> 求所建立的禮，在政治上的效用，已經很稀薄。[56]

蓋學說的沉浮實繫之於時代的需求，這種狀況於百家爭鳴的戰國更尤是。若言偃之後學弟子真如筆者推論以行禮之「儀」作為發展的重心，則以時代需求條件的不同作為導致言偃之學漸不顯的原因，當可備為一說。又喪禮本是極隆重且排場盛大的典禮儀式，在經濟的現實考量上，亦不是戰國時代每一個諸侯王皆能負擔的起的。

順此理路推之，荀子在戰國時亦極言禮，何以其說能大顯於世？筆者認為不單只是荀子嘗為稷下祭酒，有政治力量作推動，更關鍵的一點在荀子對於禮的重新闡述，〈禮論〉云：

> 禮起於何也？曰：人生而有欲，欲而不得，則不能無求。求而無度量分界，則不能不爭；爭則亂，亂則窮。先王惡其亂也，故制禮義以分之，以養人之欲，給人之求。使欲必不窮於物，物必不屈於欲。兩者相持而長，是禮之所起也。[57]

不同於以喪禮為重的言偃之學，荀子跳脫宗教的層面，賦與禮較符於現實的意義[58]，這當是言偃後學所弗及。李滌生釋之曰：

> 喪祭之禮原起於迷信，而荀子以其理智主義的態度，各與以新意義。[59]

對於禮意的闡述，正是言偃之學最弱的一個環節，更遑論其後學。且荀子論禮更與當時政治需要作結合，鮑師國順曰：

---

[56] 徐復觀撰：《中國經學史的基礎》，頁33。

[57] 李滌生撰：《荀子集釋》，頁417。

[58] 徐復觀曰：「他（荀子）對禮有三大貢獻：一是總結了傳統的禮樂精神，賦與禮樂以理論的根據……二是把禮的起源，推到經濟生活的合理分配之上，使禮與經濟發生密切連繫。三為把禮的『定分』，推廣到政治、社會上。」參見氏撰：《中國經學史的基礎》，頁34。

[59] 同前註。

> 荀子對君主在人群社會中的地位與意義，曾有下列四點說明……第二：君主是禮義法度的來源。禮治主義是荀子思想的中心，「禮者人道之極也」、「人無禮則不生，事無禮則不成，國家無禮則不寧」、「禮者治辨極也，強國之本也，威行之道也，功名之總也，王公由之所以得天下也，不由所以隕社稷也」。但是如此重要的禮（或稱禮義，廣義而言，則包括禮義法度），卻非人性中所固有，也不是現成外在即存的，而是經過「聖人積思慮，習偽故，以生禮義而起法度」的艱苦過程才能產生。所謂「禮義者，聖人之所生也」、「聖人化性而起偽，偽起而生禮義」、「天地者，生之始也，禮義者，治之始也，君子者，禮義之始也」，都表明了禮義法度與聖人君子之間不可分的關係。而荀子又說：「非聖人莫之能王。」他心目中的人君，是必須由聖人來擔任的，所以人君實際上也就是制作禮義法度的主要人物。[60]

戰國時諸侯王雖已不重禮，然一旦與政治需求拉上關係，荀子的學說便相對的受到歡迎。[61]比較言偃後學之重禮容，二者學說已在不同層次，但在同質性如此高的前提下（二者皆以禮為中心），言偃之學的漸不顯似乎可為預料中的事了。梁啟超於《中國學術變遷之大勢》云：

> 荀子非十二子篇攻子思、孟子云：以為仲尼、子游為茲厚於後世。可見子思、孟子之學實由子游以受於孔子也，此派為荀派所奪，至秦而絕。[62]

子思、孟子是否從言偃出，仍有許多可議的空間，今略而不論。[63]對照筆者上述，「此派為荀派所奪」一句便不無幾分道理。然學說的汰換本為常事，能用於世者為

---

[60] 鮑國順撰：《荀子學說析論》（臺北：華正書局，1993 年，修訂三版），頁 93－94。

[61] 劉師文強嘗謂：「就二者學說的同質性來看，若以官學與私學的觀念作理解，荀子的學說便可稱作一種王官學，相對的，子游氏之儒的學說便只能算在百家言的地位了。」

[62] 轉引自：黃俊郎撰：《子游學案》，頁 134。

[63] 按：《荀子・非十二子》「以為仲尼、子游為茲厚于後世」一句，郭嵩燾據下文校，改子游為子弓。則梁啟超所承康有為此說便難成立。參見：李滌生撰：《荀子集釋》，頁 99。

先，故與其說是「奪」，倒不如用「顯」來的妥貼。筆者此推論當亦可備為一說。

五、孔門弟子的互動對言偃之學的影響

上則從外緣因素來看，此就思想內容作探討。筆者於上述曾提及就《禮記・檀弓》的記載，諸弟子言喪禮多以言偃為勝，知其嫻於禮，不僅深諳先王制禮之意，且亦能曲近人情。故《孔子家語・弟子行》引《大戴禮記・衛將軍文子》記端木賜對言偃的讚美為：

> 先成其慮，及事而用之，故動則不妄，是言偃之行也。孔子曰：「欲能則學，欲善則詳，欲給則豫。當是而行，偃也得之矣。」[64]

這條記載為對言偃其人之心性較具體直接的評述。又《孟子・公孫丑》：

> 昔者竊聞之：子夏、子游、子張皆有聖人之一體，冉牛、閔子、顏淵則具體而微，敢問所安。[65]

大抵言後輩之精研於禮樂，未若前輩之將所學致力於事功，即《論語・先進》所載：

> 子曰：「先進於禮樂，野人也。後進於禮樂，君子也。如用之，則吾從先進。」[66]

故僅得聖人之一體，從此亦可見得言偃等人在性格上當各有所偏，較之德行科諸子稍有不及。如《論語・先進》所載：

---

[64] 羊春秋注譯：《孔子家語》，頁 177。

[65] 〔漢〕趙岐注、〔宋〕孫奭疏：《孟子注疏》，《十三經注疏》，頁 55。

[66] 〔魏〕何晏等注、〔宋〕邢昺疏：《論語注疏》，《十三經注疏》，頁 96。

> 子貢問：「師與商也孰賢？」子曰：「師也過，商也不及。」[67]

> 柴也愚，參也魯，師也辟，由也喭。[68]

所以荀子才會在〈非十二子〉中批子張、子夏、子游氏之儒為：

> 弟陀其冠，神禫其辭，禹行而舜趨：是子張氏之賤儒也。正其衣冠，齊其顏色，嗛然而終日不言、是子夏氏之賤儒也。偷儒憚事，無廉恥而耆飲食，必曰君子固不用力：是子游氏之賤儒也。[69]

蓋從學者之未見大體，而於行事或已有過亦無自知。單就思想本身來看，或許能對其人略有所知，但對於其學的面貌則較難得到具體的結果。茲再考之《禮記》中的相關記載，〈曾子問〉：

> 曾子問曰：「宗子去在他國，庶子無爵而居者，可以祭乎？」孔子曰：「祭哉！」請問：「其祭如之何？」孔子曰：「望墓而為壇，以時祭。若宗子死，告於墓而后祭於家。宗子死，稱名不言孝，身沒而已。」子游之徒，有庶子祭者以此，若義也。今之祭者，不首其義。故誣於祭也。[70]

徐師曾認為此條：

> 自「子游之徒」以上，皆後人所記，非孔子語。[71]

---

[67] 〔魏〕何晏等注、〔宋〕邢昺疏：《論語注疏》，《十三經注疏》，頁 98。

[68] 同前註。

[69] 李滌生撰：《荀子集釋》，頁 109。

[70] 〔漢〕鄭玄注、〔唐〕孔穎達正義：《禮記正義》，《十三經注疏》，頁 381。

[71] 轉引自：王夢鷗：《禮記今註今譯》（臺北：臺灣商務印書館，2002 年 5 月，修訂版八刷），頁 335。

王夢鷗亦云：

> 子游少孔子四十餘歲，子游方壯，孔子已沒，無由見及「子游之徒」。由此可知全文皆是假托的。(72)

從其內容來看，筆者認為這條記載極可能為言偃之徒所假托(73)，一者，喪禮本是言偃所長；二者，除了能藉孔子語提高己身地位外，更重要的一點是假借曾參之問以明自己為喪禮正傳，蓋曾參仍需問於孔子，而子游之徒早已行之。從這個動機來看便揭露了一個頗耐人尋味的問題——孔門中不同師承的後學弟子是否有相互排斥甚是攻訐的現象存在，儒家的分化既是孔子去世後必然的結果。(74)加上筆者上一節所提及學術與政治的關係，儒家門弟子間相爭為孔子真傳的現象當愈趨激烈，曾參便曾說：

> 堂堂乎張也，難與並為仁矣。(75)

言偃亦有類似的論調：

(72) 同前註。

(73) 高明說：「這一篇可能是曾子的弟子所記……但考《漢書．藝文志．諸子略》儒家有《曾子》十八篇，與唐宋人所見的《曾子》相較，相差八篇；前人大都以為那八篇亡佚了，但我們懷疑〈曾子問〉這一篇可能就是那八篇中的一篇。」參見氏撰：《禮學新探》，頁 38。若從筆者所引這條記載來看，則此說便發生問題，蓋曾子弟子沒有理由揚子游之徒以抑其師。故筆者認為仍從《正義》之說：「名為『曾子問』者，以其所記所問多明於禮，故著姓名以顯之。」為是，參見：〔漢〕鄭玄注、〔唐〕孔穎達正義：《禮記正義》，《十三經注疏》，頁 359。

(74) 《韓非子．顯學》之「儒分為八」便是明例。按：吾人亦不必硬將「儒分為八」作八派解，大陸學者吳龍輝便謂：「我認為，韓非所提到的八氏，乃是孔子死後在孔門後學爭正統的鬥爭中先後湧現的以孔子真傳自居的八大強家。」此亦可備為一說。參見氏撰：《原始儒家考述》（北京：中國社會科學出版社，1996 年，初版），頁 108。

(75) 〔魏〕何晏等注、〔宋〕邢昺疏：《論語注疏》，《十三經注疏》，頁 172。

吾友張也為難能也，然而未仁。[76]

顓孫師對卜商亦有所評：

子夏之門人問交於子張。子張曰：「子夏云何？」對曰：「子夏曰：『可者與之，其不可者拒之。』」子張曰：「異乎吾所聞：君子尊賢而容眾，嘉善而矜不能。我之大賢與，於人何所不容？我之不賢與，人將拒我，如之何其拒人也？」[77]

言偃對卜商弟子也頗有微言：

子游曰：「子夏之門人小子，當灑掃應對進退，則可矣，抑末也。本之則無，知之何？」[78]

這些言談除了透露出孔門弟子間心性的差異，更將這些差異表現在言談之中，且都或多或少帶有貶抑對方的味道。又除卜商外，言偃、顓孫師[79]、曾參[80]後來皆居於

[76] 同前註。

[77] 同前註，頁171。

[78] 同前註

[79] 司馬遷《史記．仲尼弟子列傳》記言偃為吳人、顓孫師為陳人，崔述對此問題辨之甚詳，其云：「若子張，乃顓孫之後也，顓孫於莊二十二年自齊奔魯，歷閔、僖、文、宣、成、襄、昭、定，至哀公凡十世，子張之非陳人明矣。蓋因其先世出自陳，而傳之者遂誤以為陳人耳。若子張為陳人，則孔子亦將為宋人乎？孔子弟子，魯人為多；其次則衛、齊、宋，皆鄰國也；吳之去魯遠矣，若涉數千里而北學於中國，此不可多得之事。傳記所記子游言行多矣，何以皆無一言及之？且孔子沒後，有子、曾子、子夏、子張與子游相問答之言甚多，悼公之弔有若也子游擯，武叔之母之死也子游在魯，而魯之縣子公叔戍亦皆與子游游，子游之非吳人明矣。而子張之子申詳，子游之子言思亦仍居魯，是二子固世為魯人矣，安得以為陳人吳人也哉！」則言偃、顓孫師皆為魯人當無誤。參見氏撰：《洙泗考信錄．洙泗考信餘錄卷之三》（高雄：啟聖圖書，1972年，二版），頁30－31。

[80] 司馬遷《史記．仲尼弟子列傳》記曾參為南武城人，《索隱》曰：「武城屬魯。」崔述以為

魯，筆者在此作一較大膽的假設，此三者的門弟子間勢力消長的問題是否更形激烈？若就此端推之，則卜商、曾參即是在這勢力消長中脫穎而出的結果。茲先從卜商的情形作處理，蓋卜商為魏文侯師，政治的宣傳當有的一定助力，又《史記・儒林列傳》載：

> 如田子方、段干木、吳起、禽滑釐之屬，皆受業於子夏之倫，為王者師。[81]

且《墨子》書中批儒家亦以卜商之徒為代表，〈耕柱〉：

> 子夏之徒問於子墨子曰：「君子有闘爾乎？」子墨子曰：「君子無闘。」子夏之徒曰：「狗豨猶有闘，惡有士而無闘矣？」子墨子曰：「傷矣哉！言則稱於湯文，行則譬於狗豨，傷矣哉！」[82]

據此可知，卜商之學的大顯於世應是沒有問題的，以致後來相傳《喪服傳》的作者

誤，其云：「南武城者，魯南境之邑，吳越至魯之衝，即子游為宰之地也。孟子書載曾子居武城，有越寇，而曾子去。孟子曰：『曾子師也，父兄也，』則曾子非武城人明甚。」參見氏撰：《洙泗考信錄・洙泗考信餘錄卷之三》，頁 31－32。錢穆以為崔述之說不可信，其云：「武城在費縣。〈秦策〉『曾子處費，費人有與曾子同名族者。』《梁氏志疑》引《西京雜記》云：『昔魯有兩曾參，南曾參殺人，見捕，人以告北曾參母，』云云，即與〈秦策〉同述一事。梁氏據之，謂『曾子為北武城人。南武城為魯邊邑，在今費縣西南。魯之北有東武城，故云北武城也。』余意《西京雜記》乃晚出偽書，未可盡據。即謂遺聞軼事，不無採擷。南北之辨，未必非同居一城，而指其城南城北言之。何必強說以居北武城，而謂北曾參哉？〈列傳〉明云曾參南武城人，澹台滅明云武城人，並無北武城之說。《日知錄》謂『子羽曾子同一武城，〈子羽傳〉次曾子，省文。』其說甚是……《水經注》引京相璠曰：『今泰山南武城縣有澹台子羽冢，縣人也。』則子羽實南武城人。哀公八年，吳伐魯，從武城。《傳》云：『王犯嘗為之宰，澹台子羽之父好焉。』是子羽為近吳之南武城人，確有明證。故子游之所宰，曾子之所居，即子羽之邑，為近吳之武城，亦曰南武城。」參見氏撰：《先秦諸子繫年》，頁 64。今從錢穆之說。

[81] 〔西漢〕司馬遷撰：《史記》，頁 3116。

[82] 〔清〕孫詒讓撰：《墨子閒詁》（北京：中華書局，2001 年，初版），頁 428－429。

反為卜商[83]，而非長於喪禮的言偃了。又《史記・孔子世家》：

> 孔子在位聽訟，文辭有可與人共者，弗獨有也。至於為《春秋》，筆則筆，削則削，子夏之徒不能贊一辭。[84]

此與《喪服傳》的例子相類，就筆者前幾節所作的闡述，言偃與卜商當在伯仲之間，同列名文學，二子差別幾乎不大。但到了太史公作《史記》時，只言「子夏之徒不能贊一辭」，而不言「子游、子夏之徒不能贊一辭」，從此則可尋出端倪。據《史記・孔子世家》的記載：

> 魯哀公十四年春，狩大野。叔孫氏車子鉏商獲獸，以為不祥。仲尼視之，曰：「麟也。」取之……及西狩見麟，曰：「吾道窮矣！」……乃因史記作《春秋》，上至隱公，下訖哀公十四年，十二公。[85]

錢穆釋之曰：

> 孔子《春秋》絕筆於獲麟，非感於獲麟而始作《春秋》。是年四月，陳恆執齊君，置於舒州，六月而弒之。孔子年七十一，沐浴請討，魯君臣莫之應。

[83] 按：《喪服傳》不可能為卜商所作，〔清〕崔述《洙泗考信錄・洙泗考信餘錄卷之二》：「《禮・喪服篇・大傳》，先儒相傳亦以為子夏作。余按，《傳》之名言精義甚多，然亦往往有與《經》牴牾者，子夏不應如是；或子夏之徒之所為，後世傳而失其真耳。」參見氏撰：《洙泗考信錄》，頁 21。且今人陳夢家、沈文倬等亦多有論述，丁鼎則進一步說：「而《喪服傳》則當是孔子弟子子夏所承傳，就是子夏將其師從孔子學禮時所習得的有關解釋《儀禮・喪服》經、記的內容，再口授給其弟子，後由其弟子與再傳弟子『師師相傳』下去，以至於最終著於竹帛，編訂為《喪服傳》一書。需要說明的是，《喪服傳》的內容可能主要是由子夏從孔子所習得並授給其弟子，而並非子夏自己所創造。」參見氏撰：《《儀禮・喪服》考論》（北京：社會科學文獻出版社，2003 年，初版），頁 89－107。

[84] 〔西漢〕司馬遷撰：《史記》，頁 1944。

[85] 〔西漢〕司馬遷撰：《史記》，頁 1942－1943。

可證當時已無復知篡弒之為非矣。是春適有西狩獲麟之事，孔子感於此而輟簡廢業，《春秋》遂以是終。不惟孔子《春秋》不終於哀公之二十七年，即哀公十四年之夏秋冬三時，亦出後人所續，非孔子之筆。至於孔子作《春秋》究始何年，則無可考。[86]

可知《春秋》之成於哀公十四年當無誤。又《左傳》哀公十六年載：

夏四月己丑，孔丘卒。[87]

從成《春秋》到孔子去世，前後不過兩年，孔子是否仍有心力傳弟子《春秋》為一疑；若真有傳於弟子，又豈會獨傳卜商？此是二疑。筆者認為，大抵後世會有獨傳卜商的誤解乃是因其極言《春秋》。如《韓非子・外儲說右上》載：

勢不足以化則除之。師曠之對，晏子之說，皆合勢之易也。而道行之難，是與獸逐走也，未知除患，患之可除，在子夏之說《春秋》也：「善持勢者，蚤絕其姦萌。」[88]

子夏曰：「《春秋》之記臣殺君，子殺父者，以十數矣，皆非一日之積也，有漸而以至矣。凡姦者，行久而成積，積成而力多，力多而能殺，故明主蚤絕之。」[89]

但這並不表示孔子有傳或獨傳《春秋》於卜商之事，蓋引《詩》、《書》、《春秋》語本為常事，不足為證，又太史公「子夏之徒不能贊一辭」語，曹植〈曹子建

---

[86] 錢穆撰：《孔子傳》，頁 108。

[87] 〔晉〕杜預集解、〔唐〕孔穎達正義：《春秋左傳正義》，《十三經注疏》（臺北：藝文印書館，2001 年，據清嘉慶二十年江西南昌府學版影印），頁 1041。

[88] 陳奇猷撰：《韓非子集釋》，頁 711。

[89] 同前註，頁 717。

與楊德祖書〉則作：

> 昔尼父之文辭，與人通流，至於制《春秋》，游、夏之徒乃不能措一辭。過此而言不病者，吾未之見也。[90]

亦可見《春秋》當無獨傳之事。或以為筆者上舉《喪服傳》及《春秋》之例稍嫌矯枉過正，然卜商之學顯於後世的事實，亦是無可致疑的。

至於言偃、顓孫師及曾參三人的情形，筆者的看法如下：大抵顓孫師在孔門弟子中是比較特別的一位，《論語・子張》：

> 子張曰：「士見危致命，見得思義，祭思敬，喪思哀，其可已矣。」[91]

> 子張曰：「執德不弘，信道不篤，焉能為有？焉能為亡？」[92]

此氣象為群弟子中所鮮有。根據上引《論語》言偃及曾參語，皆以「未仁」評顓孫師，又「仁」向來為孔門之中心宗旨，故其未走上儒家正統而自行其道當可理解。吳龍輝更以「別族」一辭來解釋顓孫師與其他弟子的關係，他說：

> 我以別族類比子張與孔門其他弟子的關係，這並非憑空結撰的想像，而可以用墨家為旁證。《韓非子・顯學》篇在提到儒分為八的同時，還提到墨離為三。《莊子・天下》篇對此有一評述：「相里勤之弟子五侯之徒，南方之墨者苦獲……俱誦墨經，而倍譎不同，相謂別墨。」……所謂別墨者，即從墨家本宗中別族而出的旁枝偏系，與正宗嫡傳相對。墨家弟子互稱別墨，則子

---

[90] 〔梁〕蕭統編、〔唐〕李善注：《文選》（臺北：華正書局，1995 年，據胡刻宋本影印），頁 593。

[91] 〔魏〕何晏等注、〔宋〕邢昺疏：《論語注疏》，《十三經注疏》，頁 171。

[92] 同前註。

張與其他弟子的關係也應如此。[93]

別族的說法雖不見得為一定論，然筆者認為用這個概念來理解當是頗為貼切。顓孫師雖自行其道，但其門弟子亦不在少數，從《荀子・非十二子》及《韓非・顯學》皆同時提到子張氏之儒，其門之盛當可推知。

如此一來，正統之爭便只剩下言偃及曾參，《孟子・滕文公上》：

昔者孔子沒，三年之外，門人治任將歸，入揖於子貢，相嚮而哭，皆失聲，然後歸。子貢反，築室於場，獨居三年，然後歸。子夏、子張、子游以有若似聖人，欲以所事孔子事之，強曾子，曾子曰：「不可；江漢以濯之，秋陽以暴之，皜皜乎不可尚已。」[94]

曾參雖不至於反有若，然從其反應亦隱約可見其不欲以他人為正統的心態，故曰不可。筆者以為曾參之所以能較言偃為勝的理由在於：曾參認為忠、恕乃孔子之道，並以此為後來傳學的主旨所在。《論語・里仁》：

子曰：「參乎！吾道一以貫之。」曾子曰：「唯。」子出，門人問曰：「何謂也？」曾子曰：「夫子之道，忠恕而已矣。」[95]

較之以喪禮為主的言偃，曾參的氣象似是較近於先進弟子而能體會孔子之道的。徐復觀說：

他（孔子）說：「先進於禮樂，野人也。後進於禮樂，君子也。如用之，則

[93] 吳龍輝撰：《原始儒家考述》（北京：中國社會科學出版社，1996年，初版），頁112。

[94] 〔漢〕趙岐注、〔宋〕孫奭疏：《孟子注疏》，《十三經注疏》（臺北：藝文印書館，2001年，據清嘉慶二十年江西南昌府學版影印），頁98。

[95] 〔魏〕何晏等注、〔宋〕邢昺疏：《論語注疏》，《十三經注疏》，頁37。

吾從先進」。喪禮最為繁複，但孔子主張「稱家之有無」。所以子思說「吾聞之，有其禮，無其財，君子弗行也」。這即是重禮之本而不為儀所拘的一例。96

言偃後學之轉向「儀」前已有所述。且曾參至有宋一代，更得諸儒之推崇，錢穆說：

在孔子生時，曾子似無獨出於諸門人之上之證，惟孔子孫子思曾師事曾子，而孟子又師事於子思之門人，故《孟子》書人屢屢提及曾子、子思。下逮宋儒，始於孔子身後儒家中特尊孟子，又以為《大學》出於曾子，《中庸》出於子思，合《語》、《孟》、《學》、《庸》為四書，於是孔子以下，乃奉顏、曾、思、孟為四哲。97

曾子傳子思、孟子之說雖出於宋儒，然其地位之提高則屬實事，儒學發展至此，卜商尚不為人所道，又況乎言偃？

回到問題上來，筆者的推論雖不見得正確，但其背後所顯現出來的門弟子間勢力相互消長的面相，則頗值得吾人玩味。

六、從有若之心性觀其學之顯沒

有若在後進弟子當中，應是較不執意於精研禮樂者，關於其傳學的相關記載，幾乎不可見。《論語・顏淵》：

哀公問於有若曰：「年饑，用不足，如之何？」有若對曰：「盍徹乎？」曰：「二，吾猶不足，如之何其徹也？」對曰：「百姓足，君孰與不足？百

96 徐復觀撰：《中國經學史的基礎》，頁17。

97 錢穆撰：《孔子傳》，頁99。

姓不足，君孰與足？」[98]

錢穆於此則下云：

不知有子當時在魯仕何職，然方在三十時已獲面對魯君之問，較之孔子三十時情況，自見世變之亟，而儒風之日煽矣。[99]

此不但顯示出有若在政治上自有一套見解，更見其壯年風範，如此氣象在後進弟子中是少見的。故錢穆說：

其（子夏）於為學，終不免偏於文學多聞之一面。而有、曾兩子則能從孔子之學，上窺孔子之人，更近於前輩弟子中德行之一科。故孔子晚年，真能盛推孔子，以為無可企及者，子貢以下惟有、曾二子。[100]

筆者認為，有若當更在曾參之上。蓋考之有若之相關記載，亦不見有若對同門弟子間有過微辭。且言偃、卜商、顓孫師欲以所事孔子事之，必是有若有令人折服之處，而非僅以年齒為尊，「似孔子」氣象之說應當不假。且《左傳》哀公八年載：

三月，吳伐我，子洩率，故道險，從武城。初，武城人或有因於吳竟田焉，拘鄫人之漚菅者，曰：「何故使吾水滋？」及吳師至，拘者道之以伐武城，克之。王犯嘗為之宰、澹臺子羽之父好焉，國人懼。懿子謂景伯：「若之何？」對曰：「吳師來，斯與之戰，何患焉？且召之而至，又何求焉？」吳師克東陽而進，舍於五梧，明日，舍於蠶室。公賓庚、公甲叔子與戰于夷，獲叔子與析朱鉏、獻於王。王曰：「此同車，必使能，國未可望也。」明

[98] 〔魏〕何晏等注、〔宋〕邢昺疏：《論語注疏》，《十三經注疏》，頁107。

[99] 錢穆撰：《孔子傳》，頁96。

[100] 同前註，頁97。

> 日，舍于庚宗，遂次於泗上。微虎欲宵攻王舍，私屬徒七百人三踊於幕庭，卒三百人，有若與焉。及稷門之內，或謂季孫曰：「不足以害吳，而多殺國士，不如已也。」及止之。吳子聞之，一夕三遷。[101]

吾人可從這條記載當中得之，有若不僅有志於道，且亦能力行於世。蓋參與戰事，於後進弟子中既屬少有，又行夜襲之事，有若之形象可想而知。「志行合一」之見於有若，可謂是具體而微。

結合上一節所述弟子間勢力相互消長的問題，筆者認為有若之學不顯的原因之一，極可能是有若無意與其他門弟子爭孔門正統，故不見其後學有什麼明確的活動記載。另《禮記，檀弓下》記到有若死：

> 有若之喪，悼公弔焉，子游擯由左。[102]

考之《史記》，悼公卒於西元前 429 年，悼公既能參與有若之喪禮，足證有若之死不會晚於此年。又據錢穆《先秦諸子繫年》中的考訂，有若當為後進弟子中最早去世的一位無誤，其學是否因此而更形沒落，亦可備為一因。而《禮記・檀弓下》的這條記載，另一方面亦可看出有若的賢德及魯人對他的敬重。蔡仁厚云：

> 考之古籍，有子未嘗出仕為政，他很可能是終身為士的。而國君親臨弔士之喪，自然是一種榮寵。[103]

大抵來說，有若的情況是較言偃單純的。至於《論語》的編纂問題，筆者姑且作一推論，若其後學能承其修養，儘管其學不顯於世，於門弟子間當仍具有一定的份

---

[101] 〔晉〕杜預集解、〔唐〕孔穎達正義：《春秋左傳正義》，《十三經注疏》，頁 1012。
[102] 〔漢〕鄭玄注、〔唐〕孔穎達正義：《禮記正義》，《十三經注疏》，頁 166。
[103] 蔡仁厚撰：《孔門弟子志行考述》，頁 130。

量，參與《論語》的編纂應屬合理。孔子所謂「用之則行，舍之則藏」[104]，不當即是此意。

七、結語

皮錫瑞《經學歷史》開宗明義便云：

> 凡學不考其源流，莫能通古今之變；不別其得失，無以獲從入之途。[105]

筆者選擇言偃之學的傳承問題為研究方向，便是希望能勾勒出更加完整的儒學形象及經學脈絡。唯囿於文獻，筆者亦僅能在一定的範圍內作合理的推論。蓋經由筆者上述，吾人當可確定言偃之學的曾經存在，至於其學後來不顯於世的原因，或因於時代變遷；或因於門弟子間的相互推擠，筆者的推論當皆可備為一說。

徐復觀在《中國經學史的基礎》中提到：

> 經學奠定中國文化的基型，因而也成為中國文化發展的基線。中國文化的反省，應當追溯到中國經學的反省；第一步，便須有一部可資憑信的經學史。經學史應由兩部份構成。一是經學的傳承，一是經學在各不同時代中所發現所承認的意義。[106]

筆者亦希望此題的撰作，能揭開儒學傳承的更多面相，進而對吾人於先秦經學發展的研究上有一絲的助益。

---

[104] 〔魏〕何晏等注、〔宋〕邢昺疏：《論語注疏》，《十三經注疏》，頁 61。

[105] 〔清〕皮錫瑞撰：《經學歷史》（臺北：藝文印書館，1990 年，初版），頁 1。

[106] 徐復觀撰：《中國經學史的基礎》，頁 1。

經　學　研　究　論　叢
第　十　五　輯　　頁279～298
臺灣學生書局　2008 年 3 月

蘇轍作品考述

魏王妙櫻*

蘇轍自幼性格沉靜，謹重慎思；與其兄軾皆精敏好學，遍讀群書。在其父兄之薰陶下，不論於學術或文藝上，咸有極深厚之根基。而政治生涯之曲折起落，連帶影響現實生活之輾轉顛沛，使蘇轍於古籍之外，對現實、社會、生活與人生，頗多體悟。尤其在兩次貶官與晚年閑居期間，益加專心於學術，勤奮於著述。其著述之豐，舉凡經、史、子、集四部，無所不涉。而其成就之高，對於後世之學術發展，具有深邃之影響。以下乃就史志記錄及現存版本流傳情況，對其作品加以考述。

一、經部方面

蘇轍於經部方面之著作，主要有《詩集傳》、《春秋集解》、《論語拾遺》、《孟子解》等。《孟子解》一書，今雖歸於經，但《孟子》入經，則在南宋時期，與蘇轍生平所處時代不合。故今僅就《詩集傳》、《春秋集解》、《論語拾遺》，說明如後。

㈠ 《詩集傳》

此書頗多異名，如《宋史・藝文志・藝文一》著錄「蘇轍《詩解集傳》」，南宋・陳振孫《直齋書錄解題》著錄《詩解集傳》；晁公武《郡齋讀書志》著錄《蘇氏詩解》，元・馬端臨《文獻通考・經籍考》著錄《蘇子由詩解》，明・焦竑《國史經籍志》著錄《潁濱詩傳》，祁氏《澹生堂藏書目》著錄《蘇文定公詩集傳》，

* 魏王妙櫻，德霖技術學院通識中心副教授。

清代《四庫全書總目提要・經部・詩類一》著錄《詩集傳》，于敏中、彭元瑞之《天祿琳琅書目》著錄《潁濱先生詩集傳》。所以除《詩集傳》外，或稱《詩解集傳》、《蘇氏詩解》、《蘇子由詩解》、《潁濱詩傳》、《蘇文定公詩集傳》、《潁濱先生詩集傳》；現通行之書名為《潁濱先生詩集傳》，簡稱《詩集傳》。

此書之卷數，《宋史・藝文志》、南宋・陳振孫《直齋書錄解題》、晁公武《郡齋讀書志》、元・馬端臨《文獻通考・經籍考》、明・焦竑《國史經籍志》均著錄為二十卷；是知此書原為二十卷。明《澹生堂藏書目》、清《四庫全書總目》、于敏中、彭元瑞之《天祿琳琅書目》均著錄為十九卷。可見宋刻本原以二十卷行世，至明、清刊本，始由二十卷變成十九卷，後世遂以十九卷為通行本。

《詩集傳》最早刻本，為蘇轍曾孫蘇詡於南宋孝宗淳熙七年（西元 1180 年），所刻之筠州公使庫本，凡二十卷。版式為每半葉十行，行十九字；白口，左右雙邊，並在版心上鐫有本版字數，下則鐫有刻工姓名，避諱字有玄、殷、弘、桓、搆、慎等字。今藏北京國家圖書館；然因宋版罕見，故流傳不廣。今所通行之《詩集傳》，乃明代所刻之十九卷本。為明神宗萬曆二十五年（西元 1597 年），畢氏所刊刻之《兩蘇經解》本，題名為《潁濱先生詩集傳》，凡二十卷。版式為每半葉十行，行二十一字，白口，左右雙欄；今藏於臺灣國家圖書館。

根據孔凡禮《蘇轍年譜》，宋仁宗嘉祐三年（西元 1058 年），蘇轍二十歲作《詩傳》❶，而《詩傳》至蘇轍歸老潁昌時，方才定稿，前後修改刪定長達五十餘年。《詩經》乃儒家重要經典之一，自漢以來，便有齊、魯、韓三家今文學派與毛公注古文學派之爭；而後世學詩者，皆遵毛公注，其餘三家之學遂逐漸失傳，故《詩經》又稱為《毛詩》。《毛詩》之前皆有小序，相傳為子夏與毛公所作，然經後人考證，實出於東漢衛宏之手。在宋之前，解《詩》者多遵毛注；自宋代自由之學術風氣興起，使宋人解《詩》多有疑經之作，蘇轍《詩集傳》即為箇中代表。稍後之王得臣、程大昌、李樗等人，皆以其說為祖。《四庫全書總目提要》評云：「不激不隨，務持其平。」給予極高之評價。

---

❶ 孔凡禮：《蘇轍年譜》（北京：學苑出版社，2001 年 6 月），頁 19。

㈡《春秋集解》

此書亦多異名，如《宋史・藝文志・藝文一》著錄「蘇轍《春秋集傳》」，南宋・晁公武《郡齋讀書志》、陳振孫《直齋書錄解題》、元・馬端臨《文獻通考・經籍考》均著錄《潁濱春秋集傳》；尤袤《遂初堂書目》著錄《春秋蘇氏傳》。明・楊士奇《文淵閣書目》著錄《春秋蘇潁濱集解》，明代《內閣藏書目錄》載錄《春秋集傳》。清代《四庫全書總目提要・經部・春秋類一》著錄《春秋集解》。現在通行之書名為《潁濱先生春秋集解》，簡稱《春秋集解》。

此書卷數，《宋史・藝文志》、南宋・晁公武《郡齋讀書志》、陳振孫《直齋書錄解題》、元・馬端臨《文獻通考・經籍考》、明・楊士奇《文淵閣書目》及清代《四庫全書總目提要・經部・春秋類一》均著錄為十二卷。尤袤《遂初堂書目》無卷數記載，明代《內閣藏書目錄》著錄為三冊。現今通行之《春秋集解》為十二卷本。

《春秋集解》現存之最早版本，為明萬曆年間畢氏所刻之《兩蘇經解》本。此本署名為《潁濱先生春秋集解》，版式為每半頁十行，行十一字。左右雙欄，白口，單魚尾。版心上刻有書名，卷數及頁數，現藏於北京圖書館。《四庫全書》亦收有此書，今有清同治七年（西元 1868 年）王儒行刊印之《經苑叢書》本。其版式為每半葉十行，行二十字。白口，單魚尾，雙欄；版心刊有「春秋集解」及卷數字樣。

宋神宗元豐二年（西元 1079 年）七月，蘇軾被人彈劾入獄，蘇轍上表營救，亦被貶筠州。在筠州期間，蘇轍開始撰述《春秋集解》，直到宋哲宗元符二年（西元 1099 年），全書方才完稿，前後花費約有二十年之久。在這段期間內，蘇轍兩被貶謫，南北奔波，即令在旅途中卻仍勤力著述，用功甚深，自謂書成而可以無憾。宋代學者疑《春秋》，自孫明復《春秋尊王發微》一書始，主張讀《春秋》應以經為主，而不該盡信三傳之說。而後宋儒多祖其說，皆對《春秋》多抱持懷疑態度，王安石更將《春秋》詆為「斷爛朝報」，不入學官，《春秋》三傳便逐漸凋零。蘇轍對此一風氣深感痛心，為重振古學，遂作此書以矯正當時學風。在當時北宋文壇全面疑經之大勢下，具有特殊之價值。

㈢ 《論語拾遺》

《宋史・藝文志・藝文一》載錄「蘇轍《論語拾遺》」，南宋・陳振孫《直齋書錄解題》、元・馬端臨《文獻通考》、明・焦竑《國史經籍志》、清代《四庫全書總目提要・經部・四書類一》均著錄為《論語拾遺》；明・楊士奇《文淵閣書目》則載錄為《論語蘇潁濱拾遺》。

此書卷數，《宋史・藝文志》、南宋・陳振孫《直齋書錄解題》、元・馬端臨《文獻通考》、明・楊士奇《文淵閣書目》、明・焦竑《國史經籍志》、清代《四庫全書總目提要・經部・四書類一》均著錄一卷。收入蘇轍《欒城三集》卷七中，共有二十七章。明代畢氏輯刻《兩蘇經解》時，收入此書。另明代《說郛》、清代《四庫全書》、清代《指海》、《清芬堂叢書》皆收此書。現今所通行之《論語拾遺》，以《四庫全書》之一卷本流傳最廣。

蘇轍少時曾作《論語略解》，其觀點頗受其兄蘇軾重視。蘇軾謫居黃州時，撰《論語說》，內容中多採用《論語略解》之觀點。蘇轍晚年歸居潁昌後，為其孫蘇籀、蘇簡、蘇筠等人講述《論語》，將蘇軾《論語說》中不足之處加以闡釋，故成此書，稱《論語拾遺》。蘇軾《論語說》在當時有極大之影響，許多學者皆加以引述，然在明末之際已亡佚；蘇轍之《論語拾遺》內容只有二十七章，其中有駁斥蘇軾說法者，有另出己見者，亦有意見互補者。在蘇軾《論語說》亡佚之情況下，蘇轍《論語拾遺》對於了解蘇氏兄弟對《論語》一書之學術觀點，提供莫大助益。

二、史部方面

北宋崇經重史，蘇洵、蘇軾、蘇轍三人對於史學，咸有精湛獨到之見解。蘇洵被譽有「良史之才」，而蘇軾、蘇轍二兄弟亦酷好讀史。蘇轍自少時便展現對史學之特殊天賦，其在史論方面，藉史議論，十分出色。至於蘇轍史部方面之學術著述，主要有《古史》一書，今說明於後。

㈠ 《古史》

《宋史・藝文志・藝文二》著錄「蘇轍《古史》」，南宋・晁公武《郡齋讀書志》、陳振孫《直齋書錄解題》、元・馬端臨《文獻通考》、明・焦竑《國史經籍志》、清《四庫全書總目提要・史部・別史類》、陸心源《皕宋樓藏書志》、瞿鏞

《鐵琴銅劍樓藏書目錄》皆有著錄。

此書卷數，《宋史・藝文志》、南宋・晁公武《郡齋讀書志》、陳振孫《直齋書錄解題》、元・馬端臨《文獻通考》、明・焦竑《國史經籍志》、清代《四庫全書總目提要・史部・別史類》、清・陸心源《皕宋樓藏書志》、清・瞿鏞《鐵琴銅劍樓藏書目錄》皆為六十卷。自宋以來，各公、私書志在著錄此書之書名、作者、卷數上均無變動。

今能見《古史》最早刻本，為北宋紹聖二年（西元 1095 年）刊本。此本每半葉十一行，行二十二至二十五字不等，左右雙邊；避宋諱至哲宗止。前有自序，後有自跋，題「紹聖二年三月二十五蘇轍子由志」。其書現今只餘殘卷，為卷十五至二十，及卷二十三共七卷。被稱為紹聖本，現藏北京國家圖書館。

南宋時，《古史》另有數種刻本，一為紹興本，據傅增湘《藏園群書經眼錄》所記，此本以紹聖本為底本，另行刊刻。每半葉十一行，每行二十二字，注雙行同。白口，左右雙欄，版心上記字數，下記刻工姓名，中間題有篇名。宋諱避桓字而不避慎字，當是在南宋高宗紹興時刊刻。二為浙杭本，乃宋孝宗時期曾據紹興本重新刊刻《古史》六十卷。此本有兩個系統，其中之一版式為每半葉十一行，每行二十二至二十三字，小字雙行。版心以千字文為序，上記字數，下記刊工姓名，諱避至「慎」、「構」等字，此本後被上海涵芬樓所藏。另一版本則為每半葉十一行，每行十八至二十七字不等，小注雙行。白口，左右雙邊，雙魚尾。版心亦以千字文為序，上記字數，下記刊工姓名，諱避至「慎」。此外南宋末年，衢州出現以浙杭本為底本而重新刊刻之小字本《古史》六十卷。每半葉十四行，行二十四字。黑口，四周雙欄。版心上有甲乙丙丁等字以記冊數，下有刊工姓名某，宋諱則有缺有不缺。被稱為衢州小字本，今藏於湖南省圖書館中。

元時，《古史》亦有刊刻，元刻《古史》沿續宋刻，亦有大字本與小字本兩種系統，大字本每半葉十行，清・孫星衍藏。小字本每半葉十四行，行二十四字，白口，雙魚尾，清・陸心源、楊守敬有藏，楊守敬還刻入其《留真譜》中。而明代刊刻《古史》，亦有多種版本。明初依元刻小字本重新刊刻《古史》，每半葉十四行，每行二十四字，左右雙邊。今僅存五十九卷，現藏北京國家圖書館。萬曆三十九年（西元 1611 年），南京國子監依元刊大字本重新刊刻《古史》六十卷。此本共十六冊，每半葉十行，行二十字。此本被稱為萬曆南監本，今藏於中研院傅斯年圖書館。另有宋刻元明遞修本，今存有三部，皆依北宋紹聖本所刊刻，現都藏於臺灣國家圖書館。一為十六冊，每半葉十一行，每行二十一至二十四字不等，白口，雙邊，避諱至「恒」字，有蘇轍之後序。次者亦為十六冊，每半葉十一行，每行二十一至二十四字不等，卷首有蘇轍之序，卻無後序。另一為為十二冊，每半葉十一行，每行二十三字，序文有缺。

清代，《古史》有《四庫全書》本、掃葉山房刻本刊行。《四庫全書》所收之《古史》，為副都御史黃登賢家藏本抄寫而成，是以萬曆南監本為依據。此本每半葉八行，每行十七字。注雙行，黑口，四周雙欄。版心上有「古史卷數次第」，下有頁數。前有焦竑等人之序文及蘇轍自序，後有蘇轍之後序。掃葉山房刻本則是嘉慶元年（西元 1796 年），依《四庫全書》本重新刊刻。現今藏於日本京都大學人文科學研究所中。《古史》一書由於廣被重視，故各代刊刻不絕。現今通行於世者，為《四庫全書》六十卷本。

蘇轍之所以作《古史》，一方面與北宋重史學風有關，另一方面純屬其本身對史學之愛好。宋神宗元豐二年（西元 1079 年），蘇轍被貶筠州，開始撰寫《古史》，完成七本紀、十世家、七列傳後，被詔回朝廷擔任重職，遂中止其撰述，直至宋哲宗紹聖元年（西元 1094 年）外遷至筠州，方繼續執筆進行。前後撰述及刪校改定，約花費十餘年之久。蘇轍雖然贊同司馬遷《史記》有訂定史傳體例之貢獻，卻對其書之缺失深以為憾。如史料之缺乏，戰國之事，有數年而無一語記錄；如輕信異說，不加辨別，戰國時期之辯士，在著述論說之際，對於古史增減不一，司馬遷卻不加考證，有失聖賢遺意。《古史》上起伏羲、神農，下訖至秦始皇。共有七本紀、十六世家、三十七列傳。除考校《詩經》、《尚書》、《春秋》等經典外，還廣徵秦漢時期諸多文獻資料。內容豐贍，立論精闢，在宋代史學上，有極為重要之地位。

三、子部方面

蘇轍在子部方面之作品頗多，如《龍川略志》、《別志》、《策論》、《欒城遺言》、《均陽雜著》、《游仙夢記》、《道德經義》、《老子解》、《孟子解》

等。今僅就以上諸書，說明於後。

㈠ **《龍川略志》，《別志》**

《龍川略志》、《別志》二書歷來多合刻，《宋史・藝文志・藝文五》著錄「《龍川志》」，南宋・晁公武《郡齋讀書志》、陳振孫《直齋書錄解題》、元・馬端臨《文獻通考》、明・焦竑《國史經籍志》、清・《四庫全書總目提要・子部・小說家類》、清・周中孚《鄭堂讀書記》皆著錄為《龍川略志》、《別志》。宋・左圭輯刻《百川學海》時亦收入此書，題名為《蘇黃門龍川略志》，明・商濬刊刻《稗海》，題名《蘇黃門龍川別集》。今簡稱《龍川別志》。

此書卷數，《宋史・藝文志》著錄六卷，並無《略志》、《別志》之分。南宋・晁公武《郡齋讀書志》、陳振孫《直齋書錄解題》與元・馬端臨《文獻通考》均載錄《龍川略志》六卷，《別志》四卷。清《四庫全書總目提要・子部・小說家類》著錄《龍川略志》十卷，《別志》八卷。

此書在宋代便有刻本行世，據傅增湘《藏園群書題記》卷八載宋刻本為吳門顧鶴逸所藏。每半葉十一行，行二十二、三字。細黑口，左右雙欄，版心下有刻工姓名。後傅增湘曾影刊此書，收入《蜀賢遺書》十二種中。此外，宋・左圭輯刻之《百川學海》亦收此書，有明代咸淳本及弘治本，今藏臺灣國家圖書館。元時，《說郛》曾收《龍川別志》一卷。明商濬刊刻《稗海》，亦收《龍川別志》，然題名為《蘇黃門龍川別志》二卷。清有《四庫全書》本《龍川略志》十卷，並附《別志》二卷。現今所通行於世者，有民國八年（西元 1919 年）上海商務印書館涵芬樓本。

《龍川略志》、《別志》為蘇轍於宋哲宗元符二年（西元 1099 年）時，於循州龍川閒居時所作之筆記。其內容包括禮典、議事及朝臣記述；《別志》之內容，則追錄曾聽聞之前賢軼事，由蘇轍口述，其子蘇遠（一名蘇遜）記錄。

㈡ **《策論》**

《宋史・藝文志・藝文七》著錄蘇轍撰《策論》，十卷。今收入《欒城應詔集》中。

㈢ **《欒城遺言》**

《四庫全書總目提要・子部・雜家類》著錄《欒城遺言》一卷，宋蘇籀撰。此書為蘇轍所述，孫蘇籀記。蓋因蘇轍晚年自號「潁濱遺老」，故又名《潁濱遺言》。較早刊本，有宋・左圭刻之《百川學海》本，題名為《欒城先生遺言》，清有《四庫全書》本，以及伍崇曜刻《粵雅堂叢書》收此書，編於初編第八集中。

蘇籀為蘇遲之子，蘇轍之孫；蘇轍歸隱於潁昌時，蘇籀陪侍在側。蘇轍晚年除勤力著述授學外，閒暇時便與蘇籀談論一些為學心得及感想。迨蘇籀年長後，將其追記成為《欒城遺言》。內容泰半為蘇轍晚年時期之學術觀點，包括辨論文章流別、古今人事及是非得失等；論述詳晰精確，頗能見轍為文之宗旨，而精言奧義，亦多足以啟發來學。雖其中有不少蘇籀妄斷之語，然仍不失蘇轍言談之真實性。

㈣《均陽雜著》

《宋史・藝文志》著錄《均陽雜著》一卷。已佚。

㈤《游仙夢記》

此書不見載於公私藏目，僅清代《五朝小說》收錄此書，共一卷。內容記述與蘇轍生平不合，且多怪異之說，疑後人偽託。

㈥《老子解》

此書頗多異名，如《宋史・藝文志・藝文四》著錄「蘇轍《老子道德經義》」、南宋・晁公武《郡齋讀書志》、元・馬端臨《文獻通考》著錄《蘇子由注老子》，南宋・陳振孫《直齋書錄解題》著錄《老子新解》，尤袤《遂初堂書目》著錄《蘇黃門老子解》。明・焦竑《國史經籍志》著錄《道德經注》、明・祁氏《澹生堂藏書目》著錄《道德真經注》，又名《解老》。白雲霽《道藏目錄》著錄《道德真經注》。《四庫全書總目提要・子部・道家類》載錄《道德經解》。周中孚《鄭堂讀書記》著錄《老子解》。現通行之書名為《老子解》。

此書卷數，《宋史・藝文志》、南宋・晁公武《郡齋讀書志》、陳振孫《直齋書錄解題》、清《四庫全書總目提要・子部・道家類》、周中孚《鄭堂讀書記》著錄二卷；明・焦竑《國史經籍志》、祁氏《澹生堂藏書目》、白雲霽《道藏目錄》著錄四卷。現今所通行者，仍以二卷本為主。

《老子解》成書後，據推測可能有抄本流傳，朱熹曾引文駁之。南宋寧宗進士張方，曾得蘇轍手寫之《老子解》，為之刻石，立於老翁泉旁。南宋理宗寶祐三年（西元 1255 年），葛仙人王伯修校梓刊刻蘇轍《老子解》四卷，後毀於火。其孫王大中，於元世祖至元二十七年（西元 1290 年）依南宋寶祐本重新翻刻，並改題為《道德經解》。元刊本先後被羅振玉、陸心源所藏，現藏於日本，為今所知現存之最早刻本。明、清二代則有多種刻本及抄本流傳，而現今流傳較廣者，卻仍是《四庫全書》二卷本。

此書係蘇轍哲學思想之代表，宋哲宗紹聖四年（西元 1097 年），蘇轍與其兄蘇軾重逢於藤州，蘇軾表示對此書不滿，在蘇轍〈再題《老子解》〉中記述道：「……子瞻謂予：子所作《詩傳》、《春秋傳》、《古史》三書皆古人所未至，惟解《老子》差若不及。」蘇轍因而更改修訂，又再寄與蘇軾。直至蘇轍晚年，對於此書仍然不斷刪改訂補，前後花費十年時間。蘇轍之《老子解》，以佛、儒二家說法解《老子》，主張天下固無二道，如以《易》形而上之道統領孔、釋、老三家，並自成體系。在蘇轍之〈再題《老子解》〉中，曾提及蘇軾讀後之感嘆：「使戰國有此書，則無商鞅、韓非；使漢初有此書，則孔、老合一；使晉宋間有此書，則佛、老不為二。」可見蘇軾對此書評價之高。而後世研究者亦極推崇，如明・李贄在刊刻《老子解》時，跋曰：「解《老子》者眾矣，而子由為最高。」因而此書明代刊本、抄本、寫本甚多。對於後世研究老子學說者，有莫大影響。

㈦ 《孟子解》

《宋史・藝文志・藝文一》著錄「蘇轍《孟子解》」，南宋・陳振孫《直齋書錄解題》、元・馬端臨《文獻通考・經籍考》、清代《四庫全書總目提要・經部・詩類一》、清・陸心源《皕宋樓藏書志》、清・丁丙《善本》皆著錄《孟子解》。此書卷數，各公、私家目錄皆著錄為一卷。

此書收入蘇轍《欒城後集》卷六中，明代畢氏輯刻《兩蘇經解》，清代《四庫全書》亦收此書。

蘇轍年少時，曾作有《孟子解》二十四章。據蘇轍自序，此書因仕宦南北奔波，晚年定居潁昌時，偶而得之。書中兼有儒、道等各家思想，略顯駁雜；惟晚年所述，入於佛老，論述較為縝密。

四、集部方面

蘇轍之詩文著作，皆收入其《欒城集》中，依其後序，知此集係蘇轍本人親自編定。故《四庫全書總目提要》云：「蓋集為轍手定，與東坡諸集出自他人裒輯者不同，故自宋以來，原本相傳，未有妄為附益者。」《欒城集》在宋代即有刊行，且早期主要之刻本均由其後人刊印。此外，宋代亦有許多書坊刊刻蘇轍之詩文集，故現今所流傳之蘇轍作品，除《欒城集》外，亦有許多其他著作傳世。

㈠ 《眉山刻大字本蘇文定公文集》

此書凡五十卷，宋刻。王晉卿《文錄堂訪書記》卷四載：「蘇文定公文集五十卷。宋蘇轍撰。宋眉山刻大字本，存卷一至三，卷十六至十八，卷四十四。半葉九行，行十五字。白口，版心下記刻工姓名（名七單趙一、王慶、趙七、劉念、朱順、馮相、馮施、張彭二、楊祖、王邦、袁次一、王朝）宋避諱至慎字，有俞氏華園印。」❷可知為宋代刻本。

此本已無全帙，北京圖書館藏有十卷，即卷一至卷三，卷十六至十八，後集卷四至七。臺灣國家圖書館藏有兩種系統，一存二卷，即卷二十五、二十六。一存十八卷，即後集十一卷，三集五卷，應詔集十二卷。故宮博物院則藏有存卷四至六，卷十至十五，卷二十，卷二十六，卷二十七，卷三十七，卷三十八，卷四十一至四十四，後集存卷七至十三，卷十七至二十，三集存卷六至十，應詔集十二卷。

㈡ 《類編增廣潁濱先生大全文集》

此書為宋代所刻，為難得之宋本。史志向無記載，惟傅增湘《藏園群書經眼錄》卷十三記載：「《類編增廣潁濱先生大全文集》，一百三十卷，宋蘇轍撰，宋刊本。……詩文皆以類分，如紀行、述懷、雷雨、風雪、冰霜、四時、元日、上元、寒食、除夜、晝夜、古蹟、山洞，分類多不倫，必坊賈所為耳。」傅氏所見之宋本，可能已有所殘缺。日本藏有《類編增廣潁濱先生大全文集》，與傅氏所見之本，不盡相同。內閣文庫收藏，據書中最晚之鈐印，知收藏時間早於清仁宗嘉慶年間。可知此書傳入日本甚早；全書共一百三十七卷，無卷首及目錄，每半葉十五行，行二十六字，小注雙行；版式與清．李盛鐸所藏之南宋孝宗乾道年間麻沙鎮刊本完全一樣，故可認定此書係南宋時期麻沙書坊所刻之一百三十七卷本。

內容按類編排，先詩後文。詩六十卷，共分一百類，附九類。文存七十七卷，

---

❷ 王晉卿：《文錄堂訪書記》，收於《書目叢編》（臺北：廣文書局，1990 年），頁 391。

依賦、論、策、經解、書、啟、記、序引、傳、表、奏議等順序編排，各體下再分類，如「記」下細分學校、居處、祠廟；「奏議」下細分祭祀、邊事、軍兵、財用、水利、河患、災變、役法、彈劾等。

與現今通行蘇轍《欒城集》相較，《類編增廣潁濱先生大全文集》增加不少蘇轍單行本之序文，如〈龍川略志引〉、〈龍川別志引〉、〈古史序〉等。此書雖是麻沙書坊所刻，然刊刻者曾經以當時流傳之其他版本加以校勘，除可與蘇轍《欒城集》互作校勘外，亦可作補缺之用。

㈢ 《欒城集》、《欒城後集》、《欒城三集》、《應詔集》

蘇轍之詩文著作，皆收錄於《欒城集》中。全書共分三集，即《欒城集》五十卷、《欒城後集》二十四卷、《欒城三集》十卷，另有《應詔集》十二卷，共計九十六卷。今有宋刻本、明刻本及清刻本傳世。

此書異名極多，如《宋史・藝文志・藝文七》著錄「蘇轍《欒城集》八十四卷，《應詔集》十卷，《策論》十卷」，南宋・晁公武《郡齋讀書志》、陳振孫《直齋書錄解題》、清《四庫全書總目提要》、于敏中、彭元瑞《天祿琳琅書目》皆著錄同一書名。南宋・鄭樵《通志・藝文略八》則著錄《蘇黃門集》，明・焦竑《國史經籍志》著錄《黃門集》；祁氏《澹生堂藏書目》著錄《蘇文定公集》。

據四庫館臣考證，《宋史・藝文志》所載之蘇轍《欒城集》八十四卷，應為《欒城集》、《欒城後集》、《欒城三集》之總合；而《策論》應當為《應詔集》，又誤將十二卷做為十卷，且又重出其目。焦竑《國史經籍志》中所記之《蘇黃門集》，自宋以後多無著錄，疑為《欒城集》之別名。蘇轍《欒城集》，在歷代史傳記錄中，名稱雖略有不同，然作者無誤；卷數差異不大，主要在於《應詔集》之有無。可知蘇轍《欒城集》在流傳過程中，並無遺佚。其主要內容，則包括《欒城集》五十卷、《欒城後集》二十四卷、《欒城三集》十卷及《應詔集》十二卷等四個部分。

蘇轍之《欒城集》，係由蘇轍本人親自編定。最早行世之刻本，皆蘇轍後人，故保存當時原貌。今現存最早之宋刻本，為蘇轍曾孫蘇詡，於南宋孝宗淳熙六年（西元 1179 年）刊刻。此次刊刻乃是有鑒於當時所流傳之《欒城集》謬誤及缺失甚多，故重新整理家藏舊本之《欒城集》，重新刊刻而成。參與此次整理工作者，尚有當時筠州州學教授鄧光。此次重印，只有《欒城集》、《欒城後集》及《欒城第三集》，凡八十四卷；《應詔集》並未刊行。此本流傳至清代，曾被瞿鏞收藏，然已是殘本。《鐵琴銅劍樓藏書目錄》卷二十云：「《欒城集》二十一卷。宋蘇轍原書九十六卷，此存前集三十三至三十七，又三十九、四十、四十二。後集卷九至廿一，卷中篇次與明刻略異，猶存手自編定之真。每半葉十一行，行十八字。佶字闕筆，而敦字不缺，當為光宗前刻本。」❸由此可知其書原貌；今故宮博物院內，仍藏有部分殘卷。除淳熙本外，另有開禧本，乃蘇詡之子，蘇轍四世孫蘇森刊行。蘇森見其父蘇詡所刻之淳熙本《欒城集》，因代久年湮，字跡漫滅不可讀。故於南宋寧宗開禧三年（西元 1207 年）以淳熙本《欒城集》為底本，重新刊刻。

明代公、私家刻書發達，故蘇轍《欒城集》亦出現不少刊本。明東吳王執禮所刊刻清夢軒刊本，係據宋開禧本而來。瞿鏞曾收有此書，《鐵琴銅劍樓藏書目錄》卷二十記載：「《欒城集》五十卷，《後集》二十四卷，《三集》十卷，《應詔集》十二卷。此書前列本傳、諡議二篇，明人所增。目錄後有清夢軒藏版五字，有鄧光跋及曾孫詡四世孫森跋」。❹丁丙《善本書室藏書志》卷二十七載：「《欒城集》五十卷，後集二十四卷，三集十卷，應詔集十二卷，明刊本。宋西蜀蘇轍子由著。明東吳王執禮子敬，顧天叔同校。……卷數俱與晁、陳兩目合。此則王、顧兩氏同校，清夢軒藏版，首列本傳、諡議。舊有宋淳熙時鄧光、及其曾孫詡，開禧時，四世孫森跋語三則，此已闕。有不少布衣蠃飯高懷不賞鶴間花靜短李澍仙諸印。」❺葉啟勳《拾經樓紬書錄》卷下載：「《欒城集》五十卷，《後集》二十四卷，《三集》十卷，《應詔集》十二卷，右宋蘇文定公欒城全集，四種，都九十六卷。明清夢軒刊本。每半葉十行，每行廿字，每葉板心下間郭秀刻、楚黃湯世仁鐫等字，及字數。諡議首板心下有常郡施行奇書五字，目錄後有清夢軒藏版五字。或

❸ 瞿鏞編纂，瞿果行標點，瞿鳳起覆校：《鐵琴銅劍樓藏書目錄》（上海：上海古籍出版社，2000 年 9 月），頁 552－553。

❹ 瞿鏞編纂，瞿果行標點，瞿鳳起覆校：《鐵琴銅劍樓藏書目錄》（上海：上海古籍出版社，2000 年 9 月），頁 553。

❺ 丁丙：《善本書室藏書志》，收於《書目叢編》（臺北：廣文書局，1968 年），頁 1292－1293。

卷尾有清夢軒三字。」❻今藏臺灣國家圖書館。

另有銅活字本，為明嘉靖年間蜀藩朱讓栩刊印，藏書目錄記載此書版式為每半葉九行，行二十字。再加上校刊精審，版式精雅，頗得藏書家喜愛。楊紹和《楹書隅錄》卷五載：「銅活字本《欒城集》五十卷，《欒城後集》二十四卷，《三集》十卷，《應詔集》十二卷。二十冊，二函。五研樓珍藏善本。此五研樓校明銅活字本《欒城集》，首尾完善。」❼繆荃孫《藝風堂藏書記》卷六載：「《欒城集》五十卷，《欒城後集》二十四卷，《三集》十卷，《應詔集》十二卷。明嘉靖辛丑蜀府活字本。前有劉大模、王珩兩序，後有崔廷槐序。」❽而莫伯驥《五十萬卷樓藏書跋文》卷十六載：「《欒城集》五十卷，《欒城後集》二十四卷，《三集》十卷。（明嘉靖蜀藩活字本），宋蘇轍撰。……此本為明嘉靖辛丑時蜀王刊行，有例七則。首錄諡議，三集後有宋淳熙時鄧光、及其曾孫詡，開禧時四世孫森跋語。前有劉大謨、王珩兩序，後有□廷槐跋。」❾今藏臺灣國家圖書館。論版刻先後，以清夢軒本為最早；若論其文字校勘，則以活字本為善。

清代《四庫全書》中所收之《欒城集》，乃據內府藏本而來。內容為《欒城集》五十卷，《欒城後集》二十四卷 ，《三集》十卷，《應詔集》十二卷。此本原藏於臺灣故宮博物院，現藏臺灣國家圖書館。而在清道光十二年（西元 1832 年），眉州三蘇祠曾刊刻《欒城集》；係據明清夢軒本翻印，惟卷次、文字略有出入。

民國以後，《欒城集》陸續有所刊行，然皆根據前人版本刊印而成。《四部叢刊》收《欒城集》五十卷，《欒城後集》二十四卷，《三集》十卷，乃上海商務印書館翻印涵芬樓所藏之明銅活字本；《應詔集》十二卷，乃據宋鈔本影印。《四部備要》亦收入此書，乃據明銅活字本重新排印。

可見《欒城集》雖經蘇轍手定，然於宋代當時，即有許多刻本流傳。其三世孫

---

❻ 葉啟勳：《拾經樓紬書錄》，收於《書目叢編》（臺北：廣文書局，1968 年），頁 263。

❼ 楊紹和：《楹書隅錄》，收於《書目叢編》（臺北：廣文書局，1968 年），頁 641－642。

❽ 繆荃孫：《藝風堂藏書記》，收於《書目叢編》（臺北：廣文書局，1968 年），頁 220。

❾ 莫伯驥：《五十萬卷樓藏書跋文》，收於《書目叢編》（臺北：廣文書局，1968 年），頁 1988。

蘇詡曾云：「太師文定欒城公集，刊於時者如建安本，頗多缺謬，其在厤沙者尤甚，蜀本舛亦不少，是以覽者疾之。」❿明・清夢軒刻本為現今所存刊刻最古之本，銅活字本則校勘精善，被藏書家所珍。清代以後所刊刻之《欒城集》，皆據此二刻本而來。而各本之差異，在有無《應詔集》及章疏有無刪削。是知現今所見，泰半由明・清夢軒刻本系統所流傳。

《欒城集》係經由蘇轍手定，其編纂時間，應為宋哲宗元祐六年（西元 1091 年）；蓋《欒城集》中所收入時間最晚之作品，為宋哲宗元祐六年（西元 1091 年）二月所撰之〈謝除尚書右丞表〉二首及〈生日謝通〉二首，故知《欒城集》編定時間約為宋哲宗元祐六年（西元 1091 年）二月。而《欒城後集》之編纂時間為宋徽宗崇寧五年（西元 1106 年）；蓋《欒城後集》中所收入時間最早之作品，為宋哲宗元祐六年（西元 1091 年）六月所撰之〈兄除翰林承旨乞外劄子〉，最晚之作品，為宋徽宗崇寧五年（西元 1106 年）九月所撰之〈潁濱遺老傳〉，故可知《欒城後集》之編定時間約為宋徽宗崇寧五年（西元 1106 年）九月。至於《欒城三集》之編纂時間，大致在宋徽宗政和元年（西元 1111 年）；然因此集同時收入宋徽宗政和二年（西元 1112 年）時之作品，致其中所收入之作品，起自宋徽宗崇寧五年（西元 1106）十月，至宋徽宗政和二年（西元 1112 年）九月。故可推斷《欒城三集》在編定後，蘇轍尚有增添，其編定時間約為宋徽宗政和二年（西元 1112 年）九、十月間。由上可知，《欒城集》編纂在先，其次為《欒城後集》，最後為《欒城三集》。

自民初《四部備要》將《欒城集》重新排印刊行之後，已成為今人常用之本。而近年來現代學者在為數龐大之宋元典籍內，亦發現許多蘇轍之佚文，對於蘇轍生平及其文學之體式內容，多所發現。西元一九八三年，大陸學者曾棗莊、馬德富二人，以明・清夢軒本為底本，輔之以其他各本，加以校點，由上海古籍出版社出版蘇轍《欒城集》上、中、下三冊，筆者竊謂此乃目前最佳之點校本；而此本尚從《東坡集》、《東坡樂府》、《擻芳大全》、《永樂大典》等書輯得蘇轍佚詩、佚詞、佚文共三十七篇，附於集後，較《四部叢刊》本多七十四篇詩文。西元一九九

❿ 蘇詡：〈《欒城集》跋語〉。

〇年，大陸學者陳宏天、高秀芳二人亦以明・清夢軒本為底本加以點校，由北京中華書局出版《蘇轍集》凡四冊，書後附《蘇轍佚著輯考》，係北京中華書局劉尚榮先生輯佚，使蘇轍作品之搜集工作更加完備。

五、三蘇文集合刻本

除蘇轍個人文集外，尚有與蘇洵、蘇軾等合刻傳世。

(一) 《三蘇先生文粹》

《四庫全書總目・集部・總集類存目三》著錄「《三蘇文粹》」，清・瞿鏞《鐵琴銅劍樓藏書目錄》、王進卿《文祿堂訪書記》皆有著錄。知此書原名為《三蘇先生文粹》，簡稱為《三蘇文粹》。

此書卷數，《四庫全書總目》著錄七十卷，清・瞿鏞《鐵琴銅劍樓藏書目錄》、王進卿《文祿堂訪書記》亦著錄七十卷。最早刊本，據王進卿《文祿堂訪書記》所載，宋有婺州刻本。⓫

書中共收有蘇洵文十一卷，蘇軾文三十二卷，蘇轍文二十七卷。所收之文大多為議論文章，係當時書坊刊刻以供舉子場屋考試之用。每半葉九行，行二十六字。「敬」、「殷」、「匡」、「恒」、「貞」、「徵」、「讓」、「樹」、「桓」、「構」、「慎」字皆闕筆，而「惇」字不闕，蓋南宋光宗時刻本也。此書現有宋代蜀大字本，今藏北京圖書館、日本國會圖書館支部靜嘉堂文庫。

(二) 《謹依眉陽正本大宋真儒三賢文宗》

宋刊本，不著撰輯者名。內容包括蘇洵作品《老泉先生集》三卷，蘇軾作品《東坡先生集》九卷，蘇轍作品《潁濱先生集》八卷。書藏北京大學圖書館。

(三) 《新刊許海嶽精選三蘇文粹》

明許國編，四卷。明世宗嘉靖四十四年（西元 1565 年）金陵書坊戴尚賢刊本，現藏臺灣國家圖書館。

(四) 《大宋眉山蘇氏家傳心學文集大全》

明・李良師編，明武宗正德十二年（西元 1517 年）慎獨齋刊本。

⓫ 王進卿《文祿堂訪書記》卷五：「三蘇先生文粹七十卷，宋婺州刻本。」

㈤ **《三蘇文鈔》**

明・茅坤編，凡五十八卷，明萬曆天啟間茅一桂校刊本，今藏臺灣國家圖書館。

㈥ **《合刻三蘇先生文》**

明・張煥如編，凡六十卷，明末刊本，今藏臺灣國家圖書館中。

㈦ **《合刻三蘇先生文》**

編者不詳，凡八十二卷，清刊本。

㈧ **《三蘇全集》**

此為氏族叢書，清宣宗道光十二年（西元 1832 年）楊光泗重編之中州弓翊校刊本。內容包含蘇洵《嘉祐集》二十卷；蘇軾《東坡全集》八十四卷，附王宗稷《東坡年譜》一卷；蘇轍《欒城集》四十八卷，《後集》二十四卷，《三集》十卷，《應詔集》十二卷；另有蘇過《斜川集》六卷。全書凡二百五卷，流傳較廣。

㈨ **《三蘇文集》**

清・邵希雍輯，清宣統元年（西元 1909 年）上海會文學社石印本。內容包括蘇洵《嘉祐集》十六卷；蘇軾《東坡文集》八卷；蘇轍《欒城文集》二十卷。

㈩ **《蘇雋》**

明・王世元編，凡五卷，明萬曆四十一年（西元 1613 年）三吳王氏刊本。

⑾ **《三蘇文範》**

《三蘇文範》，十八卷。舊題明楊慎編選，明天啟刊本。其中包括蘇轍文二卷，今藏北京圖書館。

⑿ **《三蘇文匯》**

《三蘇文匯》，八卷；今中國人民大學圖書館藏有此書。此外，臺灣國家圖書館藏《潁濱文匯》十卷，係明末刊本。

除上述諸書外，在史志中，仍有記錄三蘇著述合刊本，如《宋史・藝文志・藝文二》卷二〇三載：「《三蘇言行》五卷。」《宋史・藝文志・藝文八》卷二〇九載：「《三蘇文類》六十八卷，不知名。」「《三蘇翰墨》一卷，蘇軾等書。」而《宋史藝文志補》載：「呂祖謙《三蘇文選》五十九卷。」「蘇文學《三蘇文選》十二卷。」皆溫陵金虞稷、上元倪璨合編。《四庫全書總目・集部總集類・存目四》卷一九四載：「《三蘇談》十卷，兵部侍郎紀昀家藏本。國朝高阜撰。阜字康生，號蘿棲，祥符人。所錄凡蘇洵文二卷，蘇軾文六卷，蘇轍文二卷。每篇為之反覆詳論，故名曰《三蘇談》。其言瀾翻不竭，亦足以自暢其說，然必謂三蘇本旨如是，則不盡然也。」是知三蘇文集之合刻本，為數甚夥，對研究蘇轍作品者而言，絕不可等閒視之。

除合刊本外，三蘇文章亦散逸於眾多史籍中。如《蘇轍文粹》，收入《新刊國朝二百家明賢文粹》中；《蘇文定公文鈔》二十卷，收入明・茅坤所選之《唐宋八大家文鈔》。《欒城先生集錄》六卷，收入清・儲欣選編之《唐宋十大家全集錄》內；《小蘇文選》一卷，收入清・陳兆倉所選之《陳太僕批選八大家文抄》中；《蘇轍文醇》三卷，收入由清高宗弘曆所定之《御選唐宋文醇》中。此外，尚有《蘇潁濱文選》，收入清・孫琮輯之《山曉閣文選十五種》中；蘇轍之文三十六篇，收入《宋代蜀文輯存》中。

民國羅振常輯《經進三蘇文集事略》，上海蟫隱廬刊本，此書係將南宋・郎曄所注之《經進三蘇文集事略》加以輯佚考述。內容包含三部分：一為蘇洵《老泉先生文集》十二卷，宋・郎曄注，附《考異》一卷，羅振常撰。二為蘇軾《東坡文集事略》六十卷，宋・郎曄注，附《考異》四卷，羅振常撰。三為蘇轍《欒城文集事略》一卷，宋・郎曄注，附《考異》一卷，羅振常撰。此書亦足資參考。

六、輯佚部分

蘇轍作品雖經蘇轍編定，收入《欒城集》中。然仍有不少佳作分散在宋元以降之文獻中。經前人努力，自卷帙繁盛之書海裏，輯出許多佚失作品，有助後人瞭解蘇轍作品之全貌。近幾年來，大陸學者欒貴明、唐圭璋、劉尚榮、孔凡禮等人，在此一方面呈現較大之輯佚成果；而陳宏天、高秀芳所點校出版之《蘇轍集》第四集後，附有劉尚榮先生之《蘇轍佚著輯考》，共輯得蘇轍之佚詩十九首，另外尚有佚文數十篇，今依其體類，考述如下：

㈠ 奏議類

奏議類共輯出二十三篇佚文，分別是〈繳駁青苗法疏〉、〈劾中書諸臣狀〉、〈劾韓忠彥傅堯俞劄子〉、〈劾許將劄子〉、〈又劾許將劄子〉、〈劾許將第三劄子〉、〈劾許將第四劄子〉、〈劾許將第五劄子〉、〈劾上官均劄子〉、〈再劾上官均劄子〉、〈劾上官均第三劄子〉、〈論杜常邪諂無恥劄子〉、〈論王子韶邪佞宜斥劄子〉、〈再論王子韶劄子〉、〈論韓氏族戚因緣僥冒劄子〉、〈論高士敦向宗良劄子〉、〈論范純禮事中書省不應獨進熟狀劄子〉、〈劾朱光庭劄子〉、〈論中書舍人豐稷不宜掌誥劄子〉、〈辨趙君錫等彈奏蘇軾劄子〉、〈辨兄軾竹西寺題詩劄子〉、〈因董敦逸章疏乞早賜施行劄子〉、〈辨董敦逸所言劄子〉。

㈡ **祝文類**

祝文類只有一篇作品，即〈景靈宮修水渠祝文〉。

㈢ **敘引類**

敘引類只有一篇作品，即〈子瞻和陶淵明詩集引〉。

㈣ **記類**

記類只有一篇作品，即〈大悲圜通閣記〉。

㈤ **銘敘類**

銘敘類只有一篇，即〈君子泉銘并敘〉。

㈥ **題跋類**

題跋類共有八篇作品，即〈題陳亞之詩帖〉、〈題唐懷素自敘帖〉、〈書潘閬石井絕句後〉、〈觀蘭亭真跡題名〉、〈大慈極樂院題名〉、〈書五代王齊翰勘書圖後〉、〈與表姪程君觀子瞻遺墨題後〉、〈書黃魯直詩後〉。

㈦ **尺牘類**

尺牘類共有二十一篇作品，即〈與王定國書〉九篇、〈與參寥大師書〉、〈與辨才大師書〉、〈與劉原之大夫〉二篇、〈與秦秘校〉二篇、〈與友人書書〉、〈與某提刑書〉、〈與王文玉書〉四篇。

除佚文外，近人亦輯出有題無文者六篇，分別為〈謝秋試官啟〉，係蘇轍於北宋仁宗嘉祐元年（西元 1056 年）科考及第後所作；〈南行後集引〉，係蘇氏父子於北宋嘉祐五年（西元 1060 年）從江陵到京師，沿途所作詩賦七十餘篇，編入《南行後集》，蘇轍為之序。〈謝制科啟〉，係蘇轍於北宋仁宗嘉祐六年（西元 1061 年）作；〈題上清宮辭後〉，係蘇轍於北宋仁宗嘉祐八年（西元 1063 年）作〈上清宮辭〉，北宋英宗治平元年（西元 1064 年）復題辭於後。〈跋巢谷傳〉，係蘇轍作於宋徽宗崇寧二年（西元 1103 年）；〈題蔡幾先海外所集文後〉，係蘇轍作於宋徽宗政和二年（西元 1112 年）。

蘇轍性情沉靜，謹而慎言，與其兄蘇軾之隨心所欲、自由無羈大相逕庭。然思慮深刻，精敏周密，凡所著作皆有獨到見解。自以上考述視之，蘇轍無論在經、史、子、集各方面，皆有重要代表作品，在宋代學術史上，佔有重要地位。後人在論及巴蜀學術時，亦將蘇轍視為代表學者之一。在文學上，其作品種類豐富，不論是章法結構或思想內容，皆有勝人之處，故被推崇為「唐宋八大家」之一。

經學研究論叢
第十五輯　頁299～314
臺灣學生書局　2008年3月

我蒐集李源澄著作之經過

林慶彰*

一、前言

李源澄是什麼人？問過許多學界的前輩，能作比較詳細回答者實在不多。筆者知道李源澄的名字，是在一九八七年編輯《經學研究論著目錄（1912－1987）》時，該目錄收了李氏的經學著作的條目有二十條。由於李氏的專著市面上根本不見流傳，單篇論文所刊載的期刊又相當冷僻，所以也就沒有特別把李源澄放在心上。

二〇〇六年七月二十八日與文哲所經學組同仁、國內各大學經學研究者一起赴四川成都作「晚清經學家遺跡考察」，二十九日起與四川大學古籍研究所合辦「晚清蜀學座談會」，會中蒙文通教授哲嗣蒙默教授除談到父親蒙文通先生外，也以相當多的時間談李源澄，讓筆者回憶起近二十年前對李源澄的浮面印象。心想，應該要把李源澄的著作找來看看，如果夠份量，可以幫他編文集或著作集，除表彰李氏對學術的貢獻外，也為二〇〇七年一月起開始執行的「民國以來經學研究計畫」暖身。

八月八日從四川南充參加完「第七屆詩經國際學術研討會」，回到臺灣，即開始蒐集李源澄的著作，至十一月底告一段落。將近四個月的時間，幾乎時時把李源澄放在心頭上，眼看所收集的著作條目一天比一天多，內心有無限的喜悅。為了核對方便，我將手頭已有的資料先編成簡單的〈李源澄著作目錄〉，一面增補一面利

* 林慶彰，中央研究院中國文哲研究所研究員。

用《全國中文期刊聯合目錄（1833－1949）》（北京：北京圖書館，1961 年），查出大陸哪個圖書館有收藏，再請大陸友人協助查尋，過程之艱辛，在個人從事經學研究三十年的歷程中，可說相當罕見。蒐集李氏著作的過程，很可以在大學中文系「治學方法」的課程裏作為範例，所以，把整個蒐集資料的經過寫出來，供有心人士參考。另外，也有感謝臺灣和大陸友人義務協助提供資料的意義在內。

二、在臺灣檢索李氏著作

像李源澄這種幾乎被遺忘的學者，要了解他，就要先為他編一份比較完整的著作目錄。根據以前幾次編《經學研究論著目錄》累積的經驗，先選下列數種較重要的目錄來檢索：

1.經學研究論著目錄（1912－1987）檢得二十條。
2.中國史學論文引得續編（余秉權編），檢得三十五條。
3.中國史學論文索引（第一編，1900－1937），檢得二十四條。
4.中國史學論文索引（第二編，1938－1949），檢得三十九條。
5.中國哲學史論文索引（方克立主編），檢得四十七條。
6.東洋學文獻類目（1934－1958），檢得九條。
7.魏晉玄學研究論著目錄（林麗真主編），檢得七條。
8.民國時期總書目（哲學）檢得李氏專著一種。

從這些目錄所檢得的條目，大概有專著三種，論文六十多篇。將所檢得的這些條目，先按專著、論文分兩大類，論文又分經學、哲學思想、政治法律、經濟、社會、文學等排列。文末設附錄，收報刊中有關李源澄的報導和傳記資料、書評等。往後資料的蒐集工作得袁明嶸、黃智明學弟協助甚多。茲敘述如下：

㈠《東南日報》文史專刊中的李氏著作

從大陸回來後，我跟明嶸閒談時，都會提到李源澄。八月的某一天明嶸在查詢林履信資料時，由於《臺北市志》中林履信傳曾提到林氏的禮學論文都發表在《東南學報》中，但一直沒找到《東南學報》。明嶸心想，會不會是《東南日報》的筆誤，所以就開始到近代史研究所借《東南日報》的微捲來查閱。明嶸發現《東南日報》中有〈文史〉專刊，刊登不少著名學者的文章。他先影印數份問我知不知《東南日報》有〈文史〉專刊？有沒有學術價值？我從他手中接過來一看，竟有數則提到李源澄。我喜出望外，請明嶸把〈文史〉專刊全部印回來。至九月底全部印完，計刊載李源澄之論文十一篇，〈文史消息〉中與李源澄有關者有六則。茲將這十一篇論文條目抄錄如下：

1.易象初義

東南日報　第7版　文史　第80期　1948年3月3日

2.孟荀言性釋義

東南日報　第7版　文史　第65期　1947年11月12日

3.申孟子難告子義

東南日報　第7版　文史　第55期　1947年9月2日

4.論管子中之法家思想

東南日報　第7版　文史　第70期　1947年12月17日

5.釋清談與名理

東南日報　第7版　文史　第84期　1948年3月31日

6.葛洪論老子與神仙

東南日報　第7版　文史　第48期　1947年7月2日

7.晉元帝與庾亮

東南日報　第7版　文史　第86期　1948年4月14日

8.張蘿谷先生學術思想之特色

東南日報　第6版　文史　第6期　1946年8月8日

9.北史上之蜀

東南日報　第7版　文史　第112期　1948年11月8日

10.兩晉南朝租調制度史實疏證

東南日報　第7版　文史　第52期　1947年8月6日

11.租布考

東南日報　第14版　文史　第46期　1947年6月16日

這真是珍貴難得的資料，如果沒有明嶸的意外發現，這十多篇將很難收入這篇目錄中。

二〇〇六年十月二十八日明嶸又提供《學術世界》第一卷十期（1936 年 4 月）中「世界學者介紹」中的李源澄小傳。該小傳內容如下：

> 李源澄先生，四川犍為人。年二十七歲。畢業於四川大學文學院，其時教授有蒙文通、龔道耕、劉咸炘、伍非百、向楚、龐俊等名宿，復從廖季平先生問經學。出川以後，從邵次公先生於河南，復入南京歐陽竟無先生主辦之支那內學院。近又從章太炎先生遊。嘗治六藝、諸子、陰陽五行、宋明理學，現治典制。著書計二百萬言，以《公羊》、《穀梁》、《禮記》三書之注為著云。

二〇〇六年十月五日明嶸從「浙江大學高等學校中英文圖書數字化國際合作交流計畫」下載了李氏的《諸子概論》、《李源澄學術論著初編》兩種。二〇〇六年十一月九日又提供李氏論文兩篇，篇目是：

1.漢代賦役考

浙江大學文學院集刊　第 1 期　頁 25－36　1941 年 6 月

2.與陳獨秀論孔子與中國

國是公論　第 35 期　1940 年 5 月 1 日

至此，我在臺灣蒐集李氏著作的工作大抵告一段落。

㈡ 李氏《經學通論》的典藏地

我們從各種書目中得知李氏有《經學通論》（成都：路明書店，1944 年 4 月）一書，但是查詢《民國時期總書目》（哲學）並沒有著錄。該《總書目》是跟據北京圖書館（已改名中國國家圖書館）、上海圖書館、重慶圖書館三所圖書館的藏書編輯而成。可見，這三所藏書最多的圖書館都沒有收藏李氏的這本書。大陸大部分圖書館雖有收藏民國時期的著作，但大多未建檔，從各個學校的網站根本找不到。從二〇〇六年九月起，每天多在苦思如何找到這本《經學通論》。十月七日，黃智明學棣來我家書房討論執行臺灣民主基金會支持的研究計畫「臺灣民族思想之發展：日治時期臺灣文學和政治運動相關文獻之彙整與分析」時，他順手從書架上取下《易廬易學書目》（濟南：齊魯書社，1999 年 12 月），隨意翻閱數頁，竟然發現該書目收錄了李氏的《經學通論》，只是作者誤作「李澄源」。

盧松安（1898－1978）先生是北京文史研究館館員。一九七七年春，他將畢生所收藏的易類圖書一千零六十四部，贈送給山東省圖書館。盧先生生前編有表格式的解題目錄，在盧先生百年誕辰和山東圖書館建館九十周年時，山東圖書館將盧先生所編的書目《易廬易學書目》，整理出版。沒想到盧先生竟藏有李氏的《經學通論》。如能得到山東方面朋友的協助，應可順利得到此書。

三、大陸學者的協助

我將作成的《李源澄著作目錄》，利用《全國中文期刊聯合目錄》，查出刊載李氏論文之雜誌所在的圖書館。由於典藏各該雜誌的圖書館很多，只能選最合適的圖書館。所謂最合適的圖書館是指典藏該雜誌較齊全（缺期較少），且有熟識朋友可協助複製或拍照的圖書館。經過近兩週的處理過程，我把可能得到協助的圖書館列了出來，並寫信請朋友協助，陸陸續續得到回音，有的用數位相機拍照，再用電子郵件傳送。透過中研院文哲所經學研究室的電子信箱，由研究助理廖秋滿小姐收件，再轉給我；用郵件寄送的，有的直接寄給我，有的寄到經學研究室再轉給我。茲將大陸友人協助蒐集李氏著作的過程敘述如下：

㈠ 張宏生教授

張教授為南京大學中文系教授，一九九一年和張高評兄拜訪南大，宏生兄和莫礪峰兄花很多時間陪我們，至今仍感念不已。刊載李源澄學術論文的期刊，南京大學圖書館可找到十多篇，由於和宏生兄是老朋友，二〇〇六年九月二十二日就用電子郵件直接告知我需要影印李源澄的文章十多篇，篇目是：

1.論春秋戰國之轉變

理想與文化　第1期　頁31－36　1942年2月

2.論中庸中正中和及易傳中庸之成書

理想與文化　第7期　頁25－27　1944年1月

3.尊孔論

新亞細亞月刊　第10卷2期　頁95－98　1935年8月

4.霍光輔政與霍氏族珠考實

文史雜誌　第2卷9、10期合刊　頁71－75　1943年10月

5.漢末魏晉政治思想之轉變

真理雜誌　第1卷3期　頁321－326　1944年6月

6.西漢思想之發展

圖書集刊　第2期　頁53－79　1942年6月

7.周末養士與周末學術

學思　第2卷11期　頁9－15　1942年11月

8.兩漢賓客盛衰考

學思　第3卷3期　頁10－13　1943年2月

9.東晉南朝之學風

史學季刊　第1卷2期　頁44－48　1941年3月

10.墨學新論

新中華　復刊4卷15期　頁34－46　1946年8月

11.論宗法政治

新中華　後刊5卷1期　頁66－67　1947年1月

12.六朝之奢風

理想與文化　第5期

計有十二篇之多。同年十月十日南京大學訪問團來訪，宏生兄託鞏本棟先生帶來了影印件，真是喜出望外。第十二篇〈六朝之奢風〉未見文章，其他各篇都有。且宏生兄又為我多印了〈論經學之範圍性質及活經之途徑〉，還是我所編〈李源澄著作目錄〉未收的。可惜，沒註明出於《理想與文化》的第幾期，在答謝函中，請求張先生補查。

㈡ 橋本秀美教授

橋本教授是日本福島縣人，東京大學文學碩士，北京大學中文系博士。中文名有陳沂、陳秀琳、喬秀岩等。許政雄學弟在東京大學留學時，和橋本先生是同學。一九九一年許政雄學弟在中央研究院中國文哲研究所擔任研究助理，當時我正在編輯《日本研究經學論著目錄》，邀許政雄學弟一起到東京大學補抄資料時，請橋本先生協助檢索期刊論文。《目錄》將完成時，又協助部分條目之分類。後來橋本先

生到北京大學就讀博士班，受教於禮學家王文錦先生。畢業後，回母校東京大學東洋文化研究所擔任助教授。一九九四年應北京大學之聘，擔任歷史系副教授。

由於過去十多年間，橋本先生一直把我當老師看待，不論在東京或在北京，都協助檢索不少學術資料。二〇〇六年九月二十二日，我發函請橋本查尋張壽林、查猛濟、李源澄之部分論文。與李源澄相關的有下列數條：

1.論宋初免除僭偽諸國無名諸稅諸詔

文學集刊　第1集　1943年

2.先秦諸子是非之準則及對歷史文獻之態變

同上

3.論經學書三通

學術世界　第1卷2期　1935年7月

4.與陳柱尊教授論公軍學書

學術世界　第1卷11期　1936年5月

九月二十四日，橋本先生即回信說隔日去圖書館。二十六日橋本又來信，有兩篇北京大學圖書館未收藏該刊物，其餘皆可找到，如何傳送，請指示。因不能郵寄光碟，橋本先生以打印稿寄來。十月十七日，我又發函請求尋找下列六篇：

1.章太炎先生學術述要

中心評論　第7期　1936年4月

2.孟子通釋

理想歷史文化　第1期　頁52－55　1948年3月

3.儒家德名釋義

論學　第2期　1937年2月

4.申呂

論學　第4期　1937年4月

5.亭林學術論

論學　第5期　1937年5月

6.春秋修辭學（崩卒葬篇）

論學　第6、7期　1937年6月

十月底收到橋本先生寄來的郵包，上列各文都已收到，又印了數篇信中未提及的。

十一月二日，發了一函給橋本先生，告訴他〈李源澄著作目錄〉已寄給他。其中目錄項不全，或文章尚未印到的，希望能代為補齊，《論學》中的有關的廣告頁，也希望能拍下來。因心中有所感，乃訴說百年來作為他國殖民地的無奈。信中說：

> 臺灣受日本統治，禁止漢文書進口，民國時期的書刊，除了史語所有一點外，其他圖書館一本都沒有，要研究民國時期的經學，比乞丐乞討還困難，這是長期受殖民統治的人的悲哀。日本戰敗，國民黨接手，又查禁一切中共的出版品，將來要研究新中國時期的經學，仍舊要像乞討。我常跟學生說，在國民黨統治下，有點像養豬，豬因為沒事可作，所以沒有煩惱，我們就因為多作事，所以困擾也特別多。

十二月六日，又去函請求補充〈六朝之奢風〉、〈子申不害之法家京〉的出版項。

每次，橋本先生很快就回信，且每次寄來的資料，一定比我要他找的多出幾篇。

㈢ 楊世文教授

四川大學古籍研究所教授。二〇〇六年我們要執行「晚清四川學者的經學研究」請四川大學古籍所所長舒大剛先生推薦人選。舒先生推薦了楊世文教授。這是我們第一次聽到的名字，二〇〇六年七月與同仁一起到四川考察經學家，世文兄每天不辭勞苦陪我們踏尋學者的墳墓和其他遺跡，可謂盡心盡力，令人感動。

由於研討會是安排在二〇〇六年十一月底，在世文兄來臺之前，可以託他查尋一些李源澄的文章。十月十九日我就致函世文兄，希望能在四川大學圖書館影印四篇文章，篇目是：

1.先秦諸子是非之準則及對歷史文獻之態度

文學集刊　第 1 集　頁 1－22　1943 年

2.論宋初免除僭偽諸國無名雜稅

文學集刊　第 1 集　頁 1－8　1943 年

3.張橫渠學術論

重光　第3期　1938年2月

4.老子政治哲學

重光　第6期　1938年6月

十月十六日，我又補寫了一封信，希望加印《犍為縣志》（成都：四川人民出版社，1991 年）中的〈李源澄傳〉，十一月三十日世文兄先來信說：「吾蜀近代經學，史學多有名家，賴先生發現、表彰，才得以為世人所知，作為蜀人，應當汗顏。」十一月底世文兄來臺開會，帶來了我請他影印的四篇文章。還有蒙默先生交代，有關李源澄的資料。世文兄回四川後，於十二月四日來信說，他重新查閱《重光》，又檢得李氏著作之篇目五篇（原信作三篇），篇目如下：

1.全面之根本問題　重光　第1期　頁8－10

2.所望於全國同胞者　重光　第2期　（缺）

3.如何應對國難　重光　第3期　頁3－4

4.稱心而談　重光　第4、5期合刊　頁22－23

5.高中國文芻議　重光　第6期　頁13－15

十二月七日跟世文兄回信，感謝他發現李源澄時事評論的文章，並詢問收錄〈李源澄傳〉的《賴高翔文史雜論》的出版地、出版者、出版年月。刊載李源澄文章的華西大學社會史研究室所出版的《中國社會》一刊物，哪裏可找到？

十二月十一日，世文兄回信說：「華西大學中國社會史研究室出版的《中國社會》，我校圖書館沒有找到，非常抱歉，我當再尋訪。」關於《賴高翔文史雜論》的出處如下：

賴高翔著，張學淵編《賴高翔文史雜論》上、下卷 2004 年四川印本

世文兄信中附有賴高翔、張學淵的小傳。

㈤ 朱杰人教授

朱教授原為華東師範大學古籍研究所所長，現任華東師範大學出版社社長。由於是多年好友，二〇〇六年十月十七日直接寫電子郵件告知需要李源澄的三篇文章，篇目是：

1.古文大師劉師培先生與漢古文學

學藝　第12卷6期　頁57－68　1933年7月

2.明堂制度論

學藝　第14卷2期　頁13－19　1935年3月

3.讀明堂位校記

學藝　第14卷6期　頁11－13　1935年8月

十月十九日接到朱先生來信，說：「您要的文章，我設法復制，請放心。」不久，就用郵包寄來了三篇文章。

㈥ 張濤先生

張先生是北京清華大學歷史學系彭林教授的碩士研究生（現為博士研究生）。專研三禮學。二〇〇六年十月十九日，我直接寫信給彭林兄，希望他請高足張濤或張煥君，代為查詢李氏的文章，有三篇：

1.魏武帝之政治與漢代士風之關係

華文月刊　第1卷3期　頁15－20　1942年5月

2.戴東源「原善」、「孟子字義疏證」述評

藝文　第1卷3期　1936年6月

3.漢代賦役考

浙江大學文學院集刊　第1期　頁25－36

同日，張濤先生即來信告知，已查到前二文，因中國大陸規定，光碟不能寄臺灣，請告知如何送達？不久，張先生將已印到的李氏文章，加上他查到的數篇，以電子郵件傳過來。張先生來信詢問幾點：

1.雜誌年代久遠保存不善，故照片十分不清楚，尤以〈魏武帝〉一文為然。「複印更不清楚」，請多包涵。

2.第三篇文章的期刊在校沒有查到，不知是否有誤？是否需要我們通過其他方式協助獲得？

3.通過電子郵件傳遞，是為了讓林先生儘快得到文章。其中部分經過複印，不知複印件是否需要；如需要，我們可以郵寄至臺，但恐時間稍慢。

由於北京大學圖書館缺《論學》第八期，乃於十二月四日又發函請張濤先生查尋第八期有沒有李源澄的文章。十二月七日張先生寄來《論學》第八期的篇目，有

李源澄論文〈明法〉、〈漢學宋學之異同〉兩篇。只好請張先生再到清華圖書館將兩篇的全文印出來。

㈦ 杜澤遜教授

杜教授是山東大學古籍研究所的教授，是多年好友。當黃智明學弟在《易廬易學書目》中找到李氏《經學通論》時，就想到要請杜教授協助，可惜他給我多次名片，都沒有電子信箱。想到東吳大學圖書館丁原基館長比較常跟他連絡，就向丁館長請教聯絡方法。丁館長說杜教授不用電子信箱，他可代我發函給他的學生，請學生代轉。為了慎重起見，我又請明嶸學弟發一封電子信給山東大學文學院的信箱。又寄了一封航空信直接給杜教授。

二〇〇六年十一月二十一日，終於接到杜教授的來信。信中先說明遲覆的原因，並表示歉意。接著說：

> 書係抗日戰爭期間大後方出版，國難之日，紙質粗劣，故複印效果不佳，尚乞鑑諒。該館古籍部主任杜雲虹女士、副主任唐桂豔女士，皆仰慕先生學養，且為敝鄉屈翼鵬先生後學，與先生固有淵源關係，因此資料費、複印費均拒收，雅誼可感。先生大作如有複本，似可贈送一二，以增進聯絡，且增晚學榮耀。

信封上貼滿了郵票，算一算有十六元五十分。《經學通論》的影印稿效果雖稍差，我們仍然如獲至寶，真感謝杜、唐兩位領導的協助。我也遵照杜教授的指示，送給她們新出版的《晚清經學研究文獻目錄》，以答謝她們的好意。

㈧ 陳東輝教授

陳教授是浙江大學中國文學系教授，前讀過他的《阮元與小學》（北京：中國文聯出版社，1999 年）。由於我們在執行晚清浙江經學研究計畫，他的專長與計畫相合，遂邀請他來發表論文。二〇〇六年十一月二日發函請求查詢兩篇李源澄的文章：

1.漢代賦役考

浙江大學文學院集刊　第 1 期　頁 25－36　1941 年 6 月

2.中國文學批評史上明道與言志問題

新西北月刊　第2卷3、4期合刊　頁20－23　1940年4月

一直到二○○七年一月三日都沒有得到回音。同時，明嶸在文哲研究所印到了〈漢代賦役考〉一文。因此，當日又去函請求只印〈中國文學批評史上明道與言志問題〉一文即可。當天下午，已有陳教授的回函，說前兩封信都沒收到。影印的事會馬上辦。兩週後就收到東輝兄寄來李氏的文章。

㈨ 羅琳教授

羅琳教授服務於中國科學院圖書館。近年雖比較少見面，但可從兩岸友人得知他的近況。二○○六年十二月四日從《全國中文期刊聯合目錄》得知中國科學院圖書館有《重光》第二期，該期刊有李源澄〈淮南子發微（下）〉，遂發函請求協助，並要求羅先生如後其有李源澄的相關報導，也一併處理。當天就收到羅先生的回函，告知「不日辦理」。十二月五日，羅先生用電子信箱傳來四篇文章。除〈淮南子發微（下）〉之外，另有：

1.所望於全國同胞者　重光　第2期

2.稱心而談　重光　第4、5期合刊

3.陸學質疑　重光　第4、5期合刊

以上三篇，都是索引上找不到的，幸好有羅先生熱心提供。

㈩ 蒙默教授

蒙默教授是蒙文通教授的哲嗣，是四川大學歷史系退休教授，一直在整理其尊翁蒙文通教授的著作。二○○六年七月二十九日與四川大學古籍研究所合辦的「晚清蜀學座談會」，會中蒙默教授以相當多的時間談李源澄。中場休息，我們一起拍照，並請教李源澄的相關問題。並邀請他寫有關蒙文通和李源澄的文章，可刊於《經學研究論叢》或其他刊物中。

二○○六年九月，我寫了一封信給蒙默先生，向他請教李源澄哪一年過世？妻子和兒女現在住在哪裡？華西大學社會學研究所主辦的《中國社會》，李氏曾在第九期登過〈中國社會之特性〉一文，哪裡可以找到？

二○○七年一月六日接到蒙先生來信，工筆小字寫了兩張信紙。關於《中國社會》雜誌的下落，蒙先生作了很詳細的回答，信中說：

> 原華西大學文科於 1952 年院系調整時，外文系、哲學系併入四川大學，文科圖書亦併入四川大學，社會系則調入當時西南民族學院（現已改名西南民族大學），陳京祥即當時由社會系調入西南民院者，他如李安宅、王文華等先生亦係當時調至民院者，經與陳聯繫，云未曾見到此一雜誌，並稱當時華西亦不可能辦此一雜誌，更查西南民族大學圖書館亦無此雜誌，因此，默頗疑此或為華西社會史研究室在某報紙所辦之副刊。憶當時在華西教中國社會史者，似為姜蘊剛教授，而即係當時《新中國日報》之社長，可能與此有關係，但姜氏已於上世紀八十年代去世，其家人情況亦不甚了解。至省圖書館是否有此雜誌，當待查核。

為了找《中國社會》的下落，讓蒙先生這麼大費周章，著實有點過意不去。蒙先生的熱忱，讓人深深感動。但根據韋益國所撰〈歷史藝術論——姜蘊剛史學思想評述〉一文所述姜氏的簡歷說：「姜蘊剛，早年畢業於早稻田大學，華西大學社會學系教授，曾主持華西大學中國社會史研究室，出版《中國社會》月刊。」（見《雲南社會科學》2006 年 4 期）可見，當時確有這刊物，不知哪個圖書館有收藏而已。關於寫稿的事，蒙先生賜下大作〈蜀學後勁——李源澄先生〉。另外，也賜下三篇李源澄的文章，篇目如下：

1.略論九品中正

　未發表，李氏手稿影印本

2.章實齋之學術思想

　勉仁文學院院刊　第 1 期　1949 年 5 月

3.北周之文化與政治

　勉仁文學院院刊　第 1 期　1949 年 5 月

第一篇文稿，幸虧有蒙先生提供，不然，我們如何能找到？第二、三篇刊於《勉仁文學院院刊》，僅出一期，整個大陸地區僅四川省圖書館和重慶市圖書館有收藏。如果不是像蒙默先生熟知李源澄，如何知道該刊有李氏的文章？

四、《吳宓日記續編》中有關李氏的記載

二〇〇七年五月初，我將收集到的李氏資料，請明嶸和晏瑞協助，按我所編《李源澄著作集》目次之順序加以編排，並影印兩份交到出版委員會準備送所外審查。

二〇〇七年六月十日我和明嶸到萬卷樓圖書公司買書，明嶸買到《吳宓日記續編》（北京：三聯書店，2006 年 3 月），發現裡面有提到李源澄，就跟明嶸借該書回家翻閱。由於新中國成立後李氏和吳宓都在西南師範學院教書，應該有來往。一翻開第一冊（1949－1953）第三頁，即一九四九年四月三十日，有「寫信與勉仁梁、李，要接宓。」勉仁是指勉仁學院，梁是指梁漱溟，李是指李源澄，當時李源澄在梁氏所創辦的勉仁學院任教，一九五〇年轉到西南師範學院，擔任歷史系教授兼副教務長。我繼續翻閱下去，發現吳氏與李家成員互動相當密切。在第三冊（1957－1958）中一九五八年五月五日條記載了李源澄逝世的經過，和對李氏生前為人處世的評論。茲將該條記載迻錄如下：

> 夕六時歸，則開桂陪委與妻熊家璧在舍坐候。兩人泣述兄澄病歿情形。前此月餘，學校由歌樂山市立精神病院召澄歸，並作處理。此時澄已甚清醒，曾函上張院長請罪，並願改造，勉作歷史教師。在家中掃地，勞動，讀史書及新教本。五月二日，忽云不適。先請市中某中醫，三日至本校衛生科就診，立即輿送九醫院，斷為肝臟僵縮（已小如拳）之症，且謂其發已久。歌樂山病院只治瘋疾，未做全部檢查，是以致誤，今只有十分之一之生望，云云。四日下午二時二十五分歿。其時全身虛黃，口中流出血甚多，污染衣被。歿時長女知勉侍側。澄命知勉往見吳伯伯（宓）陳述一切。歿後，學校始由鄉間（下放農村）召委歸，給治喪費一百元（兩月未給右派薪矣），並派二校工為助。五日上午棺殮（棺值六十餘元，但未漆縫口，蓋今已無此匠工。蘭芳早歿，幸哉）。隨即葬於陳家山上北碚區公墓（一百元尚剩六七元，當即繳還學校）。委述時悲泪不止，蓋委雖畏威不敢往見其兄，性本長厚人也。竊念澄之為學，夙為宓所欽佩。惟有才而不能下人，喜獨樹一幟。故抗戰以

來，歷各大學（浙大、川大、雲南），參加或自辦書院（民族文化、靈巖、五華、勉仁），犧牲個人之薪金地位，辛苦自營，不可不謂有志之士，特立而獨行者。解放後，得為西師副教務長，並援引勉仁諸同事先後至西師安居授課，亦能熱心助友者。惟其人「才太高，迹太近」，與本院王院長過從甚密，而與方教長爭權。宓早嫌其仕進之心太熱，有為之念太重，但亦喜其在校能主張正學，扶植善類。不圖澄仍以報效共產黨、報效人民中國之誠心忠悃，銳志厲進，攬權怙位，多所主張，多所布劃，多所接納，正與其在勉仁之心與迹同。然在勉仁不慊于漱溟先生之重用門弟子，吾儕尚可以蘇軾《賈誼論》規之；（宓未進此言），而在今共產黨治下，則有如清初之貳臣，如陳之遴等，小則獲罪遣戍，大則成吳三桂及耿精忠等，叛起而終於滅族。蓋皆以柳下惠「治亦進，亂亦進」之心與行，自不免於受禍。宓固早慢之，而以年來迹較疏，亦未能戒之也。及右派鳴放事起，澄遂被牽繫，徒以身為西師民盟主任委員，不能自明，諸罪所歸，謂為陰謀欲篡奪西師而自為院長云云。群議如此，竊意院長、常委未必信之，故始終未在校內公開「鬥爭」澄。而據六日晨普君告宓，聞耿振華言，學校黨委原擬處罰澄甚輕，云云。惜澄之遽死也！雖然，澄剛性人，過剛則折，歷居運動中，其受屈而自殺者，如席朝杰等，無一非剛直之人。儒佛之學，未能使澄外榮辱而小天地，身與境俱空，而更以忠心為共黨之故，有屈原、賈生之痛，宜其以怨憤鬱怒傷肝而死也。嗚呼傷哉！顧以澄之性情，處今之境，早死實澄之福，況「五十之年」，與王靜安先生自沉之壽五十一歲略等，亦可無所惜矣。……

自反右迄今，宓未敢一訪澄，亦未通音問，澄遺命知勉謁宓，是知宓者。宓遂告委，今後決每月以人民幣十元交付委收，為知勉學膳費。聞澄家尚存百餘元，及書籍不少，委擬以書移置宓舍，徐圖出售。澄妻年五十五，鄉愚無識，與次女知方不願回籍。宓教委夫婦往勸澄妻，決即在北碚近鄉安家落戶，永為此地農民，可由學校介紹前往。若一時學為農未成，所得不足自活，則暫由弟與友津貼補足云云。又與委約，農假日，委來此，導宓上山祭澄墓。……

李源澄的生卒年，生年是一九〇七年七月，卒年《犍為縣志》記載為一九五八年五月。如果要追究是五月哪一天因何病過世，相關傳記資料皆未述及，根據這一段記載，可以確切得知李氏是因肝臟萎縮症，於一九五八年五月四日下午二時二十五分逝世。且藉由吳宓的評論，對李源澄生前的行事風格，為何罹禍，有更深一層的了解。這可說是研究李源澄最重要的文獻資料。

五、結語

所以要將蒐集李氏著作的經過寫出來，一方面告知想研究民國時期經學，尤其是一九三七至一九四九年這時段的人，儘管有各種各樣的工具書和電子資料庫，你的問題它們可能都無力解決，因為這些工具書和電子資料庫，都是在極不重視經學的學術環境下完成，經學類已被取消，經學的文獻資料如孤魂野鬼，到處遊蕩。既如此，有誰願意去整理經學文獻？所以，北京圖書館編的《民國時期總書目》找不到經學的類目，民國時期出版的經學專著約有九百種，該書目收錄不到一半。上海書店所編的《民國叢書》，共有五編，所收經學專著僅僅十多種而已。至於電子資料庫，「超星數字圖書館」號稱收書數十萬種，所收經學著作也相當少。浙江大學的「高等學校中英文圖書數字化國際合作計劃」（CADAL），所收經學著作雖稍多，也僅百種而已。至於檢索期刊論文、報紙論文，更有如大海撈針。蓋各種論文，必須能編入各種目錄索引中，才能為學界所利用。不然，跟沒有這篇論文沒兩樣。可檢索一九三七至一九四九年間之學術論文的目錄索引雖有不少，但僅《中國史學論文索引》收錄資料條目較多而已，可惜，此一索引國民政府轄區所出版的期刊、報紙，已遺漏太多，更何況有意無意被忽略之汪偽政權、偽滿州國的文獻資料？

如何因應這種蒐集資料的困難，是每一位關心經學發展的學者，所應深思的問題。

經 學 研 究 論 叢
第 十 五 輯　頁315～324
臺灣學生書局　2008 年 3 月

蜀學後勁——李源澄先生

蒙　默*

言蜀學及源澄先生之學，皆必及井研廖季平先生，今請自廖氏始。

吾蜀學術，漢宋為盛，其它各代，僅有可數，明末而後，更益衰頹，學人所知，八比而已。同治末，張之洞來主川學政，始建尊經書院於成都，以紀、阮之學相號召，以《輶軒語》、《書目答問》為入門，聘湘潭王壬秋為主講，王未至，權以錢塘錢保塘、保宣兄弟主其事，於是吳、皖之學乃入川中。光緒二年，廖季平先生時年二十五，「應童子試，文襄（之洞）得先生試卷，大奇之，遂成秀才，以高才生調入尊經書院，蓋先生以狾犬義釋狂猘之義，蜀士舊無知許氏《說文解字》者，獨先生偶得之敗簏中而好之，以故為文襄所嗟異」。（《廖季平先生傳》）是時蜀之無學，於此可見也。王壬秋於光緒四年來川，然壬秋「故文人耳，經學所造甚淺。」（《清代學術概論》）時王氏「言《春秋》以《公羊》，而先生治《穀梁》，專謹與湘綺稍異，其能自闢蹊徑，不入於常州之流者，殆亦在是。」（同上廖傳）是王氏之影響於廖氏者殆鮮。廖氏亦嘗言：「王湘潭半路出家，所為《春秋條例》，至於自己亦不能尋檢，世或謂湘潭為講今學，真冤枉也。」是廖氏之學雖受啟蒙於張、錢、王三氏，而其學術偉業則自己發奮所得也。世或謂王氏「開蜀學，廖平獨稱高第弟子。」（《中國近代文學史》），未必然也。先生學成，歷任蜀龍安、綏定府教授，尊經書院襄校，嘉定九峰書院、資州藝風書院山長，四川國學專門學校校長，一九三二年病逝，享年八十一歲，先生數十年未離教席，弟子遍

*　蒙默，四川大學歷史學系教授，現已退休。

蜀中，而蜀學盛焉。

李源澄先生字浚清，四川犍為人，一九〇七年生，祖父富春，清秀才，教授鄉里，先生幼聰穎，從祖父學，深得祖父喜愛。少長，入著名學者趙熙（堯生）主辦之榮縣中學，成績優秀，會考名列第一，畢業後，考入四川國學專門學校。自四川國學專門學校成立，廖季平先生即教授於該校，一九一四年任校長，一九一九年三月，廖氏病中風。後雖稍癒，但「自是以後，言語蹇澀，右手右腳拘攣，行動眠食，非人不舉。」「先生病後仍不廢著述，作字惟恃左手。與諸生講說，則命（其孫）宗澤書其稿於黑板，略說數語，聽者不曉，則宗澤復為重述。」（《廖季平年譜》）一九二二年夏辭校長職，一九二四年返井研家中。廖氏去職，其經學一課由成都龔道耕（向農）繼任，龔氏亦川人之善言經學者，著述甚豐。一九二八年，巴縣向楚以教育廳長兼校長職，延先君子來教該校，並任教務長。先君子以《經學抉原》為講章，李源澄先生適就讀該校，得侍講席，相得甚歡。先君子固倡廖氏之學者，源澄先生得聞其緒論而羨之。一九二九年先君子為函介源澄先生去井研廖家問學，時廖氏老病已不能講授，唯解惑答疑而已，前後略有數月，故源澄先生亦得及門廖氏。逾二年廖氏卒，而源澄先生遂為廖氏關門弟子焉。一九三三年，先生出川東下，入南京支那內學院、蘇州章氏國學講習會，從歐陽竟無先生及章太炎先生學，後源澄先生於著述中並以師稱之。一九三六年，唐蔚之延源澄先生任無錫國學專科學校講席，翌年，先生以薪資所入創辦《論學》月刊，伍非百、邵瑞彭、歐陽竟無、張森楷、唐君毅諸先生及先君子皆有文刊載其間。七月，抗日軍興乃止。是年先生返回成都，任教於四川大學及蜀華中學，韓文畦先生辦《重光》月刊，先生與唐君毅先生任編輯之勞。後去貴州、雲南任教於內遷遵義之浙江大學及大理民族文化書院。一九四二年，再回四川大學任教。兩年後去南充任教於西山書院，一九四五年春在灌縣（今都江堰市）靈岩山創辦靈岩書院。一九四七年去昆明執教於雲南大學及五華書院。一九四八年，應梁漱溟先生之邀去重慶勉仁文學院執教並任教務長。一九四九年兼重慶四川省教育學院史地系主任。一九五二年任西南師範學院歷史系教授兼副教務長。一九五七年被錯劃為右派分子，一九五八年因肝癌不治逝世，享年五十一歲。一九八一年昭雪平反，恢復名譽。

清世經術，至晚期而「今文學」興，其始作者常州莊存與，說《春秋》主《公羊》，著《春秋正辭》，刊落訓詁名物之末，專求微言大義，然同時亦治《周官》、《左氏》。至劉逢祿、宋于庭，則專主《公羊》，以《左氏》為不傳《春秋》，而《周官》亦為疑書，並以十四博士為一家，遂有今文之幟。至魏源、龔自珍。不僅以今文自詡，且以《公羊》議政，更以攻鄭為排古，而黨同伐異之事以起。然其時但以今古之判起於文本，而不明其根荄，故不為學林所認同。井研廖氏出，據許鄭《五經異義》以禮制為今古之判。「今古之分，不在異文。」知以今文、古文名學為未安，故其作《今古學考》，但稱今學、古學，不云今文學、古文學，而今古之故乃大明於世。俞蔭甫見其書，亟稱為不刊之作。先君子嘗言：「井研先生依許鄭《五經異義》以明今古之分在禮，而歸納於《王制》、《周官》。以《王制》、《穀梁》魯學為今學正宗，以《周官》、《左氏》梁趙學為古學正宗，平分江河，若示諸掌，千載之惑，一旦冰解，……遂不脛而走天下，皮氏（錫瑞）、康氏（有為）、章氏（炳麟）、劉氏（師培），皆循此軌以造說，雖宗今宗古之見有殊，而今古之分在禮則皆決於先生也。」（《廖季平先生傳》）章太炎先生亦言：「井研廖平說經，善於分別今古，蓋惠（棟）、戴（震）、凌（曙）、劉（逢祿）所不能上。」（《程師》）「廖平之學與余絕相反，然其分別今古確然不易。」劉申叔先生初亦不信有今古之分，及既與廖氏相接，遂治《五經異義》、《白虎通義》，晚成《周官古注集疏》、《禮經舊說考略》，皆篤志西漢古學，且更謂廖氏「明於《春秋》，善說禮制，洞徹漢師經例，魏晉以來未之有也。」其見稱於巨擘有如此者。先君子承廖氏之學，亦言：「古文自古文，古學自古學，古學無傳壁書之實，徒假壁書之名，……今古兩家之分，在禮制之差，非徒以文字佚篇為別。」（《井研廖季平師與近代今文學》）然廖氏之學多變，三變以後漸以幼眇難知，頗召非議。即以《今古學考》而論，其以今古學為孔子晚年、壯年之異，又以今古之義遍說群經，更且及於諸子史傳，亦不能令人無疑。故先君子言：「夫今古學，兩漢之事也。不明今古則不足以明兩漢之學，然而兩漢之學固不足持之以語先秦也。」（《井研廖師與漢代今古文學》）又言：「蓋今古文家所依據周秦之經籍，一書有一書之面目與地位，漢師組合面目不同之書以為同一面目同地位，是漢人之學，已非周秦之學。」「今之言學者，不知今古學徒兩漢之學，……徒爭今古學而不知今古之自身本即不一致之學，即學術中絕無所謂今古學，尤不能持之以上概先秦。」（《井研廖季平師與近代今文學》）因擬破棄今古尚論齊魯以上溯先秦，且擬作《齊魯學考》以踵《今古學考》之後。及其溯齊魯於先秦而未合，「道相承而跡相接，」「周秦以往固無所謂經學也。」（《經學遺稿》）乃以諸子與經學為先秦兩漢學術發展之兩階段，而謂經學為諸子發展之總結，「獨為漢之新儒學」，（《儒學五論題辭》）於是又復為今古學之論，然其終究之論今古也，與廖氏之說已不相侔。蓋廖氏以兩家禮制之有無異同為說，以今為改制，古為從周，而先君子則不僅有見於兩家禮制之有無異同，且更於同中復見其異義焉。故先君子言：「有周之舊典焉，所謂史學是也；有秦以來儒者之理想焉，所謂經學者，實哲學也；此今古學所由判也。」（《儒家政治思想之發展》）故所撰《儒家政治思想之發展》之剖析漢師之論井田，辟雍、封禪、巡狩、明堂諸制也，雖皆古今之所同有，而其具體內容又並有史跡（舊典）、理想之別。故廖氏以《禮運》為古學，先君子則以為今學；廖氏以河間為古學，先君子則以河間獻王為今學；他如辟雍、封禪、巡狩諸端，皆為廖氏之所未及，而先君子皆張大言之。是皆以史跡、理想為說也。雖仍有本於廖氏今學改制、古學從周，今為哲學、古為史學之說，而其所以為說則大不同也。然其以漢師經學有今古之分則一也。源澄先生之論今古也，承廖氏及先君子之說而又更進，明確提出以「經」與「經說」分別為說之論。其言曰：「有今古文，有今古學。」今古文蓋經之文本，今古學則經之解說也。又言：「經學之成為經學，本由漢初諸大儒以其思想托諸經文而成經說，其治學之態度不專為注釋經文；古文諸師皆後起。主於訓釋文字，無西漢所謂微言大義。廖先生謂今學為哲學、古學為史學是也。其言制度，則今學師說主《王制》，古學師說主《周官》，廖先生以《王制》統今學，《周官》統古學是位。」（原注：此皆就經說而言）。（《經學通論・論今古學》）先生又言：「廖先生《今古學考》以《周官》統古學，以《王制》統今學是也，惜其未能分經與經說，如以經言，則《王制》不能統今文經，《周官》亦不能統古文經。」（《秦漢史・學術思想》）蓋就文本言，今古固無大殊。故先生又言：「今古文者，若宋元刊本之與今世通行之本，所差在篇章之多寡、文字之異同，宋元刊本不能盡賢於通行之本，則古文亦不必優於今文。」（《經學通論・論今古學》）更何況今文之原本當亦為古文（《秦漢史・學術思想》）。即就古文多出之篇章而論，亦是「孔壁得書，古學家見之，今學家亦見之，今學不以《逸禮》三十九篇、《逸書》十六篇傳於十七篇之《禮》、二十九篇之《尚書》視為經而傳之，古學家亦莫以傳於經而傳之。其逸文下及何休、鄭玄猶每徵用，晉世內府猶密藏之，殆皆以傳記視之而不以為經耳。」（《經學通論．論今古學》據《經學抉原》而稍變其文）是今古兩家所本篇章亦無以異。今古兩家之文本既無大差異，則宜其不足以稱學也。古經之大異於今經者，以《周官》、《左氏》最顯，然兩書皆不出孔壁，又非博士所傳，皆後起之學，本與孔氏學無涉。至於今古學則重在經說，源澄先生言：「經學之為經學，原以儒學納於經文之下而成，有經無說，亦不成其為經學，故漢人特重師說。」（《經學通論》）「所謂今古學者，今學則十四博士之說，古學則《左氏春秋》、《周官》、《王制》、《毛詩》、《古文尚書》也。」（同上）「經為古史，經說為諸子，二者合流遂成西漢之經學，其所言不盡合本經，而經生重之，基於經文。……今文先師所論重在制度，如明堂、辟雍、封禪、井田、巡狩諸事，皆其政治思想所寄托，而欲為漢家成一王大法，顧經師所論亦不能盡同，故經有數家，家有數說。武帝時置五經博士，宣帝又有增益，至東漢遂為十四博士，所傳之經皆今文也，故其辭說稱為今學。其政治思想能為漢廷采用者多已用之，其與君主相抵觸者，不敢顯言，久而失真。」（《秦漢史》）至於古學則劉歆所創，劉歆校書，多見古籍，遂欲立《毛詩》、《佚禮》、《古文尚書》、《左氏春秋》於學官，而博士抱殘守闕，黨同伐異，不肯置對。劉歆初意，「不過欲扶掖微學，非與今文學立異也，及其見拒於博士，乃憤而創立與博士相反之古學，當歆移書太常，尚未及《周官》也，王莽居攝，乃立《周官》」（《經學通論》）「《左氏》、《周官》雖皆先秦舊籍，然不見孔壁，亦非漢初諸儒所傳，非西漢人所謂經學。」「初，《左氏傳》多古字古言，學者傳訓故而已，及（歆）傳《左氏》，引傳文以解經，轉相發明，由是章句義理備焉。」（《漢書．劉歆傳》）「《周官》始出，唯（劉）歆獨識，某年尚幼，務在廣覽博觀，末年乃見其為周公致太平之書」。（賈公彥《序周禮廢興》）「奏請《周官》六篇列之於經為周禮。」（荀悅《漢紀》）於是二學以興。「今文博士雖各經分立，而言制度之大端，各家師說大體同於《王制》，而古文經亦不能不聯合，而以《周官》與《王制》抗，故今文經說以《王制》為中心，古文經說以《周官》為中心」。（《秦漢史》）於是今古學之對壘以起。今古之分，除其言禮制互殊外，廖氏又言今文為哲學，古文為史學，源澄先生於此言：『廖先生言今文為哲學、古文為史學，亦當分析言之，謂今文學者治經之態度近於哲學，古文學者治經之態度近於史學耳。』」（同上書）此謂今文經說主於微言大義，古文經說主於訓釋文字，若直以哲學、史學稱之則固矣。古文諸經雖王莽時曾立學官為置博士，然自光武中興，一切變革，古文諸經皆罷，今文博士沿自西京，東漢古學雖盛，然僅傳於民間。「自鄭玄以古學治經之法兼采今文經說，遍注群經，人情樂於簡易，故今古諸作皆亡，漢學遂統於鄭學。」（《秦漢史》）漢代經學今古之事，自廖季平先生創為以禮制為判之說以來，先君子及源澄先生皆承之而有所發展分疏，特源澄先生以經與經說分別言之之法，可謂批郤導窾，妙技中理，其前後源委業已大白。廖說之滋人疑惑者方可盡袪。乃近日仍有人乘廖氏設論之欠周密指今古全然為廖康所制造者，誠能一讀先君子及源澄先生之書，其方可以釋然乎？

廖氏經學雖以今古之論最著，而其治《春秋》之方亦頗足稱。先君子言：「吾所以欽夫廖氏，匪曰禮經焉耳，而尤樂聞其論《春秋》。三傳異同，為學者所難明，由來舊矣。廖氏匡何、范、杜、服之注以闡傳義，復推《公》、《穀》之文，孰為先師之故義，孰為後師之演說，本之於禮，以折中三傳違異。……先生本經以通傳，則執傳以匡注，由傳以明經，則依經以訣傳。左菴稱廖氏，長於《春秋》，善說禮制，吾謂廖氏之說禮誠魏晉以來未之有也，至其考論《春秋》，則秦漢而下無其偶也。」（《議蜀學》）源澄先生嘗受稱於先君子為「深明廖師《春秋》學者。」（《井研廖師與漢代今古文學》）今存遺篇中有一九三五年所作《春秋崩薨卒葬釋例》一篇，為研《春秋》條例之作，蓋師廖氏治《春秋》法，據《公》、《穀》而不囿於《公》、《穀》，於天王、王姬、王臣、魯君、魯夫人、世子、內女、內大夫、外諸侯之或書或不書，或書日月或不書日月。皆有義例可求，而《春秋》之義見焉。又有《公羊通釋》，見於預告目錄，其為通論《公羊》義例之作無惑也。惜其書今不見，然其所創「譏世卿」為《公羊》義非《春秋》義之說，以為儒家擷取法家思想之顯例，數見稱於先君子（見〈儒家政治思想之發展〉、〈周秦民族與思想〉、〈儒家法夏法殷義〉諸篇）。先生之居江南也，章太炎先生善其文，延至蘇州，為說《春秋》於章氏國學講習會，先生守廖氏之說，「以論章氏，人或言之太炎，太炎不以為忤。」「太炎謂聞人言廖氏學，及讀其書不同，與其徒論又不同」，先君子以為此正指先生，謂「世俗所言，與深入廖氏者所言，固區以別也。」（《廖季平先生傳》）邵瑞彭先生曾言：「李生年少，而其學如百尺之塔，仰之不見其際。」林思進先生有詩贈先生，句云：「愛君經史讀爛熟，推隱鉤沉扶奧義。」其青年時已見稱於前輩蓋如此。先生遺篇又有《先配後祖申杜說》，蓋究《左氏》義例之作。廖氏、章氏皆治《左傳》主杜氏，先生先受學於廖氏，後受學於章氏，其申杜氏殆廖章師法也。

廖氏之學重在禮制，先君子承之，亦頗重禮制。蓋唯禮制為能貫通群經，謂為經學之脈絡可也。故其教人也以禮制為入門（蒙季甫：〈文通先兄論經學〉），更嘗擬作《古體甄微》，惜其書未成，今可見者唯〈職官沿革考〉一篇而已。其論〈儒家政治思想之發展〉也，則亦多據禮制為說。源澄先生亦多有闡論禮制之作，《論學》叢書預告目錄又有先生《喪服經傳補注》一編，書未見，其《宗法》一文（載《論學》第四期），頗引《喪服傳》，頗多新意，是先生於喪服之研究亦深也。默嘗從先生學於西山書院及靈岩書院，先生授《禮記》，所執以為講章者即先生所著《禮記補注》手稿也（惜此稿今亦不存），一九四六年先生有〈禮之衍變〉一長文，論禮之本義為祀神，進而為法度之通名，成為貴族統治平民之工具，此由殷周至春秋也；由法度之通名變而為事為之節文、與人心之節文，此由春秋賢士之尊體變而為儒家禮樂也；孔子以貴族之禮普教齊民，此孔子之大功。儒家重言禮意，實孔子啟之、孟子明之、荀子擴大之，統道德、政治以言禮；至晚期儒家則由人心節文之禮轉而求合天道，為天人合一之思想，是為漢代今文學之先驅。其剖析古禮意義之衍變，實為前所未有，已為史學方法之論述而非拘拘於經學之言禮制矣，然亦唯其深明古代禮制，乃能深明其意義，然其經學層面之禮制著作，今多不可得見，是至憾也。是先生之治經也，於三傳而外復明於禮，此先君子之所以為「精熟三傳」「亦善言禮」者也。（《廖季平先生傳》）

一九四二年，先生授經學於四川大學，因有《經學通論》之作，其言治經要義皆集於此，雖全編不過四萬言，而其議論頗與時賢不同。先生以經學即是經義之學，蓋以別於世之詮釋訓詁為經學者，所謂「義」即經之理論思想。謂《莊子・天下篇》、《荀子・勸學篇》、《禮記》、《太史公自序》、《漢書藝文志》以及《白虎通義・五經篇》諸書之論五經，皆經義也。謂經本古史（古文獻），儒家持之以授生徒，於是「儒學托於經以成經學，而經學與儒學不分。」又謂「經學者，史與子合流之學問，固非史學，亦非子學。」自經學成立，即改變其「史」「子」之原本性質，而「為一特殊之學問，自具獨立之精神，而非史與子所能包含。」又言：「所謂經學，唯漢儒之通經致用，宋儒之義理之學足當之。漢儒之學偏於政治，在吾先儒以為外王之學，宋儒之學偏於內心修養。在吾先儒則以為內聖之學；以今日術語言之，則一為社會科學，一為哲學。」（以上皆《經學通論》）是先生以經學即內聖外王之學，即哲學社會科學之全體，包涵至深廣也。故先生之辦靈岩書院也，除先生自講《經學通論》五經諸子之外，並延博平驥先生講《說文解字》及《詩經》，又常邀請當世學有專長之學者專家來山中作短期講學，計前後來山者有賴高翔、唐君毅、牟宗三、羅念生、錢穆、謝文炳、饒孟侃、潘重規、朱自清及先君子，殆皆所以使生徒於篤學古典之外更得博聞古今中外之學。

先生《經學通論》又言：「二千餘年之（中國）歷史其主要學術為經學，謂二千年之文化皆與經學有關可也。」關係到「中國文化之各部分」，故經學是「吾國文化之中心」，「為吾國文化之總匯」，「對吾國政治、社會、人心、風俗關係至大。」又言：「吾國自漢以來之歷史皆以經學為中心」，「蓋經學者統一全國思想之學問，經學與漢武帝之大一統政治同時而起，吾國自有經學以後，經學遂為吾國人之大憲章，經學可以規定私人與天下國家之理想，聖君賢相經營天下，以經學為模範，私人生活以經學為楷式，故評論政治得失，衡量人物優劣皆以經學為權衡。」經學雖非律令，然與律令「有同等之效用」，「雖非宗教，而有宗教之尊嚴。」故「經學為陶鑄二千年歷史之學問」。提出「欲知經學對吾國影響之大，當自歷史中求之，亦惟於歷史中求經學，始能見經學之意義。」而於此，則昔日「無人能剖析具陳」者，先生認為：此乃「治經學史者一大事。」是自先生言之，必自全部歷史以考察經學，始能見出經學對歷史之影響，對歷史之作用，始能見出此學問之正面與負面，此方為「經學之意義」，此方為研究經學之目的與任務，是先生所見者遠矣大矣深矣廣矣，而先生治學之所以自經子轉入史學者，豈即以此故耶！

於此，尤有當進而論者，先生言：「經學者統一吾國思想之學問」，「為吾國文化之中心」，「於吾國政治上之統一關係至大」。憶先君子亦嘗言：「經學之為經學，本自為一整體，自有其對象，非史、非哲、非文，集古代文化之大成為後來文化之指導者也。」（《論經學遺稿》三）又言「中國地廣人眾，而能長期統一，就因為有一個共同的傳統文化；歐洲較中國小，人口較中國少，反而長期是個分裂局面，就因沒有一個共同的傳統文化。中國這個傳統文化，說到底就是儒家思想。」（〈治學雜語〉》）諸此議論皆與近日學者言傳統文化之含蘊民族精神、含蘊民族凝聚力者若合符節。是經學固吾國傳統文化之核心也。自民族傳統文化言之，固「當繼續此精神而發揚之，不然，經學僅為史學資料耳」。先生又言：「然此亦非易事也，漢代去古未遠，又未有外來之影響，其變不巨，故漢人可以服古入官，通經致用，宋代佛學輸入已久，教義亦大明於世，故宋儒得出入二氏，反求之於六經，以中興儒學。今西人學術之來中國方且萌芽，吾人於固有學術有重新認識之必要，安敢望漢宋儒者之事乎，然此固經學將來之正路也。」是先生以「重新認識」「固有學術」，「出入」「西人學術」，「反而求之六經」，「以中興儒學」，為「經學將來之正路」，「惟其如此，然後可以推陳出新，繼承前人文化。」此其為說，與近日倡言批判繼承傳統文化，貫通古今，融合中西，吸取一切優秀文化遺產，以創建中國特色之社會主義新文化，何其相似乃爾。《經學通論》作於六十年前，而其言若此，是先生之識高矣遠矣，先生之志弘矣偉矣，然而先生生不逢時，宏圖未展，年甫五十竟齎志以沒，惜夫！

先生抗戰返川，自治經轉為治史，故其經學著作今不易見，後任職各高校，亦多以史學為教，至一九四九年積稿約百篇，數十萬言，部分收入《李源澄學術論著初編》（成都路明書店一九四四年印行）；另有《秦漢史》一編（商務印書館一九四七年出版），並多創見，自謂「所得殊與常論不同」，亦多見稱於學林。本文以述經學為主，不擬贅及其餘，僅揭著名史學前輩錢穆先生序其《秦漢史》之數語以明之。錢氏論史宗章實齋，於略疏章氏記注、撰述、方智、圓神之義畢，繼云：「讀史者固撰史者之先驅也，……於昔人藏往之史必不汙漫忽視若不屑，則庶乎有深知其意者出乎其間，乃有當於撰述之圓而神者也。」「今年春，李君浚清自灌縣山中來，出示其新著《秦漢史》一編，讀之有幸與鄙見相合者，有鄙見所未及者，私自忖之，浚清其殆今之所謂善讀史者耶，其書則亦章氏所謂圓而神之類也。」錢氏之言若此，則是編之精深宏卓固可以無庸辭費矣。

先生為人正直，性剛烈，重友情，樂於助人，以故頗能得眾，一九五七年，助黨整風，誤入陷阱，及反右難作，先生弗能堪，旋即病肝，翌年遂不起。師母不知學，未就業，二師妹，一十餘歲，一僅數歲，先生逝世後，校方將師母及師妹送返犍為農村，故先生遺稿，無人收拾，遂皆散失。聞先生有《魏晉南北朝史》一編，已清繕完稿，先生自知不起，以付贄友吳宓先生，吳先生於「十年浩劫」中亦未免於難，遭遣返故里，旋亦仙逝，此稿不審猶在人間否。先生尚有《諸子概論》一編，開明書店一九三六年出版，蓋早年之作，未見，不敢論。默雖嘗從先生學，然為時暫，且年少，弗能深知先生之學，謹就聞見所及略述如上，百不一二，愧疚深矣。

蒙默草於二〇〇六年十月

經　學　研　究　論　叢
第 十 五 輯　頁325～332
臺灣學生書局　2008 年 3 月

貫通四部　圓融三教
——蒙默先生談蒙文通先生的學術

吳銘能專訪・黃　博整理*

蒙文通先生（1894－1968），四川鹽亭人。我國現代傑出的歷史學家、國學大師。自二十世紀二〇年代起，先後擔任成都大學、中央大學、河南大學、北京大學、河北女子師範學院、華西協和大學、四川大學等校教授。五〇年代後又兼任中國科學院歷史研究所研究員、學術委員會委員。

二〇〇四年十月，各方學者雲集四川大學舉行了蒙先生誕辰一百一十周年的紀念大會，對文通先生的道德學問作了深情的回顧。而在兩年前，傾注了蒙先生的哲嗣四川大學歷史系教授蒙默先生一生的精力，耗時近二十年的大卷本《蒙文通文集》也出版完畢。此為學界又添寶典，這一工作中具體情況如何？以及蒙文通先生的治學經驗又是什麼呢？在今年（2006 年）的十一月，蒙默先生給我們講述了蒙文通先生遺稿的收輯與整理情況以及先生治學方面的經驗。

《文集》中未收稿的實情：「基本上都收齊了」

遺稿的整理，前後花了十多年的時間。大概出第一本的時候，還是八〇年代的時候。第一本是一九八七年出的，我整理出來的時候是在一九八三年。後來，整理好一本就交給他們出一本，最後這一本（指第六卷）是二〇〇二年出的。前後基本

* 吳銘能，四川大學歷史文化學院副教授。黃博，四川大學歷史文化學院研究生。

上將近二十年。前幾年，我還要上課，帶學生。一九九二年退休後基本上沒什麼教學任務了，都是在搞這個了。

巴蜀書社的前言寫有「此外還有數十萬字遺稿尚未整理刊佈」，第一卷用的是這個說明，以後每卷都用這個說明。實際上我每卷裡面都有遺稿整理出來。其實有好多遺稿已經陸續整理收入《蒙文通文集》出版了。整理出來後都編入各卷中去了，所以每卷裡面都有些遺稿。我在（文集裡的）每篇文章裡的都注有出處，注明了那篇是根據遺稿整理的。

我父親的東西，基本上這幾本（指六卷的《蒙文通文集》）都把它收齊了，有幾個東西當時沒有收，一個是〈周秦諸子流派考〉，因為這篇文章裡的觀點有好多文章都提到了，所以沒有收。但是後來我考慮還是收的好。還有一篇沒有收的就是《儒學五論》，因為《儒學五論》原來是一本書，後來我收的時候就把它分收到各卷中去了，本論部分收到第一卷，廣論部分基本上收在第五卷裡面，但是有一篇叫做〈宋明之社會設計〉的文章就沒收，因為這篇文章開頭講了很多當時儒者的生活習慣，比如說見到長輩是個什麼態度，在路上碰見又是個什麼態度，站在路邊上要行禮之類的。我感到這些說法在現在看來是太過時了，所以當時沒收。但是我後來看到這個文章後邊還有一部分他（指蒙文通先生）主要講儒者社會救濟的東西，後來還是覺得應該收。另外《儒學五論》還有個自序，他主要是講為什麼要寫這篇文章以及對儒學的看法，在世界上的地位應該怎麼樣。我當時考慮這篇文章主要是在講他自己的思想而不是講歷史上的學術思想，所以當時就沒有收，後來我考慮作為研究他的思想的這個角度上看，還是應該收的。

還有一篇〈略論黃老學〉，這篇文章是一九六一年寫的，是《新建設》雜誌來約稿，當時還沒有中國社科院，當時只有中國科學院哲學社會科學學部，《新建設》是當時這個哲學社會科學學部的機關刊物，相當於現在的《中國社會科學》。這篇文章是《新建設》約他寫的，主要是根據以前的兩篇文章，一篇是〈黃老考〉，一篇是〈楊朱考〉，依據這兩篇文章進行改寫，但是那篇東西寄給《新建設》後沒有發表，原稿也沒有退，只把排印了的稿子退了回來。已經發排了，不知道為什麼沒有發，那個時候可能左一些，文中有些東西可能跟當時的思想戰線上的東西不太吻合，我整理的時候，就是在第一卷裡面，我就把這篇文章跟〈楊朱考〉、〈黃老考〉比較了一下，就是說在〈楊朱考〉、〈黃老考〉裡面談到了的，我就不再收，沒有談到的我就把它節錄出來，收在第一卷裡面。後來過了幾年又看，我覺得我的節錄不好，節錄之後，他的整篇文章的結構看不出來了，他思想的脈絡看不出來了，還全部發表比較好。後來在陳鼓應的《道教文化研究》出版了。臺灣輔仁大學有一個搞哲學的丁原植教授到成都來找我，要編一本我父親的關於古代哲學的書，後來就編成這本書（指《中國哲學思想探源》一書），這本書就把〈略論黃老學〉全篇都收了，也把〈周秦學術流派考〉這篇也收了。這書是一九九七年十月由臺灣古籍出版社出的。

《文集》上沒有的只有上面說的這幾篇。有些東西我當時沒見到，就是你拿的這個討論集（指《蒙文通先生誕辰一百一十周年紀念文集》）裡邊趙燦鵬有一篇文章（指〈蒙文通先生《書目答問補正》案語拾遺〉），他那篇文章指到的幾篇東西我都沒見到。沒見到的東西，後來我想到辦法收（集）了一下，今年上半年上海世紀出版集團出了一本《經學抉原》，這本《經學抉原》比巴蜀（出版社）的《經史抉原》的經學類部分就多了三篇，這三篇東西就是趙先生那篇文章裡提出來了。還有就是今年上半年出的一本《中國史學史》，也是世紀出版集團出的。上面有一篇〈《十先生奧論》讀後〉，《十先生奧論》是一本宋代人的書。這篇也是趙先生提出來的。我把就收到這本《中國史學史》裡邊去了。趙先生提出來的還有兩篇東西我到現在也沒有見到，一篇是我父親在北大的時候在北大的一個史學刊物上有篇東西，另外還有一篇是在天津的《益世報》上有一篇講文中子的文章，我也沒見到。除此以外，其它的文章基本上都見到的了。還有一篇，就是今年川大歷史系校慶出了一本《川大史學》，出了一卷專輯（指《川大史學・蒙文通卷》），這一本書裡面就收了《儒學五論》的自序。

治學廣博：「經、史、子、集、儒、釋、道」

蒙先生他做學術研究有什麼特點，或者我覺得他有什麼優點以及我有學到他什麼治學的方法？這個東西很麻煩。以前也曾經有人多次跟我提出過這個問題，希望我能夠寫一本書，介紹一下我父親做學問的歷程以及他做學問的方法有什麼獨到的。但是我一直沒考慮好。因為他的方面實在是太廣了，經學、諸子、理學、古代地理、古代民族、道教、佛教等等。以前歷史研究所尹達跟他講，你的學問是經、史、子、集、儒、釋、道各方面都有成就，但我對他的東西懂得不多。

譬如他關於佛學的兩篇文章，我就簡直是看不懂。我雖然把它整理印出來了，實際上我看看就是有沒有錯字。收集的稿子不是手稿，是影本，把它印上去就行了，可能上面還有錯字我沒看出來。

他對經學是下了很多功夫，但是我對他經學的理解也是個逐步的過程。我整理第三卷《經史抉原》的時候，裡邊有三篇經學的遺稿，有一篇看得比較完整，有兩篇都不太完整，也不長。但是這兩個東西，他以前從來沒有給我看過，他逝世以後，我在他抽屜裡面看到的，後來北京的《中國文化》要我供稿，我就把這個給他們了，我寫了一個〈後記〉，就是寫他這兩篇文章的學術地位。後來我再看，我就覺得寫得不好。沒有能夠把他經學的發展演變寫清楚。一直到最後，就是今年上半年，他們要出《經學抉原》，我又再寫，我才基本上感覺到我對他的經學的前後脈絡和演變搞懂了，所以我對他的學問也是一個逐步深入瞭解的過程，所以叫我一下談啊，談不好。他的經學師承廖季平先生，下啟李源澄先生，關於我的老師李源澄先生的經學，另有專文論述，此不再贅述。

至於他講道教的東西，因為有些是手稿，我勉強可以看懂，佛學的東西，我簡直看不懂，因為佛學的東西牽涉到所謂的，用佛學的話說叫做「名相」，用我們的話來說就叫「學術術語」。這些術語是另外一套，這些術語不下一番工夫是不行的，我知道熊十力先生，就寫過一本解釋佛學名詞的書，他這個書對研究佛學有用處，但是我沒有時間也沒有精力來搞這些了。所以關於我父親的學問，讓我來介紹，我是介紹不好的。我只能一部分一部分的談，但是整個的我是說不出來的。楊向奎先生他組織人寫了個《百年學案》，當時組織人寫的時候，他讓他的學生跟我聯繫，讓我來寫我父親。我說最好不要找我寫，最好找別人寫，我寫不好。他們就說別人寫可能更寫不好，別人對他的東西不可能是全部的瞭解，您對全部情況還是比較瞭解的。後來我在《百年學案》就寫了一篇〈蒙文通學案〉。對我父親的學術，一部分一部分的談了一下，講史學的，講經學的，講哲學的，這書楊向奎先生沒來得及看見就過世了。以前我們學校圖書館下面的書店就賣過這個書，現在賣完了，沒看見了。我就寫過這麼一個東西，比較簡單的，以前在一九八一年的時候，

《中國史研究動態》發表過一篇我父親的傳，當時要求很簡單，要求寫四千字，後來我寫了大概五千多字吧，這篇傳後來也收在三聯書店出的《蒙文通學記》裡面，收進去的時候我把它稍微補充了一下。這也是一個介紹我父親的學問的，比較簡略的。三聯最近跟我聯繫，準備再版。我就沒有另外再寫什麼了，我就又收了幾篇《紀念文集》上的文章，像王汎森的、胡昭曦的、吳天墀的，可能十二月份就要出版了。

王汎森他有一篇文章提到蒙先生是從經學到史學，後來我收這篇文章之前，根據出版社的要求，要徵求作者的意見，我就給王汎森先生寫了封信，我就給他說了，我父親的學問他還是很注重經學和儒學的，他是個方面很廣的學者，說他是個史學家，還不如說他是個死守善道的儒學家，後來王先生就把它的文章加上了一段，就說蒙先生學問不僅於此，主要還是在儒學方面的成就。他是接受了我這個意見的。《川大史學・蒙文通卷》我寫了個前言，我這個前言也可以說是我對我父親的學問的看法，這個前言我主要寫了這麼個意思，我父親的學問方面很廣，但總的說來他還是儒學的東西，就是給王汎森寫的信裡的意思。

我父親的東西，武漢大學的蕭萐父先生寫過一篇文章，讀〈蒙文通先生理學劄記〉，是一九八三年發表的，在成都的《社會科學研究》，後來收到他的文集《吹沙集》裡的。三聯書店讓我編一本我父親的學記，這本《學記》裡收了蕭先生的這篇文章。蕭先生的這篇文章，我感覺是寫得不錯，因為他是搞哲學的專家。後來我們系上戴執禮寫了篇文章發在《中國文化》上，亂七八糟的，劉復生老師還寫了篇文章來批駁他，就是這些開玩笑的東西。宋明理學，是我父親認為最有心得的學問。

理學體會：「事上磨練，心上磨練」與「既要敢疑，又要敢信」

他自己感覺他最深的學問是宋明理學，但是他的宋明理學，只有在《儒家哲學思想之發展》的後面寫了個後論，講了一下宋明理學，發表的東西就只有這些。另外就是他死後我發現他的信件，比如給張表方先生、酈衡叔先生和洪廷彥的信，談了些理學。給張先生的那封信比較早，一九五二年寫的，但是他後來一九六三年寫的這兩封信，一封給酈衡叔，一封給洪廷彥，他讓我留得有底稿，這兩封信我就有。那兩封信對理學談得就很簡單，但是談了一下他晚年對理學的一些看法。他說以前三十歲的時候，他對理學有些懷疑，四十歲的時候他感覺朱子和王陽明的有些說法不是那麼很妥當。到五十歲的時候才發現陸象山對王陽明跟朱熹的東西的看法，他認為有懷疑的地方可以解釋，後來，到他晚年的時候他又感覺他早期的東西都不對，應該是王船山和陳確的東西是比較正確的。我只能看到這麼個理路，但是他這個晚年怎麼樣的，具體的是怎麼個講法，他有個理學劄記，他從一九四九年開始用語錄體寫的宋明理學的東西，這個東西以前我是沒見過，是他死了以後，我在他的抽屜裡面發現的。我開始整理的時候，一九七九年，《中國哲學》到成都來組稿，就問我父親有沒有什麼東西，我說有這個東西。後來就在《中國哲學》上發表了。以後，我又在我母親收藏的我父親的遺物裡面發現有一小筆記本，裡面還記有一些這種語錄體的東西。我後來整理第一卷的時候，就給它取了個名字，叫《理學劄記》。《理學劄記》和《理學劄記補遺》，就這兩本，這是他晚年的東西。對於這些東西，我就感覺我是看不懂的。所以讓我寫我父親的學記的東西，我到現在也不敢動手，因為我對這個東西沒下工夫。

我父親對理學有一個講法，倒是跟我講過。他教學時沒上過這方面的課，他給我講理學要下工夫才行。下工夫主要還不是指文獻上的工夫，他說要在事上磨練，在心上磨練。要身體力行。理學主要是供人實踐的，不是用來講學的。他的理學劄記的這些東西就沒給我看，他說讀理學開始的時候可以讀一個簡單的選本，他認為最好的就是《聖學宗傳》，明代後期的一個人寫的。或者是孫夏峰的《理學宗傳》，什麼《明儒學案》、《宋元學案》太重了，他說還是先讀簡單的選本，讀了之後，對於那一家的東西，你認為能夠讀得懂，自己對這方面有心得，就不妨對這個東西多讀幾遍，然後你就找這一家的專集來讀。

他說讀宋明理學的書，不在乎讀得快、讀得多。而在乎每字每句你要懂得他講的是什麼道理。他說他以前讀宋明理學的東西的時候，常常有些東西不懂，不懂就深入的思考一下，有的時候就廢寢忘食啊，有些時候用心很苦，甚至讀出眼淚。就是說到底這個話該怎樣講，這要很下工夫才行，他說這叫「不入虎穴，焉得虎子」。就說要「敢入虎穴」才行，要有這種工夫才行，所以他說理學這個東西，要敢疑，又要敢信，疑並不是胡亂的懷疑，信也不是迷信，既要信，你這個懷疑才能真正懷疑到點子上，不能夠懷疑，你的學問就不能夠深入，所以說是既敢疑，又要敢信，這樣對理學才能深入。他說你讀了一家，對這一家懂了之後，再看其它的，一家一家的來，不能像讀史學書那樣，一部一部地看，那是不行的。性質是不同的，所以我一直就沒有下過這工夫，沒下過工夫，所以我對好多他寫的理學方面的東西就不大懂。他的學問有好多東西，我都不太懂。

他理學方面的東西，我記得羅志田先生從國外回來，他們同班同學劉復生老師來，當時就說他們很推崇蒙先生的學問，當時《蒙文通文集》出了一卷，可以給他們一本，我就給了羅志田一本，給了王汎森一本。後來王汎森給我寫了封信，他說他對我父親的理學很崇拜，他說我是你父親理學的崇拜者，講理學講得很好。他說他寫了一篇文章，用了我父親的東西，但是這篇文章我沒看見，我後來聽羅志田說好像是錢穆的百年紀念文集上的一篇文章，這個文集好像是在香港出的，我沒看見。後來王汎森寄給我一篇是在《史語所集刊》上發的，講明清之際的理學的演變的，準確的題目已經記不住了，他說這篇文章引用了我父親的東西。

治史經驗談：「觀水有術，必觀其瀾」

父親日常生活和做學問中讓我印象比較深刻的是些什麼事情呢？你看了這個集子（指《蒙文通先生誕辰一百一十周年紀念文集》，就可以很清楚了。我父親經常講的，就是孟子說的「觀水有術，必觀其瀾」，他認為學歷史就要這樣子，像看水一樣，必觀其瀾，「瀾」就是波瀾壯闊，是它轉變的地方，學歷史就是要看歷史的轉變，這個才是歷史的關鍵東西，每個時代有每個時代的轉變，有大轉變和小轉變，歷史要是看不出來變的話，你的歷史就沒什麼搞頭了。他很強調這個東西，他對很多人都談過，對好多學生也談過這個問題，他給我也談過好幾次，所以觀其流變，注重在變。他寫文章也是著重在變的地方，比如他寫的《中國史學史》也是這樣，《中國史學史》他就主要講三個變化的時代，一個是晚周，一個魏晉，一個是宋代，唐宋。他的這本史學史沒有寫完，他的序言上也講了，這本書幾個關鍵的地方是寫出來了，其它的地方自己去看就行了。他這個史學史儘管列的目錄很完整，但寫出來的東西就沒寫完。他寫東西，好像把自己有心得的地方寫了之後，其它的東西就不想寫了。他這本史學史完成於一九三八年，他到一九六八才過世的，這中間還有幾十年呢，但他沒有再寫。對於那些不能說明大的變化的情況的東西感覺沒什麼意思，可能這樣他就沒再寫完。

他（蒙文通先生）很注意傳統文化，他曾經有個講話，我把他錄下了，收在《蒙文通學記》裡面，我把這個寫了個〈治學雜語〉，就是日常談的，不是他文章裡的，有時候是簽條，有時是他給我寫的信，都收在這個〈治學雜語〉裡，有二、三萬字吧，還不少。王汎森跟羅志田的文章裡引用的東西有的就是這個〈治學雜語〉，我父親有一段話是這樣講的，「中國這麼大，人口這麼多，但是長期是一個統一國家，歐洲地面比我們小，人口比我們少，但是長期是一個分裂的社會，道理在哪裡呢？就是因為我們有一個共同的傳統文化，歐洲他就沒有一個共同的傳統文化，我們的傳統文化維繫了我們國家的統一。他說中國的傳統文化是什麼呢？說到底就是儒學文化。要懂得中國的歷史，要懂得中國的現實，離開了儒學文化是說不清楚的。」以前我們不太重視這個東西，現在就講這個東西了，對傳統文化，不管是反對也好，或者是認為傳統文化應該延續也好，自從把傳統文化這個問題提出來以後，他這個話就很有意思了。

經　學　研　究　論　叢
第　十　五　輯　頁333～336
臺灣學生書局　2008 年 3 月

「四川學者的經學研究」學術研討會

編輯部

中央研究院中國文哲研究所經學文獻組執行的「晚清經學研究計畫」第五年度子計畫「四川學者的經學研究」，執行期間自九十五年一月一日起，至九十五年十二月三十一日止，計有一年，其間召開兩次學術研討會，時間及發表論文如下：

第一次學術研討會

第一次學術研討會於民國九十五年七月十四日（星期四），假中央研究院中國文哲研究所二樓會議室舉行，發表論文四篇，出席學者及研究生三十餘人。議程如下：

■ 九十五年七月十四日（星期四）

◎第一場會議（楊晉龍主持及評論）

陳　致：晚清四川的科舉世家與經學傳統

許振興：經學與世變——晚清四川尊經書院的見證

◎第二場會議（張曉生主持及評論）

盧鳴東：劉沅禮學中的儒道關係

曾聖益：以理明禮：劉沅《三禮恆解》之理學政教思想

第二次研討會

第二次學術研討會於民國九十五年十一月二十三日（星期四）、二十四日（星期五），假中央研究院中國文哲研究所二樓會議室舉行，發表論文二十一篇，出席學者及研究生共六十餘人。

■ 九十五年十一月二十三日（星期四）

◎第一場會議（林義正主持及評論）

胡楚生：廖平《春秋三傳折中》析評

丁亞傑：春秋時代的形成與秩序——論廖平《春秋左氏古經說疏證》

◎第二場會議（張壽安主持及評論）

許子濱：廖平說《春秋》「築王姬之館于外」之意論

魏怡昱：鄒衍、經學與諸子——廖平大統學說的世界圖像之建構

蔡方鹿：廖平經學對蒙文通的影響及兩人經學思想之差異

◎第三場會議（詹海雲主持及評論）

黃開國：廖平經學第四變及其評價

鄧國光：還經以經——廖平經學的思想史意義

程克雅：張慎儀經籍異文說釋及其方言依據

◎第四場會議（鄭吉雄主持及評論）

孫劍秋、郭世清：唐宗海〈醫易通說〉的意義與價值

許華峰：王劼《尚書後案駁正》對王鳴盛《尚書後案》的批評

■ 九十五年十一月二十四日（星期五）

◎第五場會議（楊晉龍主持及評論）

舒大綱：晚清蜀學的影響與地位

楊世文：清代四川經學著述三考

◎第六場會議（張曉生主持及評論）

曾聖益：李滋然《周禮古學考》與晚清考訂《周禮》諸說述評

孫致文：試論吳之英的禮學觀及其解經方法

陳明義：劉沅《詩經恆解》初探

◎第七場會議（林慶彰主持及評論）

黃忠天：劉沅《周易恆解》述要

蔣秋華：劉沅《尚書恆解》研究

劉德明：劉沅《春秋恆解》初探

◎第八場會議（林啟屏主持及評論）

邱惠芬：王闓運《詩經補箋》研究

郭鵬飛：讀王闓運《爾雅集解》札記

吳仰湘：王闓運與四川尊經書院諸事考

經 學 研 究 論 叢
第 十 五 輯 頁337～346
臺灣學生書局 2008 年 3 月

《詩經名著評介》與學術史研究——趙制陽先生《詩經名著評介》特點簡說

趙沛霖*

臺灣學者趙制陽先生用近二十年時間寫成的三集《詩經名著評介》❶是頗具學術鋒芒和學術個性的《詩經》研究著作，在他的全部《詩經》研究中占有重要的地位。

《詩經名著評介》不同於一般的評論和介紹，而名副其實地屬於學術史研究。這是因為他的「評介」早已超越了就書論書，就學者論學者的狹隘視閾，而始終放眼於《詩經》學發展的全部歷程，內在地賦予這些評介以學術史的特徵：書中對於古今數十部著作的認識和評價都沒有局限於其自身，而是聯繫《詩經》學前後的發展，時作參證比較，從學術發展的內在理路明確其淵源關係，認識其本來面貌，權衡其意義價值。這樣得出的結論當然比較可靠和符合實際。作者曾說：「……故於評介之際，須作歷史的考察，藉知其思想之發展，前有所承，後有所繼，自有其演進軌跡。」❷三集《詩經名著評介》都是如此：從第一集第一篇〈詩序評介——詩

---

* 趙沛霖，天津社會科學院中國文學研究所研究員；中國詩經學會副會長。

❶ 第一集 1983 年學生書局出版，第二集 1993 年五南圖書出版公司出版，第三集 1999 年萬卷樓圖書公司出版。

❷ 1-10。《詩經名著評介》第一集第 10 頁即寫作 1-10，下同。

序價值評議〉到近二十年之後的第三集最後一篇〈談錢鍾書先生《毛詩正義》〉，始終都貫穿著學術發展的「史」的觀念。

胡適認為，學術史研究的任務要求主要有三：「明變」、「求因」和「評估」❸，即揭示學術發展的整體邏輯關係和內在的發展理路；探討各家各派的興廢沿革及其原因；評價一定時代和階段的學派、學者及其著作的成就、特點，給它們在學術發展史上以恰當的定位。從本書的基本性質和內容來看，完全符合這三項任務要求。所以，儘管本書以「評介」為名，實際上卻是用通曉學術內在理路的理論思維對學術發展的觀照，是運用學術史的大尺度對每一位學者及其著作的嚴格衡量。

任何學術著作都不是孤立的存在，而是學術傳統和具體的學術文化思想背景結合的產物，因此，把學術著作還原於具體學術史發展過程中才是認識它的正途。

當然，以上所說只是就本書的基本性質和特徵而言，如果把它與一般的學術史著作相比，它又以舉證充分，解說詳明，論辯性強而突顯了「評介」的要求。

《詩經名著評介》三大冊，內容繁富，涉及面廣，為了集中起見，本文只從其基本特徵的角度簡單評說如下。

一、學術著作的生命在於推動學術的發展和創新。在《詩經》學術史研究的範疇內，《詩經名著評介》除了在很多具體的學術問題上提出大量的新見解、新觀點之外，從大的方面來說，至少在以下四個方面填補了學術空白：

首先，彌補和糾正了「五四」時期以來對以《序》、《傳》、《箋》為代表的傳統《詩經》學「只抓『主題』，不計『細節』的觀念所造成的偏差」。❹「五四」時期，以胡適和顧頡剛為首的「古史辨派」，秉承時代狂飆，對以《序》、《傳》、《箋》為代表的傳統《詩經》學，特別是經學觀念和解詩中存在的誤謬和疏漏進行了猛烈的批判，其大方向是正確的，但很多具體的問題並沒有觸及，更沒有來得及徹底解決。後來也很少有人深入進去，進行艱苦細緻的探訪。本書在這方面所做的深入細緻的研究，終於填補了這個學術轉型時期所留下的具有時代特徵的學術空白。

---

❸ 胡適：《中國哲學史》（北京：中華書局，1991 年版），第 29 頁。

❹ 3-133。

其次，扭轉了幾十年來一直存在的重古文學派，輕今文學派的研究傾向（起碼大陸的《詩經》研究是如此）。幾十年來《詩經》研究主要集中於古文學派的《詩經》研究，即主要集中於《毛詩》研究。而對屬於今文學派的齊、韓、魯三家則少人問津。本書一改這種畸輕畸重的研究局面，不但為屬於今文學的魏源《詩古微》寫了評介，而且寫了《〈魯詩故〉評介》和《〈韓詩外傳〉評介》以及《今古文詩說比較研究》，系統揭示了《詩經》今文學派的本來面貌，論證了它們的特點、優長與不足。

還有，有些《詩經》研究名著由於種種原因，或根本沒有正式展開研究，或雖有研究而很不深入，留有很多懸而未決的問題。本書沒有冷落這些著作，也一一予以「評介」，如蘇轍《詩集傳》、鄭樵《詩辨妄》、《呂氏家塾讀詩記》、皮錫瑞《詩經通論》以及今人傅斯年、錢穆、俞平伯和錢鍾書等學者的《詩經》學著作。缺少對於這些名家、名著的正確認識，不但形成其自身研究的空白，而且影響到學術史的完整。

除以上三個方面以外，本書對於《詩經》研究史上的一些重要問題，如《左傳》關於季札觀樂的論說、「二南」的有關問題，也拿出來從現代學術意識和學術精神出發予以重新審視。特別是季札觀樂問題，學術史上早有定論，本書做了徹底的翻案文章，得出了令人信服的新結論。

以上對於《詩經》學術史研究領域的開拓，擴大了《詩經》學術史研究的範圍，當然有利於學術史研究的深化。

二、學術發展演進的觀念是正確認識學術發展史的認識論前提，對於學術史研究來說具有重要的意義；本書對於每一個歷史階段、每一位學者及其著作的研究都貫穿著這種觀念。

作者認為，學術發展演進在《詩經》學中表現尤其突出：不但發展演進的歷史漫長，而且明顯地呈現出階段性特徵，即漢學、宋學、清學和現代詩學四個歷史發展階段。「每一後起的階段之所以興起，都是對前一階段或以前所有階段感到不滿而思有所興革的緣故。」❺學術史的進步就是起於對於前人研究成果的不滿，起於

❺ 2-500。

對於前一階段的否定，而這種不滿和否定正是歷史發展演進的常態。既然學術史充滿了肯定和否定，因此，其發展的軌跡必然是迂回曲折的。任何一個學者，從後人的角度看，都是「說了一些有意義的話，同時又說了一些有問題的話」❻，「這些名家的見解，往往有所見，亦有所蔽，不是所有的見解都是可取的」❼，所以，「從古今名家的論著裡，我們幾乎找不到一位學者的言論是完美無缺的」。❽這個遍觀歷代學術興衰沿革之後而形成的學術發展演進觀，充滿了歷史發展的辨證精神，並使他對於每一學者和每一部著作，都採取了具體分析的態度：既見其長，又見其短，即使是對於大家泰斗、尊者前輩也是如此。

更為突出是，作者對於學術發展演進的原因具有明確的認識。他說：「凡是一個學者新思想的形成，往往受到有卓見的前人的影響，以及當代學術風尚的啟迪。」所謂「有卓見的前人的影響」，實際就是學術傳統中的積極、進步和正確的因素；所謂「當代學術風尚」，實際就是時代學術文化思想的總體導向。這就是說，任何一種新的學術觀點的產生，也就是學術的每一點發展演進，歸根結底都是學術傳統和時代學術文化思想共同影響的結果。作者對每一位學者的評介，都是從他們對於前代學者及其研究成果的認識和觀點，特別是對詩學基本問題，如孔子與《詩經》的關係以及《序》、《傳》、《箋》等等的看法開始的，這實際上也就是對於《詩經》學傳統的認識：或有所肯定，從中繼承什麼；或有所否定，從中否定什麼，《詩經》學由此而得以發展。他用這種方法論證了從《詩序》直到現代二千餘年數十位學者的論著，由於它們彼此之間具有內在的學術淵源關係，自然形成了「史」的系列。

時代學術文化思想對於《詩經》學發展的影響，書中也做了明確的論述，例如歷代學者對於《詩經》中愛情詩的認識之所以那樣尖銳的對立和分歧，完全是「各時代倫理觀念的差異所造成的」❾，因而只能從時代思想中去尋找原因：春秋時期以前，由於「沒有禮教的束縛，男女青年有談情說愛的自由，所以人們不以為

❻ 2-593。

❼ 2-473。

❽ 2-593－594。

❾ 2-626（下同）。

『淫』；漢代以後『重視禮教』，同時漢儒又礙於孔子『思無邪』」之訓，所以，「不敢說『淫奔』……改說為『刺淫』」；「宋人識其流弊……又因禮教的觀念更甚，故只好斥之為『此淫奔之詩』」；現代人沒有禮教觀念的束縛，所以才能恢復詩歌的本來面貌。

從三集評介來看，對於前者，即學術傳統對於《詩經》研究的影響，在每一位學者的評介中都有充分的論證；對於後者，即時代學術文化思想對於學者的影響，在近現代的部分中表現比較充分，如對傅斯年和古史辨派《詩經》研究的評介就是如此。這或許與近現代社會政治和學術文化思想的發展變化劇烈，對《詩經》研究的影響比較明顯有關。

總而言之，學術傳統與時代學術文化思想的相互作用和結合，給《詩經》學帶來了大量的新觀念、新方法、新模式、新視野和新眼光，從而推動著學術史的發展。所以，學術的發展演進既是學術傳統的延續和發展，同時又是今天的學術文化思想對於昨天學術審視的結果。離開了學術傳統，學術研究將變成無根之木；離開了時代學術文化思想，不但將失去整體的學術視野，而且還將失去原動力，學術研究將無法前行。

三、《詩經》研究領域學派眾多，異說紛呈，瑕瑜互見，良莠不齊，步入《詩經》學園地，即使是專業學者也很容易迷失方向。長期以來，很多《詩經》學問題都有不少根深蒂固的傳統見解，陳陳相因，形成思維定勢，左右著人們的見解和認識問題的方法，因此，很容易按照傳統的思維方式，走前人的老路，人云亦云，隨聲附和。另外，在這個古老的王國裡，又矗立著為數眾多的偶像，其中聖人、碩儒、泰斗、權威比比皆是，讓人很容易匍匐在他們的腳下，喪失獨立思考的精神。所以，在這個研究領域，大膽懷疑，獨立思考的科學精神尤其顯得可貴和重要。

首先，是本書以現代科學精神對於研究對象的嚴格審視。所謂嚴格，是說是非清楚，正誤分明，沒有絲毫含糊和妥協的餘地。作者以這種精神發現和揭示了很多在學術史上向有定評的著作的問題和不足。如對《詩序》，除了前人所揭示的在解詩觀念和解詩方法方面存在的問題之外，還從詞章和行文的角度指出它存在的四個方面的問題：即文多抄襲、義多不全、銜接不當和於史無據。此外，對於《毛傳》、《鄭箋》、《集傳》以及《詩經通論》、《詩經原始》等等，都做了科學的批判性的審視，從各個不同的方面和角度一一詮述它們的成績和存在的問題。作者所做的這種正本清源的工作，足以提高人們對於這些古老典籍的認識。

對於現代《詩經》學著作的審視，同樣貫穿這種嚴格的科學批判精神。他說：進入現代以後，「《序》說以下所形成的枷鎖全都卸下了，新的解說隨之紛紛出現了！這自然是一種進步現象。可是當我們面對一詩多說的新解時，又發現新的不一定是對的；必須以審慎的態度加以比較，選取符合『普遍妥當』的一說，作為目前較為可信的意見。」❿所謂「又發現新的不一定是對的」，是指包括他所尊敬的學術前輩如胡適、傅斯年、顧頡剛和屈萬里在內的「五四」以來的大量的新見解。針對這些新見解的錯誤，他特別指出：「一種詩說的有無價值不在於新與舊」。⓫可見，他對新、舊一視同仁，都是從嚴加以檢驗。

在這方面，更為突出的是，他敢於向千古定論和學術權威提出挑戰。

《左傳》關於吳季札觀樂的一段文字，向來被認為是關於《詩經》的經典性論斷，很多學者往往用它作為論證孔子是否刪詩、《詩經》的編次、篇數和成書時代以及詩樂關係的根據。作者經過充分論證，得出了顛覆性的結論：它不像季札所作，「可能出於後人的附會」⓬，因為它「內容膚淺，沒有抓住詩樂的要害」，它關於各國政情的「明智評斷——不像是一位遠居南國的年輕公子能說的話」。他就此特別強調，人們對於十三經深信不疑，以為都是真實的史料，是「宗經」思想在作怪。事實上，有些經文，是「經過許多人雜湊而成的，讀者需要辨明，不可輕易採信」。在神聖的經典面前，他沒有被嚇倒，而是堅持大膽懷疑，獨立思考，正是科學精神給了他這種學術勇氣。

同樣，科學精神還使他敢於平視學術權威和大家，與之展開論辯。在評介國際漢學權威高本漢的《詩經注釋》時，從四個方面指出其失誤，並分析了原因；對於傅斯年的《詩經》學著作，就詩義和題旨從四個方面提出商榷；對胡適關於「二南為楚風」和〈小星〉、〈葛覃〉詩義、王伯祥關於〈雞鳴〉詩義的論斷，提出了批

❿ 2-98。

⓫ 2-109。

⓬ 2-242（下同）。

評，並寫道：「引證失當，涵義曲解以至結論錯誤者亦所在皆是」⓭；對顧頡剛關於〈騶虞〉的解釋提出不同的見解，並說：「說詩是否妥當，是要從多方面去衡量，不是有了新見解、好方法就能濟事的。」⓮對錢穆的詩學論著，也從很多方面提出不同意見，特別是對周公創制《詩經》的說法，更是提出尖銳批評：「錢先生僅憑一二後儒臆度之言，直斷為周公作；其治學態度恐有流於主觀之嫌了。」⓯對錢鍾書《毛詩正義》，專門寫了兩篇文章，就字義、題旨、作者身份和一些詩學基本問題，展開廣泛論辯，提出其詩學觀念「仍未跳脫漢、宋窠臼」⓰，行文「博而寡要」以及一些具體問題上的失誤。

尤其令人意想不到的是，他還特別指出包括上述大家在內的一些學者論點和行文中的很多自相矛盾之處。

上述學者中有的是地位顯赫的學術大師，有的是作者十分尊敬的前輩，但在學術是非面前，他沒有回避和退讓，而是堅持真理，批駁誤謬，弘揚正確觀點，正視本來面貌。這種獨立思考，理性評判，挑戰傳統，平視權威，不為尊者諱的學術勇氣和銳氣，不僅體現著徹底的科學精神，同時也是崇尚平等競爭和自由探討的現代學術意識的反映。在現代學術史上，這種學術意識在古史辨派學者之間於二三十年代進行的那種不論尊卑，不避權威的討論中曾經得到過充分的體現。

嚴格的科學精神還表現在對於學者及其著作的準確、客觀的判斷和評估上。

在學術史研究中，對於每一位學者及其著作都需要判斷和評估，判斷和評估應當說是很平常的事情，但要作到把握其質（即性質）和度（分寸），也就是評估的準確和客觀就比較困難了。在這方面，本書從論著本身出發，堅持實事求是的分析，做得是很突出的。如關於朱熹詩學的總體評價，提出四點具體意見，特別是在前三點基礎提出的第四點，更是切中要害。⓱對方玉潤《詩經原始》一書成就和說詩優點，概括為四個方面，抓住了研究對象的特點，又很全面。對於鄭樵《詩辨妄》，

⓭ 2-627。

⓮ 2-595。

⓯ 3-315。

⓰ 3-379。

⓱ 1-147。

充分肯定了它反《序》主張在學術史上的地位和意義，同時，又指出他論詩缺乏完整的體系，以致不能將自己的主張一以貫之。從這樣兩個方面觀照鄭樵，是完全符合實際的。又如，結合詩學歷史發展和《詩經》古今文關係的角度，對於魏源《詩古微》的成就、貢獻和局限性的論斷，更是全面把握研究對象的高屋建瓴之論。

對於在《詩經》學術史上有很高的地位，但又存在很多問題和不足，因而評價不一的著作，例如《鄭箋》，作者寫了這樣一段話：鄭玄「博覽群籍，精通經義，著作豐富，從學的人又多，成為當時最被推崇的經學大師。如果我們只以《詩箋》來看，可能有他的成就與他的盛名不很相稱的感覺。但須知道他的偉大是由多方面的成就匯集而得的……因此，我們不宜以《詩箋》來定鄭氏成就的高下，也不宜以鄭氏的盛名來推崇《詩箋》的偉大。《詩箋》價值的高下，決定於《詩箋》的本身」。⑱作者排除種種複雜現象的干擾，冷靜地面對研究對象，緊緊抓住著作本身，進行具體的科學分析，所以，才能作出客觀的實事求是的評價。

「五四」時期，新文化運動的先驅者胡適、陳獨秀等人曾大力提倡科學精神。所謂科學精神就是實事求是的精神，它體現在認識或研究過程的各個環節上；具體說來就是指大膽懷疑，獨立思考，注重證據，理性評判，按照事物的本來面貌認識事物。胡適說：「科學只要求一切須要禁得起理智的評判，須要有充分的證據。凡沒有充分證據的，只可存疑，不足信仰。」⑲又說：「一切主義，一切學理，都該研究。但只可認作一些假設的（待證的）見解，不可認作天經地義的信條；只可認作參考印證的材料，不可奉為金科玉律的宗教；只可用作啟發心思的工具，切不可用作蒙蔽聰明，停止思想的絕對真理。」⑳十分明顯，作者推翻千年定論，挑戰權威見解，批評尊長失誤，準確、客觀地評價古今學者及其著作，所憑藉的正是這種科學精神。科學精神是「五四」新文化運動的兩面大旗之一，從書中可以看出作者較好地繼承和發揚了這種精神。

四、作為立論根據的材料，是研究工作的基礎，掌握材料是否充分，在一定程

⑱ 1-100。

⑲ 《胡適文集》，人民文學出版社 1998 年版，第 3 卷 423 頁。

⑳ 同上第 2 卷 165 頁。

度上決定著結論是否正確和可靠，其重要性是不言而喻的。本書對於材料十分重視，掌握材料力求全面和系統，從基礎上保證了結論的正確和可靠。

本書對於各家著作的評介，除前言或引言之外，一般是由原著的基本觀點和主要內容、說詩的優點、缺點以及最後的簡短的結論組成。結論是根據前面的論述，即基本觀點、主要內容以及說詩的優、缺點得出的，沒有泛泛空言；而基本觀點和主要內容、說詩的優點、缺點，又是通過大量的有說服力的事實歸納出來。例如將方玉潤《詩經原始》的基本觀點歸納為六個方面、優、缺點各四個方面，而每一個方面都不是空洞的述說，而是以大量的例證分析為基礎。由於例證充分，數量多並兼顧到各個方面，所以歸納出來的認識以及在此基礎上所得出的結論也就堅實可靠。又如，《詩序》與《毛傳》的關係，向來眾說紛紜，本書在大量事實的基礎上總結為三種情況：彼此相應、彼此不相應和彼此衝突，而以第一種情況即彼此相應為最多，並由此推測：「序傳或有同源的可能，不一定是全出於彼此承襲的」。㉑其他各書，論證過程也是如此，這說明，全書對於每一部名著的評介，都是建立在對於基本材料的全面系統把握的基礎上。

在本書的駁論性的文章中，因為要駁斥的是成說，因此，就更需要材料來說話，這一特點因而也表現得更為突出。例如作者不同意錢鍾書在《毛詩正義》中將「桃之夭夭」的「夭」訓為「笑」的說法，就從六個方面加以駁斥：⑴《說文》的解說；⑵《說文解字注》的解說；⑶「笑」字的出現時代和演變過程；⑷詩義分析；⑸「夭」字的本義；⑹邏輯關係缺少大前提，推理不嚴謹。㉒這六個方面，涉及到字源、字意、詩義和邏輯關係，對於反駁一個字的訓釋來說，應當說材料是很充分的。

以上是本書在掌握材料方面的一般的情況，下面再就個別問題來看一看作者為了全面、系統掌握材料所做的巨大努力：

在《詩經衛莊姜史詩考》一文中就《詩序》所定的《綠衣》等六篇有關莊姜的史詩提出不同見解。作者首先是從材料來源上說明《詩序》立說無據，作者遍覽古

㉑ 1-55。

㉒ 3-361－364。

代文獻，指出關於衛莊姜的史料只有《左傳》的一段話和《史記》類似的記載，「兩書僅止於此，別無可考」。㉓此外關於莊公二子以後的情況二書還有一些記載。《詩序》就是根據這點史料，斷言六篇詩的作者和人事，顯然缺乏足夠的根據。因此，《詩序》之說，自宋代開始屢遭學者們的反駁，也就不足為奇了。作者同意前人的駁議，並將他新發現的兩則資料附上。這兩則資料，一從史事證，一從詩文證，更加堅實了反《序》說的觀點。對此，作者曾做過這樣的總結：「凡是這類考證的文字，都是以史料對史料。漢儒將某些詩篇編給某些歷史人物，我們不表同意，即須找出與其相反的史料，說明其編配的不當。」㉔「以史料對史料」，沒有對於資料的全面掌握，是根本做不到的。

再看對於《魯詩故》資料來源的質疑。《魯詩故》，漢申培撰，至東晉亡佚，今所見《魯詩故》三卷為馬國翰輯佚。輯佚本是否有價值，關鍵在於能否接近和恢復原書的本來面貌，作者認為，恰恰是在這個關鍵環節上，《魯詩故》存在很多問題。首先是資料來源，對書中五百一十則資料出處的統計顯示，出自《楚辭》的最多，其次是劉向和蔡邕的作品，尤其是劉向《列女傳》的人物故事所佔篇幅最多。作者據此提出以下質疑：⑴傳承愈久，愈失其真，劉向後申公二百年，蔡邕又後劉向二百年，所言詩義會是申公本意嗎？⑵《漢書・藝文志》謂《魯詩故》僅為訓詁而無傳，即僅有文字訓釋而沒有人事和詩旨說明，輯佚本大量採用以人物故事為主的《列女傳》，顯然與《漢書》記載相矛盾；⑶輯佚本一詩多說，顯然非申公本意；⑷輯佚本訓詁所注出處查無實據，如謂有的話出自《漢書・杜欽傳》，但《漢書》並無此傳；謂有的話出自《列女傳》，但《列女傳》不見此文。根據以上情況，作者得出結論：輯佚本《魯詩故》「有異於申公原著……馬氏僅作資料拼湊工作，並未下鑑別與整理功夫以至出現不通、矛盾與錯誤等現象……」㉕可以想像，上述作者質疑輯佚本的四條根據，都非可以輕易得來，僅此一點即可看出作者在掌握資料方面所下的功夫。

㉓ 2-253。

㉔ 第二集〈自序〉。

㉕ 3-29。

經　學　研　究　論　叢
第 十 五 輯　頁347～356
臺灣學生書局　2008 年 3 月

廖宗澤《六譯先生年譜》手稿評介

金生楊*

《六譯先生年譜》手稿是廖平次孫廖宗澤於民國二十二年（1933）所編的廖平年譜，也是現存最為詳贍、最為完善的廖平年譜。它的編撰完成及其流傳問世經歷不少風雨，而它的傳世對於研究晚清民國學術的發展變遷，尤其是研究經學大師廖平的學術事蹟有著極其重要的參考價值。由於該年譜僅有手稿和複印本傳世，手稿原件蟲蝕嚴重，複印本僅存一二，少有學人知曉，故有加以評介的必要。

廖平初名登廷，字旭陔，繼改名平，字季平，號四益，又改為四譯，晚年更號五譯、六譯，四川井研青陽鄉鹽井灣人。清咸豐二年（1852）生，光緒十六年（1889）應殿試，得二甲七十名，賜進士出身，官龍安府教授。❶光緒十七年，出任尊經書院襄校。民國時期，長期擔任成都國學專門學校校長。民國八年（1919）三月中風，右手痙攣不能作。十三年（1924）退居鄉里，二十一年（1932）病逝。廖平是清代最後一位經學大師，在學術史上有著重要的地位。

一

《六譯先生年譜》為廖宗澤所撰，廖平「先生與澤系祖孫」。廖平長子成學，成學次子即宗澤。在卷一標題下方，廖氏直題為「孫宗澤敬編」。

廖宗澤以廖平晚年「六譯先生」之號名譜，實有意於廖平學術。民國十年

---

*　金生楊，西華師範大學歷史文化學院副教授。

❶　廖宗澤：《六譯先生年譜》，光緒十六年，手稿複印本。

（1921），廖平六變說成，廖宗澤即引廖平早年之言曰：「為學須善變，十年一大變，三年一小變，每變愈上，不可限量，所謂『士別三日，當刮目相待』者也。變不貴在枝葉，而貴在主宰，但修飾整齊無益也。若三年不變，已屬庸才；至十年不變，則更為棄才矣。然非苦心經營，力求上進者，固不能一變也。」❷廖平之學善變，一生凡經六變，愈變愈新，愈變愈奇。「六譯先生」不僅為廖平自己所樂道，也真切地反映其學術善變的精神。

《六譯先生年譜》卷首〈敘例〉對於該書的撰寫因緣有明確的交待。其開篇稱：「六譯先生於光緒□□□有『藉《四變記》作年譜』之語。民國八年，門人鄭可經嘗欲為先生作年譜，未果。此後澤即有自作之意。嘗就先生詢其蚤年事蹟，先生方病，作之語蹇澀，記憶不清，述時頗吃力，不欲苦之，因以擱置。去年先生既逝，《四川尚志週刊》欲為先生出紀念刊，以年譜見取，乃始為之。不作於先生生前，而作於死後，致有無可印證之憾，此當引為心疚者也。」❸由此可見，廖平曾於光緒年間打算「藉《四變記》作年譜」，是年譜之作，念頭本起於廖平。其後廖平門人鄭可經也有撰作之意，但無果而終。廖宗澤說：「是時鄭可經嘗欲為先生年譜，已以一冊子列干支年歲，仍未作成。」❹廖平、鄭可經撰作未成之後，廖宗澤即有自作之意，其時在民國十七年（1928）。「宗澤欲為先生作年譜，嘗就先生詢問往事，先生語以數事（自注：尊經、五四年，及送張之洞、合試被磨勘）。宗澤以先生言語極艱難，不欲苦之而止。」❺由於廖平晚年中風，言語不清，記憶含混，說話吃力，故廖宗澤不忍心當面多加諮詢，讓其祖父受苦，終至於未能在廖平生前撰作年譜，而留下諸多遺憾。以上可以說是《六譯先生年譜》撰作的遠因，也是其內在的根本動力。《六譯先生年譜》撰寫最直接的推動力來源於當時《四川尚志週刊》欲為廖平出紀念刊，以年譜向廖宗澤約稿，而宗澤乃應求而作。

廖宗澤稱「去年先生既逝」，可知此譜作於民國二十二年（1933）。不過，這

❷ 廖宗澤：《六譯先生年譜》，1921 年。按：此語出自廖平：《經話》甲編卷 1，李耀仙主編：《廖平選集》（巴蜀書社，1998 年）上冊，頁 412。

❸ 廖宗澤：《六譯先生年譜》，卷首〈敘例〉。

❹ 廖宗澤：《六譯先生年譜》，1918 年。按：〈敘例〉時間與此不同，似當以此為準。

❺ 廖宗澤：《六譯先生年譜》，1928 年。

僅是〈敘例〉之言，由於《年譜》並未定稿，〈敘例〉有先作之嫌，故《年譜》的編撰時間更準確地說是起於民國二十二年，而完成時間有待進一步考證。

廖宗澤在《六譯先生年譜》的取材上注重全面準確，多方印證，頗為嚴謹。其來源有五：一、廖平所著已刊諸稿。二、廖平所著未刊諸稿。三、同時人著作。四、所聞。五、所見。在《年譜》中，對於採錄或節錄原文者，廖宗澤均注明原書名，而對於有獨自領會而加以摘要概述者則注曰「據某著」。對於所聞所見，廖宗澤均未注明出處。對於有聞見事蹟並見於著作者，廖宗澤以記憶多誤，大抵據依著作。廖平著述甚多，在當時已有不少佚失，所存者不過總數的五分之二，廖宗澤在年譜中均注其存佚。對於佚失之作，廖宗澤采擇光緒《井研縣誌・藝文志》中的相關提要序跋，撮其大要，補其不足。廖宗澤說：「未刊各稿多佚，或散在故舊，一時無法徵集。同時人著述，亦以僻在鄉曲，所見只三數種，缺漏極多，以後當陸續增補。」❻可見，宗澤所據文獻仍有一定的缺陷。不過，從廖宗澤依據的材料來看，他所採錄的材料，現在多已難覓，更有不少失傳。至於當時所存之書，廖宗澤也作了慎重的處理，多加採引。他無不謙虛地說：「現存各書，澤既未能盡讀，於堪輿家言，尤無常識，除僅據序跋外，實不能置一詞。」❼此外，廖宗澤對於盛行於時的間雜評論的年譜編撰方式並不苟同，而是去除己說，採錄他人評語，實較客觀允當。

廖宗澤在寫作安排上還根據廖平的學術變遷分卷作序，使讀者能知其學術梗概，少用氣力。他說：「先生治禪學後，說凡六變；未治禪學時，嘗治宋學。今就其原有階段，據洪興祖《韓子年譜》例，區為七卷，判其起訖。二卷以後，以《初變記》、《二變記》、《三變記》、《四變記》、《五變記》、《六變記》錄於卷首，藉作緒言，使讀者心中先具概略，再按年讀去，較為省力（原注：以其所言包括某一階段，非一二年事，故以之獨立卷首）。首卷則取先生經學初程中自述一則充之。蓋約《變記》各文為綱，按年所記號目，合之兩美，亦庶幾先生以《四變

---

❻ 廖宗澤：《六譯先生年譜》卷首，〈敘例〉。

❼ 廖宗澤：《六譯先生年譜》卷首，〈敘例〉。

記》作年譜之初心爾。」❽

《六譯先生年譜》手稿卷首為〈敘例〉和《廖氏世系表》。正文分為七卷，但卷三以後已不分卷，並無標題和緒言，當是撰作初稿，以方便行文、有關時間斷限的思考嘗未成熟而未及完善之故。卷一「起咸豐二年壬子，訖光緒五年己卯，凡二十七年，後半為先生治宋學及訓詁時期」。卷二「起光緒六年庚辰，訖十三年丁亥，凡八年，為先生學說初變時期」，所訖時間隨後又改移為光緒十一年。所謂初變，即「平分今古」時期，以平分今文經學和古文經學。卷三最初以光緒十四年戊子為起始，故於十四年前有標題「六譯先生年譜卷三」，緒言稱：「起光緒十四年戊子，訖二十三年丁酉，凡十年，為先生學說二變尊今抑古時期。」隨後移改，眉批曰：「移丙戌，《二變記》移此。」同時，《年譜》於光緒十二年丙戌眉批有：「《井研志・藝文四・知聖編提要》云：『丙戌以後，乃知古學新出，非舊法，於是分作二編，言古學者曰《闢劉》，言今學者曰《知聖》。』又己酉本《四變記》以《群經凡例》、《王制義證》為二變時作，二書不能在丙戌以後，則尊今抑古當始於丙戌。丙午本《四變記》二變以戊子標年者，蓋言《知聖》編成者之年耳。」所謂二變，即由「平分今古」轉向「尊今抑古」，以為只有今文經學才是孔子真傳，古文經學乃是劉歆在西漢末年的偽纂。卷四起於光緒二十四年丁酉，但手稿已不明確。在光緒二十四年之前，標有一「五」字，當指卷次。但這是廖宗澤最為原始的分卷，因為在光緒二年前標有「二」字，在光緒十四年前標有「四」字，二者均已圈去，說明廖宗澤對其最初的分卷有所改動。同樣，光緒二十四年之前所標的「五」字也當圈去，而依據改動的標題順次標為「六譯先生年譜卷四」。由於是手稿的原因，廖宗澤尚未及修正這一最初標目，甚至於隨後的卷五、卷六、卷七既無標題、標記，更無緒言，不知其起訖。不過，根據〈敘例〉所言，卷四、五、六、七分別為學說三變、四變、五變、六變時期，並分別以《三變記》、《四變記》、《五變記》、《六變記》為緒言。

從廖平學說變化來看，廖平學說三變是由「尊今抑古」進入到「小統大統」說，即以古文經《周禮》為大統，今文經《王制》為小統。廖平學說四變一改以前

❽ 廖宗澤：《六譯先生年譜》卷首，〈敘例〉。

的今古之學，進入到「學分天人」時期，以為六經中《春秋》、《周禮》、《尚書》為人學，《樂》、《詩》、《易》為天學，人學為人類社會立法，天學為宇宙立法，天學高於人學。廖平學說五變是對三變、四變的細化，即把人學小統、大統與天學神游、形游之學加以貫通。其學說六變為「以《內經》說《詩》、《易》時期」，即以《黃帝內經》五運六氣說解說《詩》、《易》，明其天人之學。雖然《六譯先生年譜》對卷四、五、六、七只有概略的劃分，但其中也有一些指導性的用語。《年譜》於民國二年（1912）稱：「先生壬寅始為天人之說，至此漸致完備。」壬寅為光緒二十八年（1902），故廖平學說四變當始於光緒二十八年，卷四所訖時間應當在光緒二十七年。又《年譜》於民國十年（1920）載：「是年，先生六變說成，易號六譯老人。」顯然，民國十年以後是廖平繼續堅持其六變學說的時期，這對卷七的劃分有了更深入的說明。

按照廖宗澤《六譯先生年譜》卷首〈敘例〉之說，在手稿正文之後還附有無可考系年代的佚事和著作，但今存稿本並無此內容，是廖宗澤當時並未完成，還是在流傳中佚失已不可考。

二

廖宗澤在民國二十二年開始編寫《六譯先生年譜》，當時以版心印有「滎邑東街徐洪發造」及「黃金萬兩」的帳簿稿紙，用毛筆書寫而成。其中圈改無數，正文與〈敘例〉並不完全吻合，分卷也不完整，說明《年譜》手稿並沒有最後定稿，因此也沒有全稿刊印的可能。至於廖宗澤是否經整理後在約稿的《四川尚志週刊》上發表，尚需作進一步的考證。

自民國二十二年始，廖宗澤一直保存著《六譯先生年譜》手稿。文革期間，廖宗澤擔心紅衛兵抄家，將此心血付諸東流，於是以捐贈的名義，將此手稿送交重慶市圖書館收藏。今《六譯先生年譜》手稿於卷首《敘例》、卷一下方，尚印有「重慶市圖書館藏」的印章。不過，重慶市圖書館對此手稿並不重視，只是原樣而散亂地堆放在圖書館古籍收藏室裏，並沒有裝訂成冊，更不用說整理出版。

二十世紀八〇年代末，熱心於廖平文集整理的南充師範學院歷史系（今西華師範大學歷史文化學院）教授李耀仙先生十分關注廖平相關著作的搜集整理。一九八八年，井研縣舉行廖平遷葬典禮，李耀仙應邀參會。[9]在與廖平後裔交談時，李先生得知《六譯先生年譜》及相關資料在文革期間捐贈重慶市圖書館一事，隨即前往該圖書館，在故紙堆中查尋三天後找到了它，並將其一一複印後帶回南充收藏。據《六譯先生年譜》手稿複印本及李先生的回憶，當時的《六譯先生年譜》手稿次序十分零亂，幸因其版心記有頁碼，再參考前後文，得以恢復原有次序。總體來看，現存手稿複印本共有三〇一頁，字數至少在二十萬字以上，大體完整，但其中已有蟲蝕之處，並且不乏雨水浸潤的跡象，還有一些殘缺不全，甚至有極少數缺頁的情況。手稿字跡大小不一，也有少數不清晰之處，加之正文、眉批標注增改不少，圈移甚夥，要對其加以補缺整理，實非易事。九〇年代，黃開國先生到重慶市圖書館查閱《六譯先生年譜》手稿。據他所言，該稿已嚴重蟲蝕，根本無法使用。所以，李耀仙先生所存的《六譯先生年譜》手稿複印本是保存最好的本子。

李耀仙當初曾請同事周開度先生補足整理，並加以繕寫。周先生經過長期努力，完成了約二分之一左右的內容，將原稿及繕寫清樣返回給了李先生，此後再沒有加以整理。九〇年代末，樂山師範學院某先生造訪李耀仙先生，提出合作完成《六譯先生年譜》整理工作的建議。李先生在原複印本一時尋找不得的情況下，將周開度先生整理稿的絕大部分（只有光緒二十五年稿與原稿留存在一起）交給了此人。然而此先生去後，音訊全無，周開度先生部分整理稿也不知下落。

二〇〇三年，曾參加過當年《廖平選集》整理工作的學者舒大剛先生欲將廖宗澤《六譯先生年譜》手稿收錄入四川大學古籍所正在編撰的《儒藏》中去。經筆者尋訪，在李耀仙先生家中搜索出手稿複印本，並另加複印，轉交到四川大學古籍所。二〇〇五年，八十五歲高齡的李耀仙先生去逝，當筆者清理先生藏書時，其複印本已不知所終。

---

[9] 按：李耀仙先生有〈井研廖季平先生贊（作於戊辰應邀參加廖君遷葬典禮前夕）〉：「近代談經眾說紛，井研才調獨無倫。再勘贗偽先康氏，一考傳承貶鄭君。小大之分彰聖哲，人天立學論形神。如今儒術將何往？應接前賢索理真。」見李耀仙：《梅堂詩詞選存》（南航大實業公司、東航印刷公司聯合出版，1999 年 4 月），頁 94。筆者整理李耀仙：《梅堂述儒》時，收該詩入書末〈附錄〉（四川大學出版社，2005 年），頁 514。

三

儘管廖宗澤作《六譯先生年譜》，「敍述或則得於蕪雜，或則失之漏略，姑以此為初稿，以求正高明」⑩，但手稿保存了大理資料信息，為它書所不備，是現存最為詳贍的廖平年譜，極具學術價值。

目前流傳甚廣的廖平年譜是由巴蜀書社一九八五年出版的題名廖幼平編的《廖季平年譜》。該書的核心部分乃是廖宗澤所編的年譜，亦稱《六譯先生年譜》，廖幼平實際上只將該譜與廖宗澤《六譯先生行述》、章炳麟《清故龍安府學教授廖君墓誌銘》、蒙文通《廖季平先生傳》、向楚《廖平》匯編在一起，並附錄以蒙文通《井研廖季平與近代今文學》、《廖季平先生與清代漢學》、《井研廖師與漢代今古文學》、《議蜀學》以及廖幼平自己所編《六譯先生已刻未刻各書目錄表》、卞吉《現存廖季平著作目錄稿》而成。

對比《廖季平年譜》所錄廖宗澤《六譯先生年譜》（以下簡稱刊本）與其手稿本，我們可以看到，刊本體系完整，分卷清晰，邏輯更嚴密。在內容上，刊本對手稿本中的一些重要資料作了大量刪節，同時適當調整和明確了各卷起訖，也補足了卷四、卷五、卷七的緒言（卷六仍缺）。可以初步斷定，刊本是在稿本的基本上修訂而成的，可以反映廖宗澤較為成熟的有關廖平學術體系的思想，在大方向上對認識廖平學術有更好的參考價值。然而在體系更嚴密、形式更美觀下，刊本在資料價值上卻較手稿本大打折扣。刊本刪去了手稿本中大量有關廖平著作內容介紹、社會交往、學人評論及生活情況等細節，刪去了卷首的〈敘例〉、《廖氏世系表》，對瞭解廖平著作、交游、生活以及本《年譜》的體例、廖氏世系等是一個重大的遺憾，而篇末沒有補足手稿本〈敘例〉所言正文篇末附無繫年的佚事和著作，更是遺憾中的遺憾。刊本在卷五之首的緒言中以四變概括了卷五、卷六所載的內容，而卷七緒言直言學說六變，以至於缺少了五變，較之手稿本而言，更為疏略。此外，手稿本乃廖宗澤以稿紙親筆書寫，也使其擁有刊本所無法比擬的文獻乃至文物價值。

廖宗澤《六譯先生年譜》手稿本的價值還可以從廖宗澤與廖平在學術上的特殊

---

⑩ 廖宗澤：《六譯先生年譜》卷首，〈敘例〉。

關係加以佐證。廖宗澤是侍奉廖平晚年學術生活的重要助手。民國三年（1913），廖平接任國學學校校長一職，廖宗澤即於是年考入該校。⓫四年，廖平命宗澤將《靈素》中之針脈病名彼此解釋者匯成專書。七年十月二十九日，侍廖平極久、深為廖平喜愛的廖師政去逝，廖宗澤成為最佳接任者。同年十二月，宗澤畢業。八年三月十七日，仍在國學專門學校校長任的廖平於晚餐時中風；八月，「次孫宗澤自井研來侍」。「先生病後，以半身不仁，行動飲食均非人不舉。寫作惟恃左手，然仍不廢著述及講授。當講授時，常命孫宗澤書其稿於黑板，略說數語。語不清晰，則宗澤間為繙之。」⓬民國九年，宗澤入法事學校，「先生謂棄其家學，阻之不能，怒甚」⓭，頗有以宗澤繼承家學之願。十年，廖平命宗澤纂集《莊子》、緯書中言孔子作六經之文。十二年，頗受新潮影響的宗澤再次受到廖平的批評，「謂其擇術不正，恐致沈淪」⓮，殷切愛護之情溢於言表。同年五月，宗澤回井研，廖平「令將《公羊補證》中與革命有關之文字錄出作為外編，未果」。⓯十三年，宗澤自井研至成都迎廖平回。正因為廖宗澤侍廖平久，受其學術影響甚大，所以他在民國十七年即欲撰寫廖平年譜，民國十八年又欲同縣人一道創辦六譯公堂及六譯圖書館以紀念廖平。⓰民國二十年冬，宋育仁卒，廖平「授意宗澤為挽聯，有『道不同不相為謀』之意」。⓱廖宗澤前後侍奉廖平約二十年（1913－1932），深得廖平喜愛。他不僅通曉廖平思想，而且對其事蹟也多有聞見，增加了所編《年譜》手稿的價值。廖宗澤自己就說：「孫志有《家學紀聞錄》、《師友𦏁音》各書，專記早年治學及師友改錯之言，惜未成書，否則有裨於年譜材料當不少也。」⓲廖平逝後，廖宗澤還專門撰寫了《六譯先生行述》，並於民國二十三年（1934）年持狀請章炳

⓫ 廖宗澤：《六譯先生年譜》，1914 年。

⓬ 廖宗澤：《六譯先生年譜》，1919 年。

⓭ 廖宗澤：《六譯先生年譜》，1920 年。

⓮ 廖宗澤：《六譯先生年譜》，1923 年。

⓯ 廖宗澤：《六譯先生年譜》，1923 年。

⓰ 廖宗澤：《六譯先生年譜》，1928、1929 年。

⓱ 廖宗澤：《六譯先生年譜》，1931 年。

⓲ 廖宗澤：《六譯先生年譜》卷首《敘例》。

麟撰墓誌銘，得到了章氏的同意。章炳麟載：「其年九月，葬榮縣陳家山之陽。逾二歲，其孫宗澤以狀來，曰：『先生持論與大父不同，無阿私之嫌，願銘其幽！』」⑲

此外，廖幼平編《廖季平年譜》時沒能對廖宗澤所撰《六譯先生年譜》作多大補充也使得《年譜》手稿本的價值顯得重要。這一點可以從廖幼平與廖平關係上看出端倪來。廖幼平雖為廖宗澤的姑姑，但她出生於光緒三十四年（1908）三月初一日，比生於光緒二十四年（1898）五月的廖宗澤年幼 11 歲。在民國十三年（1924）隨同廖成劼、廖宗澤一道至成都迎廖平回井研前，廖幼平一直住在井研，與廖平長期分離。十八年「九月，女幼平赴滬就學」。⑳在廖平生命的最後數年，她也不在身邊。所以，廖幼平對廖平學術事蹟知之甚少，與廖宗澤不可同日而語。

總之，《六譯先生年譜》手稿是廖宗澤認真編寫的一部最為原始的廖平年譜，因廖宗澤與廖平緊密的學術生活關係以及譜中記載的詳細、取材的豐富，使其比後來刊印的《廖季平年譜》更具學術文獻價值。四川大學古籍所《儒藏》將現在罕見的《六譯先生年譜》手稿本推出，必將推動廖平乃至晚清民國學術研究的深入發展。

---

⑲ 章炳麟：〈故龍安府學教授廖君墓誌銘〉，廖幼平編：《廖季平年譜》（成都：巴蜀書社，1985 年），頁 95。

⑳ 廖宗澤：《六譯先生年譜》，1929 年。

經學研究論叢
第十五輯　頁357～380
臺灣學生書局　2008年3月

李辰冬《詩經通釋》評介

趙制陽*

壹、前言

從《詩經》研究史上看，代有名作；但大都在篇旨章義上談。名家多矣，得失互見。近世學者，多重創新之見。自民初《古史辨》以來，疑古尚新，蔚為風氣。但在這一氛圍之下，出現兩個特殊人物：一是郭沫若，一是李辰冬。

郭氏在大陸鼎革前後以馬克思學說為主導，解說中國西周直至戰國末期屬於奴隸制社會。❶說〈豳風・七月〉篇的「田畯」是「奴隸主」，「農夫」是「農奴」。〈鄭風・出其東門〉、〈陳風・東門之枌〉中的女子是「摩登女郎」（職業賣淫者）。三百篇中不僅含有歌讚奴隸制度的詩，而且還有奴隸主怨恨、諷刺新起封建主的詩。如〈曹風・候人〉、〈小雅・正月〉、〈十月之交〉、〈大雅・瞻卬〉等屬於奴隸主怨天的詩。尤其如〈秦風・黃鳥〉、《史記・秦本紀》視為秦人哀三良殉葬之作，郭氏卻編在「奴隸主怨天的詩」裏。這裏的奴隸主如是穆公，他既命三人陪葬，而且自己已死，會發「誰從穆公？……殲我良人」的怨歎嗎？是其子康公嗎？康公遵父命、依循典制而行，怎敢有怨？從該詩旨趣觀之，那有奴隸主怨天之意？像郭氏這一類新解，是詩義的扭曲，是當時中國學術泛政治化的始作俑者。其影響及於大陸開放之初，最近才漸趨沈寂。

---

* 趙制陽，東海大學中國文學系教授，現已退休。

❶ 見郭沫若著《中國古代社會研究》。

至於李辰冬先生，他的見解與政治無關。他志在創新，但求一鳴驚人。他在〈自序〉裏說：

> 《詩經》三百零五篇都是尹吉甫的作品，也都是他的自傳；使我知道宣王三年（前825年）到幽王七年（前775年）這五十年間的史事。這是駭人聽聞的發現，……然確實如此，這部《詩經通釋》就在一字一句作證明。
>
> 這種發現，絕不是大膽假設，小心求證得來，……我是先從三百篇裏尋求出許多原理法則，然後依據這些原理法則一字一句解釋三百篇，最後才發現這個事實。
>
> 西洋治文學的方法，近達四十八種之多，……學術進步由於方法的進步，有新方法就有新見解，無新方法就只有人云亦云。
>
> 如能打破〈詩譜〉的束縛而又能在《詩經》本身發現許多原理法則，那末，一個新世界就顯現在眼前。這時，《竹書紀年》所記的從宣王三年到幽王七年的事跡就成了三百篇的時代綱領，因而也就在三百篇裏發現一些綱領詩。……其次，還發現一些鑰匙詩。……一與綱領詩配合，不僅了解了它本身的意義，又能打開其他詩篇之門，所以稱之謂鑰匙詩。三百篇就是由這兩種詩交互配合而組成一個完整的史跡。……

他藉這篇序文，宣示自己的主張：《詩經》是尹吉甫一人之作。他是用新方法研究出來的。他將《竹書紀年》所載宣、幽之間五十年作為時代綱領，再找出綱領詩、鑰匙詩，交互為用，即組成一個完整的史跡，也就作成了他的《詩經通釋》。

該書在民國六十年出版，《中國語文》月刊曾闢專欄徵文討論，由李先生答辯；一時成為熱門話題。我對《詩經》本有偏好，購閱之下，發現內容與其序言不符者甚多。即以所見，先後作成八篇文章，參與討論。以下即是其節錄者。

貳、主要問題探討

一、星的補述——對《詩經通釋》的討論❷

李著於〈周頌・清廟〉認為「清廟」不是一座廟，而是一顆星。《通釋》頁112說：

> 史記天官書：「營室為清廟」，那麼，清廟是營室，營室就是定星。

這是一種誤解。誤解的原因，是在將「為」字解作「是」字。他沒有將《史記・天官書》這一句式作類比的考察。〈天官書〉這一句式的「為」字要作「主」字解。如「軫為車，主風。」〈正義〉說：「軫四星，主冢宰輔臣，主車騎，又主風。」這是說軫是由四顆星組成的一個星座，它主理三方面的事：君王的輔政大臣（人的方面），車騎馬匹（物的方面），風（自然界方面）。又如「東井為水事」。〈正義〉說：「主水平衡事。法令所取平也。王者取法平，則井星明而端列。」這是說東井星在自然界則主理水的平衡，在人生界則表徵法制的公平。可見這些句子裏的「為」字不作「就是」解；作「就是」解的是另一類句式。例如：「奎曰封豕，為溝瀆。」〈正義〉說：「奎，天之府庫，一曰天豕，一曰封豕，主溝瀆。」又「昴曰髦頭，胡星也，為白衣會。」「畢曰罕車，為邊兵，主弋獵。」這就是說昴就是髦頭星；畢就是罕車星。可見這裏的「曰」字才解作「就是」，或解作「又叫」，是一物二名互訓時用的。至於這兩句「為」字，為「主弋獵」的「主」字同義，都是「主理」、「掌管」的意思。可見李先生將「清廟」說成即是「營室星」，不是一座廟，是不懂「為」字涵義的誤解。

其次，從〈清廟〉詞句與李著對譯來看：

> 於穆清廟，肅雝顯相。濟濟多士，秉文之德。對越在天，駿奔走在廟。不顯

❷ 本文以「補述」為題，是由於《中國語文》月刊先有劉明儀女士質疑李著「清廟為一顆星不是廟」之說，李先生為文辯駁；故我作此「補述」。

不承，無厭於人斯！

李氏譯文：

燦爛的清廟星呀！顯現了莊嚴肅穆的形相，濟濟一堂的多士，承受著它的恩德。為宣揚在天上的恩德，急急忙忙在廟裏奔跑。大大地顯示恩德吧！不要厭倦了我們這些人！

這一譯文，出現三個問題：㈠星斗滿天，一顆小星要找到它都不容易，哪有「莊嚴肅穆的形相」？㈡既然否定了人間的「廟」，又哪裏來的「堂」？哪裏來的「廟」？所謂「濟濟一堂的多士」、「急急忙忙在廟裏奔跑」，是潛意識裏在承認人間實有其廟的吧？㈢即使看到這個小星，它有何恩德讓人頌贊？它與其他星座有什麼兩樣？

還有一個問題，李著將〈鄘風・定之方中〉、〈清廟〉、〈武〉三首說成是衛國的詩，是尹吉甫隨著衛人平陳與宋獲勝回衛時寫的。〈周頌・武〉篇是衛詩嗎？請先看該詩全文：

於皇武王，無競維烈。允文文王，克開厥後。嗣武受之，勝殷遏劉，耆定爾功。

李先生說：

文王在先，武王在後，文王又是武王的父親，祭祀時不是應該先稱文王而後武王嗎？此詩怎麼先武王而後文王呢？武王是衛國的直接祖先，依衛的近親而言，應該是先武王而後文王。由此更可證明是衛人在平陳與宋後祭祀文王、武王的作品。

在這裏，李先生把人事關係搞錯了，衛人的直接祖先該是文王，不是武王。衛國第一任國君是文王的少子，武王的弟弟「康叔」。所以衛君如果要祭宗周之祖，只該祭文王，不該祭武王。〈武〉篇既然以武王為先，文王在後，正好證明，它不是衛詩，而是周詩；而且一定是武王廟的詩。

二、召穆公真的死於征淮之役嗎？

《詩經．秦風．黃鳥》篇有「誰從穆公，子車奄息」句。這位「穆公」，素來以為是秦穆公。秦穆公死，子車氏三兄弟從葬，國人哀之而作。李先生一反舊說，在〈黃鳥〉篇（《通釋》頁 401）裏說：

> 這首詩的穆公是召伯的謚，也就是後世所說的召穆公，絕不是秦穆公，也不是召虎。分清了這一點，才可了解這首詩。

又在該篇「詩篇連繫」（頁 402）下說：

> 從〈江漢〉篇，我們知道召虎死了父親，也就是召伯。從〈常武〉篇，我們知道宣王南征徐國的路線；從征徐的路線，我們又發現召伯陣亡的地點；再從〈鐘鼓〉篇「淮有三洲」，我們知道三良也隨召伯陣亡在「蓼」這個地方。

李先生說〈黃鳥〉篇的「穆公」是召穆公，是召虎的父親；他在征淮時陣亡，三良是跟他陣亡的人。可是《竹書紀年》載宣王政事云：

> 五年夏六月，尹吉甫帥師伐玁狁，至于太原。

> 六年，召穆公帥師伐淮夷。王帥師伐徐戎。王歸自伐徐，錫召穆公命。

這裏前一則是與〈小雅．六月〉篇內容相符，足以證明這時的尹吉甫已是征伐玁狁的統帥，與召穆公地位相當；並且被頌為「文武吉甫，萬邦為憲」，其身份絕非李先生所稱的「士」；這首詩也絕非尹吉甫自己作。李先生說他有自我吹噓的性格，這是一種曲解。後一則說明召穆公征淮成功，班師回朝，宣王錫命。雷學淇《竹書紀年義證》云：

> 王師無一矢之加而徐方已服，此皆召公之功也，故既歸而錫以寵命。

由此可見，李著編召穆公征徐陣亡，〈黃鳥〉的「穆公」不是秦穆公，三良是隨召穆公陣亡的，都是錯誤的編敘。至於說召虎不是召穆公，他們是父子關係，也是錯誤。〈大雅．江漢〉有「王命召虎，式辟四方」等語，即是宣王伐淮夷主要記載，與《竹書紀年》所載相符。召虎是當時主帥，勝利而歸，怎會還有其父召穆公征淮陣亡的事呢？

三、《竹書紀年》不該懷疑嗎？

〈大雅．常武〉開頭四句：

> 赫赫明明，王命卿士。南仲太祖，太師皇父。

李著《詩經通釋》（頁406）說：

> 《竹書紀年》載說：「王帥師伐徐戎。皇父從王伐徐戎，次于淮。」沒有南仲。這是怎麼一回事呢？難道《竹書紀年》靠不住嗎？恰恰相反，適足以證明《竹書紀年》說的十分正確。開口閉口說《竹書紀年》靠不住的人，我希望注意這一點。……

《竹書紀年》本有一些資料上的問題，不是不能懷疑的，前人早有評議。李著的問題不是這一類，是引用不當自致誤解的問題。南仲在《竹書紀年》裏宣王之世沒有記載，但在商朝帝乙之世有云：

> 三年，王命南仲西拒昆夷，城朔方。

李先生如以為《竹書紀年》「十分正確」，就得取消書中所編宣王六年屬於南仲的三十二篇詩。

〈尚武〉篇有「南仲太祖」句，李先生說：

> 太祖不是官職，也不是祖廟，而是輩份，就是現在所稱的祖父。……原來太祖是尹吉甫隨著他的女友仲氏的稱謂。仲氏是衛釐侯的曾孫女。南仲是衛國人，既稱他為太祖，當然是衛釐侯同輩。……南仲這時是八十歲的老人，當然可以有曾孫女，「南仲太祖」是這樣來的。

這就是李先生的論證方法，其中句句都是問題。〈尚武〉篇怎知是尹吉甫作的？怎知尹吉甫因仲氏而稱南仲為太祖？《詩經》中人事新解，如非出於典籍考證，憑空捏造，誰敢相信？

至於共伯和的編敘，問題更多。古本《紀年》在厲王之世載：「共伯和干王位」。又載：「共和十四年，……共伯和篡位。」今本《紀年》載：「十三年，王在彘，共伯和攝行天子事。」又在厲王二十六年下載：

> 二十六年，王陟于彘，周定公、召穆公立太子靖為王，共伯和歸其國，遂大雨。

> 和有至德，尊之不喜，廢之不憂，逍遙得志於共山之首。

《史記・衛世家》載：

> 釐侯十三年，周厲王出奔于彘，共和行政焉。二十五年，周宣王立。四十二年，釐侯卒，太子共伯餘立為君。共伯弟和有寵於釐侯，多予之賂。和以其賂賂士，以襲攻共伯於墓上。共伯入釐侯羨自殺。……而立和為衛君，是為

武公。

《史記》以為共和行政是周、召二公共同執政，與共伯和無關。並敘共伯和弒兄竊位的手段相當卑劣。《紀年》一面敘他「干王位」、「篡位」、「攝行天子事」；一面又說「有至德，尊之不喜，廢之不憂」。李先生引了這些資料，解說〈叔于田〉、〈大叔于田〉時，說共伯和做了十四年周天子回來，出外打獵，「裸著上身與老虎搏鬥，搏得的獸獻給了公。」（《通釋》頁 145）怕人不信，還舉當年少棒七虎隊在美國比賽，國人為之瘋狂的情形，作為比況。接著說：「這時使我突然想起了『叔于田，巷無居人』的情景，原來人們都去看共伯和狩獵了。他的體力是襢裼暴虎（〈大叔于田〉語），人格是『如切如磋，如琢如磨，如金如錫，如圭如璧』（〈淇奧〉語），深得人民的愛戴。現在他在打獵，還不舉國若狂，爭相去參觀嗎？」可是如加以仔細分析，就會出現下列問題：

㈠「尊之不喜，廢之不憂」的人會去赤膊打虎嗎？

㈡「逍遙得志於共山之首」的人，會僱暴徒刺殺兄長，竊取君位的嗎？

㈢厲、宣之世，周、召二公在朝輔政，有必要請一位侯國公子來執政嗎？

㈣〈叔于田〉、〈淇奧〉等詩篇怎知是尹吉甫作的？又怎知詩中人物即是共伯和？

考證古籍，全靠證據。當資料出現矛盾駁雜的時候，要慎加抉擇。李先生的問題，說《竹書紀年》可信，卻未審察南仲出現在商朝帝乙時；使編在宣王時的三十二首詩成為虛構。說〈秦風．黃鳥〉是敘召穆公征淮陣亡，三良也隨著陣亡，尹吉甫作為悼念的詩。可是《紀年》所載召穆公勝利回朝，受宣王「錫命」。這樣的新解，能不令人惶惑？

四、《焦氏易林》的史證價值

《焦氏易林》是象數易方面的書，作者是西漢宣帝時人焦延壽。他將原有的六十四卦，再以每卦推演出六十四卦，總計四千零九十六卦，每卦下面繫以斷語詩，用以詮釋易象，占驗吉凶；即成為《焦氏易林》這本書。

《易林》既不是史書，其斷語詩甚少有史證價值。我曾將它分成四類：

㈠依據正史寫的：

子長忠直，李氏為賊。禍延無嗣，司馬失福。（卷四）

這是寫司馬遷為李陵降敵直諫而遭腐刑，與正史合。

㈡依據傳說寫的：

尼父孔丘，善釣鯉魚。網羅一舉，得獲萬頭。（卷十四）

《論語》載：「子釣而不綱。」這裏說「網羅萬頭」，自是依據傳說。

㈢依據史料加以改編的：

采唐沬鄉，要我桑中，失信不會，憂思約帶。（卷二）

〈桑中〉篇有「爰采唐矣，沬之鄉矣。……期我乎桑中，要我乎上宮，送我乎淇之上矣！」詩中並無「失信不會」之意，可見是加以改編的。

㈣出於杜撰的：

使伯東乘，恨不肯行。與叔爭訟，更相毀傷。（卷八）

這是無史可稽的。文中「伯」、「叔」是泛稱，不是專名，不能指實來說。

以上四類，以第一類最少，第四類最多。究其原因，《易林》旨在說易象，不是在敘歷史。

李著在後半部的人事編敘，說是依據《焦氏易林》的。《易林》卷二說：

行役未已，新事復起。姬姜勞苦，不得休息。

李先生就據此編出一個故事來，說姬姜都是尹吉甫的妻子。他先娶姬姓的仲氏為妻，由於他們是自由戀愛，他的父母不承認這門親事（其實李先生一再說南仲曾代雙方家長作主，允許了這門親事的），所以在尹吉甫東征期間又代他娶了姜氏，並對仲氏百般虐待。尹吉甫不敢抗命，只好離婚（《通釋》頁886）。

李先生取《易林》的「姬姜勞苦」一句話，證明尹吉甫先娶仲氏，後娶姜氏。這話可信嗎？請看：

> 姬姜祥淑，二人偶食。論仁議福，以安王室。（卷一）

> 姬姜既歡，二姓為婚。霜降合好，西施在前。（卷十一）

> 志合意同，姬姜相從。嘉偶在門，夫子喜悅。（卷五）

這些姬姜，都是配偶關係，而且都只是代稱，不能拿歷史人物指實來說的。即以「西施」來說，也只是表徵前頭的女子很美而已。不然，「西施」是春秋末年越國女子，尹吉甫是春秋以前宣王時人，他結婚會請西施作伴娘嗎？

李著解說〈采蘋〉、〈候人〉、〈車舝〉等篇，將其中的「季」、「季女」、「季姬」都說成是仲氏。《易林》卷二說：「季姬踟躕，結衿待時。終日不至，百兩不來。」李先生說：

> 季姬，顯然是仲氏。「百兩不來」，指他們結婚時沒有百輛迎親的車。這還會是巧合嗎？尹吉甫與仲氏的戀愛故事，東漢的人們一定還知道得很清楚。

但是《易林》卷二有：

> 季姬踟躕，望孟城隅。終日至暮，不見齊侯。

如果季姬是仲氏，她在城隅等的是齊侯，不是尹吉甫。焦延壽作這些詩時，會有尹、仲之戀的印象嗎？

《詩經通釋》在〈北風〉篇說：

> 在此，我們還可以舉出一個鐵證，就是《易林》卷三說的「北風牽手，相從笑語。伯歌季舞，讌樂如喜。」伯是伯兮，季是季女，即是仲氏。連名字都舉出來了。……

伯與季，在《易林》裏到處可見，只相當於甲乙丙丁的代稱符號，怎能當真來說。請看下例：

> 為季求婦，家在東海。水長無船，不見所歡。（卷一）

> 春桃生花，季女宜家。受福多年，男為邦君。（卷十）

前一首的「季」是男士。後一首的「季女」嫁的是邦君。直接否定李先生所謂的「鐵證」。

《詩經·瞻卬》有「婦有長舌，維厲之階」句，李先生說：

> 歷來的人都認為這裏的長舌婦是褒姒，錯了；是仲氏。《易林》二說：「尹氏伯奇，父子相離。無罪無辜，長舌所為。」……尹伯奇是尹吉甫的兒子，原來仲氏與尹吉甫於宣王十年仳離時，已經懷孕，生下來就是尹伯奇。……他四十歲左右，仲氏給他娶了皇父的女兒，這樣，使皇父與伯氏成了親家，而仲氏也參加了政治。

這裏只說仲氏對兒子關愛，使兒子娶了豪門之女，她因此也參加了政治。以子為榮，怎會要做長舌婦來毀謗他？李先生在〈邶風·谷風〉裏說：

> 《易林》卷十四與十五說：「讒言亂國，覆是為非。伯奇流離，恭子憂哀。」前兩句是指仲氏，從後兩句來看，尹伯奇也是被姜氏驅逐，所以此詩

說：「遑恤我後。」樂府詩集載有一首〈履霜操〉，序曰：「〈履霜操〉，尹吉甫之子伯奇所作也。伯奇無罪，為後母讒而見逐，……晨朝履霜，自傷見放，援琴鼓之而作此操，曲終投河而死。」假如這段傳說是真的，那一定被仲氏驅逐後，回到自己父親那裏，尹吉甫聽他後妻的讒言，又把伯奇驅逐，以致伯奇投河而死。

這裏，李先生又犯上三點錯誤：㈠〈履霜操〉明言「為後母讒而見逐」，可見他已無生母。受生母見逐之說，是「增義為說」。㈡說他已四十歲，娶大臣皇父之女為妻。他早有社會地位、生活能力，驅逐對他有何意義？㈢最令人不解的，他引了〈履霜操〉的序文，竟不看下面的原文。請看：

父兮兒寒，母兮兒飢。兒罪當笞，逐兒何處？兒在中野，以宿以處。四無人聲，誰與兒語？兒寒何衣？兒飢何食？兒行於野，履霜以足。巢生眾雛，有母憐之。獨無母憐，兒寧不悲？

我們如以此詩為可信，則這時的伯奇稚氣未脫，嗷嗷待哺，怎會是一個有地位、有美眷的中年人呢？尤其，在李先生的筆下，尹吉甫的家族，自其父母、妻、子，以及尹吉甫本人，沒有一個是正常的！這樣的《詩經》新解，我們真不知其用意何在？

五、仲氏考

仲氏在李著故事裏，居於女主角的地位。可是全部《詩經》只有〈燕燕〉與〈何人斯〉出現過「仲氏」一詞，如何能連繫那麼多詩篇？編成那麼長的故事？可不可信？自應從〈燕燕〉說起。茲錄該篇末章與李著對譯如下：

仲氏任只，其心塞淵。終溫且惠，淑慎其身。先君之思，以勗寡人。

仲氏實在誠實，心地也非常誠厚。既溫和而且惠順，對自己的行為也小心謹慎。先君的意思，是希望他喜歡我的。

李先生說這是尹吉甫與仲氏仳離後送仲氏回娘家作的，並且說：

> 仲氏，即〈將仲子〉篇的「仲子」，〈東門之枌〉篇的「子仲之子」。……「先君之思」之「先君」是誰？不得而知；但不是尹吉甫的父親，因為他父親於宣王三十六年才逝世。……春秋以前典籍，除春秋外，沒有用「寡人」的。春秋以後，「寡人」始為諸侯的自稱。其受《詩經》影響顯而易見。古時無夫無婦均稱為寡，此詩之寡，是無婦義，因仲氏離去，故尹吉甫自稱為寡人。

這段話裏，我們發現其無法自解的有三點：

㈠「先君」一定是指已死的國君。李先生說：「不得而知。」並說這時衛釐侯和他父親都還在世，這即說明他所編的故事與詩義牴觸。

㈡《曲禮》曰：「諸侯見天子曰臣某侯某，其與民言，自稱曰寡人。」可見「寡人」是諸侯的謙稱。如果是一般喪妻的男子，當稱「寡夫」，不該稱「寡人」。

㈢在李著裏，尹吉甫還有一位姜氏在室，早已頂替仲氏正妻的地位，尹吉甫何「寡」之有？

由此可見，李著的仲氏故事，一起步就出了問題。可是李先生有擱置舊案另起新案的能耐。〈何人斯〉裏有「伯氏吹壎，仲氏吹篪」兩句詩，又編出另一個故事，說仲氏與尹吉甫離婚後，嫁給伯氏，過著夫唱婦隨的生活。《易林》卷二有「伯歌季舞」句，李先生說：「伯即是伯兮，季即是季女，即仲氏。」這些在《易林》裏如同甲乙丙丁的代稱符號，李先生卻要指實來說，足見他對於泛稱與專名之間缺乏辨別的能力。

李先生以為仲氏的「仲」是由〈擊鼓〉篇「孫子仲」的「仲」而得的。可見有孫子仲才有仲氏。李先生引《氏族略》云：「……生武仲乙，亦曰孫仲，以王父字為氏。」武仲乙的「王父」是誰？《唐書・宰相世系表》云：

孫氏出自姬姓，衛康叔八世孫武公和，生子惠孫。惠孫生耳，為衛上卿，食采於戚，生武仲乙，以王父字為氏，世居汲縣。

根據這份資料，得知武仲乙（孫仲）的祖父是惠孫，他以祖父（惠孫）的字（即「孫」字）改名為孫子仲，不無可能。仲氏如果被說成是孫子仲的女兒，尹吉甫如果被說成是衛釐侯的外甥，（這是李先生認定的）將仲氏家族的世系與尹吉甫的關係列成一表，應該是這樣的：

衛釐侯（尹的舅父）→衛武公（尹的表兄）→惠孫（尹的表侄）→耳（尹的表侄孫）→武仲乙（孫子仲）（尹的表曾侄孫）→仲氏（尹的表玄侄孫女）

由此看來，李先生所敘尹、仲之戀，是表高祖父與表玄侄孫女之戀。一對男女，相隔四代，這樣的人事編敘，真會有其可能的嗎？

六、尹吉甫姓氏考

李著的長篇故事中，男主角是尹吉甫。而且說《詩經》三百零五篇都是他作的。可見他對這部書有多重要。

先談他的身世。李先生說尹吉甫是南燕人，流浪到衛國的復關而自稱為氓。原姓姞，改姓吉。他的「尹」姓是怎麼來的呢？李先生說：「尹吉甫於南征淮夷之前，升為尹氏。他本姓吉，現在加上『尹』的官銜，故稱尹吉。」〈尚武〉篇有「王謂尹氏」句，李先生說：「吉甫之謂尹氏，就是從這個時候起。」這是以謂尹吉甫的尹姓是由任「尹」的官而後加的。其實尹姓自有來歷，有下列資料可證：

《姓源》云：「少昊之子封於尹城，後因氏焉。」

雷學淇《竹書紀年義證》於宣王五年六月「尹吉甫帥師伐玁狁，至於太原」下云：

> 《潛夫論・志士姓》曰：「吉姓之別有闞尹蔡光。」然則尹氏者，黃帝子姞姓之裔，蹶父之同族矣。堯時有尹疇，湯時有尹諧，周初有尹佚。佚于成王時以孤卿兼太史。吉甫即其後也。詩曰：「謂之尹吉。」古文姞、吉通。

《史記・周本紀》敘商紂自焚後，武王受命經過：

> 其明日，除道，脩社及商紂宮。及期，……周公旦把大鉞……召公奭贊采，師尚父牽牲。尹佚夾祝曰：「殷之末孫季紂，殄廢先王明德，侮辱神祇不祀，昏暴商邑百姓，其章顯聞於天皇上帝。」於是武王再拜稽首。……

由此可見，尹姓始於黃帝、唐堯之世，武王時之尹佚，已與周公旦、召公奭、師尚父等開國元勳並立於朝，尹姓在尹吉甫之前已有光榮歷史，毋須藉官職改姓。

此外，李先生在〈導論〉（《語文月刊》230 期）中說：

> 尹吉甫的「尹」是史官，古時史官所遵守的無上法則是正直，也就是講真話。……〈鄭風・羔裘〉篇：「彼其之子，邦之司直」、「彼其之子，舍命不渝」，真是尹吉甫講他自己。

在這裏，我們從三個問題來談：第一，「尹」是不是史官？第二，尹吉甫是不是因史官而得尹姓？第三，〈羔裘〉篇的「彼其之子，邦之司直」是不是指尹吉甫說的？

《爾雅・釋言》：「尹，正也。」釋曰：「正，長也。」《說文》：「尹，治也，从又；握事者也。」《廣韻》：「尹，正也，進也，誠也。」三家所訓，均無「史官」之說。後世辭書都以為是一般行政長官。如師尹、令尹、詹尹、奄尹、京兆尹等，從沒有稱史官為「尹」的。

尹吉甫有無作過史官？無史可考。李先生取《漢書》「以史魚為司直」為證。這在筆者看來只有反效果。因為史魚名鰌，史是他的官名。如果史官的職稱是「尹」，他就該叫「尹魚」。現在不用「尹」而用「史」，不是正好說明在衛國任司直的史官，是不宜以「尹」稱職，以「尹」為姓的嗎？

再說，羔裘是哪種身分的人所穿的衣服？李先生說：「『羔裘』是士人所穿，那麼，只這一句就限定了主人翁的身分。」這是因為李先生定尹吉甫的身分是士，才將羔裘說成是士人之服。鄭《箋》：「緇衣羔裘，諸侯之服也。」朱《傳》：「羔裘，大夫之服也。」李著在〈檜風・羔裘〉篇（《通釋》頁 648）裏引宋應星《天工開物》的話作為佐證，然後下結論說：「古時服制很嚴格，絕對不能隨便穿著，就以我們研究過的詩篇來看，也可以看出這種制度。」可是在李先生所引的《天工開物》裏，即有「古者羔裘為大夫之服」的話。這不是拿宋氏的話直接否定了自己的主張嗎？

七、孫子仲考

李著選〈邶風・擊鼓〉為第一首詩，因為該詩有一個人名叫孫子仲，是他所編故事中女主角仲氏的父親。他即以此為起點，編敘尹、仲之戀。茲錄〈擊鼓〉全文如下：

擊鼓其鏜，踊躍用兵。土國城漕，我獨南行。
從孫子仲，平陳與宋。不我以歸，憂心有忡。
爰居爰處，爰喪其馬。于以求之，于林之下。
死生契闊，與子成說。執子之手，與子偕老。
于嗟闊兮，不我活兮。于嗟洵兮，不我信兮！

詩言「從孫子仲，平陳與宋」，可見孫子仲居統帥的地位。「平」有「平亂征伐」之義。可見陳、宋是孫子仲用兵的對象。《左傳》於「隱公四年春」載：「衛州吁弒桓公而立。」同年九月即遭國人所殺。其間僅載：「宋公、陳侯，蔡人，衛人伐鄭，圍其東門，五日而還。」可見州吁用兵是聯合宋、陳、蔡、衛四國伐鄭的。陳、宋是盟友，怎會反為「用兵」的對象呢？所以《詩序》定為「刺州吁」的詩，朱熹、姚際恆、崔述、方玉潤等都表示懷疑。至於孫子仲的身世，無史可考，都略而不提。

李著說孫子仲就是惠孫。他根據《唐書・宰相世系表》❸認定孫子仲就是惠孫。我在〈仲氏考〉裏，即據宰相世系表證明武仲乙為孫子仲，因有「武仲乙以王父字為氏」句，武仲乙的「王父」是惠孫，他以惠孫的「孫」字作為他的「姓」，改名為「孫仲」或「孫子仲」，或有可能。李先生說孫子仲即是惠孫，這是誤解。誤解的結果，使尹、仲的關係由表高祖父與表玄侄孫女之戀，縮短兩代，變成表祖父與侄孫女之戀。即使是這樣，也是有違常情的。

如再以李著孫子仲結婚、生子的年齡來考察，就發現其他問題。在李著（頁786），敘宣王三年，仲氏十五歲，孫子仲三十歲。以為孫子仲十四歲結婚，十五歲生仲氏，勉強還可說通。卻未曾顧及以下二點：

㈠衛釐侯有二子，長子共伯餘立為太子。次子共伯和，其長子名揚，後來即位為衛莊公。惠孫是共伯和的次子。當時衛釐侯尚在位，惠孫是衛釐侯次子的次子，地位並不重要，為什麼急著要替他完婚？

㈡李著討論〈采蘋〉、〈候人〉、〈北風〉等篇，將凡是季女、季姬、季等名稱，一概說成是仲氏的代稱。（〈易林〉亦然）並在〈采蘋〉篇解釋說：「季女，是最少的女兒，就是四川話的么妹。」季在古代兄弟姊妹排行上說，伯、仲、叔、季，應該是老四。所以仲氏還有三位兄姊。孫子仲結婚的年齡，還得提前，到不了十歲。一位男子不到十歲就結婚生子，不僅禮俗所不許，生理上也絕無可能的吧！

〈擊鼓〉有「土國城漕」一句話，李著將「城漕」定在「宣王三年」。姚際恆《詩經通論》云：

> 閔二年，衛懿公為狄所滅，宋立戴公以廬于曹（同漕）。……夫《左傳》曰「廬」者，野處也，其非城明矣。州吁之時，不獨漕未城，即楚丘亦未城。安得有「城漕」之語乎？

姚氏據《左傳》衛戴公「廬于漕」的史料，以為不在州吁之世，當在戴公以後。由於詩中有「平陳與宋」一句話，我認為也不在戴公時。因為當時衛懿公被狄人所攻

---

❸ 〈宰相世系表〉前文已引述，不再重引。

殺，衛都淪陷，戴公在危急慌亂中受到宋桓公的衛護，才連夜渡河，得以廬于漕。可見宋有恩於衛。而且此時衛人極度困苦，自顧不暇，那有能力再去「平陳與宋」？由此看來，漕在戴公之世尚未成，遠在戴公之前一百六十多年的宣王三年，怎有可能在「城漕」呢？

再以作者來說，怎知這首詩是尹吉甫作的呢？李先生說：

> 這首詩的關鍵就在這個「我」字，「我」就是作者；然只從這篇來看，根本無法知道「我」這個人是誰？……現在只說我是尹吉甫也就夠了。因為以後就要逐步說明。

這即是李先生的論證方式，也正是他研究方法上主要的盲點。由於這一偏差，導致他二十年的不歸路。從邏輯觀點來說，演繹法的大前提，應該是歸納法的結論。亦即《詩經》是一人之作的大前提，是由三百零五篇逐篇證實，一一歸納而得。如有一篇不能證實，即不能作成此一結論；自然也不能作為演繹法的大前提。李著連第一篇〈擊鼓〉都無法證明是尹吉甫作，如何能推及其他詩篇？看李著篇篇都有新考證、新故事，十分熱鬧。但如究其研究方法，都是沒有前提的推理。亦即除了〈大雅・崧高〉、〈烝民〉二首，明言「吉甫作誦」以外，其他的詩沒有一篇有真憑實據足以證明是尹吉甫作的。

八、衛莊公年事考

衛莊公是衛武公的兒子，衛釐侯的孫子。李著敘其訂婚、結婚、生子、死亡的年事都值得再加考證。

李著在〈碩人〉篇中敘厲王末年莊公揚十七歲，原已與齊女莊姜訂婚，正要結婚時遇到淮夷侵魯，交通阻絕，以致延擱婚期。這一擱就整整擱了二十年，直到三十六、七歲時（宣王七年）才由武士尹吉甫保護將莊姜迎娶過來。結婚以後，莊姜不生。由於接位問題，不得不再娶，於莊公五年再娶陳媯。〈碩人〉篇是尹吉甫作於為武士迎護莊姜時，經過六十八年後，到了娶厲媯時，衛人才拿出來歌唱，為的是要安慰遲暮的莊姜。

這裏出現的問題很多，舉其主要的，有下列四點：

㈠說莊公與莊姜的婚事因淮夷侵魯，以致交通阻絕，隨之延擱二十年，所據何書？《史記・魯世家》敘周公封魯，其子伯禽即位魯公。當時徐戎淮夷反叛，伯禽出兵討平。從此即無其他類似的記載。李著引〈魯頌・閟宮〉篇後說，「東自魯國，南至徐宅，都被淮夷侵佔了。」可是〈閟宮〉無此說。其第六章有「至於海邦，淮夷來同。莫不率從，魯侯之功。」第七章有「至於海邦，淮夷蠻貊。及彼南夷，莫不率從，莫敢不諾，魯侯是若。」都只是敘淮夷、蠻貊都來臣服。這是頌贊魯侯的詩，怎會有淮夷侵魯二十年使莊公婚期延擱的事呢？

㈡齊在魯之北、衛之東。齊、衛有一部份國界相接。莊姜嫁衛，原不需借道魯國。婚事因魯亂而延擱之說根本不能成立。

㈢李著據《竹書紀年》說共和行政即是共伯和攝政。共伯和即是以後的衛武公。當時他為天下共主，難道連自己兒子的婚事都任由淮夷之亂，而延擱二十年之久嗎？

㈣李著敘莊公十七歲時即準備娶莊姜。這時莊姜應不會少於十五歲。二十年後成親。婚後不生，由於夫妻感情很好，莊公不肯再娶。後來為了子嗣問題，才再娶陳媯。這時多大年紀呢？李先生說是一百零四歲。莊姜也不會少於一百零二歲。說莊公在一百零四歲以後陸續娶了厲媯，生孝伯，早死。其姊戴媯，生桓公。另一位「嬖妾」，生州吁。還有一位名叫「晉」的，不知是誰所生？後來國人殺了州吁，由他即位，即是衛宣公。這是說，衛莊公在一百零四歲以後，陸續娶了四位太太，生了四個兒子。

可是史有明文，無須編造。《左傳》隱公三年載：

> 衛莊公取于齊東宮得臣之妹田莊姜，美而無子，衛人所為賦〈碩人〉也。又取于陳，曰厲媯，生孝伯，早死。其娣戴媯生桓公，莊姜以為己子。公子州吁，嬖人之子，有寵而好兵，公弗禁，……桓公立，……戊申，衛州吁弒其君完。

《史記・衛世家》亦有類似記載，所不同的是有年次之敘。如「莊公五年娶莊姜」。《左傳》說「美而無子」，它說「好而無子」。《史記》載：「十八年，州吁長，好兵。」「二十三年，莊公卒。太子完立，是為桓公。……桓公十六年，州吁收聚衛亡人以襲殺桓公，自立為衛君。……

據此，可知：

㈠莊公五年娶莊姜。由於不育，故續娶陳媯、厲媯、戴媯、孌妾等人。他在位二十三年卒，即使他即位時已三十多歲，也祇有六十歲左右，李先生一百零四歲娶陳媯之說，實屬虛構。

㈡《史記》明言「莊公五年娶莊姜」，李著將「莊公五年」說成是娶陳媯的時間，娶莊姜則改在六十八年前。這是極其怪異的想法，令人難以理解。

㈢李著據《史記》「好而無子」句，解說莊公與莊姜感情很好，莊姜雖然不生，莊公也不肯續娶。這是對《史記》的誤解。《史記》這一「好」字，實等於《左傳》所載「美而無子」的「美」字。《史記》中這一句式有例，如下：〈魯世家〉載：

> 初，惠公適夫人無子，公賤妾聲子生子息，息長，為娶於宋。宋女至而好，惠公奪而自妻之。

又〈衛世家〉載：

> 衛宣公愛夫人夷姜。夷姜生子伋，以為太子。……娶齊女，未入室，而宣公見所欲為太子婦者好，說（同悅）而自取之，更為太子取他女。

這兩則文中的「好」字與「美」字同義，都是姿色美好的意思。李先生對《史記》用字未作類比；對《史記》與《左傳》的相關文詞亦未曾深入體會，以此致誤，實非偶然。

《儀禮・士昏禮》有〈疏〉云：「婦人年五十，陰道絕。」所謂「陰道絕」，即是「閉經不育」的意思。可見古人對生育年齡的認知，絕非如李先生所說的那麼無知。亦即如果莊姜不育，至多等到五十歲，那有等到一百多歲的道理？女的如此，男的亦然。雖生育年齡較長，世界上可曾有百歲老翁還能生子的紀錄？

九、結論

㈠研究方法問題：李著的最大問題是研究方法。雖然有「綱領詩」、「鑰匙詩」之說，均無實效。未經「歸納」即定「《詩經》作於一人」，並以此作為解說各篇的「大前提」，串連各篇，編成故事，自詡為前所未有的創新之說。究其實際，「歸納法」與「演繹法」都未見切實使用。所有說詞，都是沒有前提的推理，令人有無頭無緒之感。換言之，古籍新解，全憑證據。《詩經》中作者與人事，都是獨立的個案，強事串連，即成虛妄。

㈡治學態度問題：《詩經》是文化瑰寶。雖然不必視之為「經典」，但蘊藏著周朝多方面的歷史文獻。後人研究它，大都從詞章、義理、考據幾方面下功夫，掌握其涵義，然後作適當的闡述。李先生的治學態度：一則失之於自負。把自己的主張說成是「駭人聽聞的發現」；把自己的研究方法說成是「無人能及」的最多最新的方法。二則是失之於輕率。凡所舉證，必有疏漏。連作為依據的《竹書紀年》、《焦氏易林》、《履霜操》、《天工開物》等，都沒有仔細看，其中有相反的資料都沒有看到。如此舉證方式，錯誤、矛盾而不自知，叫人如何認同！

㈢人物造型問題：一般寫小說的人，都會注意每個人物行為的一致性與合理性，不能自相矛盾與違反常情。在李著裏，卻是不斷出現這一問題。如衛武公做了十四年的周天子，回國後會去赤膊打虎。尹仲之戀是表高祖父與表玄侄孫女之戀。〈氓〉篇是尹吉甫為離婚妻子（仲氏）作來罵他自己的。尹伯奇是仲氏之子，年已四十，作了大臣皇父的女婿，卻遭其母仲氏、後母姜氏一再驅逐，以至履霜中野，投河而死。在李先生的筆下，這些人沒有一個是正常的。何以如此編造？真是難以理解。

㈣誤解詩文問題：〈魯頌・閟宮〉篇明明是頌魯侯武功、淮夷降服的詩；卻被誤解為淮夷侵魯二十年，逼得衛莊公、莊姜婚事延擱二十年。〈周頌・清廟〉篇是祭頌文王的詩，李先生說它是星名，所祭的只是天上一顆星。既是一顆星，祭星時又哪裏來的「堂」、哪裏來的「廟」？〈秦風・黃鳥〉篇裏的「穆公」是「秦穆公」，史有明文可考，李先生說是召穆公。可是在《竹書紀年》裏明載召穆公征淮勝利回朝，受王錫命。這些誤解，不論有意或無意，都對該書的品質構成直接的傷害。

㈤《詩經》作成的年代問題：李先生認定《詩經》作於宣、幽之間五十年，是尹吉甫一人之作。可是〈豳風〉的詩，確有周公時的作品；〈陳風・株林〉確是敘陳靈公「淫乎夏姬」的詩。《左傳》敘夏姬之子夏徵舒弒陳靈公在周定王八年，西元前五九九年。後四十八年而孔子生。從周初算起，詩篇產生的時間相距約五百年。可見李先生的時間編敘，完全忽略歷史事實，亦即脫離學術研究的基本規範，誰敢相信？

㈥學者反應兩極化問題：李著卷首〈自序〉中談到學者反應，即有兩極化現象。說有的除了譏諷、謾罵外，還公開以「村佬佬信口開河，李辰冬可以休矣！」作題目來嘲笑。原國科會補助《詩經》研究已經兩年，「自從我發現三百篇是尹吉甫一人的作品後，反而停止補助，認為補助我這樣的研究是國科會的恥辱！」可是另一方面，也有不少學者表示贊許。如梁實秋先生，看了「我怎樣發現尹吉甫是《詩經》作者」後，對他說：「辰冬，你的路走對了，西洋有這種方法，我跟著你走。」其次，他要感謝的是趙友培先生。「趙先生在和平東路遇到，很遠他就搖手說：『不可能，不可能！』我問他：『你看過我的文章沒有？』『沒有。』『請你看過後再指教好嗎？』下次碰到他，我問：『你看過拙文沒有？』『看過了，有點可能，不過我是反對黨。』以後又將有關《詩經》的文章寄給他看，他最後說：『我是支持你的反對黨。』」李先生認為「難得有這樣的知己！」

其他如徐高阮先生說：「李先生這種研究，是史學上的最大成就，不是淺學之徒可以了解的。」

虞君實先生說：「這是極專門的中國學問，絕非靠常識作直覺性的判斷所能解決的。」李先生說：「真是知己之言。」

李曰剛先生說：「工程浩大。」又說：「不廢江河萬古流。」並解釋說：「我所以要引杜甫這句詩，因為他當時受人輕蔑，故藉王楊盧駱來自喻。你現在的情形正與他相同，所以這句詩對你最適合。」李先生說：「他的美意使我至為感奮。……他排除萬難，使我重回師大，並開詩經這門課程。」

其他如楊一峰、田培林等都給予鼓勵，令他感激。

以上所敘的兩極化反應，我並不覺得意外。反對派有的憑傳統觀念、直覺反應，對李著不曾看，也不想看，認定三百篇絕非一人之作。也有人讀過李著而對《詩經》深有研究的，如糜文開、裴普賢夫婦，提出一些錯誤，以證其說難以成立。又如趙友培教授與李先生為師大中文系同事，以其學術良知直言「不可能」、「我是反對黨」，已不容易。後來由於李先生一再要他表態，才改口說：「我是支持你的反對黨。」那是應付他的話。怎麼知道呢？因為他所主持的《中國語文》月刊，為李著《詩經通釋》特設專欄徵文討論。當時先由劉明儀女士發難，接著我也跟進。李先生答辯的口氣甚傲，說我們沒有看懂他的文章。待我的《竹書紀年》、《焦氏易林》兩篇考證文章發表後，趙教授來信鼓勵，並贈我「他山之石，可以攻玉」橫幅一張。這時已不見李先生反駁文章。待我的〈衛莊公年事考〉發表後，月刊社編者來電，是說：「李先生因先生之文已至於寢食難安，李先生年事已高，還是請先生暫時擱筆吧！」我當時立即答應，從此不再寫質疑李著的文章了。

至於另有一批贊許他的學者，大都是學校同事，或礙於情面，美言以對；或所學不同，未作深入了解。即如徐高阮先生說：「李先生這種研究，是史學上的偉大成就，不是淺學的人可以了解的。」其實剛好相反，只有淺學的人才說他偉大。因為他不知道李著有多少錯誤。如拿邏輯方法來檢驗，他所解說的任何一首詩，所說的人事，不論作者或詩中人物，都只是「沒有前提的推理」。亦即他的整個故事是虛構的，不能落實的。能稱得上是「史學上的偉大成就」嗎？

如今，時隔三十餘年，人事全非。追憶起來，令人感慨。我作此文，對趙友培教授深表感念；再則對當年發表之文作扼要陳述，讓人知道李著《詩經通釋》問題之所在。究研古籍，考證人事，的確是大意不得的。李先生的治學態度，值得吾人警惕！

作於民國九十五年十二月，時年八十五歲。

【更　正】

第十四輯勘誤

編輯部

第十四輯〈「首屆中國經學學術研討會」會議綜述〉一篇，在簡體字轉繁體字的過程中發生若干訛誤，今一一校正如下：

1. 頁 320 倒數行 4，頁 321 行 1、行 13，頁 322 倒數行 8：「話」應作「詁」。
2. 頁 321 行 14：大戴禮記解諸，「諸」應作「詁」。
3. 頁 321 倒數行 2：「營沫」，應作「曹沫」。「方朝揮」應作「方朝暉」。
4. 頁 321 行 1、行 2，「談」趙，應作「啖」趙。
5. 頁 321 行 14 第 1 字：「騎」應作「輢」。
6. 頁 321 行 14：〈論楊大堉《儀禮正義》〉，應作〈論楊大堉補《儀禮正義》〉。
7. 頁 321 行 15：平「儀」應作平「議」。
8. 頁 321 行 16：楊「民」應作楊「氏」。
9. 頁 322 行 5：「佔」筮應作「占」筮。
10. 頁 322 行 9：「下」若鏞應作「丁」若鏞。
11. 頁 323 行 1：中「庸」應作中「唐」。
12. 頁 323 行 4：「末」代儒學應作「宋」代儒學。
13. 頁 323 倒數行 14：「恩主客」、「渙其祥」應作「思主容」、「渙其群」。
14. 頁 323 倒數行 11：爬「疏」應作爬「梳」。
15. 頁 324 倒數行 6：楊大「請」應作楊大「堉」。
16. 頁 325 行 2：「極」需應作「亟」需。
17. 頁 325 行 5：「既」使應作「即」使。

因編輯部未仔細覈對，導致上述誤訛，本刊謹向原作者曹建敦、張濤兩位先生暨廣大讀者，致最深歉意。

經　學　研　究　論　叢
第 十 五 輯　頁383～444
臺灣學生書局　2008 年 3 月

出版資訊

一、本專欄收二〇〇六年一月至十二月國內外出版，有關經學和經學人物之相關專著。惟舊籍重印或再版書，則不予收入。

二、各提要略依經學通論、經學史、周易、尚書、詩經、三禮、三傳、四書、經學家研究等之順序排列。

三、提要前之目錄項，分別依書名、作譯者、出版地、出版者、頁數（冊數）、出版年月等項排列。

四、各提要以簡介各書之內容為主，如有所評論，僅代表作者之意見。

五、歡迎各界人士提供與本專欄性質相符之著作，以便推介，來書請寄[10648]臺北市和平東路一段 198 號臺灣學生書局經學研究論叢編輯部收。

《經學抉原》

《經學抉原》　蒙文通著　上海　上海人民出版社　279 頁　2006 年 8 月

本書為蒙文通之子蒙默應上海世紀出版集團邀約，將其先君論經學各著輯為一編，略依寫作先後為序排目，以《經學抉原》為書名；並就《蒙文通學記》所載〈治學雜語〉中之經學條目錄出以為〈治經雜語〉；又就湯志鈞〈蒙文通先生與《辭海》〉一文所載蒙文通對《辭海》經學條目徵求意見稿所寫意見錄出另立一目，並載於本書篇末。

蒙默於書前撰寫〈重編前言〉，略述其先君經學前後之變及其治經特點。蒙文通生當清末，壬子、癸丑間，學經於四川國學院，時儀徵劉申叔先生、井研廖季平先生並在講席，以「有清三百年之學，主於考據，尋名物，求訓詁，雖治經而無與於經」，故不為由小學入經學之故轍，而唯家法條例之求，得略聞今、古文之緒論，故廖氏以禮制判今、古之說尤為服膺；然於廖氏以今、古為孔氏晚年、初年之說不能無疑；廖氏後雖屢變其說，蒙文通皆以為未安。後更進而以今文、古文之分亦未可信，而以廖氏已萌糵之齊、魯、古（燕趙）學處之，且更易「燕趙」為「梁趙」（或晉）。癸亥春，撰〈經學導言〉，不僅有〈今學〉、〈古學〉之篇，且更有〈魯學〉、〈齊學〉、〈晉學〉三篇，以魯學為孔子嫡派，最醇正；齊學則雜百家言，駁而不純；今學蓋糾合齊、魯而成；晉學則本古史，與孔氏學混而成古學。今、古皆秦後之說，而齊、魯、晉方為秦前之說，當為六國本來面目。其為說既有承於廖氏，亦有變於廖氏。丁卯，撰〈經學抉原〉，乃就〈導言〉改定而成，又增寫數篇，仍有今學、古學、魯學、齊學、晉學、楚學之篇，而論說較前精進。其論經學當棄今、古而上溯先秦之意甚明。壬申，廖氏逝世，蒙文通前後撰寫紀念數文并論廖氏學術，為說益深遠，大力闡揚廖氏破棄今、古直入周、秦之意。

癸酉，蒙文通撰〈周秦民族與思想〉暢論周秦如法之爭即新舊之爭、夷夏之爭、北、東之爭，以周秦諸子之義為秦漢王魯新周孔子素王諸說之淵源，遠非昔日言今、言古、言齊、言魯、言家法、言條例所能涵蓋者矣。其治經至是而一大變，遂下起丁丑、戊寅間作〈非常異義之政治學說〉而大講大義為言也。丁丑、戊寅間，撰〈非常異義之政治學說〉與〈非常異義之政治學說解難〉二文，專論漢儒之學，後又合二文以為〈儒家政治思想之發展〉，己亥，又改寫〈孔子和今文學〉，實即同一文之一稿、二稿、三稿，此文雖為一學術史論文，而實更當為一經學論文。

本書內文第一篇為蒙默先生撰寫的〈重編前言〉，其後收錄蒙文通先生各文如下：〈孔氏古文說〉、〈經學導言〉、〈與陳斠玄（中凡）論內學書〉、〈與胡樸安論三體石經書〉、〈議蜀學〉、〈與章行嚴（士釗）論疏經纂史書〉、〈經學抉原〉、〈井研廖季平師與近代今文學〉、〈廖季平先生與清代漢學〉、〈井研廖師與漢代今古文學〉、〈周秦民族與思想〉、〈儒家政治思想之發展〉、〈儒墨合流與《尸子》〉、〈儒家法夏法殷義〉、〈廖季平先生傳〉、〈《儒學五論》題辭〉、〈論經學遺稿三篇〉、〈孔子和今文學〉、〈治經雜語〉、〈對《辭海》徵求意見稿經學條目所提意見〉。

蒙文通（1894－1968），四川鹽亭人。我國現代傑出的歷史學家。從二十年代起即執教於成都大學、成都師範大學、成都國學院、中央大學、河南大學、北京大學、河北女子師範學院。四十年代末任四川省圖書館館長兼華西大學、四川大學教授。建國後，任華西大學、四川大學教授，兼任中國科學院歷史研究所研究員、學術委員。著作有《古史甄微》、《經學抉原》、《越史叢考》等，他在古代歷史、古代地理、古代民族、古代學術、古代宗教等許多領域，都給後人留下了十分豐碩的成果。

蒙默，蒙文通先生之子，曾任四川大學歷史文化學院歷史系教授，以西南民族史見長，現退休。 （廖秋滿）

《十三經導讀》

《十三經導讀》 白玉林、黨懷興主編 北京 中國社會科學出版社 517頁 2006年5月

中國文化的流傳當中，儒家思想佔有相當重要的地位。在思想傳承的過程中，著作是傳承的載體。儒家著作中，最重要的是儒家經典。儒家經典從最初的六經、五經、七經、九經，以至十三經，其形成代表的是儒家思想的匯集過程。歷代以來對十三經經過長時間的流傳和研究，產生許多概念和問題，研讀經典必須對這些概念和問題有所了解。因此，二十世紀上半葉即有《群經概論》、《十三經概論》、《經典常談》等導讀的書籍。這些著作經過半世紀以來的學術發展，以及地下出土資料的發現，逐漸不能滿足當代的需要。本書的出版便是針對儒家這十三部經典的概念和問題作一介紹，並且補充近幾年來最新的研究成果。

本書收錄十三篇分別針對《周易》、《尚書》、《詩經》、《周禮》、《儀禮》、《禮記》、《春秋左傳》、《春秋公羊傳》、《春秋穀梁傳》、《論語》、《孝經》、《爾雅》、《孟子》作導讀的文章。各篇內容討論經典得名由來；作者及成書年代；經典的內容結構、表達方式；主要表現的思想、特色及價值；歷代研究的成果、著名的研究者和著作，以及最新的研究成果。並且針對十三經中的名詞、概念、學界探討的問題作介紹。是一本深入淺出，面面俱到的經典導讀書，能夠作為文史學系學生奠基十三經的教材，亦可作為雅好儒家經典者的介紹指引。

本書各篇的作者，大多由負責《十三經辭典》各分卷編纂任務的主編、副主編負責執筆。這些作者皆是各經書研究領域中的專家學者，撰寫過許多高水準的學術論文。主編白玉林先生，主編過《古代漢語辭典》、《古漢語虛辭辭典》、《二十五史解讀》等書。黨懷興先生，現為陝西師範大學教授，著有《宋元明六書學研究》，曾主編《中國古典文獻論叢》等書。（張晏瑞）

《經學與思想》

《經學與思想》 劉家和著 臺北 唐山出版社 360頁 2006年2月

經典是思想的載體。經學、史學與思想之間的關係，可以從各種不同的角度來加以詮釋。劉家和先生研究史學時，並非僅就史的部分來治史，而是將史置於中國的文化思想之下做研究，因此特別著重從經學、史學、思想的角度來探討彼此之間的關係。本書為劉家和先生論文集中的一部，原欲以《史學、經學與思想》為題出版，後來別裁為二冊，分別為《史學與思想》、《經學與思想》，並從舊作《古代中國與世界》中，分別補入一些與史學、經學相關的文章。二書的內容均在討論彼此間的關係，並無明確的劃分。

儒家的經典當中，以《尚書》、《春秋》、《左傳》與史學的關係最為密切。本書收錄十一篇劉先生的著作，主要是以《尚書》、《春秋》、《左傳》三者為注意的對象。首篇為〈孟子與儒家經傳〉，次三篇為評論外國學者理雅各對中國典籍的看法，第五篇討論《左傳》中的人本與民本思想，第六篇由清儒的看法來討論《左傳》中的杜注，第七篇討論漢代春秋公羊學中的大一統思想，第八篇對漢代《春秋》公羊學中的矛盾做解釋，第九篇討論《春秋三傳》及《欽定春秋傳說彙纂》，第十篇討論清代的《左傳》研究，十一篇為《崔述與中國學術史研究》一書的序。書後有附錄，一為劉家和教授的專訪，一為劉先生的學術雜文。二篇均為劉先生對於治學的看法與體會，附於書後以饗讀者。

劉家和，江蘇人，一九二八年生，是錢穆先生在大陸地區的弟子，亦曾師事陳垣、唐君毅先生，現為北京師範大學教授。長期從事世界古代史與中國古代史的教學與學術思想史、中外古史比較及史學理論的研究工作。著有《古代中國與世界：一個古史研究者的思考》、《經學與思想》、《史學與思想》，及審定《毛詩正義》、校注《蜀語校注》等書。（張晏瑞）

《經學研究論叢》第十三輯

《經學研究論叢》第十三輯 林慶彰主編 臺北 臺灣學生書局 397頁 2006年3月

本輯收錄有關「經學總論」、「詩經研究」、「禮學研究」、「四書研究」、「小學研究」等學術性論文以及「學術會議」、「出版資訊」等。

「經學總論」有葉高樹〈滿漢合璧《欽定繙譯五經四書》的文化意涵：從『因國書以通經義』到『因經義以通國書』〉一篇；「詩經研究」有季旭昇〈《孔子詩論》新詮〉、賴欣陽〈論朱熹詮《詩》態度與觀點的轉變〉、楊明珠〈談研究朱熹《詩集傳》的一個問題——以《詩集傳．周頌》的探討為例〉等三篇；「禮學研究」有〈方苞《儀禮析疑》研究〉一篇；「四書研究」有〈論《孟子》〉，為梁啟超遺稿、湯仁澤標校，以及王淙德〈朱熹詮釋《論語》過程中所受謝良佐之影響〉等兩篇；「小學研究」則有陳明鎬〈戴震論訓詁考據與比興之關係〉一篇。

「學術會議」方面，有中央研究院中國文哲研究所召開的「湖湘學者的經學研究」學術研討會、「廣東學者的經學研究」學術研討會、「浙江學者的經學研究」學術研討會，以及高雄師範大學經學研究所於民國九十四年五月二十一日所舉辦的「第一屆經典系列：經典與宗教學術研討會」綜述等報導。「出版資訊」列有最新出版，與經學研究相關的書籍一百二十餘種，並簡要介紹各書內容。（編輯部）

《經學研究論叢》第十四輯

《經學研究論叢》第十四輯 林慶彰主編 臺北 臺灣學生書局 405頁 2006年12月

本輯分「經學總論」、「周易研究」、「詩經研究」、「春秋三傳研究」、「四書研究」、「儒學研究」、「經學人物」、「專題書目」、「學術會議」、「新書評論」、「出版資訊」十一個欄目。其中，「專題書目」蒐羅二〇〇三至二〇〇五年臺灣地區經學類碩博士學位論文，「學術會議」報導相關研討會訊息，「出版資訊」彙集七十六篇經學專著提要，餘計收文十三篇，依序是：⑴吳仰湘〈皮錫瑞《經學歷史》研究〉，⑵鄭吉雄〈從《易》占試論儒道思想的起源——兼論易乾坤陰陽字義〉，⑶賴溫如〈論章學誠〈易教〉篇的六經觀念與《易》學思想〉，⑷劉昌佳〈《彖傳》政治思想試析〉，⑸張建軍〈武王克商與〈周頌・大武〉考論〉，⑹張文朝〈太宰春臺的《詩經》觀〉，⑺陽平南〈魏禧《左傳經世鈔》初探〉，⑻楊桓平〈《論語》列為經書之起始時代〉，⑼李亞明〈焦循《孟子正義》對趙《注》之揚棄疑補〉，⑽劉秀蘭〈「程頤之學本於至誠」的觀念論略〉，⑾陳逢源〈陳大齊在臺灣〉，⑿楊菁採訪、整理〈學人專訪——胡楚生教授的學思歷程〉，⒀張文修〈展示清初易學的歷史畫卷——讀汪學群新著《清初易學》〉。

《經學研究論叢》是中央研究院中國文哲研究所林慶彰教授長期以來費心籌辦的刊物，投稿者包括海峽兩岸學者專家和碩博士生，早已成為經學風氣推廣和資訊交流的一個主要園地，其重要性不容忽視。本刊出版迄今已十四輯，編例謹嚴，惟建議可再增加兩項，一是「英文目次」，二是「中、英文摘要及關鍵字詞」，這樣一來既有助於國外學者閱讀查檢，亦能使體例更形完備。（何淑蘋）

《簡帛典籍異文側探》

《簡帛典籍異文側探》　徐富昌著　臺北　國家出版社　572頁　2006年3月

經典在流傳的過程中，於不同的情況、不同的時空下，容易產生同一事物，字句互異的情形，一般稱此種狀況為「異文」。本書將戰國至秦、漢之間的出土典籍，與傳世典籍做對勘比較，透過版本及文本的差異，觀察典籍異文的形成與遞變，並藉以瞭解古籍演變的痕跡。同時，也藉由異文的分析，瞭解異文產生的原因，進而對文字、聲韻、訓詁、詞彙、語法、版本校勘、經傳流傳、學說系譜分類等各領域，提供研究的方法。

全書分為四個篇章，首先是「緒論篇」：針對異文的成因及形式做綜論式的說明；「異文考察篇」：針對出土簡帛典籍與傳世本之間的各種異文現象，分析討論，並指出其致誤之由；「異文對照篇」：利用簡帛典籍與各傳本間的異文，進行校勘比對，製成對照表，旨在提供學界異文分析之工具；「結語」針對出土文獻新證與文獻考察之間的關係，分論綜述，並兼論異文在文獻詮釋中的價值。作者透過異文分析的考察發現，出土文獻新證對於古代某些學術難題的考索，往往具有關鍵而直接的決定性與利用價值。整體而論，本書為學術界進行典籍的探索，提供了新材料，補充了新證據，也確立了新視角。

作者徐富昌，臺灣新竹人，一九五六年生。臺灣大學中國文學博士，現任臺灣大學中國文學系教授。學術專長為「文字學」、「古文字學」、「出土文獻」、「簡牘學」、「老莊學術」等。主要著作有《漢簡文字研究》、《睡虎地秦簡研究》等，編撰《秦簡文字編》、《出土文獻研究方法論文集》、《武威儀禮漢簡文字編》等書，另著有學報、期刊及會議論文二十餘篇。 （張穩蘋）

《中國經學史》

《中國經學史》　許道勛、徐洪興著　上海　上海人民出版社　454頁　2006年10月

經學是闡釋儒家典籍為內容的思想學說。本書敘述「經」與「經學」概念的定義；經學與儒學的異同關係；經學的來源及其結集；「經」與儒家學派之間的關係；經學的起源及其早期的傳授；經學時代的確立；經典的範圍及其逐漸擴大的過程；經學在中國封建時代所起的作用及歷代封建統治者提倡經學的原因；經學的流變及經學時代的終結；歷史中出現過的經學的各個系統及其流派（分別從漢學、宋學、清學、近代四個系統作了具體的敘述）；經典（包括十三經及四書）的作者、成書年代、內容大要、結構篇章、真偽以及一些有爭議的問題；經典研究中的各種方法和體例（分別從口頭說經、「師法」「家法」、章句訓詁、義疏、義理、考據等各方面作了具體的敘述和介紹）；歷代學者在經學研究方面的成就簡述；經學對中國傳統文化的影響；經學史研究的概況等等。

本書共分七章，分別是第一章〈經學的由來及終結〉；第二章〈學派界說之一：漢學系統〉；第三章〈學派界說之二：宋學系統〉；第四章〈學派界說之三：清學系統〉；第五章〈學派界說之四：晚清系統〉；第六章〈經典的內容和解經的方法〉；第七章〈經學的作用與影響及經學史研究〉，書末補充〈本書徵引書目與論文〉、〈湖北荊門郭店楚簡及上海博物館藏戰國楚竹書中的有關儒家經典〉。

作者許道勛，為周予同的首屆研究生。曾任職復旦大學歷史系教授及博士生導師，中國古代史教研室主任，中國唐史研究會、中國歷史文獻研究會的會員。著有

《唐代宗傳》、《唐玄宗傳》、《貞觀政要今注新譯》、《中華文化通志・經學志》，另發表學術論文數十篇。

作者徐洪興，現任復旦大學哲學系教授及博士生導師，復旦大學儒學文化研究中心副主任，學術委員會主任，上海哲學學會中國哲學史專業委員會主任委員等職。著有《思想的轉型——理學發生過程研究》、《道學思潮》、《中國理學》、《孟子直解》等專著十餘部，另發表學術論文八十餘篇。 （陳水福）

《宋代經學國際研討會論文集》

《宋代經學國際研討會論文集》 蔣秋華、馮曉庭主編 臺北 中央研究院中國文哲研究所 484頁 2006年10月

本書收錄「宋代經學國際研討會」中發表宋代經學相關研討論文十九篇，以及演講專文一篇，共計二十篇。收入馮曉庭〈導言〉、程元敏專文〈六二七八號《漢熹平石經・尚書》殘石字甄偽〉、鍾彩鈞〈游酢的經學思想〉、土田健次郎〈朱熹的經書解釋方法〉、黃開國〈葉適的經學〉、蘇費翔〈試論王應麟史學方法與歷史背景〉、黃沛榮〈由出土文物印證宋人《易》說〉、曾春海〈尹川《易傳》的政治理念〉、陳恆嵩〈黃度及其《尚書說》研究〉、蔣秋華〈夏僎及其《尚書詳解》流傳考〉、許華峰〈陳大猷《書集傳》與《書集傳或問》的學派歸屬問題〉、李家樹〈歐陽修、王質以「理」、「情」說《詩》的歷史意義〉、楊晉龍〈陸佃與蔡卞的《詩經》學概念與相關解說之比較研究〉、林慶彰〈鄭樵的《詩經》學〉、朱杰人〈朱子《詩集傳》引文考〉、彭林〈論朱熹的禮學觀〉、張高評〈蘇轍《春秋集傳》以史傳經初探〉、小島毅〈新學再考——《孟子》的經書化與《禮》學〉、楊儒賓〈「性善」與「良知」——理學家對孟子兩個核心概念的詮釋〉、廖名春〈「慎獨」本義心證〉、舒大剛〈宋代《古文孝經》的流傳與研究述評〉。附錄「宋代經學國際研討會」議程表。除了彌補歷來學者關於宋代經學研究的疏略之處，也為後續學者勾勒出值得跡循的新議題與新方法，對於關注宋代學術暨經學研究的學者而言，可謂極有助益。

蔣秋華，一九五六年生於臺北市。臺灣大學中國文學系博士，中央研究院中國文哲研究所副研究員、淡江大學中國文學系兼任副教授、中華民國經學研究會理事。專研中國經學史、宋代學術史、《尚書》學、《詩經》學、經學文獻學。學位論文為《宋人洪範學》、《二程詩書義理求》。另撰有《千古詩心——王維》（合撰）、《沈括——中國科學史上的座標》、〈焦廷琥《尚書申孔篇》初探〉、〈郝敬著作考〉等學術專著暨單篇論文二十餘篇。並編輯《姚際恆研究論集》、《明代經學國際研討會論文集》等論文集。

馮曉庭，一九六七年生於澎湖縣。東吳大學中國文學系博士，嘉義大學中國文學系助理教授。專研中國經學史、宋代學術史、《春秋》學、經學文獻學。學位論文為《宋初經學發展述論》、《宋人劉敞的經學述論》。另撰有〈趙汸《春秋金鑰匙》初探〉、〈陳岳春秋折衷論初探〉、〈莊存與的《春秋》學述論〉、〈王闓運的《春秋》學述論〉等學術論文十餘篇。並翻譯〈劉敞《七經小傳》略述〉、〈劉敞的生平暨學術成就〉等篇，參與朱彝尊《經義考》、林慶彰主編《日本研究經學論著目錄》等書點校編輯工作。

（廖秋滿）

《乾嘉學術十論》

《乾嘉學術十論》　劉墨著　北京　生活·讀書·新知三聯書店　316 頁　2006 年 11 月

本書是在作者的博士論文《乾嘉學術的知識譜系》基礎上改定而成。「乾嘉學術」或者「乾嘉學派」，這一名稱已經約定俗成，正因為它在大體上有一個共同的特色，人們才會這樣來稱呼它。作者即是希望對乾嘉學術史做整體特徵的描述分析、探討其歷史展開之複雜進程，並對乾嘉此一學術史觀念本身的內容加以分析、確認和闡釋，以期能展示此一時期的學術是如何發生變化。

作者針對以下幾項議題對乾嘉學術進行研究：⑴乾嘉學術是如何興起的，它與以前的學術流派有怎樣的聯繫？如果它不是宋學或漢學的簡單複製品，那麼，它的原創性體現在哪裡？⑵乾嘉期間主要學術流派的代表人物、學術創獲與方法意識是什麼？⑶乾嘉學術的貢獻以及對後世的影響是什麼？它是如何漸漸地滅亡？與近現代學術有怎樣的關係？在這前提下，本書一共十論：第一章〈乾嘉學派的學術史貢獻〉、第二章〈十八世紀的官學和私學〉、第三章〈惠棟與「漢學」的建立〉、第四章〈戴震與皖派〉、第五章〈考據學的典範：錢大昕〉、第六章〈「六經皆史」：章學誠的史學精神〉、第七章〈《四庫全書》及其評價標準〉、第八章〈今文經學的興起及其意義〉、第九章〈考據學的目標〉、第十章〈乾嘉學術與西學〉，書後附錄一〈「新文化史」：艾爾曼的清代學術史研究〉、附錄二〈清代學術史研究參考文獻〉。

作者窮十餘年閱讀鑽研，對乾嘉學術的源流、興起和原創性，以及代表人物、方法意識、學術貢獻、後世影響、滅亡成因等都給予言之有據、中其肯綮的闡述；對乾嘉學術所涉及的文字、訓詁、版本、目錄、校勘、辨偽、輯佚、注釋、典章、輿地、職官等方面均作出具有學術根基的系統描述與評價，是近年關於乾嘉學術的全新綜論性著作。

劉墨，一九六六年生於瀋陽，一九九八年獲中國美術史碩士學位，二〇〇三年獲文藝學博士學位，二〇〇五年任北京大學歷史學系博士後研究。現職中國藝術研究院中國文化研究所從事研究工作。作者自幼學詩學書學畫，長而治學，興趣甚廣，涉及東西文化哲學、宗教、文學、藝術史、學術思想史等。近年來致力於經學、古代學術流派、歷史學的研究。主要著作有：《中國藝術美學》、《生命的理想：先秦儒家的人格理想》、《書法與其他藝術》、《中國畫論與中國美學》、《中國散文源流史》。

（廖秋滿）

《嘉慶以來漢學傳統的衍變與傳承》

《嘉慶以來漢學傳統的衍變與傳承》　羅檢秋著　北京　中國人民大學出版社　521頁　2006年5月

大陸中央為完成清史編纂工程，成立了「國家清史編纂委員會」，出版四種叢刊：《文獻叢刊》、《檔案叢刊》、《編譯叢刊》、《研究叢刊》，本書為《研究叢刊》之一，這系列書的任務是及時編輯出版清史專題研究的最新學術成果。

漢學是清代學術的主流。目前關於清代漢學的研究偏重於「乾嘉學派」，對乾嘉時期的考據學、學術分派及代表人物的討論較多，但涉及嘉慶以後漢學的論著則很少，雖有一些論文，而專門著作一直闕如。羅檢秋的《嘉慶以來漢學傳統的衍變與傳承》一書，可說彌補了這一領域的薄弱環節。本書沒有侷限於評述主要漢學家的經歷及其學術成就，而是在闡釋漢學傳統的基礎上，通過對眾多漢學人物和著作的研究，系統地梳理漢學傳衍的脈絡。全書從對「漢學」一詞源流的考察，從對「漢學傳統」的剖析和總結入手，從而建立其具有特色的研究視角和思路。

本書注重學術發展的內在邏輯，第一章從學術理路分析乾嘉之際漢、宋之學由對峙轉向調和、融會的過程，也考察了清末古文經學的義理化趨勢，從而較深入地揭示和詮釋了漢學的調適傳統。第二、三章則主要考察漢學傳衍的外部機緣，通過考察嘉慶以來趨於活躍的士人交遊、不同學術流派（漢學與宋學）的互相影響，展示了經世學風的興起和發展過程。同時，作者又從漢學群體的觀念、知識系統、研究方法等方面，研究漢學面對西學東漸的種種變化，綜論漢學與西學的調和、融會趨勢。作者通過不同的視角，較全面地揭示了嘉慶以來漢學傳統的衍變，既有分析學術邏輯的實例，又研究了學術轉變的文化環境。

全書章節如下：〈導論〉、第一章〈漢宋趨於調和和融合：以內在理路為中心的考察〉、第二章〈漢學走向經世致用〉、第三章〈西潮衝擊下的漢學〉、第四章〈漢學傳統與學術多元化〉、第五章〈清季民初實證學風的傳承〉、結語〈漢學傳統與現代學術〉。

羅檢秋，湖南瀏陽人，一九六二年八月生。一九八三年湖南師範大學歷史系本科畢業；一九八九年北京師範大學歷史系碩士研究生畢業。同年到中國社會科學院近代史研究所文化史研究室工作。一九九五年獲歷史學博士學位。一九九七年評聘為副研究員。專業研究方向為近代思想文化史。（廖秋滿）

《漢學師承記箋釋》

《漢學師承記箋釋》（上下冊）　漆永祥著　上海　上海古籍出版社　1095頁　2006年2月

《四庫全書總目》「毛詩稽古編」提要云：「明初說經，喜騁虛辯，國朝諸家，始變為徵實之學，以挽頹波。古文彬彬，于斯為盛。」清初學者的徵實宗風，至乾嘉時深化為信古崇漢、講求博通綜貫的考據之學，當時諸名家，或辨群經之偽，或存古籍之真，或發明微學，或駁正舊解，或創通大義，為歷代諸儒所未及。後之學者以此治學途徑相標榜，謂宋儒之鄙棄訓詁，空衍虛理為無師法、少本根，而漢儒治經重家法可矯宋學之弊，於是以清學即「漢學」之說，油然而生。發揮此說而影響後世最鉅者，厥為江藩《國朝漢學師承記》。

《國朝漢學師承記》一書，自嘉慶二十三年鏤版伊始，至今凡刻本、活字本、鉛印本、電子排印本、重印本、校點本、續纂本、注釋本、翻譯本等近六十種。清道光、咸豐間，謝章鋌嘗博採傳記為《國朝漢學師承記》作注。民國二十三年，上海商務印書館出版周予同《清朝漢學師承記選注》，刪略原文頗多，釋詞句讀亦有疏謬。二〇〇一年，日本明治書院出版近藤光男教授《國朝漢學師承記譯注》，首次就《師承記》二十餘種版本進行校對比勘，引證精當，注語詳晰，深得注家之體。

本書為漆永祥教授十數年研討江書成果之結撰，陳鴻森教授為是書撰序，推許此書旁蒐博采，兼綜眾長，其於學術源流、職官地名、學者著述之大要，尤致詳焉。凡近藤氏《國朝漢學師承記譯注》所釋，誤者正之，闕者補之，而於名物典制與乎天文曆算之等，則能博采今人研究成果，析其義蘊。江藩纂修此書之用心，得《箋釋》闡發而愈明，非特江氏之功臣，亦來學研究乾嘉學術之津逮。

漆永祥，一九六五年生，甘肅漳縣人，現為北京大學中文系教授。致力於中國經學史、清代考據學以及宋詩整理與研究。著有《清代考據學研究》、《江藩與漢學師承記研究》等，已發表學術論文計八十餘篇。（黃智明）

《江藩與漢學師承記研究》

《江藩與漢學師承記研究》　漆永祥著　上海　上海古籍出版社　550頁　2006年4月

江藩為吳派惠棟再傳弟子，字子屏，號鄭堂，自署辟支羅居士、炳燭老人。本籍安徽旌德，後為甘泉人。初從汪縉、薛起鳳遊，受二人影響，深好佛理。後師從余蕭客、江聲，由是熟精漢《易》，通知訓詁。在揚州時，與汪中、焦循、凌廷堪、阮元等交遊論學，晚年歸邗上，館黃奭家四年而卒。所著書存於世者，有《周易補述》四卷、《半氈齋題跋》二卷、《國朝漢學師承記》八卷、《國朝經師講義目錄》一卷、《國朝宋學淵源記》二卷《附記》一卷、《隸經文》四卷、《續隸經文》一卷、《炳燭室雜文》一卷《補遺》一卷《續補》一卷等。

漆教授長期關注清代考據學，近年潛心吳派學者學術研究，除本書外，尚有

《江藩集》、《漢學師承記箋釋》、《東吳三惠詩文集》諸作。《江藩與漢學師承記研究》通過對江藩祖籍、生平、交游、撰述、《師承記》史料、《師承記》訛文史誤之考辨，及《師承記》之續纂、注釋、翻譯之書的探究，最終論及《師承記》之價值、影響與江藩學術地位，元元本本，精切翔實，適足與《漢學師承記箋釋》相輔而行。

（黃智明）

《易纂言導讀》

《易纂言導讀》　王新春、呂穎、周玉鳳著　濟南　齊魯書社　553頁　2006年6月

《易纂言導讀》一書為《歷代易學名著整理與研究叢書》之一，是山東大學「周易與中國古代哲學研究中心」主持「歷代易學名著整理與研究」的成果之一。全書由呂穎將《易纂言》全文輸入電腦，王新春進行點校，周玉鳳承擔全部文字的校對工作。

本書以臺灣成文出版社一九七六年影印出版的清康熙十九年（1680）通志堂原刊本《易纂言》為底本，以上海古籍出版社一九九〇年影印出版的文淵閣《四庫全書》本《易纂言》為主要參校本。前者為嚴靈峰先生所編輯的《無求備齋易經集成》中的一種，列該叢書第三十五冊；後者則為《四庫易學叢刊》中的一種。兩個版本，前者以「易纂言卷首、易纂言上經第一、易纂言下經第二、易纂言彖上傳第一、易纂言彖下傳第二、易纂言象上傳第三、易纂言象下傳第四、易纂言繫詞上傳第五、易纂言繫詞下傳第六、易纂言文言傳第七、易纂言說卦傳第八、易纂言序卦傳第九、易纂言雜掛傳第十」為序，不稱卷次；後者則以「易纂言卷首、易纂言卷一・上經第一、易纂言卷二・下經第二、易纂言卷三・彖上傳、易纂言卷四・彖下傳、易纂言卷五・象上傳、易纂言卷六・象下傳、易纂言卷七・繫詞上傳、易纂言卷八・繫詞下傳、易纂言卷九・文言傳、易纂言卷十・說卦傳、易纂言卷十一・序卦傳、易纂言卷十二・雜卦傳」為序，有卷次之別。

本書在出校時，皆標以「新春按」三字。書前作者先為讀者作一個《易纂言》全書的導讀，包括吳澄的生平及其著述、對《周易》其書的基本看法、對《易》之象數學內涵的梳理與詮釋、理學視野下的易學天人之學內涵；接著再進入《易纂言》各卷內文之圈點校勘；最後還特以附錄的形式，將明焦竑的〈易纂言序〉和《四庫全書總目》中的〈易纂言提要〉附在書後，以備研究者參考。

王新春，山東大學哲學系教授、易學與中國古代哲學研究中心研究人員，專研易學與宋明理學。（廖秋滿）

《周易溯源》

《周易溯源》 李學勤著 成都 巴蜀書社 431頁 2006年1月

一九七三年湖南長沙馬王堆三號漢墓出土的帛書《周易》，為《周易》經傳的起源和時代等相關問題，開啟了新的研究契機。作者身為馬王堆漢墓帛書整理小組的一員，是最早接觸並利用此項文獻資料的研究者。一九八四年起，帛書《周易》部分釋文，陸續在《文物》月刊上刊布，此段時期，作者先後撰寫論文十餘篇，對《周易》的起源、時代及《易》學流傳等問題提出自己心得，於是有一九九五年《周易經傳溯源》一書的彙整與出版。《周易經傳溯源》出版迄今，又已歷經十數年，作者深感此十數年間《周易》的研究多獲進展，有關的考古發現尤其層出不窮，爰取舊日書稿，重新增補修訂。本書的出版，可以說是作者研考《周易》數十年功力之所粹。

本書相較於十餘年前所撰寫的《周易經傳溯源》，大致上作了以下幾個部分的改動：

一、刪去了初版第四章內的兩節。一節是〈長沙子彈庫第二帛書探要〉，一節是〈從帛書易傳看孔子與易〉，另外補入〈帛書要篇及其學術史意義〉取代前文。

二、抽掉了初版第四章第五節〈帛書周易的幾個問題〉中「與歸藏卦名的比較」一段的大部分。另補入〈王家台簡歸藏小記〉，作為增訂本的第四章第六節。此外，針對原文不易修改的部分，如楚簡《易》卦符號的性質、秦以後〈說卦〉的流傳等，則在節後附加補記，說明自己觀點的改變。

李學勤，一九三三年出生於北京。歷任中國科學院歷史研究所研究員、清華大學人文與社會高等研究中心主任、歷史系教授、國際漢學研究所所長。一九九七年獲選為國際歐亞科學院院士。（黃智明）

《易學津梁》

《易學津梁》　汪致正著　北京　人民出版社　350頁　2006年5月

書前引王德有之言：「在我國歷史上，解釋《周易》的著作有兩三千種，目前流傳下來的就有近千種。」申明歷來研究《易》的著作數量的龐大、面向紛雜。

「津」為渡口，「梁」為橋樑的意思，說明本書為提供理解研究《易》之基礎著作，是為幫助初學參閱瞭解《周易》。本書採用點、線、面互相結合的方式，將初學者引入易學門內。點從讀者陌生的卦象、卦辭、爻位、爻短等入手，解釋基本概念、命題、範疇。線介紹有關《周易》的主要學派、學說和易學家；說明各學派師承或傳承的關係。面比較《周易》發展過程中的主要學說、學派；並用列表的方式予以概括。

本書首為〈概述〉，略述《周易》名詞與傳承，後共分為六章，第一章論〈易經〉、第二章言〈易傳〉、第三章申〈易學〉是為介紹《周易》體系的三大組成部分；第四章釋〈易圖學〉；第五章明〈易學意義〉；第六章為〈讀易針縷〉，分章結構簡潔，各章皆專題書寫並對常用字、詞專立一節以為解釋，注釋亦多詳明。全書以第六章最詳且適用入門，表列〈易學體系概況〉、〈易學傳授圖〉、〈主要學派簡介〉、〈易傳部分解經方法〉、〈周易常用字字義簡釋〉，便於易研初學查閱之用。版面編排明確、立論客觀嚴謹，誠為初學《周易》築基力作，書前附重卦圖，書後附錄《周易本義》原經文。

作者汪致正，袁亭棟言其為「一位以自然科學與經濟管理為專業，同時又廣泛涉獵社會科學、熱愛編輯出版工作，也熱愛讀書的有心人。」，三十年來整理出版相關英語、文學、哲學等著作二十二件，本書為其讀《周易》之門徑與心得整理而成。

（鄭淑君）

《楚竹書《周易》研究》

《楚竹書《周易》研究——兼述先秦兩漢出土與傳世易學文獻資料》　濮茅左著　上海　上海古籍出版社　2冊　1045頁　2006年11月

所謂「楚竹書」，是「上海博物館藏戰國楚竹書」的簡稱。

本書分為上、下兩編，每編兩章，共四章。上編〈楚竹書《周易》研究〉，第一章前有〈楚竹書《周易》導言〉，兼述近年來楚竹書的研究成果。第一章〈楚竹書《周易》概況與研究〉，是對楚竹書《周易》的介紹，兼論述其文字應用的時代特點；第二章〈楚竹書《周易》原文考釋〉，分三十四節，考釋每一支簡中的文字。下編〈先秦兩漢出土與傳世易學文獻資料〉，第三章〈考古易的發現〉，第一至四節，介紹竹簡中所見的易卦、《周易》，包括《郭店楚墓竹簡》中的《周易》，阜陽漢簡《周易》。第五節〈馬王堆漢墓帛書中所見《周易》〉，介紹〈二三子〉、〈易之義〉、〈要〉、〈繆和〉和〈昭力〉等易傳類型的文章。第六節，介紹熹平石經中的彖、象、繫辭、文言、說卦、序卦、雜卦。第四章〈傳世文獻中的易學記載〉，錄正史藝文志《易》類書目，又錄今本《易經》與《易傳》之原文。

本書是研究出土文獻和《易》學相當重要的參考資料。　（編輯部）

《漢宋易學解讀》

《漢宋易學解讀》　余敦康著　北京　華夏出版社　530頁　2006年7月

《四庫全書總目．易類一》載：「故《易》之為書，推天道以明人事者也。……漢儒言象數，去古未遠也，一變而為京、焦，入於禨祥，再變而為陳、邵，務窮造化，《易》遂不切於民用。王弼盡黜象數，說以老、莊，一變而胡瑗、程子，始闡明儒理，再變而李光、楊萬里，又參證史事，《易》遂日啟其論端。此兩派六宗，已互相攻駁。」於此大抵可明《易》學之流傳與釋《易》分為象數、義理兩大系統。

作者依此系統，分本書為上下兩篇，上篇主述「漢代易學」，章節如下：第一章〈漢易象數之學的興起〉；第二章〈孟喜、京房的卦氣理論與文化理想〉；第三章〈《易緯》的卦氣理論與文化理想〉；第四章〈東漢易學的發展〉；第五章〈鄭玄的易學〉；第六章〈荀爽的易學〉；附錄有〈王弼的《周易略例》〉。下篇則論「宋代易學」，接續上篇章節為第七章〈李覯的《易論》〉；第八章〈歐陽修的《易童子問》〉；第九章〈司馬光的《溫公易說》〉；第十章〈蘇軾的《東坡易傳》〉；第十一章〈周敦頤的易學〉；第十二章〈邵雍的易學〉；第十三章〈張載的易學〉；第十四章〈程頤的《伊川易傳》〉；第十五章〈朱熹的易學〉。全書關乎宋代之闡述為詳，第十章之後多能細論亦有綱領。

余敦康，湖北漢陽人，一九三〇年生，一九五五年畢業於北京大學哲學系。中國社會科學院世界宗教研究所研究員，中國社會科學院研究生院教授，博士生導師。長期從事中國哲學史研究。主要著作有《易學今昔》、《內聖外王的貫通》、《中國哲學論集》、《宗教・哲學・倫理》、《魏晉玄學史》、《周易現代解讀》……等。（鄭淑君）

《天人之際的理學新詮釋》

天人之際的理學新詮釋——王夫之《讀四書大全說》思想研究　周兵著　成都　巴蜀書社　414頁　2006年12月（儒道釋博士論文叢書）

本書為周兵的博士論文，由周桂鈿指導。主要以《讀四書大全說》為對象，探討王夫之的四書學思想。撰作過程嚴謹，不僅重視文本，更參考時論，進而提出創見。本書的創見在於，透過大量王夫之早期思想文獻的考證，證明了王夫之的思想是屬於正統理學的範疇，對於學界認為王夫之為批判程朱理學的看法，抱持著反對的意見。本書將王夫之所表達的思想主題，概括為「天人之際」，並分天論、命論、人論、性論、情論、心論、道論、德論，八個範疇為探討的對象。透過天、人的邏輯理路，去開展王夫之「天人之際」的思想，進而勾勒其架構。本書注重原典，考證確實，並以樸實的寫作筆法行文，且有創見。因此，獲選收入《儒道釋博士論文叢書》出版，在學術上具有創造性研究，突破前人看法的特色。

周兵，現任西南大學政治與公共管理學院副教授。曾任北京電子科技學院教師。博士班畢業於北京師範大學哲學與社會學院，碩士班畢業於北京師範大學哲學系。除本書外，另著有《中國唯心論史》、《列子處世大智慧》、《春秋繁露譯注》，並於《船山學刊》、《湘潭大學學報》、《當代青年研究》、《探索與爭鳴》等刊物上發表論文數篇。（張晏瑞）

《漢易之風華再現：惠棟易學研究》

《漢易之風華再現：惠棟易學研究》 上、下冊 陳伯适著 臺北 文史哲出版社 1158頁 2006年2月

臧庸《拜經日記》中曾言：「惠氏之遵守古意，而發明之功為不可及，而好用古字，頓改前人面目，以致疑惑來者，亦非小失。」對於惠棟《易》學褒貶兼有，然損意愈多，後學論及惠氏亦多著眼於其吳派考證之功，或雜於綜述其經學貢獻，而忽其《易》學，未能深究，作者陳伯适直指惠棟於《易學》的成就上雖上承黃宗羲、黃宗炎、毛奇齡及胡渭等人對宋儒《易》學圖象的批評；下開張惠言、焦循、李道平等人對漢代象數之學的重視，然因漢《易》本身偏重象數，人或鄙其意同讖緯，雖惠棟申漢《易》義理有其可觀，評價亦難以公允。

本書上、下二冊，上冊以惠棟對漢代象數易之評述而言，內容包含第一章〈易學發展與惠棟學術概況〉；第二章〈惠棟考索孟喜與京房《易》說之評述〉；第三章〈惠棟考索虞翻與荀爽《易》說之評述〉；第四章〈惠棟考索鄭玄《易》說之評述〉。下冊則深入惠棟其《易》學著作本身深究，其內容囊括第五章、第六章則述〈惠棟專述《周易》經傳之特色〉（上、下）；第七章《惠棟易學的義理觀》；第八章〈惠棟易學的檢討〉。全書點出惠棟於《易》學之功過得失，評述惠棟《易》學對漢代易學的復原價值，並釐清有清一代《易》學的發展，惠棟《易》學在當中所扮演的角色、在清代《易》學史上的定位，作者期以內外兼論之方式書寫，以結構嚴謹的學術論文形式著成。

作者陳伯适，政治大學中國文學博士，著有學術論文〈從詮釋學觀點看惠棟《易》學〉、〈從宏觀的經典闡釋角度看惠棟《易》學的時代意義〉、〈《史記》中的黃老之學析論〉、〈「易緯」中宇宙化生系統試析〉、〈談先秦文化變遷過程中巫在宗教與政治上所扮演的角色〉等相關學術論文多篇。（鄭淑君）

《王弼易學解經體例探源》

《王弼易學解經體例探源》　尹錫瑉著　成都　巴蜀書社　237頁　2006年12月（儒道釋博士論文叢書）

本書收錄於《儒道釋博士論文叢書》，其入選條件必須對文章觀點的取得和論證，有嚴謹的科學依據，在第一手原始材料的基礎上進行分析，詳注論證資料來源出處，更重要是對於學術研究有著創造性、突破性，以利於學科的發展。作者對於王弼易學研究的突破，在於系統化的分析王弼易學來源。王弼易學研究，歷來以「玄學」解「易」為主或者針對「義理易學」中的創造面作論述，而忽略了其中的「承繼性」。本文跳脫前人侷限，直接關注由漢易到魏晉的轉變，通過分析「漢易古文注」及「王弼注」來說明王弼易學一直被忽略的「批判中的繼承」。

全書除「導論」與「結論」外，凡四章：首章〈兩漢三國的學術與易學的轉變〉，從「古文易學兼治象數與義理」、「老莊學兼治易老」兩部分，說明王弼易學主要兩個來源。次章論〈王弼易學的形成〉，從玄學派易學的形成、王弼的生平與家學淵源、《老子》與《周易》著作先後的順序，爬梳王弼受到漢代古文易學與兼治易老思想的傳承。第三章〈王弼易學體例及其來源〉，分析《周易注》體例，對於「取義說」、「爻位說」及其創新，還有今文易學象數體例的比較論述。第四章〈王弼易學的解易觀、方法論及其來源〉，主要從「人道」、「隨時」、「無為」的思想說明解易觀來源，並且從先秦兩漢至《老子注》、《周易注》中的「辨名析理」說明王弼易學方法論的傳承。書首有《儒道釋博士論文叢書》緣起、指導教授朱伯崑所寫的〈序〉文，書末附〈附錄〉與〈參考資料〉。〈附錄〉表格有：一、京房注與王弼注的比較；二、馬融注與王弼注的比較；三、鄭玄注與王弼注的比較；四、荀爽注與王弼注的比較；五、宋忠注與王弼注的比較；六、王肅注與王弼注的比較；七、陸績注與王弼注的比較。作者除了說明這些「注」所依據的版本外，並藉由比較各家卦爻辭的異同，以邏輯的分析，再次說明漢易注與王弼注在解易體例或者解易觀相同處，來論證王弼易學的承繼性。

尹錫瑉，男，一九六八年出生在韓國仁川。二〇〇六年一月於北京大學獲得哲學博士學位，現為仁荷大學哲學系講師。研究方向以「兩漢三國易學」為核心，釐

清經學與易學、易學與玄學之間的關係。所著論文有《陸績易學初談》、《略論桓譚易老學》等。 （吳玫燕）

《周易禪解研究》

《周易禪解研究》 謝金良著 成都 巴蜀書社 328頁 2006年12月（儒道釋博士論文叢書）

明末高僧藕益智旭（1599－1655），曾遍學法相、禪、律、華嚴、天台、淨土諸宗教義，「融會諸宗，歸極淨土」，主張儒、佛、道三教合一，並特別花力氣調和儒、佛兩家的學說，留下了不少這方面的著述。他的《周易禪解》就是其中的重要代表之一。他曾自述：「吾所由解《易》者無他，以禪入儒，誘儒知禪耳。」其實，他的《周易禪解》，不僅是以禪解《易》，「以禪入儒」，而且也「援儒入佛」、禪易互證，是迄今為止唯一一部站在佛教立場上研究《周易》經傳、發揮《周易》思想的重要著作，同時也成為人們今天研究禪、易關係最有代表性的著作。透過對它的研究，不僅有助於加深了解禪、易關系，而且也能對整個儒、佛關係和明代學術思潮有個更好的把握。

本書由作者的博士論文略加修訂而成。除〈緒論〉外，共分六章，分別是第一章〈《周易禪解》的作者概況與考辨〉；第二章〈《周易禪解》的成書過程與流傳〉；第三章〈《周易禪解》的文本內容與特點〉；第四章〈《周易禪解》的思想來源與蘊涵〉；第五章〈《周易禪解》的思想傾向與創新〉；第六章〈《周易禪解》的思想成就與影響〉。主要運用義理與考據相結合的傳統治學方法，從考辨智旭的生平情況入手，在細緻解讀文本的基礎上，對《周易禪解》的各個方面問題進行系統化的研究，側重闡發智旭對禪、易關係的獨到理解，力求從宗教哲學的高度揭開易學與佛學之間的隱秘聯繫。

謝金良，一九七一年生，福建安溪人。南京大學哲學博士，復旦大學中國美學博士後，現任復旦大學中文系副教授，主要從事中國美學、易學與儒佛道文化研究。已出版《穀梁傳漫談》等專著，並在《世界宗教研究》、《宗教學研究》、《周易研究》、《現代哲學》、《文化中國》等海內外重要刊物發表論文四十多篇。 （陳水福）

《朱熹易學和理學關係探賾》

《朱熹易學和理學關係探賾》　史少博著　哈爾濱　黑龍江人民出版社　330頁　2006年3月

長期以來，學者對朱熹學術的研究，大多專注於理學或《易》學的深入討論，本書作者則嘗試將朱熹理學和《易》學進行系統的觀察，分析比較兩者之間的關聯性。全書計分五大部分：一、「朱熹理本論的易學底蘊」——探討朱熹《易》學中的「太極」和理學中的「理」，《易》學的「太極」、「陰陽」與理學的「理」、「氣」，及「太極為根柢」的理本體論。二、朱熹認識論和《易》學的關聯——深入解說「格物致知」、「理一分殊」的《易》學淵源及「知行關係說」。三、朱熹心性論和《易》學的關係——著重析論「心」、「性」和「太極」，「性」與「陰陽」，「心」與「陰陽」等關聯。四、朱熹道德論和《易》學的關係——分析「五行」配「五常」，「善」、「惡」與稟氣，「天理」與「人欲」，「人欲」、「利」與稟氣之關係。五、朱熹的理學和《易》學的相釋相融——又分三章：⑴朱熹的「理」與「義理」，⑵朱熹論「術數」、「象數」與「義理」，⑶朱熹「理學」與「易學」的相釋相融。

史少博，一九六五年生，山東大學哲學社會與發展學院、《易》學與中國古代哲學研究中心博士。現任哈爾濱工程大學人文學遠副教授。著有《周易與企業管理》，另發表論文三十餘篇。

（黃智明）

《尚書覈詁》

《尚書覈詁》　楊筠如著　黃懷信標校　西安　陝西人民出版社　479頁　2005年12月

《尚書覈詁》這部書，是二十世紀《尚書》研究最重要的成果之一。王國維先生特為之撰序，以之與歷史上著名的《孔傳》、《蔡傳》相比，認為其書「博採諸家，文約義盡，亦時出己見，不媿作者。其於近三百年之說，亦如漢魏諸家之有《孔傳》，宋人之有《蔡傳》，亦猶《蔡傳》之優於《孔傳》。」這無疑是非常高的學術評價。

《覈詁》的首次面世，是在一九二八年，其中一部分刊登在廣州《中山大學語言歷史研究所週刊》上。此後，楊筠如先生對書的內容反覆修改補訂。特別是〈自序〉提到的，他於一九三三年到河南大學任教，以此書做為講義，其間吸收了同時學者，包括他在清華的同學高亨、裴學海的見解，使《覈詁》益加充實。由此足見，這部書實為作者多年精力所萃。

《尚書覈詁》的性質體例，與曾運乾先生的《尚書正讀》、屈萬里先生的《尚書集釋》二書不同。其特色在於不受家法師說束縛，擇善而從，而且儘可能引用甲骨金文等出土材料進行對比。在研究方法上完全遵循王國維先生的矩矱。本書共有四卷，分為〈虞夏書〉、〈商書〉、〈周書上〉、〈周書下〉。〈虞夏書〉有〈堯典〉、〈皐陶謨〉、〈禹貢〉、〈甘誓〉。〈商書〉有〈湯誓〉、〈盤庚〉、〈高宗肜日〉、〈西伯戡黎〉、〈微子〉。〈周書上〉有〈牧誓〉、〈洪範〉、〈金縢〉、〈大誥〉、〈康誥〉、〈酒誥〉、〈梓材〉。〈周書下〉有〈召誥〉、〈雒誥〉、〈多士〉、〈無逸〉、〈君奭〉、〈多方〉、〈立政〉、〈顧命〉、〈康王之誥〉、〈粊誓〉、〈呂刑〉、〈文侯之命〉、〈秦誓〉。

作者楊筠如，湖南常德人，一九二五年考入清華大學國學研究院，為研究院第一屆學生，王國維是當時的導師。一九三三年到河南大學任教，後終老於西北大學。

標點者黃懷信，現任孔子文化學院特聘教授、碩士生導師，專攻中國早期思想史文獻和儒家文獻的研究與整理。主要成果有：《尚書注訓》、《上博竹書詩論解義》、《大戴禮記彙校集注》、《論語新校釋》等等。並有學術論文六十餘篇。

（陳水福）

《禹貢研究論集》

《禹貢研究論集》 高師第著 上海 上海古籍出版社 314頁 2006年7月

《尚書》中的〈禹貢〉一篇，自「禹敷土」至「告厥成功」，全文只有一千一百九十四個字，但是由於歲月的推移、河山的變易、人類的開發，現今之地貌已非作者時的景象了。所以兩千年來，學者註釋〈禹貢〉的地理時，可謂「各言其志」，不僅難能一致，甚至南轅北轍。其中較為著名者，如九河、三江、九江、黑水、彭蠡、三危、陪尾等等之所在，真是「言人人殊」，令人迷惑不已。直到今日，仍有不少的地理問題無法得到合理的解釋。

本書是作者對〈禹貢〉篇的論文集，分別收入了〈〈禹貢〉著成時代考〉、〈〈禹貢〉篇能否為戰國時人偽造？〉、〈試論〈禹貢〉篇中有關九州及導山導水之義例〉、〈探討〈禹貢〉徐州「浮于淮、泗，達于河」的「河」字之謎〉、〈試探〈禹貢〉「彭蠡澤」之遺蹤〉、〈論歷史上學者對〈禹貢〉「三江」之誤解〉、〈〈禹貢〉荊州所謂「九江」究竟分佈在今何處？〉、〈試解〈禹貢〉荊州「雲土、夢作乂」與後世所謂的「雲夢澤」之演變〉、〈黑水考〉、〈歷史上學者對〈禹貢〉梁州「織皮、西傾因桓是來；浮于潛，逾于沔，入于渭，亂于河」詮釋之商榷〉、〈三危考〉、〈〈禹貢〉導山所謂「陪尾山」究竟是現今哪一座山？〉等十二篇論文。文中頗多創見，如駁斥顧頡剛〈禹貢〉篇「為戰國至秦、漢間的偽作」的說法，重新考定〈禹貢〉的著成時代最早當在唐堯，最晚也應該在春秋中期以前。並於書中附錄了十九張地圖，以增加讀者對〈禹貢〉所敘述地理的瞭解。

作者高師第，自一九四九年秋季起，任教臺灣省立馬公高中和中興高中，專教高中地理，並兼任建國商專經濟地理講師。一九九〇年退休，移居美國紐約長島，現暫居上海市。暇時從事歷史地理的研究，並遊覽考察各地山川名勝。著有《澎湖地理》、《高師第遊記》等。（陳水福）

《審核古文《尚書》案》

《審核古文《尚書》案》　張岩　北京　中華書局　380 頁　2006 年 12 月

作者於二〇〇三年初期接觸古文《尚書》相關問題，先後發表了〈閻若璩《疏證》偽證考〉、〈現代資訊技術與傳統國學研究——以檢驗閻若璩古文《尚書》證僞為例〉、〈回應《尚書》專家錢宗武〉等相關文章，本書即在此一基礎上完成初稿修訂。

全書凡十章：首章「引論」，揭示閻若璩《疏證》在論證上的致命缺陷，一是以「有罪推定」的態度進入研究；二是加入大量的「枝蔓」，引用說法，不加註明。

第二章至第四章「文獻流傳篇」（上）、（中）、（下），立足文獻基礎，對於歷代古文《尚書》研究時的主要問題——的說明，並針對《疏證》中所引的文獻證據等相關論述加以推翻，都是偽證，不足為信。第五章至第九章「史地篇」、「史實篇」、「曆法篇」、「制度篇」、「引文篇」，針對《疏證》中這五大類的立論或引文加以梳理，表面「灼然可據」的作偽證據，實際上都是「灼然不可據」。末章「結語」，內容從紀昀與古文《尚書》定案、錢大昕《疏證》、疏證的方法辨析、辨偽學的合法與證據調查、評張蔭麟再鞠古文《尚書》案、胡適：用證據法審核考據學……等問題梳理，提供學者走出疑古橋樑的眼光，以科學的角度進行考據、辨偽。書前有「序言」，書末有附錄四種：(1)〈大禹謨〉引文、用文示例」。(2)《尚書》字頻特徵分析」。(3)〈評戴震考據「光被四表」〉。(4)〈本書主要徵引文獻」及其「後記」。此書原有第十一章「餘論：古史辨運動概觀」，篇幅約四萬字，後因中華書局責任編輯有所顧慮，因於出版時抽出，後發表於《孔子文化研究》第三、四兩輯，標題仍為《古史辨運動概觀》。

此書主要以兩方面立論：其一，閻若璩《尚書古文疏證》，主要是將孔安國傳古文《尚書》二十五篇，定案為偽古文《尚書》，然其中包含許多刻意捏造的偽證，本書以嚴密的邏輯學、大量相反證據的提出、古文《尚書》計量統計……等方法，對其理論、方法、證據、證明步驟、主要結論進行甄別，得知閻若璩《尚書古文疏證》不足為證孔傳《尚書》的偽造；其二、通篇涉及許多歷代古文《尚書》研究時主要的問題，然作者並非立足在學術史範疇討論，而是以當代史學批評的起點進行對閻若璩《疏證》的審核，旨在為學術界走出疑古後的重建中國古代史，提供更多科學的史料基礎。

張岩，祖籍江蘇阜寧，一九五四年出生於北京。現就職於北京市藝術研究所，從事古代歷史文化研究。曾先後發表〈簡論漢代以來「詩經」學中的誤解〉、〈對孟薑女傳說的再認識〉、〈外婚制與人類社會起源〉等論文十多篇。主要著作有《圖騰制與原始文明》、《「山海經」與古代社會》、《從部落文明到禮樂制度》等書。

（吳玫燕）

《詩經新選》

《詩經新選》　楊合鳴編選　武漢　湖北教育出版社　454頁　2006年1月

《詩經》是我國最早的一部詩歌總集，共三〇五首詩。它原名《詩》或《詩三百》，至漢代奉為經典，故稱《詩經》，這一名稱一直沿用至今。《詩經》所反映的是距今二千五百年至三千年的上古社會生活。由於時代遙遠，語言艱澀，是最難讀的古書之一。

《詩經》有「六義」，即風、雅、頌、賦、比、興。風、雅、頌為《詩經》的體制，賦、比、興為《詩經》的表現手法。風、雅、頌是音樂上的分類。風包括十五國風，是各地的土樂。雅包括〈小雅〉、〈大雅〉，是正都的正樂。「雅」含「正」意，上古「雅」、「夏」同音，西周王都在夏人舊地，故名「雅」。頌包括〈周頌〉、〈魯頌〉、〈商頌〉，是宗廟的樂歌。上古「頌」、「鏞」（大鍾（鐘））通用，故名「頌」。因以大鍾（鐘）伴奏，故其聲調舒緩。賦是「鋪陳其事」，即直接地寫景、敘事和抒情。比是「以彼物比此物」，即通過比喻來敘事抒情。興是「先言他物以引起所詠之詞」，兼有聯想、烘托、象徵、起韻等作用。

《詩經》收詩所設地域相當遼闊，大致包括陝西、山西、河南、河北、山東、湖北等地區。《詩經》的內容極為豐富，可以說是西周初年至春秋中葉五百多年社會生活的一面鏡子。保存在〈國風〉和〈小雅〉中的民歌是最有價值的作品。有的揭露貴族統治者的腐朽本質；有的描寫徭役和戰爭所造成的災難；有的表現被棄婦女的悲慘遭遇；有的歌詠美好純潔的愛情等等。另一部分出自貴族文人之手的宮廷詩、祭祀詩、頌祖詩，雖然有一定的認識價值和史料價值，但思想性和藝術性都較差。

《詩經》大約集結於春秋中葉，自此之後，《詩經》在歷代廣為流傳，一些名篇長頌不衰。《詩經》的主題，自古至今說解紛紜，莫衷一是。基於此種狀況，作者特地為初學者編寫此書，作為《詩經》研究的入門，此書一共精選了二百首詩。每首詩的後面分成三個部分：對每首詩疑難辭語作簡要注釋；對每首詩的主題思想作詳細說明；對每首詩的諸多異說作必要辨析。希望能對讀者研讀《詩經》有所裨益。

楊合鳴，男，一九四〇年十月出生，湖北武漢人，一九六六年畢業於武漢大學中文系，一九七八年至一九八一年在武漢大學中文系攻讀碩士學位，畢業後留校任教至今。現系中國詩經學會常務理事、武漢大學文學院教授、博士生導師。長期從事古代漢語的教學與科研工作，曾主持過「詩經句法研究」和黃侃遺著。在《武漢大學學報》、《遼寧大學學報》、《華中師範大學學報》、《辭書研究》、《詩經研究叢刊》等刊物上發表論文四十餘篇。出版專著主編或參編著作二十多部，主要著作：《漢語大字典》（參審者，1986－1990）、《詩經主題辨析》（與李中華教授合著，1989）、《古代漢語教學辭典》。 （廖秋滿）

《《風》類詩新解》

《《風》類詩新解》 元江著 長沙 湖南人民出版社 368頁 2006年5月

此書以《詩經》十五國風為新解之對象，每一國前皆書以簡短介紹，有關該國之時間、地理與簡史，後依序依詩分章討論，先於詩名下略說此詩大意，次將詩的原文與譯文並列鋪陳，次分章進行字句解析與討論，於每章先點出大意，後以討論字辭的方式為基礎，列以歷來諸家討論的看法、意見，進一步的對詩意作更深層精準的闡發。

作者於自序處便說「我研究、解釋《詩經》並作今譯的目的有兩個：探索中國人的精神文化源頭，以便更好地了解現今的中國人；把《詩經》譯出來，給自家正在上大學的年輕人作參考，以便他們提高興趣、不對被學者們弄得似乎很艱深晦澀的《詩經》在學習上產生畏懼情緒」，這對於經典普世化這一目標有深切的反省與實踐；在作者眼中，《詩經》呈顯出的世界，充滿著充分自由之狀態，例如思想、言論、戀愛、婚嫁、離婚、逃離暴政、選擇自我生活方式等，又普遍敬業、有高昂之保家衛國尚武精神等。此書多面向地透過《詩經》訴說了有關周代各階層不同的風俗面貌，直可謂為雅俗共賞之作。 （陳讚華）

《附庸風雅——第三隻眼看《詩經》》

《附庸風雅——第三隻眼看《詩經》》 鮑鵬山、王驍著 重慶 重慶出版社 208頁 2006年10月

本書企圖從不同的角度來了解《詩經》，不由傳統學術研究的角度來考察所謂《詩經》的歷史真象，反而盡力去追求心理真實能令人切實感受到的《詩經》。全書共分三章，第一章「《詩經》：聖賢的經典」，主要闡釋原來是民間的詩，如何轉化成為經典？這些優美的詩篇，從何而來？什麼是風、雅、頌？什麼是賦、比、興？作者討論這些至今仍在我們書面與口頭上流傳歷久彌新的辭彙，代表什麼奧秘？體現我們民族那些思維特徵？第二章「《詩經》：大眾的心情」，作者獨樹一格，不探討傳統經學所討論的《詩》的作者、時代等問題，而是用其「第三隻眼」去看《詩經》，進而感受到《詩經》是大眾心情的經典表達，故他仍是「經」，是愛情之經、親情之經、友情之經、同情之經……。所以就心理感受而言，《詩經》所體現出來的多重價值觀念，是我們大家所共同曾經擁有的，也成為我們民族文化之根。第三章「《詩經》：永遠的感動」共精選了四十首詩，略作賞析和發揮。作者不喜作教材式的賞析寫法，不做全面性的分析，反而就詩中的重點，直指核心，略加點撥，讓人更能心領神會、感動人心。全書不只在寫作手法上另闢蹊徑，更配合實際內容加上許多生動圖片，圖文相輔使讀者更易融入《詩經》的世界之中，進而體驗情緒被感染，心靈被觸動的美妙感受。

作者鮑鵬山，一九六三年生於安徽六安，一九八五年畢業於安徽師範大學中文系，現任教於上海電視大學。主要從事中國古代文學、古代文化的教學與研究。主要著有《論語導讀》、《後生小子——諸子百家新九章》、《中國古代文學作品選》等書。

（袁明嶸）

《我生之初尚無爲——詩經中的美麗與哀愁》

《我生之初尚無為——詩經中的美麗與哀愁》 辛然著 西安 陝西師範大學出版社 260頁 2006年10月

本書為一《詩經》選本，作者認為愛是世界上最美的字眼、人世間永恆的主題，主張穿越時間的隧道，尋訪《詩經》的美麗與哀愁，追溯滾滾源泉，細細低迴初生之情。每篇選文分析內容格式如下：⑴篇題：作者匠心獨具篇首以中心題旨為標題，如〈關雎——千古愛戀的絕唱〉、〈葛覃——織布女子心中的歌〉、〈螽斯——多子多福的祈願〉、〈草蟲——平淡中見真情〉、〈燕燕——人生自古傷離別〉、〈七月——遠古先民的勞動史詩〉、〈簡兮——天涯何處覓知音〉、〈蒹葭——水邊的愛慕與追求〉、〈碩人——千古絕唱頌佳人〉、〈月初——明月皎皎映伊人〉、〈思齊——君王的典範〉等，讓讀者閱讀之初便能提綱挈領明白詩旨內涵，然卻也可能窄化或固定化詩旨意涵。⑵內文：首列詩篇「原文」；次列「注釋」，注釋中並附難字或特殊字音讀；次列「譯文」，譯文均作七字句，讀起來也似詩歌般具有韻律之美，用字簡單扼要容易明白；次列「賞析」，主要結合一般普及性《詩經》知識及文學角度對《詩經》文本作闡述說明。⑶篇末：篇末附有與該篇主題相關之獨立文章，如〈關雎〉附〈《詩經》中的愛情〉一文、〈葛覃〉附〈《詩經》中的女性形象〉一文 、〈卷耳〉附〈《詩經》中的植物〉一文等。可以說關照較為全面、筆調十分輕鬆自然，是初學入門者不可或缺的案頭書。

辛然，生於六朝古都金陵，求學於西子湖畔，現為自由撰稿人，著有《原來宋詞可以這樣讀》。

（洪楷萱）

《禮俗儀式與先秦詩歌演變》

《禮俗儀式與先秦詩歌演變》 韓高年著 北京 中華書局 356頁 2006年9月

韓高年，一九七一年生，甘肅省永昌縣人。二〇〇一年畢業於西北師範大學獲得博士學位。現任西北師範大學文學院副教授。儀式，通常是指具有象徵性、表演性特徵的由文化傳統所規定的一套行為方式。可以是神聖性也可以是通俗性的活動。三代禮俗儀式，既是中國早期文化的載體，也是先秦詩歌產生和發展的土壤。

本書的目的，就是從三代禮俗儀式的視角出發，嘗試對先秦詩歌的形態、起源、演變等問題進行初步的探索。而書中最大的特點為選取儀式文化這一獨特視角和文化背景解析先秦詩歌，這是以往學者所忽略，或雖有論及，卻引證材料不足分析不夠深入的。作者意圖在中國早期詩歌史的研究上有所突破，全書在緒論之後，首先闡述先秦儀式文化的詩學意義，然後就先秦詩歌的儀式文化特徵和頌詩的儀式文化內涵展開論述。在此基礎上，按照歷史時代順序，對夏商和西周春秋各代的詩歌與儀式文化的關係，進行較為詳盡的比照闡發。最後，對屈原所創作的楚辭作品中的儀式文化影響，結合作品本身，論述其觀點。綜觀全書，作者以儀式文化為論述主軸，進而對儀式文化實際內涵與特徵分析，證明確實與先秦詩歌的產生發展有密不可分的關係。作者在書中也提出一系列具體的見解和看法，自有其獨到之處。如提出〈大夏〉即〈九夏〉的觀點，並對〈大夏〉的表演和文本特點乃至遺聲等做了大膽的描述與推測。有些見解是尚無前人論及的，或雖有論及卻語焉不詳，有的是前人諸說紛云，迄無定論，而作者從新的角度運用新的材料加以論證，足見作者對此問題用功之深。

（袁明嶸）

《孔子詩學研究》

《孔子詩學研究》　蔡先金等著　濟南　齊魯書社　340 頁　2006 年 10 月

本書是山東省社會科學規劃項目「孔子詩學研究」的最終成果，為《濟南大學古典文學研究叢書》系列之一，由蔡先金教授主持，並確定了總體研究框架。本書內容目錄如下：〈序〉、〈總序〉、第一章〈緒論〉、第二章〈詩之情〉、第三章〈詩之境〉、第四章〈詩之言〉、第五章〈詩之禮〉、第六章〈詩之志〉、第七章〈詩之用〉、第八章〈詩之樂〉、第九章〈詩之興觀群怨〉、第十章〈詩之美〉、第十一章〈師教〉、第十二章〈孔子詩學對後世之影響〉、〈主要參考文獻〉、〈後記〉。第一、二、三、十二章蔡先金撰寫，第四、五章王國偉撰寫，第六章趙宗來、張兵、馮淑靜合撰，第七章鄭聲國撰寫、第八章俞豔庭撰寫、第九章潘曉生撰寫，第十章張兵撰寫，第十一章劉鳳泉撰寫。

本書優點在於多方面的、多角度的論述、展現了孔子的詩學體系，書中涉及的方面有詩之情、詩之境、詩之言、詩之態、詩之禮、詩之樂、詩之用、詩之審美等，相當全面，可以說，就目前所見資料而言，論題應該涉及的幾乎全都涉及到了。同時，書中在討論孔子詩學體系的每一個方面時，大都不是從單一的角度來視察，而是力圖從詩學、文學、史學、哲學、美學、社會學、乃至民俗學、宗教學、簡帛學、考古學等多角度進行研究描述。還有，書中許多章節分析細密，論述深入，頗具說服力，而且多有創見，如第一章關於孔子與《詩》之關係的論述及孔子詩學體系多元化特質的論述；第二章關於情一分殊的論述；第三章關於「思無邪」的論述；第六章關於詩之志的論述；第七章關於孔子詩樂觀的論述；第八章關於詩之用的論述；末章關於孔子詩學對後世的影響等，均屬此類。

這本書的研究、撰寫可以說是一次新的嘗試，屬於一種拓荒性的工作，因為如此系統論述孔子詩學體系的著作很少見到。既然是一次嘗試，就不免存在一些不足之處。此書的不足之處主要在兩方面：從全書的內容和結構來看，存在著體例不一，風格各異，內容重複，觀點相牾之類的問題。這主要是由於書成於眾人之手，個人的認識、水平不大一致，而且統稿工作做得不夠細緻等原因造成。就全書的論述效果而言，儘管作者們已盡了很大的努力，將人間現存的關於孔子論詩的所有資料幾乎都調動起來，鎔鑄於書中了，但所論孔子的詩學體系還是比較空疏、單薄，缺乏連貫性。因為直至目前為，人們所能看到、所能利用的關於孔子論詩的各種文獻資料還是太少，沒有足夠的文獻資料，想要寫出一部厚實、系統的著作是很困難的。

蔡先金，一九六五年生，江蘇宿遷人。獲吉林大學歷史學博士學位，入山東大學古典文獻學博士後流動站，現任濟南大學副校長、教授。承擔省部級課題五項，出版著作六部，發表論文三十餘篇。

（廖秋滿）

《孔子詩論的文化推繹》

《孔子詩論的文化推繹》　蕭兵著　武漢　湖北人民出版社　422頁　2006年3月

本書以上海博物館所藏之《孔子詩論》為出發，利用比較人類學的方法討論早期中國詩學「詩志同構」、「情志合一」的特徵。作者反對《詩經》非民歌的看法，認為「風」為兩性之間訊息的媒介；「雅」最初是重節奏的樂歌，其用途與至今尚可見的舂臼舞類似；「頌」則是對大人君子、祖先神祇威儀盛德的讚美；「賦」即今日之「流水帳」，直陳其事而已；「比」為比事；「興」則與演奏時的「興作」、領唱者有關。

全書共分十章，第一章〈中國詩學之伊始〉探討《詩論》之作者，比較《詩論》與〈詩序〉，探討「詩言志」出現時代及其與巫術的關係。第二章〈「詩言志」的多面觀〉，探討「詩」字的多義性，「志」字的多解性。第三章〈《詩》的采、觀與賦詩明志〉，討論採詩、以意逆志、詩可以觀等問題，作者認為採詩制度的動機或目的是多元的，在政治教化之外不排除審美因素。第四章〈詩教或詩用〉闡述《詩經》在人情上的發用。第五章〈《詩經》大部分不來自民歌嗎〉，認為《詩經》應來自民歌。第六章〈詩可以群：套語，過渡儀式〉，提出「詩可以群」使「詩義」在套語中推陳出新，既延續抒情的傳統，且保存詞語的活動力。第七章〈風雅頌的由來〉與第八章〈作為詩歌技法的賦比興〉，分別討論六義的意義及內容。第九章〈儀式之「興」與求雨的儒〉，將古老祈雨儀式的「興」和後世的雩祭樂舞連結，認為孔子對雩祭的讚賞表現出於其對早期祈雨巫師文化的記憶與嚮往。第十章〈「興於詩－立於禮－成於樂」的鎖鍊〉闡述三者的階段性及其內涵。

蕭兵，原名邵宜健，一九三三年生，福建省福州市人，現任淮陰師院、華中師大中文系、東南大學東方文化研究所、吉林師大東北文化研究所教授。著有《古代小說與神話》、《楚文化與美學》、《楚辭與美學》等書。講學活動遍及美、港、臺及大陸三十餘所高校。（倪瑋均）

《詩經的接受與影響》

《詩經的接受與影響》　佘正松、周曉琳主編　上海　上海古籍出版社　293 頁　2006 年 7 月

《詩經的接受與影響》一書，由西華師範大學文學院中國古代文學教研室與古籍整理研究所，以「詩經的接受與影響」為主題的一部分集體研究成果。主要特點有二，第一是以《詩經》為中心，探源溯流，縱橫比較，充分體現了「打通」的學術研究方向，研究者從各自的研究領域出發，進行《詩經》研究，透過古今、前後、中西的溝通與對比方法，發掘《詩經》對中國文學、語言的不同影響，更加充分凸顯《詩經》價值，跨學科及跨領域實為當前學術研究的趨勢，消極意義在於能彌補研究之不足，積極意義則是能拓展研究視野深化研究成果。第二是選題多樣化，反映當代《詩經》研究的豐富多樣化，研究者多具有開放的學術視野，以尊重及借鑒他人的學術研究成果為前提，結合個人學術所長，圍繞「《詩經》的接受與影響」主題，從不同的角度尋找不同的切入點，或側重考察《詩》的經學價值在不同時代學者接受視域中的嬗變；或立足文學本位，致力於把握後世作家對《詩經》

文學資源的利用及其文學功能的擴展；或探索《詩經》對中國古代文論建設的重要貢獻；或將史學家的《詩》學觀作為研究對象；或從社會語言現象中感受《詩經》的影響；或將《詩經》置於廣闊的文化背景下發掘豐富的文化內涵。

佘正松，西華師範大學教授，中國古代文學、中國古典文獻學碩士領銜導師。〈九曲之戰與高適詩歌的愛國主義〉及《高適研究》等被學術界認為「有突出的創造性和較高的學術價值」，被十餘種報刊雜誌轉摘介紹，產生了較廣泛的社會影響。

周曉琳，西華師範大學教授，中國古代文學、中國古典文獻學碩士領銜導師。從事古代文學的跨學科研究，研究特色鮮明，研究成果主要在古代文學倫理精神研究、古代作家文化心態研究以及古代文學的地域研究等方面。（洪楷萱）

《詩經的歷史》

《詩經的歷史》　錢發平著　重慶　重慶出版社　309 頁　2006 年 3 月

《詩經的歷史》是一《詩經》選讀賞析本，主張「在《詩經》時代的社會、文化、習俗中品讀《詩經》」，強調「詩與史相互映照，圖與文互為補充」的特色，在編排不依照傳統《詩經》選本方式，創新體例採取「左史右詩」，即左頁為《詩經》歷史背景介紹，右頁為《詩經》注釋及品析，此編排體例在提供讀者兩個訊息：其一是介紹西周初年至春秋中葉約六百年間天子諸侯、公卿列士、底層平民的生活，當時的禮儀風俗，試圖描繪出當時的社會形態；其二是以淺顯易懂的文字闡釋《詩經》作品。這亦是本書不同於當代其他《詩經》選本之處。本書對《詩經》中的玉、植物、鳥，以及源自《詩經》中的成語作了詳細介紹，全書分為八卷：卷一〈天與地與人〉，卷二〈王畿之樂〉，卷三〈宗廟祭祀曲〉，卷四〈詩經中的人事〉，卷五〈詩經中的植物〉，卷六〈詩經中的鳥〉，卷七〈詩經中的原始成語〉，卷八〈詩經中的美玉〉。末有三附錄針對《詩經》的體制和相關名詞進行了解釋，附錄一〈毛澤東及中外名人談《詩經》〉，附錄二〈《詩經》常識〉，附錄三〈詩經的時代」。全書收錄了四百多幅圖片，有反映當時王公貴族、底層貧民的居室、服飾、生活裝飾、祭祀禮器的實物。

錢發平，一九五四年生於重慶。文史學者，長期從事中國古代文化研究，著有

《儒家簡史》，與人合譯禪宗經典《五燈會元》等，現為自由撰稿人。（洪楷萱）

《兩漢三家詩研究》

《兩漢三家詩研究》　趙茂林著　成都　巴蜀書社　657頁　2006年11月

漢代傳《詩經》者主要有四家，其中魯、齊、韓合稱三家《詩》，其文本、詩說皆已亡佚。不過，南宋王應麟就已開始輯佚三家《詩》，清代學者更是多方搜羅，漢熹平石經《魯詩》殘石也時有發現，所以三家《詩》文本、詩說的面貌還是略可得見的。三家《詩》的材料除了可用於《詩經》的校勘、訓詁、意旨把握外，更有經學史、文化史研究的意義，有必要對其進行全面的考察。清代學者雖然作了大量的三家《詩》研究工作，但由於過分強調今古文經學的區別、師法和家法的絕對性、三家《詩》之間的同一性，其研究也就不見得客觀，也就有必要重新考察三家《詩》的有關問題。

本書原為作者的博士論文，畢業後，作者在授課之餘完成、加入了第五章，並將原論文加以修改而成。在〈緒論〉之外，共分為五章，分別是第一章〈三家《詩》淵源考論〉，敘述三家《詩》的文本來源、詩說來源；第二章〈三家《詩》文本的面貌〉，除了描述三家《詩》的分卷、編次、篇數、篇題、分章、句數、字數之外，也討論了四家《詩》的文本性質；第三章〈三家《詩》詩說的特點〉，論述了三家《詩》詩說的理論範疇，進行了四家《詩》詩說異同的比較，藉以凸顯三家《詩》詩說的特點；第四章〈三家《詩》的知名學者及其著述〉，對三家《詩》的知名學者及其著述進行了考述；第五章〈三家《詩》的流變〉，敘述了三家《詩》在兩漢的流變；最後附錄了〈四家《詩》異文對照表〉（僅是示例，並無全文）。書中不但糾正了前人研究的某些失誤，也得到一些重要結論，諸如三家《詩》說是在漢代拼湊而成的、四家《詩》文本上並沒有今古文之別、西漢《魯詩》傳播占優而東漢《韓詩》傳播較盛等。

趙茂林，一九七〇年生，甘肅張掖人。西北師範大學文學院副教授。二〇〇四年七月畢業於揚州大學文學院，獲文學博士學位。主要從事《詩經》學史、魏晉南北朝文學的研究，發表論文十數篇。（陳水福）

《宋代《詩經》文獻研究》

《宋代《詩經》文獻研究》 郝桂敏著 北京 中國社會科學出版社 243頁 2006年2月

《詩經》研究到了宋代，在經學研究上，除繼承前人傳統的解釋之外，也出現了新的闡釋之作。然前賢之研究多著重於專書或特定對象，少有對宋代的《詩經》文獻加以整體考察，是以本書在前人研究的基礎上，從目錄學的角度出發，以現存及輯錄中的四十八種宋代《詩經》文獻為主，參照宋人文集中八十餘篇文章，對宋代的《詩經》文獻進行有系統的深入研究，較全面地揭示宋代《詩經》研究的全貌。

第一章概論宋代《詩經》學興起的文化背景與各階段發展的特點，接著分析宋代《詩經》學的經學闡釋：第二章闡述致用派與傳統派的解釋，第三章列出部分疑序、全面疑序、心學派的見解，以及朱熹後學的看法；第四章討論宋代《詩經》學的文學闡釋。由於朱熹《詩集傳》對後世的影響甚鉅，故於第五章專章討論朱熹的《詩經》研究。作者對《詩集傳》前後稿所論詩旨異同進行比較研究，解釋朱熹詩學觀轉變之因，也對朱熹如何闡述詩旨作深入研究。對於研究者較少關注的宋代《詩經》文獻體式多樣性的問題，則於第六章進行分析，以指導教授馮浩菲的《中國古籍整理體式研究》為準，對宋代《詩經》文獻體式進行分類，指出各種體式產生的原因及對後世的影響。全文從經學、文學兩方面闡述宋代《詩經》研究，文末附錄〈宋代《詩經》著述目錄〉，可供《詩經》學史、目錄學、文獻學等方面研究者參考。

作者郝桂敏，一九六六年生，遼寧省北鎮縣人，二〇〇二年獲山東大學文學博士學位。現任瀋陽師範大學文學院副教授，碩士生導師。曾主持遼寧省社科課題和省教育廳課題，並於《孔子研究》、《中國圖書評論》、《古籍整理研究學刊》等刊物發表論文共十六篇。

（倪瑋均）

《蘇轍《詩集傳》新探》

《蘇轍《詩集傳》新探》 李冬梅著 成都 四川大學出版社 287頁 2006年1月

在中國文學史上著名的唐宋八大家中，蘇洵、蘇軾、蘇轍父子便佔有三席之地，然三蘇的文學成就實建立於對儒家文化的吸收與發展，是以對三蘇的儒家思想，特別是經學著作進行研究，將有助三蘇的整體研究。基於此論，本書以蘇轍《詩集傳》為主，輔以其詩論、詩說及相關《詩》學資料，對蘇轍的《詩經》學思想進行系統的瞭解，分析《詩集傳》的經學思想，並揭示其於《詩經》學史中的地位，以期補充蘇轍研究，亦有助於三蘇學術思想的整體研究。

全書共分四章，第一章〈《詩集傳》的撰著、版刻及蘇轍其他《詩》學著述考〉，從文獻學的角度考證《詩集傳》的撰作過程及版刻流傳；第二章〈《詩集傳》的經學成就〉，從經學的角度入手，討論蘇轍的〈詩序〉觀、對二南的分別、對風雅正變的看法、大小雅如何劃分、辨析〈商頌〉、區別風雅頌、詩篇次第命名等問題；第三章〈《詩集傳》的指導思想〉，指出蘇轍解《詩》雖以人情為主，但在理論的闡發上與儒家重視道德教化的觀念亦不相矛盾；第四章〈《詩集傳》的思想內涵〉，認為《詩集傳》中的倫理道德、天命哲學以及政治觀念，表現出蘇轍做為一個儒者的經世致用思想。透過前述的探討，作者認為《詩集傳》動搖了漢唐時的解經方法，並推動宋學解經方法的形成，而《詩集傳》的思想則反映儒家「修齊治平」的實踐價值。文末附錄歷代著錄《詩集傳》的資料，以及廿世紀以來蘇轍研究論著目錄舉要，可供宋代《詩經》學研究、蘇轍研究、三蘇研究等領域研究者參考。

作者李冬梅，一九七七年生，遼寧省葫蘆島市人，二〇〇〇年進入四川大學古籍整理研究所碩士班，師從舒大剛先生攻讀歷史文獻學，二〇〇三年畢業，現為四川大學古籍整理研究所二〇〇四屆博士研究生。曾任《孔子弟子資料類編》選錄與點校工作，並於《文學遺產》、《四川大學學報》等刊物發表論文十餘篇。

（倪瑋均）

《現代學術文化思潮與《詩經》研究——二十世紀詩經研究史》

《現代學術文化思潮與《詩經》研究——二十世紀詩經研究史》 趙沛霖著 北京學苑出版社 487頁 2006年7月

此書為學術總集《二十世紀詩經研究集成》五卷中的第一部分，其他四卷分別為「二十世紀詩經研究論文選」、「二十世紀詩經研究專著提要」、「二十世紀詩經注釋長編」與「二十世紀詩經研究海外編」；此學術總集以二十世紀為限，一九〇〇年以前和二〇〇〇年之後的論著不屬於其研究之對象。本書除前後「緒論」、「總論」外，共計正文十一章，分別為⑴《詩經》學的傳統和轉型，⑵疑古辨偽思潮與《詩經》研究，⑶唯物史觀與《詩經》研究，⑷極「左」思潮干擾下的《詩經》研究，⑸文化意識與《詩經》研究，⑹《詩經》學術史研究的勃興，⑺文化人類學與《詩經》研究，⑻二十世紀考古發現與《詩經》研究，⑼現代學術意識與《詩經》傳注訓詁，⑽大眾化意識與《詩經》的白話文翻譯，⑾開放意識與《詩經》研究的海內外學術交流等。此外，書中〈緒論〉的小標題為「關於學術史的一些思考」，討論了「列傳式」、「開放式」兩種學術史建構模式，二十世紀《詩經》學術史建構模式的選擇，關於「開放式」建構模式與時代學術文化思潮之關係，撰寫當代學術史的一些問題等，為全書研究方法下了精準的定義。

趙沛霖，一九三八年生，天津市人。一九六三年河北北京師範學院中文系畢業。任天津市社會科學院文學研究所副所長、研究員，以及中國詩經學會副會長兼秘書長，天津美學學會副會長，《美學百科全書》編輯兼中國古代美學部分副主編，《天津通志・文學卷》主編等。趙氏長期從事三方面研究：一、以大文化為背景多學科交叉的綜合性研究。二、闡述和評價學術研究發展的評價性研究。三、多種方法并用的考證性研究；而研究之學科對象以中國古代文學為主，兼及美學、宗教學、神話學、哲學與史學。主要著作有《興的起源》、《詩經研究反思》、《屈賦研究論衡》、《屈原》等，論著多次獲得社會科學優秀成果獎。（陳讚華）

《詩經研究叢刊（第十輯）》

《詩經研究叢刊（第十輯）》　中國詩經學會編　北京　學苑出版社　320 頁　2006 年 1 月

此書係中國詩經學會編輯之極具專門性的學術刊物，囊括中國、臺灣、日本、韓國等各地學者的研究，對於推動《詩經》研究風氣以及提高《詩經》研究水準，有一定的影響力。本書為叢刊第十輯，共分五個部分，收錄十七篇文章、十五條提要，分別為「專題筆談・漫話二十一世紀《詩經》研究」四篇、「學術資料」三篇、「百家論壇」五篇、「學術札記」五篇、「學術動態」新書提要九種、論文提要六篇，共十五條。文章詳目如下：⑴趙敏俐〈二十世紀《詩經》研究的幾個問題〉，⑵王淵明〈關於新世紀《詩經》研究的幾點想法〉，⑶廖群〈談談《詩經》研究多維視角的拓展與交匯〉，⑷趙逵夫〈《詩經》研究的過去、現在與將來〉，⑸夏傳才〈《詩經》發祥地初步考察報告〉，⑹〔臺灣〕龔鵬程〈《四庫全書》所收文學詩經學著作〉，⑺〔臺灣〕龔鵬程〈清代詩話論《詩經》資料輯錄〉，⑻楊子怡〈論文化《詩經》與文學《詩經》的生成〉，⑼張建軍〈《大雅・板》新證〉，⑽黃震云、韓宏韜〈《古詩十九首》引《詩》考論〉，⑾王勝明〈試論司馬遷對《詩》的接受〉，⑿羅建新〈姚際恆對《詩經》文學性的體認〉，⒀張步學〈試論洽川是「詩之源」〉，⒁胡遠鵬〈「葽」的解釋和創新思維〉，⒂〔美〕吳少達〈《齊風・盧令》以爐觀人〉，⒃樊樹云〈《陳風・宛丘》是祭天祈雨詩〉，⒄錢玉趾〈〈溱洧〉的主旨與新解釋〉。

而提要部分，分別為「新書九種」：⑴汪祚民《詩經文學闡釋史》（先秦－隋唐），⑵梁錫鋒《鄭玄以禮箋詩研究》，⑶夏傳才《二十世紀詩經學》（大陸版），⑷村山吉廣《詩經的鑑賞》（日文），⑸趙雨《上古歌詩的文化視野》，⑹張寶林《詩經內外文化研究》，⑺何慎怡修訂《詩古微》校點本，⑻李寅生譯《日本學者論中國古典文學：村山吉廣教授古稀紀念集》，⑼〔日〕郭店楚簡研究會編《楚地出土資料與中國古代文化》等，以及「論文六篇」：⑴姚小鷗等：關於〈孔子詩論〉與〈毛詩序〉關係研究的若干問題，⑵劉雅杰：論〈詩經〉中的複合型水意象，⑶晁福林：談上博簡〈詩經〉第十七簡與〈詩・采葛〉篇的若干問題，⑷方孝坤：〈終風〉新解，(5)沈薇薇：試析〈毛詩傳箋〉引讖緯釋〈詩〉，(6)魯樞元〈漢字「風」的語意場與中國古代生態文化精神〉；然編輯部並沒有特別交代挑選新書與論文的標準，以及撰寫提要者之名，此可再附上說明，讓讀者獲得更詳細的資訊。

（陳讚華）

《詩經研究叢刊（第十一輯）》

《詩經研究叢刊（第十一輯）》 中國詩經學會編 北京 學苑出版社 291頁 2006年7月

本書為叢刊第十一輯，分為七個部分，分別是「百家論壇」五篇、「三百篇研究」二篇、「現代學人」一篇、「《詩經》與地方文化」三篇、「札記隨筆」四篇、「資料」一篇、「學術動態」五則。詳目依序如下：(1)〔臺灣〕季旭昇〈從《孔子詩論》與《熹平石經》談《小雅・都人士》首章的版本問題〉，(2)孫寶〈試論王安石《詩新義》在《詩經》闡釋史上的地位和影響〉，(3)張思齊〈《小雅・鴛鴦》中的象徵〉，(4)〔臺灣〕林葉連〈從《詩經》探討閩南語存古的現象〉，(5)陳霞〈孔子「《詩》教」思想研究小議〉，(6)鍾書林〈《詩經》中山水描寫的現代闡釋〉，(7)高玉玲〈《詩經》植物意象與審美心理〉，(8)張亞欣〈夏傳才《詩經》研究綜論〉，(9)〔日〕村山吉廣文、李寅生譯〈日本古代建築物中以《詩經》詩句命名的名勝古蹟〉，(10)史耀增〈合陽民俗中的《詩經》遺蹟〉，(11)王建堂〈《詩經》與上党〉，(12)〔新加坡〕周穎南〈策馬八百里秦川〉，(13)張劍〈關於《小雅・皇皇者華》的錯簡〉，(14)吳梁〈《詩經》中的龍和鳳〉，(15)王程遠〈關於《小雅・車舝》篇中「式」、「辰」、「硬」「括」等字的解析〉，(16)〔日〕江口尚純輯〈日本《詩經》研究文獻目錄〉（日文單行本2000－2004）。

於書末所附五則學術動態之簡述與記要，分別為「《詩經》發祥地國際考察團結束第一、二階段考察」、「河間舉行『丙戌清明紀念詩祖毛公誦詩會』」、「第七屆詩經國際學術研討會八月在四川召開」、「中國詩經學會舉行二〇〇六年常務理事會」、以及「《詩經》研究新著簡介」，新書共六種，又分別為(1)廖群《詩騷考古研究》，(2)吳梁《詩經生物今釋》，(3)張文燦《詩經探微》，(4)董治安《兩漢文獻與兩漢文學》，(5)李金坤《風騷比較新論》，(6)王程遠《詩經釋義若干辨析》等。（陳讚華）

《禮學與中國傳統文化》

《禮學與中國傳統文化——慶祝沈文倬先生九十華誕國際學術研討會論文集》 浙江大學古籍研究所編 北京 中華書局 607 頁 2006 年 12 月

為慶祝當代禮學大師沈文倬先生九十華誕，浙江大學古籍研究所於二〇〇六年六月二十日至二十二日舉辦《禮學與中國傳統文化》國際研討會。計有八十位中外學者應邀參加，會後並將與會學者所撰寫的論文編成論文集出版。

沈文倬先生，生於一九一七年，自幼性喜讀書，二十四歲，拜前清翰林院編修、湖北存古學堂經學總教、著名經學家曹元弼先生為師，受群經鄭氏之學，而以《三禮》學為專攻。沈先生一生著作等身，以《菿闇文存——宗周禮樂文明與中國文化考論》為其代表作，並曾參與《中國叢書綜錄》的編輯工作；授徒無數，吳土法、陳剩勇、張涌泉、鄔錫非、陳戍國、張衛中等人皆曾受學於沈先生。

本次會議分為二組，一為禮學組，一為傳統文化組。禮學組共計有：丁鼎〈禮：中國傳統文化的核心〉、李建國〈周禮文化與原始儒學〉、楊志剛〈略論禮學在現代中國的重構（綱要）〉、賈海生〈禱疾儀式的主要儀節〉、劉源〈甲骨文與殷禮研究〉、鄔可晶〈《天亡簋》所見周初禮制考實〉、陳筱芳〈周代卜筮禮制新探〉、江林〈《小雅・楚茨》與宗周歲時祭〉、秦佳慧〈春秋宗廟時祭考略〉、張衛中〈春秋時期禮的傳播方式〉、趙曉斌〈漢魏六朝禮與佛教的中國化〉、韓格平〈孫吳禮學概說〉、祖慧〈宋代科舉唱名賜第與期集儀制〉、井上徹〈明代廣東的漢化和禮的秩序〉、陳戍國〈論六經總以禮為本〉、陳韻〈從黃奭所輯《三禮目錄》論「禮是鄭學」〉、林慶彰〈近二十年臺灣研究《三禮》成果之分析〉、陳剩勇〈《周禮》制度設計與儒家的協商政治理想——一個政治思想史維度的解讀〉、吳土法〈《周禮》「世婦」補釋〉、潘薇妮〈《後漢書》李賢注引《周禮》點校獻疑〉、葉純芳〈孫詒讓《周禮・職方氏》解〉、鄒昌林〈《月令》成書時代新探——兼及《逸周書》與《周禮》成書問題〉、方向東〈《禮記・月令》「×行×令」辨正〉、王鍔〈《孔子閒居》、《民之父母》之比較及其成篇年代〉、虞萬里〈從先秦禮制中的爵、服與德數字一體詮釋《緇衣》有關章旨〉、楊天宇〈鄭玄校《禮記》不從或本異文的五原則〉、劉千惠〈陳澔《禮記集說》之疑經改經析探〉、吳麗娛〈改撰《禮記》：《大唐開元禮》的創作更新〉、朱維錚〈孔子與冉求〉、張小蘋〈從《論語》解讀孔子禮學思想〉、程克雅〈簡帛禮書釋讀——論倫常觀念語彙的結構與差異〉、張金泉〈張載說禮〉、彭林〈從正史所見禮樂制看儒家禮樂思想的邊緣化〉、姚容、蔣純焦〈中國教育現代轉型中傳統學禮的變遷〉、方浩範〈沙溪金長生與朝鮮朝時期的禮學思想〉、侯文學〈佼僚——源於巫祭的審美範疇〉等三十六篇。

傳統文化組計有：嚴佐之〈清胡煦《周易函書別集》版本考異〉、許建平〈試論法藏敦煌《毛詩音》寫卷的文獻價值〉、趙生群〈《左傳》疑義新證（定公篇）〉、朱大星〈二十世紀前半期敦煌本《老子》寫卷的刊布、整理與研究〉、俞志慧〈《國語・楚語》韋注辨正〉、東景南〈今本《西京雜記》的竄偽與原本《西京雜記》作者新考〉、龔延明〈宋代科舉研究文獻資料論述〉、方建新、王晴〈《石林奏議》的編刻與史料價值例析〉、鄧駿捷〈岳飛戲佚作考略〉、雪克〈玉海樓藏書與孫詒讓全集的編纂〉、徐和雍〈孫詒讓的學術成就和歷史地位〉、劉躍進〈秦漢區域文化的劃分及其意義〉、何兆泉〈趙宋宗室與文化〉、陳東輝〈關於古文獻學的十大思考〉、張涌泉〈校勘學之功用漫談〉、王雲路〈論中古近代連綿詞的產生途徑——雙音詞成因探源之一〉、黃金貴、李艷〈《說文》本字本義考〉等十七篇。

另有龐學銓的賀詞、王元化的賀信、沈立人〈門外說禮〉、陳戍國〈忝列鳳笙師門下若干見聞錄——為慶祝沈文倬先生九十華誕而作〉、水渭松〈沈先生是一位可敬可欽的好老師〉、傅杰〈仁者靜、仁者壽——賀沈鳳笙師九十壽誕〉、李解民〈中華的同道——恭賀沈文倬先生九十華誕〉、沈蓓〈周文郁郁——記父親沈文倬教授對宗周禮樂文明的探索〉、陳剩勇〈當代治禮經之第一人——沈文倬先生學術傳略〉、吳土法〈沈文倬先生學術紀年〉。與沈先生的創作〈詩詞賦三十首〉。論文集的最後有秦佳慧〈慶祝沈文倬先生九十華誕暨禮學與中國傳統文化國際學術研討會綜述〉。本次會議關於禮學的研究範圍涉及多方面，綜而論之，有對禮的整體關照、有對某一時期或某地域的禮文化進行研究、有對具體典禮儀制的考述、以及對禮書及其相關注疏的研究等等，可說是近年來最盛大的一次禮學研討會。

（葉純芳）

《葑閣文存——宗周禮樂文明與中國文化考論》

《葑闇文存——宗周禮樂文明與中國文化考論》　沈文倬撰　北京　商務印書館　2冊　1045頁　2006年6月

沈文倬教授於一九九九年十二月由浙江大學出版社出版《宗周禮樂文明考論》一書，收入所撰十四篇論文。二〇〇七年適逢先生九十壽誕，故浙江大學古籍研究所同仁提議在《考論》基礎上，擴大篇幅，出版一部沈教授之學術論文選集，列為北京商務印書館出版《浙大學術精品文叢》之一種，即為此編。

此書計收論文四十七篇，而〈葑闇述禮〉一篇，選錄三十七則；〈讀未刊稿記〉一篇，選錄八則。若以一則視為一篇，實則全書錄文已近百篇。全書內容涵蓋面甚廣，經學方面，如〈經與儒〉、〈從五經到十三經注疏〉、〈黃龍十二博士的定員和太學郡國學校的設置〉……等篇；禮學方面，有〈從漢初今文經的形成說到兩漢今文禮的傳授〉、〈孫詒讓周禮學管窺〉、〈略論儀禮單疏〉、〈論禮典的實行和儀禮書本的撰作〉、〈葑闇述禮〉、〈宗周歲時祭考實〉、〈覲禮本義述〉、〈對士喪禮、既夕禮中所記載的喪葬制度的幾點意見〉……等篇，對於《武威儀禮漢簡》尤有深入的研析，撰有〈禮漢簡異文釋〉、〈漢簡士相見禮今古文雜錯並用說〉、〈漢簡服傳考〉……等篇；古文字方面，如〈釋屮〉、〈永盂銘文補釋〉……等篇；考古與名物方面，如〈周代宮室考述〉〈几閣考〉、〈說簸〉、〈玉甲及其他〉……等篇；文獻學方面，如〈怎樣讀四庫全書總目提要〉、〈中國叢書綜錄是一部實用的古籍目錄〉、〈讀未刊稿記〉……等篇。全書多考證縝密、論述精詳之處，可見作者治學功力之湛深。

沈文倬教授，字鳳笙，號葑闇。江蘇吳江人，一九一七年生。師從經學家曹元弼受《三禮》鄭氏之學，故於經學所造甚深，而尤長於禮學。曾任浙江大學古籍研究所教授、博士生導師。著有《箄精校注》、《宗周禮樂文明考論》，點校有《習學記言序目》、《孟子正義》、《蘇舜欽集》、《王令集》、《紅雨樓序跋》等書。

（黃智信）

《先秦冠禮研究》

《先秦冠禮研究》 戴龐海著 鄭州 中州古籍出版社 253 頁 2006 年 12 月

戴龐海，鄭州大學歷史學院教授，師事大陸禮學家楊天宇教授。本書由作者博士畢業論文修改、補充後付梓，並獲得鄭州大學「中國古代文明與考古學」課題的獎助。

對於禮學的研究，雖然近幾年來學界有逐漸增多的趨勢，在江紹原的《中國古代成人禮》、楊寬《冠禮新探》、錢玄《三禮通論》中對冠禮有精要的解說，但從未有學者針對「冠禮」做全面且深入的研究。在漢代流行的劉向本、大戴本、小戴本、慶氏本的《儀禮》中，皆以〈士冠禮〉作為第一篇，可見古人對冠禮的重視。

冠禮，是古代給步入成年人行列的男子加冠的儀式，在先秦兩漢曾有繁複的儀節，受世人的重視，但在南北朝以後，此儀節逐漸式微，雖至清代有了改觀，但隨著科技社會的來臨，冠禮已經成為歷史名詞，殊為可惜。現在有少數的大學為大一新生舉辦成年禮，藉由莊重的儀式，不僅讓文化能傳承下去，也讓學生了解到自身對國家社會的責任與義務。

本書分為五章，第一章〈緒論〉，說明冠禮相關的幾個概念與冠禮研究的歷史、現狀與任務。第二章〈冠禮的起源——原始社會的成人禮〉，說明禮與成人禮的起源、時間以及類型、特徵。第三章、第四章為〈夏商周時期的冠禮〉，主要考證三代禮制的沿革、主要的冠式、冠飾的形制，與不同階層的冠禮儀式。第五章〈冠禮的功能與特徵〉，說明冠禮諸儀節的功能、意義，與各朝代冠禮的變遷。書後附有〈冠禮對周邊國家的影響〉一文，說明日本與韓國的成年禮與中國的冠禮的異同。

（葉純芳）

《禮記我讀》

《禮記我讀》 林觥順著 北京 九州出版社 299 頁 2006 年 1 月（耄耋學人讀經心得之一）

此書收錄於《耄耋學人讀經心得》系列作品中，扉頁上端題有「讀書的最高層次是讀經」，可見作者對於儒家經典的重視。本書僅收錄《禮記》中《曲禮》上、

《曲禮》下、《檀弓》上、《檀弓》下、《中庸》、《大學》六篇論述，各篇除列其「原文」，復一一為之「注解」、「釋義」，並加上「心得」，以便讀者從中汲取經驗和智慧。「注解」部分，由於作者有古文字學基礎，因此常見以古文字來注解；「釋義」部分，也時有新見，但由於作者對於經學的推崇，不免有些穿鑿；「心得」部分，除了作者對經文的體會外，同時也對中華文化有某部分反省。除了這些篇章的原文、注解、釋義、心得等正文外，書首有〈前言〉，主要說明兩點：其一，說明「禮」的意涵，不脫人倫日常之事，必須在「生命實踐」中完成。《禮記》雖是書名，所敘皆記禮敬之事。然而所謂的禮，其實是事神致福而已。詩書易禮皆訓禮者履也，是祭祀天神地社人鬼，該當正心誠意，實踐力行，始可稱之謂有禮。而此書通篇貫徹此論點，因此有許多切合日常生活的灑掃應對之事理。其二，針對《禮記》各篇，逐篇釋義，說明各篇主旨內容。除此本書各頁附有精緻插圖：漢畫藝術、彩陶藝術、玉器藝術、漆繪藝術、織綉藝術、瓦當藝術、玉器藝術、青銅藝術、岩畫藝術。基本上，此書淺顯易懂，由淺入深，由簡而繁，諄諄善誘，使人知詩書禮樂的涵義精微，並非將《禮記》當作純學術材料，而是著重在實踐上，將經書生活化、簡單化。

林觥順，祖籍湖南，現居臺灣。幼承家學，數十年研習經史，並力行之，所言多為他人所未道。所著除本書外，亦撰有《石鼓文釋注》、《易經我讀》、《書經我讀》、《詩經我讀》、《論語我讀》、《孝經我讀》等書。（吳玫燕）

《武威儀禮漢簡文字編》

《武威儀禮漢簡文字編》　徐富昌編撰　臺北　國家出版社　590頁　2006年3月

甘肅省博物館於一九五七年至一九五九年間，先後清理武威縣南磨嘴子漢墓三十七座。一九五九年七月，於六號墓中出土《儀禮》簡四百六十九枚，分為甲、乙、丙三本。甲本有〈士相見之禮〉、〈服傳〉、〈特牲〉、〈少牢〉、〈有司〉、〈燕禮〉、〈泰射〉七篇，乙本有〈服傳〉一篇，丙本有〈喪服〉一篇，合計九篇，凡二萬七千二百九十八字。這批漢簡，經陳夢家整理寫定之釋文與校記，收入一九六四年九月文物出版社出版《武威漢簡》一書中。其後，如劉文獻《武威漢簡儀禮校補》、王關仕《儀禮簡本考證》、沈文倬〈禮漢簡異文釋〉與〈漢簡服傳考〉，乃至收入《中國簡牘集成》卷四據陳夢家所作重新校定改寫之釋文與校記……等，對於《儀禮》簡的文字進行考訂校釋之作，一一面世。

徐教授此書，也著力於整理這批難得的文獻。全書除書前〈序〉與〈前言〉外，可略分為四部分。第一部分為文字編，將《武威漢簡》所附摹本之《儀禮》簡三種本子的字形，按《說文解字》五百四十部首編排，編製成字表，此一部分是全書的主要內容。第二部分為異文編，旨在參酌《武威漢簡》、《儀禮簡本考證》、〈禮漢簡異文釋〉等資料，編寫〈武威儀禮漢簡語今本儀禮異文對照表〉。第三與第四部分，則分別為《儀禮》簡的摹本與圖版。

透過此書文字編之部首或筆畫索引，可以簡易地查到任一個領頭字在《武威儀禮漢簡》中的所有字形。經由異文編〈武威儀禮漢簡語今本儀禮異文對照表〉，將今本與簡本文字並列，可以清楚比較出兩者間的異同。而《儀禮》簡的摹本與圖版，則可以讓讀者了解《武威儀禮漢簡》此一珍貴出土文物的形制。

徐富昌教授，一九五六年生。臺灣大學中國文學研究所博士，現任臺灣大學中國文學系教授。著有《漢簡文字研究》、《睡虎地秦簡研究》、《簡帛典籍異文側探》等書。

（黃智信）

《清代儀禮文獻研究》

《清代儀禮文獻研究》　鄧聲國著　上海　上海古籍出版社　530頁　2006年4月

作者於二〇〇四年在山東大學文史哲研究院馮浩菲教授指導之下完成博士論文，本書即其博士論文之修訂出版，列為上海古籍出版社《山東大學文史哲研究院專刊》第二輯中之一種。

全書除〈凡例〉、〈緒言〉及〈結束語〉外，內文有十二章，各章安排如下：第一章「清代《儀禮》研究概論」，第二章「清代《儀禮》研究中一些基本問題」，第三章「清代《儀禮》文獻流派研究（上）」，第四章「清代《儀禮》文獻流派研究（下）」，第五章「清代的五服文獻研究」，第六章「清代《儀禮》文獻訓詁體式研究」，第七章「清代《儀禮》」文獻訓詁方法論」，第八章「清代《儀禮》文獻校勘研究」，第九章「清代《儀禮》文獻目錄、辨偽與輯佚研究」，第十章「清代《儀禮》文獻的刊布」，第十一章「清代《儀禮》文獻研究展望」。透過上述篇章，作者希望能藉以梳理清代《儀禮》文獻的內容，並具體呈現清代學者於《儀禮》一書整理、研究的成績。其中，「清代的五服文獻研究」一章，作者另擴充編纂成《清代五服文獻概論》之專書，先行於二〇〇五年二月由北京大學出版社印行出版。

除上述各章外，書首有〈山東大學文史哲研究院專刊出版說明〉及馮浩菲教授〈序〉，書末有附錄兩種（「清代《儀禮》文獻佚著要目」、「清人文集《儀禮》研究論文篇目索引」）、〈主要參考文獻〉與〈後記〉。

鄧聲國教授，一九六九年六月生，江西上饒人。山東大學文史哲研究院文學博士，現任江西科技師範學院中國傳統文化研究所教授。所著除本書外，另有《清代五服文獻概論》一書。

（黃智信）

《意義的生成與實現——禮記哲學思想》

《意義的生成與實現——禮記哲學思想》　龔建平著　北京　商務印書館　467 頁　2005 年 11 月

作者於一九九八年在武漢大學哲學系郭齊勇教授指導之下完成博士論文，本書即其博士論文之修訂出版。

全書除「小引」與「結語」外，凡七章：首章「《禮記》的成書年代與思想定位」，略論《禮記》編輯與成為經典的過程，並將《禮記》中的重要篇章抽出，重新進行分類與研究。第二、三章，是作者論述《禮記》中闡發禮義之總論。第二章「《禮記》對禮的意義的闡釋（上）」，分別討論「《禮記》論禮的起源和『禮治』的根據」、「《禮記》論禮的結構、功能與形式」。第三章「《禮記》對禮的意義的闡釋（下）」，分別討論「《禮記》論儒家之禮的本質」、「〈中庸〉在《禮記》中的地位」。第四至七章，則分論《禮記》中重要哲學思想內涵。第四章論述「《禮記》的天道觀與宇宙觀」，第五章闡明「《禮記》的人生哲學」，第六章分析「《禮記》的政治哲學」，第七章申述「〈樂記〉及其文化意義」。書首有郭齊勇、陳俊民教授序文，書末附〈主要參考文獻〉與〈後記〉。

全書試圖跳脫前人對於《禮記》一書內容的各種分類與析論，代之以哲學視角之審視，透過《禮記》中重要篇章的研討，重新詮釋《禮記》的哲學意義。大抵以

〈祭義〉、〈禮運〉、〈禮器〉、〈王制〉、〈祭法〉、〈祭統〉、〈喪大記〉等篇為主，討論《禮記》之禮意；以〈禮運〉、〈樂記〉、〈中庸〉等篇為主，討論《禮記》之天道觀與宇宙論；以〈大學〉、〈中庸〉等篇為主，討論《禮記》之人生哲學；以〈禮運〉、〈哀公問〉等篇為主，討論《禮記》之政治哲學；以〈樂記〉為中心，討論《禮記》樂教之文化意義。

龔建平先生，一九六二年六月生，四川宣漢人。武漢大學哲學博士，現任西安交通大學人文學院副教授。所著除本書外，另撰有《梁漱溟讀書生涯》、《自救與放達——道家的人生智慧》等書。 （黃智信）

《學記研究》

《學記研究》 高時良著 北京 人民教育出版社 313頁 2006年1月

本書是作者高時良教授在其一九八二年人民教育出版社出版之《學記評注》一書的基礎上，大幅修訂增補而來。

全書凡五編：首編為「〈學記〉思想考釋」，內容包含以下六章：第一章「〈學記〉產生的社會歷史背景」，第二章「從《禮記》看〈學記〉」，第三章「〈學記〉成於戰國時期」，第四章「〈學記〉為思孟學派作品」，第五章「〈中庸〉－〈學記〉思想的哲學方法論基礎」，第六章「《黃帝內經》對〈學記〉思想的啟發」。第二、三篇，分別為「〈學記〉章句訓義」（上）、（下），將〈學記〉一篇分為二十二章，第二篇為上篇，內含十章；第三篇為下篇，凡十二章。各章之內，首列原文，其下略依注音、釋義、譯意、評說諸項，以詮解〈學記〉之內容。遇有異文之各章，則於原文下增列校文一項。第四編為「〈學記〉的歷史評估」，內有四章：第一章「經學演變歷史與〈學記〉注釋」，第二章「〈學記〉對我國教育學史的影響」，第三章「〈學記〉在世界教育史中的地位」，第四章「結論—弘揚〈學記〉珍貴教育遺產」。

此四編後，有〈附錄〉三篇：⑴「歷代〈學記〉注釋者簡歷及注釋出處簡介」，列自東漢鄭玄迄民初姚明輝等一百二十位曾經注釋〈學記〉的學者之簡歷，並注明本書所引各家經說之出處。⑵「歷代學者對〈學記〉的評述」，列唐孔穎達以降至清末民初王樹楠等二十二位學者對〈學記〉的評論。⑶「國外學者譯述〈學記〉舉隅」，錄日本學者谷口武《學記論考》之自序與〈學記〉日文譯文，以及美國學者羅伯特・烏里奇（Robert Ulich）英譯之〈學記〉譯文。

書首還有作者所作之八點說明，書末附〈主要參考書目〉與〈後記〉。

綜觀全書，除了對於〈學記〉的成篇經過、思想內涵、流布傳衍，乃至其於後世之影響等，多所論述外，對於〈學記〉的文本，也做了詳細的整理與詮釋。

高時良教授，一九一二年生，福建福州人。一九三七年畢業於廈門大學教育系，曾任福建師範大學教育史教研室主任、教授。所著除本書外，另撰有《學記評注》、《中國古代教育史綱》、《孔子教育語義集解》等書，主編有《明代教育論著選》、《中國教會學校史》等書。（黃智信）

《春秋辭令研究》

《春秋辭令研究》　陳彥輝著　北京　中華書局　224頁　2006年12月

作者認為春秋辭令在春秋時代的社會生活中發揮了巨大作用，這些風格各異的辭令蘊含了春秋時期知識階層歷史、哲學、政治、宗教思想，也展現了春秋時人的禮樂文化修養和人格理想，是春秋時代知識階層思想和智慧的結晶。同時春秋辭令的成熟是以禮樂文明為基礎，使春秋辭令形成以禮為核心的言說方式，進而實踐並發揚了禮的意義與精神。作者並探討了春秋行人這類特殊群體，又將春秋辭令與戰國策士辭令加以比較，得到戰國策士對禮樂文化的漠視與對功名利祿的追求，明顯與春秋時代不同。最後作者針對春秋辭令具有歷史意識與審美意義兩部分加以發揮。

本書除了〈序〉、〈結語〉之外，共分為六章，分別是第一章〈春秋：一個講求辭令的時代〉；第二章〈春秋禮制與春秋辭令〉；第三章〈春秋行人制度與行人辭令〉；第四章〈春秋筆法與春秋辭令〉；第五章〈春秋辭令與戰國策士辭令〉；第六章〈春秋辭令的歷史意識與審美意義〉。

作者陳彥輝，一九七三年生，吉林省長岭縣人。二〇〇五年畢業於哈爾濱師範大學，獲文學博士學位，二〇〇六年八月進入中國社會科學院文學研究所博士後流動站。現任廣東外語外貿大學中國語言文化學院副教授。在《學習與探索》、《北方論叢》、《學術交流》等刊物發表論文十餘篇。（簡逸光）

《章太炎春秋左傳學研究》

《章太炎春秋左傳學研究》 黃翠芬著 臺北 文津出版社 322頁 2006年8月

作者提到章炳麟（1868－1936，別號太炎）治《春秋左傳》的基礎來自於家學淵源、師承交遊、詁經課藝及承繼清儒《春秋左傳》之研究，如以考據實證經典、著重名物禮制、廣蒐古訓舊疏、推尋國性之承繼。而從歷程來說，其先受到今文經學誣經毀傳的衝擊，故專明《春秋左傳》以駁邪說，並提倡恢宏國學首重《春秋左傳》。作者又分別就章太炎《春秋左傳》學的著作進行探討，藉以瞭解各著述的內容與特色，計有《春秋左傳讀》、《春秋左傳讀敘錄》、《駁箴膏肓評》、《劉子政左氏說》、《春秋左氏疑義答問》。最後說明章氏學術之成就在於發揚樸學實證精神、樹立《春秋左傳》新面貌、賦予《春秋左傳》時代義涵。

本書除了〈自序〉、〈導言〉之外，共分為六章，分別是第一章〈章太炎治《春秋左傳》之基礎〉；第二章〈章太炎治《春秋左傳》之歷程〉；第三章〈章太炎《春秋左傳》之相關著述〉（上））；第四章〈章太炎《春秋左傳》之相關著述〉（下））；第五章〈章太炎《春秋左傳》學之成就〉；第六章〈結論〉。

作者黃翠芬，東海大學中文研究所博士，現任朝陽科技大學通識教育中心副教授。教授中文鑑賞與應用、升學就業文書寫作、中國經籍與說話藝術等課程。主要研究春秋左傳學、訓詁學。

（簡逸光）

《公羊學解經方法：從《公羊傳》到董仲舒春秋學》

《公羊學解經方法：從《公羊傳》到董仲舒春秋學》 許雪濤著 廣州 廣東人民出版社 232頁 2006年10月

作者首章討論《公羊傳》的傳承問題與齊學的關係，並認為後人研究應著眼於對文本解釋的過程及方法，並從中發現與體驗有關的東西。第二章以解碼與編碼的概念來說明《公羊傳》與《春秋》的關係，並從訓釋專名、訓釋文化詞、訓釋語文詞、變史法與習慣說法、時空與文實、釋何以書、變文、不變文、書其重，來說明《公羊傳》的解經方法。並歸納為三個門徑，一是與史法和習慣說法比照，二是靠《春秋》文本所說與自己掌握的歷史知識比照，三是據自己對孔子義旨的把握。第三章討論董仲舒《春秋》學方法，認為董仲舒是將《公羊傳》所含思想系統化的人。其內容包括董仲舒解讀《春秋公羊傳》文本含義之法，董仲舒春秋學與「天」結合之法，及董仲舒對公羊學之大一統、三等說、三統說、夷夏之辨幾個主題的發揮。

本書除有〈釋題〉、〈餘論〉外，共分為三章。第一章〈經、《春秋》與《公羊傳》〉；第二章〈《公羊傳》解《春秋》之方法〉；第三章〈董仲舒春秋學方法〉。

作者許雪濤，一九七一年十二月生，河南尉氏人，二〇〇三年畢業於中山大學哲學系中國哲學專業，獲博士學位。現任職於華南師範大學哲學研究所副教授。主要從事中國哲學史、中國經學史研究。（簡逸光）

《朱熹與四書章句集注》

《朱熹與四書章句集注》 陳逢源著 臺北 里仁書局 525頁 2006年9月

本書收錄作者撰注朱熹《四書章句集注》相關論文六篇、附錄〈臺灣五十年（1949－1998）四書學之研究〉一文及「參考文獻」，嘗試從歷史價值、撰作歷程、思想體系、注解體例、援據來源、義理內涵等不同層面，了解朱熹《四書章句集注》價值所在。

第一篇〈從五經到四書：儒學「典範」的轉移與改易〉：自《宋史》別出〈道學傳〉，遂啟「儒林」、「道學」兩分之學術型態，援取孔恩「典範」概念，檢視正史載錄之不同，釐清歷來〈儒林〉與〈道學〉內涵之差異所在，檢討自韓愈以來之儒學自覺，從學術脈絡而言，正可以了解朱熹退五經、進四書，所具「典範」形塑之意義與作用。第二篇〈從體證到建構：朱熹《四書章句集注》的撰作歷程〉：朱熹一生深究四書，從啟蒙之體證階段，終能匯聚體會，形構體系，既見其自信，又可見反覆修改之用心，其間進程與成果，盡歸於《四書章句集注》，有關朱熹生平，前人載之已詳，但與四書之關係，則乏梳理，本文以此為脈絡，嘗試考察其進程，以為了解之基礎。第三篇〈道統與進程：論朱熹四書之編次〉，朱熹《四書章句集注》實屬一體，既關乎儒學體系，次第實具意義，前人各有取用，遂無法見其用意，檢覈朱熹本身列舉情形，回歸於《四書章句集注》本身的結構，朱熹於四書之間，似乎有「進程」與「道統」兩種不同思考角度，既提醒後學依序而進的方向，又具有上應孔子、曾子、子思、孟子「道統」相傳的體系安排，四書之歷史意義，因茲而顯。第四篇〈集注與章句：朱熹四書詮釋的體例與方向〉：朱熹援用漢儒經解舊例，於《大學》、《中庸》施以「章句」，於《論語》、《孟子》則用「集注」，從集前賢之見以明「經」，到釐清「經」文脈絡，以明聖賢傳薪旨趣，既各有偏重，又相互融通，體例承前而變，形式安排，有其與經典「對話」進程，四書成為一體，遂有不同以往之詮釋方向。第五篇〈義理與訓詁：朱熹《四書章句集注》之徵引原則〉：朱熹援據前賢之論，博採諸家之說，嘗試建立義理與訓詁兼具之經解形態，誠乃撰作《四書章句集注》最為關鍵之處，也是漢、宋學之分的爭議所在，不僅有待深入之分判，《或問》與《集注》相互參證的方式，也需進一步的梳理，所以詳其去取之間，按覈訓詁來源，足見朱熹融通義理、訓詁的用心，以及撰作《四書章句集注》之思考方向。第六篇〈從「理一分殊」到「格物窮理」：朱熹《四書章句集注》之義理思惟〉：朱熹師事李侗，得「理一分殊」之旨；與張栻為友，兼涉湖湘之學，思索所在，幾經轉折，最終分判儒釋之別，確立「格物窮理」的旨趣，朱熹融鑄匯整，綜納百川，其義理之進程，與時而進，最終回歸於聖人精神的掌握，按覈《四書章句集注》，尤可見其趣味所在。這六篇文章，既各自獨立，又彼此相關，從不同角度，切入朱熹《四書章句集注》之歷史價值、撰作歷程、思想體系。

陳逢源，政治大學中國文學系博士，現任教於政治大學中國文學系。以「毛西河四書學之研究」為題，完成學位論文，追溯思想淵源，從清代分別漢、宋學風，進一步及於朱熹四書學義理，完成多篇相關論文。（廖秋滿）

《《論語義疏》語言研究》

《《論語義疏》語言研究》 徐望駕著 北京 中國社會科學出版社 225頁 2006年7月

徐望駕，湖南衡陽人，浙江大學漢語史專業博士。指導教授為浙江大學漢語史研究中心主任、浙江大學漢語言研究所所長方一新先生。本書為作者在其博士學位論文的基礎上修改而成。不同於一般從文獻、版本角度探討，本書為第一部從語言學的角度，對皇侃《論語義疏》進行深入研究的專著。

皇侃為南朝梁知名的經學家以及注釋學家，《論語義疏》（以下簡稱《皇疏》）是其唯一被完整保存下來的一部著作。該書在南宋時期從中土流入日本，又於清代傳回中國，一直受到研究者，特別是日本學者的重視。由於此書保存了相當多的六朝口語，因此呈現六朝特有的語法現象；同時，《皇疏》喜歡使用玄言佛理解經，書中夾雜不少佛語詞，就漢語學史的研究角度來看，具有相當高的研究價值。

全書分為四個章節，第一章為「概說」，分論「關於皇侃和《論語義疏》」、「國內外關於皇疏的研究」；第二章為「皇疏研究的意義」，論述「皇疏與訓詁學」、「皇疏與漢語史」、「皇疏與辭書編纂」、「皇疏與《論語》正讀」；第三章為「皇疏詞匯研究」，考證「新詞新義」、「佛源詞」、「單音詞、複音詞」、「同義詞、反義詞」等問題；第四章為「皇疏語法研究」，處理《皇疏》中「實詞」、「虛詞」、以及「皇疏的幾種句式」（如「判斷句」、「被動式」、「雙賓語句」、「兼語式」、「疑問句」等）。並有「附錄」，收有「皇疏版本流轉考略」、「中外皇疏版本簡介」等兩篇。（張穩蘋）

《論語新探》

《論語新探》　劉瑛著　臺北　秀威資訊科技公司　360 頁　2006 年 12 月

《論語新探》一書，為作者為中國孔學學會出版的月刊所撰寫的幾個篇章增補而成，主要參考〔南宋〕朱熹的《論語集注》，及〔魏〕何晏的《論語集解》。

由於時代變遷，政治社會背景不同，《論語》舊日之詮釋或不適用於今日。本書作者博涉經史，以獨到的見解，將《論語》重新詮釋。例如：《論語》首句「學而時習之」，作者引述《易經》、《詩經》、《莊子》、《列子》、《淮南子》，甚至是語意學，予以解說。又以孔子對哀公、陽貨、子路等人之答話旁證。以現代人的觀點，將《論語》一書重新詮釋。

劉瑛，江西南昌人，臺灣大學法學士，專攻政治、國際關係，為資深外交官，曾任外交部西亞司司長，並先後擔任駐泰國、約旦的特任代表，從事外交工作達四十年。公務之外，以讀書自娛，畢生研究唐代傳奇，兼及唐代文學史，並在報章雜

誌上發表論文、小說、散文約二百篇。著有《唐代傳奇研究》、《唐代傳奇研究續集》、《唐代傳奇研究續集》等。（張穩蘋）

《論語與中國思想研究》

《論語與中國思想研究》 譚家哲著 臺北 唐山出版社 764頁 2006年11月

作者在〈敘〉中論及，與許多西方哲學典籍比較，其體系之編制與精密度，都無一能與《論語》相比擬。《論語》並非如傳統認為，只是零散的語句彙集，而是以一嚴密而體系性的結構，對儒學道理作全面的論述與整理。本書透過對〈學而〉、〈為政〉、〈八佾〉、〈里仁〉、〈述而〉、〈陽貨〉六篇的分析，試圖重述《論語》思想的本來樣貌。相關章節分述如下：

第一章，談「《論語》的構成與體系」；第二章，「〈學而〉：道（人道）之總綱」；第三章，論「〈為政〉：論人之真實性」；第四章，探討「〈八佾〉：禮樂人文之道」；第五章，「〈里仁〉：論仁與君子」；第六章，「〈述而〉：人生命之道」；第七章，「〈陽貨〉：論虛假性」。上述篇章均從人類存在的道理切入，作者認為既可作為個人對自己的教誨，也是對人類存在其在道理上正確性的形構與參照。

本書同時也對《孟子》的篇章結構作一個簡略的勾勒，並且重新簡論〈大學〉、〈中庸〉、莊子〈養生主〉等文章的思想形態。書末有「論《谿山琴況》」、「古弈學」兩篇，對古琴之美學境界與古弈法各有所研究，以說明在美學及在思想模式上，中國過往文明所已有的突破性向度。

譚家哲，法國巴黎大學哲學史博士，現任東海大學哲學系副教授，學術領域為「論語」、「形上學」、「西洋哲學史」、「古希臘哲學」、「當代歐陸哲學」、「詩學與藝術形上學」、「音樂美學」，近期著作有《形上史論》（上、下）、《論語與中國思想研究》等。（張穩蘋）

《論語思想史》

《論語思想史》　松川健二編　林慶彰、金培懿、陳靜慧、楊菁合譯　臺北　萬卷樓圖書公司　676頁　2006年2月

本書為論述《論語》一書在東北亞傳播的通論性學術著作。由主編松川建二先生邀集十八位日本當代漢學家，論述《論語》在中、韓、日的流傳過程。是研究《論語》的東亞傳播史，不可或缺的入門書。

本書正文分為四個部分，為全書之核心。書前有〈緒言〉和〈序章〉，書後附有「《論語思想史》年表」、「跋」、「《論語》章別索引」、「執筆者介紹」、「譯者簡介」等。茲將正文的四部分，分述如下：

第一部：漢魏、六朝、唐之部，共有六章，分別論述揚雄、王充、何晏、王弼、皇侃、韓愈、李翺等七位經學家研究《論語》的成就；第二部：宋、元之部，計七章，分別討論張載、二程、謝良佐、陳祥道、張九成、朱熹、陳天祥等八位學者研究《論語》的成就；第三部：明、清之部，共九章，分別研究王守仁、林兆恩、李贄、王夫之、毛奇齡、焦循、宋翔鳳、黃式三、劉寶楠等九位學者的《論語》著作；第四部：朝鮮、日本之部，計四章，分別論述李退溪、林羅山、伊藤仁齋、荻生徂徠四人研究《論語》的成就。由中央研究院中國文哲研究所研究員林慶彰教授依學術專長，邀集日本九州大學文學部中國學碩士陳靜慧，擔任漢魏、六朝之部的翻譯工作；東吳大學中國文學系博士、現任彰化師範大學國文學系助理教授楊菁，擔任宋、元之部的翻譯工作；林慶彰教授擔任明、清之部的翻譯工作；日本國立九州大學文學部中國學博士，現任中正大學中國文學系副教授金培懿，擔任朝鮮、日本之部的翻譯工作。

編者松川健二先生，北海道大學文學博士。一九三二年生於日本國北海道函館市。一九五四年畢業於北海道大學文學部哲學科，歷任北海道大學文學部助教、副教授，於一九八三年升任教授。退休後轉任東京二松學舍大學教授，現為北海道大學名譽教授、二松學舍大學客座教授、「斯文會」講師。著有《宋明の思想詩》（北海道大學圖書刊行會，1982 年）、《宋明の論語》（汲古書院，2000 年）、《王陽明のことば》（斯文會，2005 年）等；編有《論語の思想史》（汲古書

院，1994 年）等學術專書；另有學術專論三十餘篇。（張穩蘋）

《德川日本《論語》詮釋史論》

《德川日本《論語》詮釋史論》 黃俊傑著 臺北 國立臺灣大學出版中心 378 頁 2006 年 2 月

本書為作者近年來在東亞儒學領域所做的研究成果的一部分，作者致力於釐清德川儒者解釋《論語》言論在思想史上的意義，及其對東亞經典解釋學所透露的訊息。本書並獲得第四十一屆中山學術著作獎。全書共有九章，茲分述如下：

第一章，「從中日儒家思想史脈絡論『經典性』的涵義」：本章從中日儒學史脈絡論中日儒者，基本上認為「經典」內容包含三個面向；第二章，「從中日儒家思想史視野論經典詮釋的『脈絡性轉換』問題」：探討中國儒家經典中若干重要概念，傳至日本後都不同程度上經歷某種「脈絡性的轉換」，以適應日本的文化風土，這是日本的儒學「實學」取向；第三章，「日本儒學中的《論語》：與《孟子》對比」：指出孔孟政治思想對德川日本政治體制，具有潛在的威脅，所以德川儒者以「先王之道」解孔子的「道」，企圖拆除孔子政治思想中可能引爆的雷管，使《論語》更融入德川政治與社會中；第四章，「作為護教學的經典詮釋學：伊藤仁齋」：分析伊藤仁齋對《論語》所進行的護教學的解讀；第五章，「作為政治論述的經典詮釋學：荻生徂徠」：討論荻生徂徠的政治論述解讀，各代表德川時代日本《論語》詮釋學的典型；第六、七、八章則分別討論日本儒者對《論語》「學而時習之」、「吾道一以貫之」、「五十而知天命」等重要篇章的解釋。第九章，「日本儒家經典詮釋傳統的特質：『實學』的日本脈絡」，作為全書之結論；第十章，「澁澤榮一解釋《論語》的兩個切入點」，為全書之附論。

黃俊傑，美國華盛頓大學（西雅圖）博士，曾任新加坡教育部儒家倫理小組顧問，美國華盛頓大學、馬利蘭大學、Rutgers 大學等校客座教授、清華大學歷史研究所合聘教授、東吳大學東吳通識講座教授等。現任臺灣大學歷史學系特聘教授、「東亞經典與文化」研究計畫總主持人、中央研究院中國文哲研究所合聘研究員。研究領域為「東亞思想史」、「史學方法論」、「戰後臺灣史」等。著有 Taiwan in Transformation（1895－2005）、《東亞儒學史的新視野》、《孟子思想的現代詮釋》、《臺灣意識與臺灣文化》、《戰後臺灣的轉型及其展望》、《孟學思想史論》等。

（張穩蘋）

《《大學》《中庸》注評》

《《大學》《中庸》注評》 方向東著 南京 鳳凰出版社 93頁 2006年6月

作者方向東注評《大學》、《中庸》二書，全書分為「前言」、「大學」、「中庸」、「《大學》《中庸》評論資料選編」四個部分。

作者強調經學是中國學術的正統，中華文化的根基，《大學》一書的宗旨，就是從修身做起，進而治理家庭，進而治理國家，進而治理天下。修身相當於我們今天所講的素質教育，齊家、治國、平天下就是要服務於家庭社會，今天讀《大學》這本書，可以透過文字上的一些迷霧，挖掘出古今共通的一些道理和規律。《中庸》內容，比《大學》要難理解，因為它牽涉到一些較為玄妙的概念和哲理問題，如「中」和「庸」本身就是抽象的哲學概念，再如「天命」、「性」、「道」也是既古老又抽象且玄妙的概念，如果缺乏古代哲學的一些基礎知識的理解，難以理解和把握這部書的中心內容。但像朱熹這樣學者對「四書」尚且花費畢生精力，更何況一般的學人。實際上，只要讀懂了《大學》以後，從上述幾個抽象概念入手，《中庸》就一點也不難理解了。概括地說，《大學》和《中庸》講的無非是修身和治人的問題。如果說《大學》要解決的是學習目的的話，《中庸》要解決的就是行為的準則，只不過古人講得比較抽象罷了。《中庸》的開頭二章，是理解《中庸》的關鍵。其餘的三十一章都是前兩章的闡釋，說的都是如何做到「率性」、「修道」達到「中庸」境界的問題。天下萬事，各有各的中庸之道，如同《大學》裡所說的「至善」一樣，落實到具體的事情，全靠每個人自己去理解和把握。

為了方便讀者閱讀和理解，本書以朱熹的《四書章句集注》為底本，按章節次序先進行簡注，接著翻譯原文，最後詳加評析，文後選編附錄。註釋中對歷代理解歧異者，擇善而從。譯文儘量忠於原文，多用直譯，少用意譯。評析力求深入淺出，也引用古人的原文，以求雅俗可以共賞。

（廖秋滿）

《周公評傳》

《周公評傳》 辜堪生、李學林著 成都 四川大學出版社 250頁 2006年3月

關於周公的研究，一直只有零星的論說，缺乏有系統的成果。其主要原因有二：其一是有很長的時間對中國傳統文化及時代意義缺乏正確的認識；其二是研究周公本身的資料相當有限。在《史記・魯周公世家》和《史記・周本紀》有一些可信的資料，《尚書》中也保留了周公的一些言論。但是要做有系統的研究，這些資料是絕對不夠的，而且周公事蹟有不少屬於傳說。要在浩瀚的史籍中提煉出蘊含周公事跡的資料，釐清周公研究的範圍和內容，是一件不簡單的工作。

本書有鑒於此，對中國文化史上第一個大思想家周公，重新做完整性的研究。對周公生活的時代、生平事蹟做了翔實的考察和評述，並進而對周公的天命神學思想、政治思想、法律思想、倫理思想、禮制體系、音樂文化實踐、古代神祕文化中《周易》的占筮、龜卜、夢占及周公輔成王事件等基本問題做系統、嚴謹的考察、辨析，提出一些有創意的觀點。例如，作者說「周公對商代神本文化的超越與否定，為中國古代社會的人本文化奠定了基礎，由此也確立了他作為中國歷史上第一個大思想家的地位。」又說：「開創，禮儀之邦的時代應當說非周代莫屬，而奠定周代倫理政治思想及其制度的功臣應首推周公。」「周公的倫理思想奠定了華夏民族的倫理基礎。」作者還認為，制禮作樂是周公一生的主要功績，而周公的制禮作樂，實際上就是建立周代的一系列制度。它涉及政治、經濟、法律、宗法、禮儀、祭祀、教育等制度及樂舞活動，是對周人的社會、政活、文化生活各方面做較全面性的察考。整體而言，本書資料豐富、觀點鮮明、分析細緻、文筆流暢，也填補了周公研究的空白。

作者辜堪生，男，一九四九年生，四川眉山人。一九七八年考入南充師範學院政治系，一九八四年考入西安交通大學「哲學助教班」，一九八六年回四川師院任教，一九九七年調西南財經大學任教至今。一九九六年著有《馬克斯主義哲學方法論》（合著）、《新時期中國共產黨階級基礎群眾基礎研究》等，現任馬克思主義中國化研究所所長，公開發表論文九十餘篇。

李學林，一九六三年生，四川省南充市人。復旦大學法學碩士。現任西南石油

學院副教授，著有《當代馬克思主義的偉大創新》、《馬克思主義中國化的哲學解讀》……等。（袁明嶸）

《荊公新學研究》

《荊公新學研究》　劉成國著　上海　上海古籍出版社　318 頁　2006 年 1 月

清代全祖望站在程朱理學的立場上描述宋代學術史，將王安石視為異端，而列荊公新學於《宋元學案》之末。但由史實所載，從宋神宗熙寧二年開始，以王安石為首的荊公新學不僅「六十年間，誦說推明，按為國是。」而且幾乎統治了整個學術界，風行天下六十餘年。而且宋代的文人往往集官僚、作家學者於一身，而王安石更是代表人物。目前學界較多從政治的角度對做為官僚的王安石，及從文學的角度對作為作家的王安石做審視研究。但由學術的角度對作為學者的王安石，則有待論析研究。

本書是在作者的博士學位論文《王安石研究》基礎上進一步修訂、擴展而成。聚焦於作為學者的王安石，但又不拘囿於王安石其人其學，由此拓展向前，將荊公新學這一北宋後期最大的學術流派納入視野，進行綜合研究與系統考察，對荊公的學術歷程和思想發展、門人成員的研究與著述考訂、學術建構和理論特色、盛衰歷程以及對宋代學術思想史的影響等諸多方面，逐一做深入探討和詳細考釋。作者並不滿足於只將前人及今人的研究成果做有系統的論述，而是力圖借助新的研究視角和研究方法，提出不同於前人的獨到見解。在研究過程中，注意融合舊學新知，可以避免因舊學不足所導致的天馬行空、游淡無根之弊，又避免了由於新知匱乏所容易產生的畫地為牢、局促一隅的闕失。

作者劉成國，一九七七年生，男，山東高密人。一九九七至二〇〇二年在浙江大學中文系碩博班連讀直攻，獲文學博士學位。二〇〇二至二〇〇四年在四川大學中文系博士後流動站工作，主要從事宋代文史研究。現為副教授，在浙江工業大學人文學院任教。（袁明嶸）

《東吳三惠詩文集》

《東吳三惠詩文集》 漆永祥點校 臺北 中央研究院中國文哲研究所 525頁 2006年5月

東吳三惠（惠周惕、惠士奇與惠棟）是清代經學史與考據學史上的代表人物，祖若孫世代傳經，於學無所不窺，而以「六經尊服鄭，百行法程朱」為論學宗旨。經學而外，三惠詩文亦頗有可觀。周惕詩「樸而沾滯」，天牧詩「秀而流動」，定宇不喜為詩，論古人詩則多精闢之語。然而三惠著作，或珍希罕見，或遺落散佚，學者從事研究，甚感不便。

本書對三惠現存別集進行了全面的董理，共收錄有惠周惕《硯谿先生詩集》七卷、《文集》一卷、《硯谿先生遺稿》二卷，惠士奇《半農先生集》三卷與惠棟《松崖文鈔》二卷，以及整理者輯佚之《東吳三惠詩文集補遺》四卷，是現今對於東吳三惠別集最為完整的整理與輯佚之作。書末附有整理者所輯「東吳三惠詩文集諸家序跋與提要」、「東吳三惠重要傳記史料」，對研究三惠學行也有極大的參考價值。

（黃智明）

《戴震生平與作品考論》

《戴震生平與作品考論》 蔡錦芳著 桂林 廣西師範大學出版社 306頁 2006年6月

戴震，字慎修，又字東原，是十八世紀中國一位百科全書式的大學者和大思想家。他的學問不僅廣博，而且精深。兩百多年來研究戴震的專書與論文為數不少，但是由於戴震個性鮮明、思想大膽、學問精博，故相關研究中也留下不少爭議性的問題，至今懸而未決。而本書對戴震所做的研究並非全面系統的研究，而是作者在閱讀文獻過程中發現問題，進而做比較深入的思考和研究。全書分為上、下二大篇，上篇為「戴震生平思想考論」，分別對與戴震相關的議題進行研究，如與江永交遊考、徽州同學事蹟考、與錢大昕考、錢載與之交惡緣起、避仇入京等生活經歷對其理欲觀的影響、揚州生活經歷考、與彭紹升的交往看乾嘉士林中的儒釋之析、經世之志研究等，著重在其生平與交遊對思想產生的影響，進行研究考證。下篇為

「戴震作品考論」，其作品與相關作品，歷來爭論亦不少，如《屈原賦注》後所附《音義》三卷撰者考、轉語理論研究、《某翁頌辭》《與某書》考、論《九數通考序》和《讀淮南子洪保》、論戴震一批文章初稿的學術價值、談「十分之見」的治學方法。在討論以上問題時，作者儘量去挖掘新材料、轉換新角度、開拓新視野、企盼能在前人的基礎上向前進一步，或提供一個答案，或提出一種新解，或填補一點空白。

作者蔡錦芳，女，一九六五年生，江蘇揚州人。一九八九年四川師範大學中國古代文學研究所碩士畢業，二〇〇三年浙江大學古籍所博士畢業。現為上海大學文學院副教授。主要從事杜詩學研究和清代乾嘉學術研究，已在《文史》、《國學研究》等刊物上發表學術論文近三十篇。（袁明嶸）

《傅斯年與中國文化》

《傅斯年與中國文化》　布占祥、馬亮寬主編　天津　天津古籍出版社　456 頁　2006 年 3 月

傅斯年先生是近代相當重要的學者之一，他對中國考古學、考古工作方面貢獻卓著，是將考古工作科學化的推手。在學術研究上，有許多突破性的見解，貢獻卓著，胡適先生稱他是「人間最稀有的天才」。傅先生過世後，他北京的弟子在一九九一年召開「第一屆傅斯年學術研討會」，在這個會議的基礎上，二〇〇四年八月「傅斯年與中國文化國際學術研討會」在山東聊城舉行，傅斯年陳列館也同時開館。本書即是此次研討會的會議論文集。

本書收錄四十五位學者所發表的文章，分序言、內文和附錄。序言二篇，一為介紹傅先生的貢獻及行誼，一是介紹本次研討會的籌劃經過。內文共四十一篇文章，內容主要後學對傅斯年先生的回憶、傅先生的佚事、對國家的貢獻。以及傅先生與當時學術事業的貢獻，及對當代學術事業的影響。並且討論傅先生在當時政治運動、文學革命、民族思潮中所扮演的角色。此外還有數篇討論傅先生與其他學者的文章。其中，〈永遠活在學生心中的傅斯年校長〉一文，為傅先生親傳弟子朱葆瑨先生所撰，親見親聞，價值極高。書後還有附錄，總結本次研討會的發言，是一錄音整理的檔案，對這次研討會的論文，做了結論性的整理。

布占祥，山東陽谷人，畢業於天津大學，現任聊城市政協黨組副書記、副主席。馬亮寬，山東荷澤人，南開大學歷史系碩士班畢業，歷任聊城師範學院講師、副教授、教授。曾任聊城師範學院學報副主編兼編輯部主任，現任聊城市政協副主席、聊城大學學報主編。（張晏瑞）

《錢穆先生學術年譜》

《錢穆先生學術年譜》（共六冊） 韓復智主編 臺北 五南圖書出版公司 3433頁 2005年1月

錢穆先生在中國學術思想史上是一位相當重要的人物，其學識漫貫經、史、子、集，尤長於史學。其著作等身，見解精闢，在學術界的貢獻早已為世人所共知。錢先生自九十六歲高齡逝世後，直到本年譜出版，才有一詳細的學術年譜著作，記錄其長達七十九年的學術及研究歷程。編者韓復智先生為錢穆先生弟子，為了讓後輩學者對錢先生的學術思想有完整的認識，因此編纂此年譜，讓後學能一窺當代國學大師的堂奧。

本年譜的編纂以錢穆先生著作為核心，摘錄精華部分，依照著成或出版年月編年，以表現其脈絡。引用的內容取材自各種相關的書籍、文章、報刊資料，書後列有詳細的引用書目。所引用的內容主要以蘭臺版錢穆先生全部著作、聯經版《錢賓四先生全集》、以及商務版有關錢先生的著作為主。本年譜共有六冊，分為卷首、本文、後記三部分。「卷首」為錢先生留影、相關照片及錢先生手跡和墨寶；「本文」為學術年譜的主要內容；「後記」說明編纂的過程。「本文」又分為記錄先世、父母的「譜前」部分，以及依年代編年撰寫的「學術年譜」部分。「學術年譜」部分收錄：當時國內大事、先生事略、著述、以及當時學者的評論。此外本文部分還收錄簡介、例言、錢先生簡譜及嚴耕望、錢胡美琦、韓復智所寫的三篇代序，以介紹錢先生行誼。本年譜的編纂，除由錢先生弟子主編外，錢先生遺孀錢胡美琦女士亦予協助，因此內容詳實客觀，實能引導後學，感發興奮，十分可貴。

編者韓復智，山東齊河縣人，生於一九三〇年，為錢賓四先生弟子。曾任臺灣大學、中興大學、香港珠海書院、國立空中大學教授，並曾任中國上古秦漢學會……等學術社團理事長，現已於二〇〇〇年自臺灣大學退休。著有《兩漢的經濟思想》、《傅玄》、《漢史論集》、《秦漢史論集》等專書，及二十餘篇重要論文著作，另編有《中國通史論文選集》……等多部論文集。（張晏瑞）

《川大史學・蒙文通卷》

《川大史學・蒙文通卷》　蒙文通著　蒙默編　成都　四川大學出版社　668 頁　2006 年 8 月

歷史學為四川大學學科中的強項，二〇〇六年四川大學為慶祝建校一百一十周年，該校特編纂《川大史學》叢書出版，以記錄四川大學在史學界的成就。該叢書分「大師卷」、「專業卷」，蒙文通與徐中舒、馮漢驥、繆鉞、李思純、任乃強六位先生，收錄在「大師卷」中，為代表川大史學的最高成就。

蒙文通（1894－1968），名爾達，字文通，四川鹽亭人。為近代中國著名經學家和歷史學家。初年求學廣涉經、史、子、集及四庫之學，成年後在經、史、佛學的研究方面，均有深厚的成果。其大部分著作已整理於《蒙文通文集》中，由巴蜀書社出版，本書即由巴蜀書社所出版的六卷本為底稿，加以精選，並改正其訛誤脫漏，復補入〈儒學五論自序〉、〈略論黃老學〉二文而成書。

本書共收錄三十二篇文章，除上述補入二篇外，收有〈經學抉原〉、〈井研廖季平師與近代今文學〉、〈井研廖師與漢代今古文學〉、〈儒家哲學思想之發展〉、〈儒家政治思想之發展〉、〈漆雕之儒考〉、〈俘丘伯傳〉、〈論墨學源流與儒墨會合〉、〈儒家法夏法殷義〉、〈儒學五論題詞〉、〈論經學遺稿三篇〉、〈理學札記〉、〈理學札記補遺〉、〈致張表方書〉、〈致酈橫叔書〉、〈周秦民族與思想〉、〈法家流變考〉、〈道教史瑣談〉、〈校理《老子成玄英疏》敘錄〉、〈陳碧虛與陳摶學派〉、〈唯識新羅學〉、〈古史甄微〉、〈周秦少數民族研究〉、〈對殷周社會提供的材料和問題〉、〈中國歷代農產量的擴大和賦役制度及學術思想的演變〉、〈北宋變法論稿〉、〈評學史散篇〉、〈中國史學史〉、〈跋華陽張君葉水心研究〉、〈古地甄微〉等文章。

蒙默先生為蒙文通之子，曾任四川大學歷史文化學院歷史系教授，專精於西南民族史，有《南方民族史論集》、《四川古代史稿》等著作。另編有《涼山地區古代民族資料彙編》、《中國現代學術經典・廖平　蒙文通卷》、《蒙文通學

記》……等書，現已退休。 （張晏瑞）

《蒙文通學記》

《蒙文通學記》（增補本） 蒙默編 北京 生活·讀書·新知 三聯書店 319頁 2006年11月

蒙文通先生（1894－1968），名爾達，字文通，四川鹽亭人。是近代中國著名的經學家和歷史學家。曾入當時國學最高學府「四川存古學堂」，及「支那內學院」求學。先後執教於成都大學、中央大學、北京大學、四川大學……等名校。又任四川省圖書館館長，兼中國科學院歷史研究員和學部委員。初年求學廣涉經、史、子、集及四庫之學。博學的基礎使得他日後在經、史、佛的研究方面，有深厚的成果。《古史甄微》、《經學抉原》，則是他馳名於學林的代表作。其大部分著作都由其子蒙默整理於《蒙文通全集》當中。

本書為蒙默先生於一九九三年出版《蒙文通學記》的增補本，內容除收錄其〈治學雜語〉、〈詩、曲遺草〉及其摯友和學生湯用彤、錢穆……等二十多位學者本身的體會去記述蒙先生的行誼、學術成就、治學精神的文章外，又曾補收錄有關其治學經驗的雜語六十二條，並選錄九篇一九九四及二○○四年為蒙先生所舉辦的兩次誕辰紀念會論文中有關先生回憶及學術評論的文章，以及《讀〈越史叢考〉》和〈蒙文通先生已刊著作目錄系年〉的補訂版。新增的文章依作者生平的先後，增補於舊編之後，舊編次序不另做更動，新文舊作，內容更加豐富。 （張晏瑞）

《經學研究論叢》撰稿格式

本《論叢》為方便編輯作業，謹訂下列撰稿格式：

一、章節使用符號，依一、㈠、1.、⑴……等順序表示。

二、使用新式標點，以 Word 全形標點符號表為主。如刪節號為……，書名號為《 》，篇名號為〈 〉，書名和篇名連用時，以「·」斷開。如《詩經·小雅·鹿鳴》。

三、用語句所用括號，外括號用「 」表示，有內括號時，用『 』表示。

四、獨立引文，每行低三格。

五、論文之體例，請依下列格式：

㈠人名生卒年

吳澄（1249－1333）

㈡年代時間

1.正德戊寅十三年（1518）

2.西元一九九九年

3.民國八十九年十月十七日

㈢古籍卷數

《王陽明全集》第二十六卷

六、注釋之體例，請依下列格式：

㈠注釋號碼請用阿拉伯數字標示，如❶，❷，❸，……。

㈡以隨頁註方式，採用 Word「插入」工具中之註腳表示。

㈢引用古籍

1.古籍原刻本

〔明〕梅鷟：《尚書考異》（清嘉慶十九年刊《平津館叢書》本），卷1，頁4。

2.古籍影印本

〔明〕羅欽順：《整菴存稿》（臺北：臺灣商務印書館，1983 年影印清乾隆年間寫《文淵閣四庫全書》本，第 1261 冊），卷 5，頁 63。

㈣引用專書

王夢鷗：《禮記校證》（臺北：藝文印書館，1976 年 12 月），頁 102。

㈤引用論文

1.期刊論文

屈萬里：〈宋人疑經的風氣〉，《大陸雜誌》第 29 卷第 3 期（1964 年 8 月），頁 23－25。

2.論文集論文

侯外廬：〈吳澄的道統論與經學〉，林慶彰主編：《中國經學史論文選集》（臺北：文史哲出版社，1993 年 3 月），下冊，頁 293。

3.學位論文

張以仁：《國語研究》（臺北：臺灣大學中國文學研究所碩士論文，1958 年），頁 201。

4.報紙論文

丁邦新：〈國內漢學研究的方向和問題〉，《中央日報》，1988 年 4 月 2 日。

㈥再次徵引

1.再次徵引時，可用簡單方式處理，如：

❶ 程元敏：〈書疑考〉，《書目季刊》第 6 卷 3、4 期合刊（1971 年 6 月），頁 93。

❷ 同前註。

❸ 同前註，頁 98。

2.如果再次徵引的註，不接續，可用下列方式表示：

❹ 同註❶，頁 96。

七、投稿方式

㈠逕交或寄送（以下二處擇一）

1.[10648] 臺北市大安區和平東路一段 198 號

臺灣學生書局經學研究論叢編輯部

2.[11529] 臺北市南港區研究院路二段 128 號

中央研究院中國文哲研究所經學研究室

3.來稿請以電腦中文打字，並附上磁片。

(二)或以電子郵件寄送至以下位址：

wenpinga@tmue.edu.tw

請在「主旨」中註明「經學研究論叢投稿稿件」。

國家圖書館出版品預行編目資料

經學研究論叢・第十五輯

林慶彰主編.— 初版.—臺北市：臺灣學生，2008.03
面；公分

ISBN 978-957-15-1403-1 (平裝)

1. 經學 2. 文集

090.7 97006218

經學研究論叢・第十五輯 (全一冊)

主編者：林慶彰
責任編輯：馮曉庭・張穩蘋
出版者：臺灣學生書局有限公司
發行人：盧保宏
發行所：臺灣學生書局有限公司
臺北市和平東路一段一九八號
郵政劃撥帳號00024668號
電話：(02)23634156
傳真：(02)23636334
E-mail：student.book@msa.hinet.net
http：//www.studentbooks.com.tw
本書局登記證字號：行政院新聞局局版北市業字第玖捌壹號
印刷所：長欣印刷企業社
中和市永和路三六三巷四二號
電話：(02)22268853

定價：平裝新臺幣六〇〇元

西元二〇〇八年三月初版

09016

ISBN 978-957-15-1403-1 (平裝)